JN152932

造血細胞移植
ポケットマニュアル
第2版

編集

国立がん研究センター中央病院 造血幹細胞移植科

執筆

福田隆浩 国立がん研究センター中央病院 造血幹細胞移植科・科長

執筆協力

田中 喬 国立がん研究センター中央病院 造血幹細胞移植科

伊藤 歩 国立がん研究センター中央病院 造血幹細胞移植科

冲中敬二 国立がん研究センター東病院 感染症科・科長
国立がん研究センター中央病院 造血幹細胞移植科併任

医学書院

執筆者略歴

1989年	九州大学医学部卒業，九州大学・第一内科入局
1992年～	九州大学大学院・医学系　博士課程
1996年～	県立宮崎病院（内科医長）
2000年～	Fred Hutchinson Cancer Research Center, Seattle, USA. (Visiting Physician, Postdoctoral Fellow)
2003年～	九州大学病院　第一内科（助手）
2005年～	国立がん研究センター中央病院造血幹細胞移植科
2012年～	国立がん研究センター中央病院造血幹細胞移植科・科長

造血細胞移植ポケットマニュアル

発　行　2018年2月1日　第1版第1刷
2020年10月15日　第1版第3刷
2024年3月15日　第2版第1刷 ©

編　集　国立がん研究センター中央病院
造血幹細胞移植科

執　筆　福田隆浩（ふくだ たかひろ）

発行者　株式会社　医学書院
代表取締役　金原　俊
〒113-8719　東京都文京区本郷1-28-23
電話　03-3817-5600（社内案内）

印刷・製本　大日本法令印刷

本書の複製権・翻訳権・上映権・譲渡権・貸与権・公衆送信権（送信可能化権を含む）は株式会社医学書院が保有します．

ISBN978-4-260-05270-2

本書を無断で複製する行為（複写，スキャン，デジタルデータ化など）は，「私的使用のための複製」など著作権法上の限られた例外を除き禁じられています．大学，病院，診療所，企業などにおいて，業務上使用する目的（診療，研究活動を含む）で上記の行為を行うことは，その使用範囲が内部的であっても，私的使用には該当せず，違法です．また私的使用に該当する場合であっても，代行業者等の第三者に依頼して上記の行為を行うことは違法となります．

JCOPY 〈出版者著作権管理機構 委託出版物〉
本書の無断複製は著作権法上での例外を除き禁じられています．複製される場合は，そのつど事前に，出版者著作権管理機構（電話 03-5244-5088，FAX 03-5244-5089，info@jcopy.or.jp）の許諾を得てください．

第 2 版の序

2018 年に発行した「造血幹細胞移植ポケットマニュアル」の初版は予想を超える多くの方に読んでいただき，深く感謝申し上げます．今回，6 年ぶりに大幅改訂された第 2 版も，基本コンセプトは変わらず，移植の実際を具体的にわかりやすく解説しました．メディカルスタッフも含めた移植チームへ伝えたい基礎知識から，臨床の現場で役に立つ細かな注意点まで網羅しました．

この 6 年間で，GVHD や感染症に対する新規薬剤の発売や，ドナーソースの拡大など，大きな変化がありました．さらに，CAR-T 細胞療法の導入によりリンパ腫・急性リンパ性白血病・骨髄腫の治療は大きく変わってきました．このため，本マニュアルのタイトルも「造血細胞移植ポケットマニュアル」と変更しました．今回の改訂では，上記に加えて以下の 2 点が大きな変更点です．

- 移植の対象となる各疾患について，移植適応の考え方だけではなく，予後予測，移植までの治療，移植前処置，移植後再発対策も含めて解説しました．
- 同種移植後の時期別の横断的なサマリーとして，特に当院で注意している点について詳細に記載しました(☞セクション 62)．

造血細胞移植領域では，エビデンスが確立していない部分も多く，当院のプラクティスも毎年，変わってきています．近年，造血細胞移植や CAR-T 細胞療法を行う施設への患者紹介のタイミングや治療後の長期フォローなどにおいて地域連携の重要性が高まっています．本マニュアルは，移植にかかわるレジデント・メディカルスタッフだけではなく，すべての血液内科医にとって重要な内容を盛り込んでいます．今後も，移植を成功させて完治へつなげるために，本書が病棟・外来の診療現場で役に立つ「ポケットマニュアル」になることを願っています．

2024 年 1 月

国立がん研究センター中央病院 造血幹細胞移植科
福田　隆浩

初版の序

造血幹細胞移植は，造血器腫瘍に対する最も強力な治療法ですが，その反面，合併症も多く，救命できないこともあります．造血幹細胞移植に関するガイドラインや単行本が出版されていますが，具体例まで記載されたものは多くありません．特にエビデンスが少ない分野は，施設ごとにプラクティスが異なっているのが現状で，臨床の現場で「実際，どうすればいいのだろう？」と困ることもよくあります．そこで当院の若手医師向けのマニュアルを土台として，以下のようなコンセプトでマニュアルを作成することとしました．

- ポケットサイズにコンパクト化し，日常診療の際に持ち運べる．
- 移植の全体像をつかむことができ，重要なポイントを簡潔明瞭に記載している．
- 当院で実際に行っている方法を，具体的にわかりやすく解説している(処方例には，国内で保険適用されている病名・用法・用量と異なる場合もあります)．

当院の「造血幹細胞移植科」は，医師だけではなく看護師，薬剤師，移植コーディネーター(HCTC)，管理栄養士など多職種チームで年間 100 件前後の造血幹細胞移植を行っています．1 人でも多くの患者さんの完治を目指して，特に GVHD や感染症など合併症のコントロールと移植後長期フォロー外来には力を入れてきました．

本マニュアルは，造血幹細胞移植の初心者である「レジデント」にわかりやすい内容を目指していますが，看護師・薬剤師・HCTC・管理栄養士などコメディカルスタッフの教育用にもお勧めです．もちろん，日本造血細胞移植学会の認定医試験にも役立つように最新の考え方を紹介しています．また，各疾患の移植適応判断や感染症も含めた合併症対策の基本など，普段，移植にかかわることが少ない血液内科の医師にとっても重要な内容を盛り込んでいます．ただし小児患者についての記載は不十分な面もあり，他の総説やガイドラインを参照していただけましたら幸いです．

今後，造血幹細胞移植にかかわるすべての職種にとって，病棟・外来の診療現場で役に立つ「ポケットマニュアル」になることを願っています．

2018 年 1 月

国立がん研究センター中央病院 造血幹細胞移植科
福田　隆浩

謝辞

本マニュアルは，国立がん研究センター中央病院の造血幹細胞移植科チームで行っている方法を，最終的に福田の視点から全体の流れを統一して執筆した形となっています．特に，田中喬先生にはGVHDなどの合併症管理，伊藤歩先生には疾患編や前処置，再発対策，冲中敬二先生には感染症の部分を中心に多くの協力をいただき，心より感謝いたします．

その他にも，下記の皆様から，各セクションの情報収集や，原稿の確認・アドバイスなどさまざまな面から協力をいただきました．この場を借りて深謝いたします．

青木淳，青木律子，秋田理恵，阿達真衣，石川龍人，稲本賢弘，岩田紫乃，上野尚雄，植松望武，臼井亜沙子，内村綾那，江越佳代，大木麻実，岡村有夏，小川ゆう子，奥田生久恵，貝梅紘子，角川康夫，香取佳美，香山昌子，神崎朱音，神田舞，金成元，黒澤彩子，桑名由希子，坂田真規，櫻井卓郎，佐々木宏和，佐藤哲文，佐藤南，里見絵理子，清水理恵子，髙橋典子，竹内紗耶香，武田航，田畑円，田村由美子，中林咲織，中原理佳，西岡由紀子，西渕由貴子，服部大樹，福本秀知，藤重夫，藤井伸治，蒔田真一，松岡弘道，松三絢弥，宮崎絢子，村上順子，森文子，諸井夏子，藥師神公和，藪本麻紗子，山崎裕介，山田里絵，横田翔太，吉田千香，渡邊瑞希(敬称略，五十音順)

本マニュアルは，2023年11月時点での情報をもとに記載していますが，不正確な部分などありましたらすべて執筆者の責任です．造血細胞移植領域の診療は，日進月歩であり，定期的な改訂が必要となります．ご意見などありましたら，ご連絡いただけましたら幸いです．

ご 注 意

本書に記載されている治療法に関しては，出版時点における最新の情報に基づき，正確を期するよう，編者，著者ならびに出版社は，それぞれ最善の努力を払っています．しかし，医学，医療の進歩から見て，記載された内容があらゆる点において正確かつ完全であると保証するものではありません．

したがって，実際の治療，特に新薬をはじめ，熟知していない，あるいは汎用されていない医薬品，保険適用外の医薬品の使用にあたっては，まず医薬品添付文書で確認のうえ，常に最新のデータに当たり，本書に記載された内容が正確であるか，読者御自身で細心の注意を払われることを要望いたします．

本書記載の治療法・医薬品がその後の医学研究ならびに医療の進歩により本書発行後に変更された場合，その治療法・医薬品による不測の事故に対して，編者，著者ならびに出版社は，その責を負いかねます．

株式会社　**医学書院**

目次

第1章 造血細胞移植を行うまでの準備

第2章 造血細胞移植：入院編

第3章 移植後の外来フォロー編

第4章 追補編

第1章

造血細胞移植を行うまでの準備

1 造血細胞移植の基本

A 造血幹細胞移植の原理

白血病やリンパ腫などの造血器腫瘍は，抗がん剤への感受性が高いため，化学療法が第一選択治療として行われる．化学療法により，白血病細胞やリンパ腫細胞が徐々に減少し，一部の疾患では治癒が期待できる(図 1a)．しかし，抗がん剤により正常造血細胞も抑制されるため，化学療法のレジメンごとに用いる抗がん剤の投与量は限られている．

一方，造血幹細胞移植を行う場合は，(患者自身またはドナーの)造血幹細胞のサポートがあるため，造血抑制により規定される最大耐用量を超えて大量化学療法や全身放射線照射を用いた前処置(移植前治療)を行うことができ，抗腫瘍効果を高めることができる(図 1b)．

B 造血幹細胞の種類

造血幹細胞は，さまざまな血液細胞へ分化していく能力(多分化能)と自己と同じ細胞を複製する能力(自己複製能)をもっている．造血幹細胞移植で用いられる幹細胞ソースには骨髄，末梢血幹細胞，臍帯血の 3 種類がある．

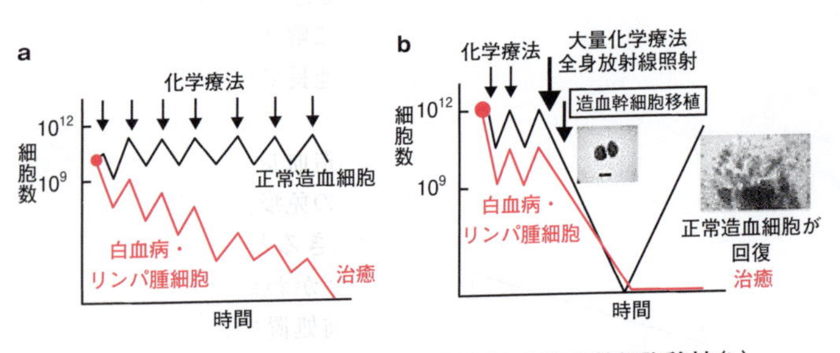

図 1　白血病・リンパ腫に対する化学療法(a)と造血幹細胞移植(b)

1 骨髄

骨髄の中に造血幹細胞が含まれていることは古くから知られており，造血幹細胞移植の開発当初は唯一の幹細胞ソースであった．通常，左右の腸骨を穿刺し，800～1,200 mL の骨髄液を採取する(☞ 187 頁，セクション 20)．

2 末梢血幹細胞

通常の状態では，末梢血中の造血幹細胞は非常に少ないが，化学療法後の造血回復期に末梢血中の造血幹細胞数が増加することが知られていた．造血回復期に顆粒球コロニー刺激因子(G-CSF)投与を併用すると，さらに造血幹細胞を多く動員することが可能であり，1980 年代後半から国内でも自家末梢血幹細胞移植(auto-PBSCT)が行われるようになった．また，ドナーに対して G-CSF を投与すると，4～5 日目から末梢血中に造血幹細胞が動員され，同種末梢血幹細胞移植(allo-PBSCT)に用いることができる．成分採血装置を用いた末梢血幹細胞採取手技(アフェレーシス)については後述する(☞ 172 頁，セクション 19)．

3 臍帯血

出産後の臍帯血に造血幹細胞が多数含まれていることがわかり，幹細胞ソースとして広く用いられている．日本は臍帯血移植の施行件数が世界第一位である．

C 自家移植と同種移植の違い

自家移植では，自己の造血幹細胞(ほとんどの場合は末梢血幹細胞)を凍結保存しておき，大量化学療法を行って抗がん剤が体外へ排泄された後に，造血レスキューのために解凍した幹細胞を輸注する(図 2)．自家移植の原理は化学療法の延長であり，前処置で腫瘍を根絶するのが基本である．

同種移植は，元々は自家移植と同様に造血レスキューを目的に行われていた．その後，移植されたドナーの免疫担当細胞により移植片対宿主病(GVHD)などの免疫反応が起きると，抗腫瘍効果〔移植片対白血病(GVL)効果〕が得られることがわかってきた(図 3)．1990 年代には，高齢者を対象に，移植前処置を弱めて毒性を軽減し，抗腫瘍効果を GVL 効果に期待した移植法(ミニ移植)が開発さ

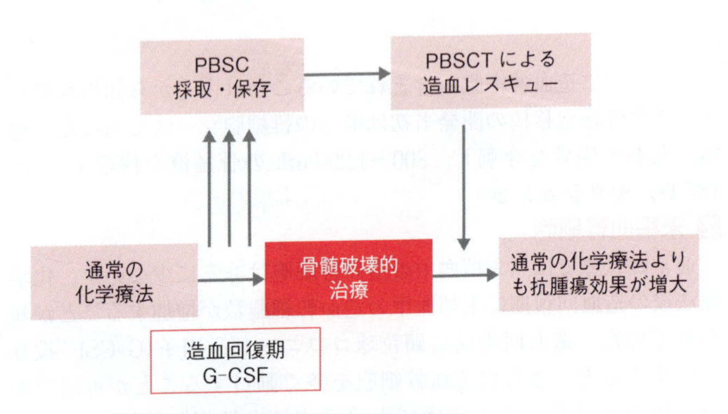

図2　自家末梢血幹細胞移植(auto-PBSCT)

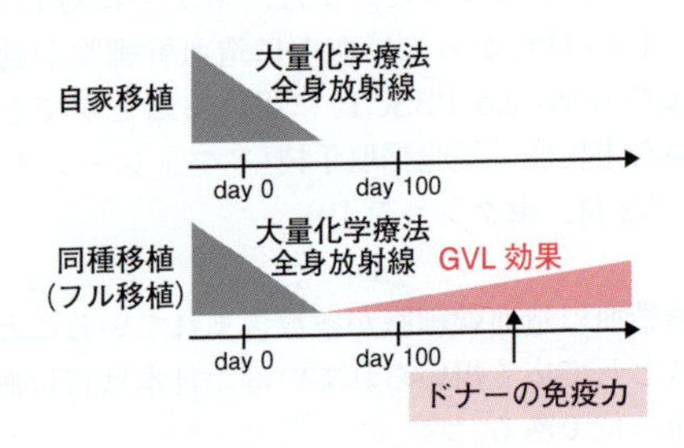

図3　自家移植と同種移植の抗腫瘍効果の比較

れた(☞198頁，セクション22).

Memo

キメラ抗原受容体T細胞療法(CAR-T細胞療法)

キメラ抗原受容体(CAR)は，抗原特異的なモノクローナル抗体の可変領域と，T細胞の増殖・活性化をもたらすT細胞受容体のシグナル伝達部位とを融合させた受容体である．現在，国内で行われているCAR-T細胞療法では，患者から採取・分離したT細胞に，CAR遺伝子をウイルスベクター等により導入し，リンパ球除去療法後に患者へ輸注する．抗腫瘍効果の本体はCAR-T細胞による腫瘍抗原特異的な細胞傷害活性であり，自家移植とは免疫細胞療法であるという点が，同種移植とは理論的にGVHDのリスクがない点が，それぞれ異なる．詳細は他項を参照されたい(☞594頁，セクション61).

D 国内で行われている主な移植法と対象疾患

国内で行われている主な移植法と幹細胞ソースを表 1 に示す．自家移植ではほとんどの場合，末梢血幹細胞が用いられている．一方，血縁ドナーからの同種移植では主に末梢血幹細胞が，非血縁ドナーからの同種移植では主に骨髄と臍帯血が用いられている．2010 年に国内でも非血縁末梢血幹細胞移植が開始されたが，2021 年の施行件数は 303 件と，同年の非血縁骨髄移植の施行件数 878 件と比

表 1 国内で行われている主な移植法と幹細胞ソース

幹細胞ソース	骨髄	末梢血幹細胞	臍帯血
自家移植	×	◎	×
同種移植（血縁）	◎	◎	×
同種移植（非血縁）	◎	○	◎

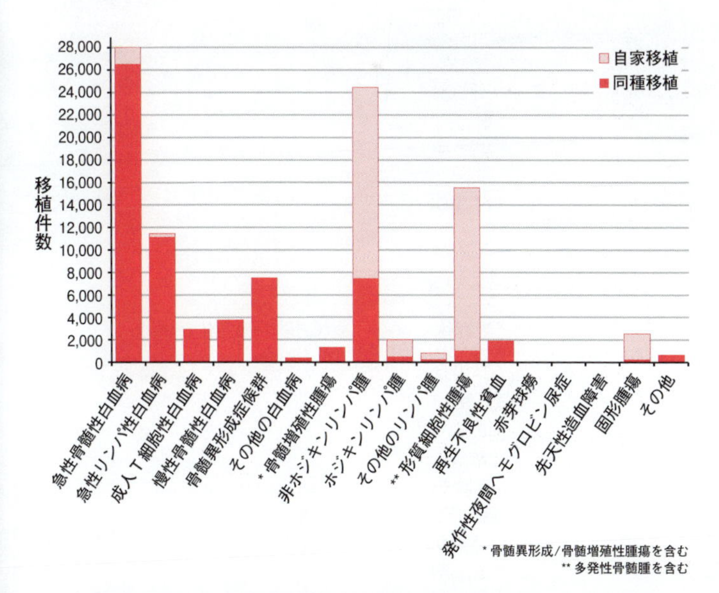

図 4 移植時年齢 16 歳以上の成人の造血細胞移植件数（1991〜2021 年）
1991〜2021 年に施行された移植の累積件数.
〔文献 1）より〕

較して少ないが，増加傾向にある．

国内で行われている造血細胞移植に関する詳細な情報が，日本造血細胞移植データセンター（JDCHCT）のホームページで公開されている[1)]．成人患者に対する同種移植の件数（図 4）は急性骨髄性白血病，急性リンパ性白血病，非ホジキンリンパ腫の順に多く，自家移植の件数は非ホジキンリンパ腫，形質細胞性腫瘍（多発性骨髄腫），固形腫瘍の順に多い．

文献

1）日本造血細胞移植データセンター HP：2022 年度全国調査報告書別冊．
https://www.jdchct.or.jp/data/slide/2022/

2 患者・家族への説明

説明を受ける患者・家族は，移植について全く知識がない場合もあるが，他の病院ですでに説明を受けている場合もある．移植についての説明資料としてさまざまなものが公表されているが[1,2]，ここでは当院で同種移植について説明を行う際に用いる資料を紹介する（自家移植については割愛する）．

A 同種造血幹細胞移植とは

「造血幹細胞移植」は，抗がん剤治療（化学療法）だけでは治すのが難しい血液疾患（主に血液腫瘍）に対して，完治を目指して行われる治療法です．「同種」造血幹細胞移植（同種移植）とは，健康な「ドナー」から提供された造血幹細胞を用いるものです．患者さん自身の造血幹細胞を用いる場合は，「自家」造血幹細胞移植（自家移植）といいます．ドナーは，血縁者，または非血縁者（骨髄バンクドナーや臍帯血）から選択されます．免疫細胞が自己と非自己を区別するための目印となる「HLA（ヒト白血球抗原）」の適合した兄弟姉妹（同胞）や骨髄バンクドナーが優先して選ばれますが，これらのHLA適合ドナーがみつからなかった場合には，臍帯血やHLA不適合ドナーも選択肢となります．特に，近年では父方あるいは母方いずれかのHLAのみが一致した「HLA半合致血縁ドナー」からの「血縁ハプロ移植」も安全に行われるようになりました．

「造血幹細胞」は，血液細胞（白血球，赤血球，血小板）の元になる細胞で，「骨髄」や，赤ちゃんと母親を結ぶ臍の緒の「臍帯血」に豊富に含まれます．また，「顆粒球コロニー刺激因子（G-CSF）」という薬剤の投与後には，造血幹細胞が血液（末梢血）中に一過性に増加します（「末梢血幹細胞」）．同種移植には，全身麻酔下でドナーの腸骨から採取した骨髄，ドナーにG-CSFを投与した後に成分採血により採取した末梢血幹細胞，出産時に臍の緒から採取した臍帯血のいずれも用いられます．

造血幹細胞移植では，大量化学療法や全身放射線照射からなる「移植前処置」を行った後，造血幹細胞を点滴投与（「輸注」）します．通常の化学療法では，造血障害の副作用のために抗がん剤の用量は制限されますが，移植前処置では，ドナーの造血幹細胞のサポートが得られるためにその最大耐用量を超えて抗がん剤を大量投与できます．移植前処置により，腫瘍細胞は多くが死滅しますが，同時に患者さんの免疫細胞も強く抑制されるため，引き続いて投与されるドナーの造血幹細胞が骨髄に根付く(「生着」する)ことができます．このように，移植前処置には，①腫瘍細胞をたたく抗腫瘍効果と，②造血幹細胞の生着を助ける免疫抑制効果が求められ，それに適した抗がん剤(シクロホスファミド，ブスルファン，フルダラビン，メルファランなど)や全身放射線照射が用いられます．また移植前処置の強度は，患者さんの骨髄機能を完全に抑えてしまう「骨髄破壊的前処置(フル移植)」と副作用を軽減した「骨髄非破壊的前処置(ミニ移植)」に大別されます．どの前処置を用いるかは，疾患の種類や状態(再発リスク)，患者さんの年齢・体力・臓器機能・合併症リスク，ドナーの種類，また患者さんの希望も踏まえ，総合的に判断されます．一般的に，フル移植は若くて(50～55歳以下)合併症リスクの低い方に，ミニ移植は高齢で合併症リスクの高い方に行います．

造血幹細胞は，患者さんに輸注された後，骨髄で増殖し始めます．感染症の防御に最も重要な好中球の生着には，通常2～4週間かかります．白血球の回復を促す「G-CSF」の投与，赤血球や血小板の輸血，感染症を予防する抗菌薬などの投与，経口摂取困難時の高カロリー点滴などを行います．ABO血液型は時間をかけてドナー型に変わりますが，移植直後は完全に置き換わっていないため，輸血製剤の血液型は患者・ドナーとも異なる場合があります(「輸血指示書」を参照ください)．

造血幹細胞移植により得られる抗腫瘍効果には，移植前処置以外に，ドナーに由来する免疫力〔「移植片対白血病(GVL)効果」〕があります．GVL効果は，ドナー由来の免疫細胞(主に「Tリンパ球」)が，患者さんの腫瘍細胞を異物として認識し攻撃することにより得られるものです．一方，ドナー由来の免疫細胞は，患者さんの臓器を攻撃して障害を起こすことがあり，移植片対宿主病(GVHD)といいます．GVHD予防のため，タクロリムスやメトトレキサートなどの免疫抑制剤が用いられます．重症GVHDのリスクが高い場合は，抗胸腺細胞グロブリン(ATG)やシクロホスファミドといった薬剤を追加することがあります．GVL効果の高さとGVHDの病勢とは相関することが多いため，免疫抑制剤はこれらのバランスを取るよう調整します．移植後に原疾患の再発リスクが高い場合や再発兆候を認めた場合には，免疫抑制剤の減量を急ぐことがあります．同種移植では，ドナー由来の免疫細胞が数か月ないし数年かけて徐々に患者さんの身体に完全になじみ(「免疫寛容」といいます)，免疫抑制剤を少しずつ減量することができます．幹細胞ソースや移植法により異なりますが，一部の患者さんは長期間免疫抑制剤投与を継続する必要があります．

造血回復とともに輸血が必要なくなり，移植後合併症(前処置の副作用，感染症，GVHD など)が改善し，食事摂取やリハビリが進み体力がある程度回復してきたら，退院時期を検討します．移植後 1〜3 か月で退院できることが多いですが，長期間の入院治療が必要な場合もあります．退院後は，長期間の外来通院が必要です．自宅療養中に注意する点について「退院前オリエンテーション」で看護師から説明があります．退院の際は，患者さんの記録や近医との医療連携を目的として，「造血細胞移植患者手帳」をお渡ししています．外来では，原疾患の再発や移植後合併症の有無について慎重に経過観察します．

B 同種移植の必要性

白血病やリンパ腫などの血液腫瘍は，突発的な遺伝子異常や特殊なウイルス感染などが原因で，血液細胞ががん化(悪性化)したものです．血液腫瘍は，一般的に他臓器の悪性腫瘍に比べて，抗がん剤治療や放射線治療が効きやすいものの，これらの治療だけでは完治が得られないこともあります．あなたのご病気も抗がん剤治療や放射線治療だけで完治する可能性は低く，完治を目指すためには同種移植を行う必要があります．一方，同種移植後は，時に命にかかわる重篤な合併症が起こります．重篤な後遺症が残って生活の質を落としてしまう可能性もあります．短期的には，同種移植を行わずに通常の化学療法を継続するほうが安全といえます．したがって，同種移植の適応(移植を行ったほうがいいかどうか)は，適切なドナーがいるかどうかはもちろんのこと，患者さんの疾患の種類や状態，年齢，臓器機能，合併症の有無，患者家族サポートが十分かどうか，また患者さんやご家族の希望を踏まえて，総合的に判断されます．リスクが高い治療であることから，患者さんが同種移植を強く希望されても，同種移植を行わないほうがよいと判断されることもあります．

C 同種移植の合併症

- 生着不全，拒絶：数％の頻度で，ドナーの造血が回復しないことがあります．患者さんの免疫細胞によるドナー幹細胞の拒絶，ドナー幹細胞の機能不全などが原因で起こります．ミニ移植や臍帯血移植，HLA 不一致移植，非寛解期移植では，リスクが高くなります．免疫抑制剤の投与量調整により緩徐に回復することもありますが，再移植が必要になる場合もあります．

- 前処置の副作用：頻度の高いものとして，嘔気・嘔吐，食欲低下，口内炎，味覚障害，下痢，血球減少(貧血，出血)，感染症(敗血症や肺炎など)，脱毛があります．これらの副作用の一部では，予防ないし軽減するための方法があります．
  - 嘔気・嘔吐：吐き気や嘔吐による苦痛を軽減するため種々の制吐剤があります．
  - 口内炎：口内炎に伴って起こる強い痛みは，鎮痛薬を含んだうがい薬や，少量の医療用麻薬を使って軽減することができます．メルファランという抗がん剤で起こりやすい口腔粘膜障害は，投与中に口腔粘膜を氷で冷やす「クライオセラピー」によりある程度軽減できます．
  - 貧血，出血：赤血球(酸素を運ぶ)，血小板(血を止める)が減ると，貧血のために動悸・息切れ・倦怠感が起こったり，出血が止まりにくくなったりします．消化管出血や脳出血は命にかかわることがあります．これらを予防するため，移植後は，頻回の赤血球輸血や血小板輸血が必要になります．
  - 感染症：移植直後は，病原体と戦う白血球の数が少なく，免疫抑制剤の作用も加わるため，免疫力が高度に落ちて，さまざまな病原体(細菌，真菌，ウイルス，原虫など)による感染症(「日和見感染症」)が起こりやすくなります．白血球減少時は身体の外部からの感染だけでなく，もともと体内に潜んでいる病原体による感染症が多くなります．感染症が疑われたときには，すぐに検査をして抗菌薬などで治療しますが，白血球減少時の感染症は重症化するリスクが高く，命にかかわることがあるため，検査や診断を待たずに治療を開始することがあります．また，局所的な感染症から敗血症という重篤な状態に進むスピードが速く，短時間で急激に状態が悪化する急変の危険性が高いことも移植後の患者さんの特徴です．
- まれながら，肝臓(肝中心静脈閉塞症など)・腎臓(急性腎不全など)・心臓(不整脈，心不全，出血性心筋炎など)・肺(特発性肺炎症候群など)・神経(痙攣，意識障害，麻痺，しびれ)などの重要臓器に臓器障害・臓器不全を生じることがあります．重症化すると命にかかわることがあり，集中治療室での治療が必要となる場合があります．
- 移植片対宿主病(GVHD)：生着したドナー免疫細胞が患者さんの臓器を攻撃する疾患です．移植後数週間から3か月頃までに起こりやすい急性GVHDと，移植後2〜3か月以降に起こりやすい慢性GVHDがあり，それぞれ特有の症状を示します．
  - 急性GVHD：皮膚・腸管・肝臓に好発します．発症リスクはドナー条件や移植法により異なりますが，一般的に軽症 GVHD も含めると 30～60％，重症 GVHD は 10％ 以下の患者さんが発症します．

- 皮膚：身体の一部～全身に発疹がでます．重症化すると皮膚がただれて水疱ができ火傷のような状態になることもあります．診断のために皮膚生検をすることがあります．皮疹の性状や範囲から重症度診断をします．
- 腸管：下痢，腹痛，吐き気などがでます．重症化すると腸管粘膜がただれて大量の下痢，下血，腹痛が生じます．診断のために内視鏡検査，超音波検査，CT 検査などを行います．下痢量や下痢回数，内視鏡検査の結果から重症度診断をします．
- 肝臓：検査値異常のみで無症状のことが多いですが，重症化すると黄疸を生じ，時に肝不全に至ることもあります．血清総ビリルビン値をもとに重症度診断をします．

※「生着症候群」：ドナー細胞が生着する時期に発熱，皮疹，下痢，肝障害，肺炎などの症状が出現し，GVHD との区別が難しいことがあります．重症の場合は酸素投与やステロイド薬の投与を要します．

▶ 慢性 GVHD：全身のさまざまな臓器が障害されるのが特徴で，ドライアイ，口内炎，唾液の減少による口腔内の乾燥，皮疹，息苦しさ，関節/筋拘縮，肝障害，下痢などが起こります．特に肺の慢性 GVHD（閉塞性細気管支炎）を発症すると，呼吸困難が持続し，在宅酸素が必要になることもあります．このため，移植後は無症状でも定期的に呼吸機能検査を行います．

▶ GVHD の治療：GVHD が軽症の場合には経過観察またはステロイド外用薬のみで治療しますが，重症化した場合には命にかかわるためステロイドの内服薬または点滴薬で治療します．GVHD はステロイド療法により約半数の患者さんでは改善しますが，ステロイドが効かない（「ステロイド抵抗性」の）場合には二次治療として追加の薬剤を投与します．

▶ 晩期障害：移植を受けて数か月ないし数年後に，多くは移植前処置や慢性 GVHD によるダメージと関連して，さまざまな臓器障害が出現します．ドライアイによる角結膜炎，白内障，ドライマウス，口内炎，二次がん，月経異常，不妊症，内分泌（ホルモン分泌）障害，骨・関節の障害などが挙げられます．これらのスクリーニングのために，移植後 3 か月，6 か月，12 か月，以後 1 年ごとに，定期健診を行います．定期健診では，採血・採尿・胸部 X 線・呼吸機能検査・歯科検診・眼科検診などを行っています．消化器の二次がん検診のため，定期的な胃カメラ検査，便検査，大腸カメラ検査もお勧めしています．医師の診察以外に，自宅療養中のさまざまな症状・日常生活・ケア方法などについて，専門知識をもった看護師の「移植後長期フォローアップ(LTFU)外来」も受診いただいています．必要に応じ，管理栄養士による「栄養相談」，ソーシャルワーカーによる「復職相談」を受けていただくこともできます．また，同種移植により，ウイルス等の病原体に対する免疫(「免疫記憶」)の大部分がリセットされてしまうため，さまざまな病原体に対するワクチンを受け直す必要があります．ワクチンの種類や接種時期に関しては，担当医にお尋ねください(パンフレットも準備しています)．

- 不妊：造血幹細胞移植を受けた患者さんでは，移植前処置により生殖機能が落ちて，男性も女性も不妊症のリスクがあります．挙児を希望される方は，移植前に精子保存や卵子保存が可能な場合がありますので，早めに担当医に相談してください．

D 同種移植の利益と不利益

- 同種移植は難治性の血液疾患を完治させる可能性がある一方で，治療合併症が重症化して命を落とす可能性(「非再発死亡」のリスク)，後遺症のために日常生活に支障をきたす可能性があります．非再発死亡のリスクは，原疾患の状態や患者さんの年齢や臓器機能により異なりますが，一般に10～30％です．造血幹細胞移植はハイリスク・ハイリターンの治療であることを十分ご理解いただいたうえで，受けていただく必要があります．
- 同種移植を行っても，原疾患が再発してしまう可能性があります．移植後再発のリスクは，移植直前の病気の状態(病期)が大きく影響しますが，一般に20～60％です．移植後再発に対しては，緩和的治療が選択されることもありますが，積極的治療の選択肢も残されています．選択肢として，GVL効果の誘導(免疫抑制剤の減量や「ドナーリンパ球輸注」)，(新規薬剤も含めた)化学療法，放射線療法，再移植が挙げられます．再移植は，ハイリスクであるものの，特に再発疾患がある程度コントロールされていて，前回移植から半年以上が経過し，患者さんが比較的若年で，臓器障害がない場合には，積極的に考慮されます．
- 移植以外の選択肢として，経過観察または(移植を行わない)抗がん剤治療や放射線治療が挙げられます．移植と比べて副作用や合併症は少なくなりますが，再発のリスクが高く，完治の可能性は低くなります．

E 同種移植を受けられる患者さんへのお願い

移植後，あなたが元気に退院できるよう，医師だけでなく看護師，薬剤師，管理栄養士，理学・作業療法士，臨床心理士，移植コーディネーター(HCTC)，ソーシャルワーカーなど多職種スタッフが，移植チームとしてあなたの治療にかかわります．治療を円滑に進めるため，医療スタッフの指示にはできるだけ従って治療に協力してください．日々の検査や処置は，あなたの体調を考慮して必要最小限にしますが，診断や治療のために必要と判断される場合は，あなたがつらい身体・精神状態であっても協力をお願いすることがあります．つらい症状がある場合や，何か異常を感じた場合は，我慢せずに早めに医療スタッフに伝えてください．患者さんの病状や治療に関する情報は，移植チーム内で共有して治療にあたらせていただきます．

F あなたに行う移植方法，特に注意すべきリスクとその対策

- 診断：
- 病期：
- ドナー：
- 前処置：
- GVHD 予防法：
- 感染予防法：
- 再発リスク：
- 非再発死亡リスク：
- 特に注意すべき副作用とその対策：

文献

1）国立がん研究センター HP：がん情報サービス 造血幹細胞移植．https://ganjoho.jp/public/dia_tre/treatment/HSCT/index.html
2）神田善伸：インフォームドコンセントのための図説シリーズ 造血幹細胞移植．医薬ジャーナル，2009

3 HLA検査・血縁ドナー候補

A HLAとは・HLA検査法

ヒト白血球抗原(HLA)はヒトの主要組織適合抗原であり，細胞表面でペプチド抗原をT細胞へ提示する役割を担い，T細胞が自己と非自己を認識するうえで重要な抗原である．HLAは，1のようにクラスⅠ抗原とクラスⅡ抗原がそれぞれ3種類ずつ，さらに各抗原が数十～数百種類ずつ存在することで，ヒト全体で大きな多型性を示す．このうち，国内の日常臨床では，移植片対宿主病(GVHD)の発症，移植後の白血病再発および生存と相関の高いA，B，C，DR(遺伝子型ではDRB1)の4種類が重要視されている(海外ではA，B，C，DRB1，DQB1の5種類が用いられている)．

1 HLA抗原

Class Ⅰ抗原(HLA-A，B，C)：赤血球を除くほとんどすべての有核細胞および血小板の細胞表面に発現し，CD8+T細胞が認識する
Class Ⅱ抗原(HLA-DR，DQ，DP)：樹状細胞・マクロファージ・B細胞などの抗原提示細胞が主に発現し，CD4+T細胞が認識する

HLA遺伝子は6番染色体短腕p21.3に存在し，通常，HLA遺伝子座はセット(ハプロタイプ)で遺伝することが多いため，父由来1セットと母由来1セットの計2セットが子に引き継がれる(図1)．近年，施行件数が増えてきた「ハプロ移植」は，父由来または母由来の片方のハプロタイプのみが一致した血縁ドナーからの移植である．

通常，兄弟姉妹の場合は約25%の確率でHLAが完全に一致する．親子の場合，1つのハプロタイプを両親から受け継いでいるため，少なくとも半分のHLAが一致する(HLA半合致)．兄弟姉妹の場合，約50%の確率でHLA半合致となり，「いとこ」の場合，約25%の確率でHLA半合致となる．ただし，父または母どちらかのHLAタイプがホモ(2つ同じHLAタイプをもつこと)である場合や，日本人で高頻度のタイプである場合は，これらの確率が変わってくる．

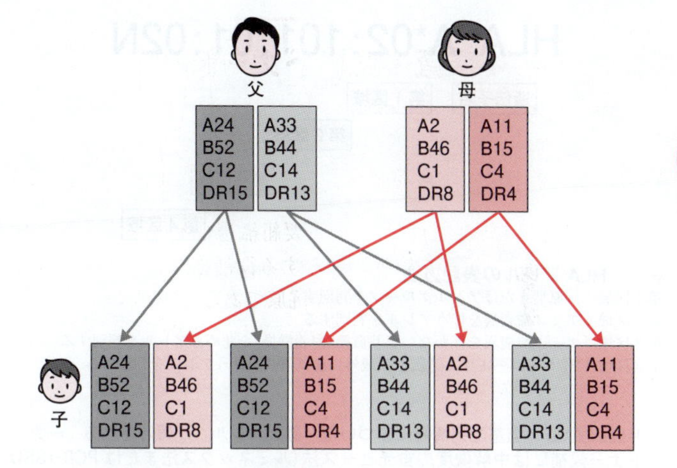

図 1 HLA ハプロタイプの遺伝形式

HLA の不適合は，GVH 方向(GVHD に影響あり)と HVG 方向(拒絶に影響あり)に分けて考える．HVG 方向の HLA 不適合は，生着不全のリスクとなりうるが，患者のドナー特異的な抗 HLA 抗体が陰性なら許容することが多い．GVH 方向の HLA 不適合は，ドナー免疫細胞が患者を「非自己」とみなし GVHD のリスクとなるため，実際のドナー選択では，より重要視されている．

2 HLA タイピング

検査法ごとに，HLA の判別能(解像度)が異なり，HLA アレルの表記方法が異なる(図 2)[1,2]．

血清型(低解像度)：第 1 区域が通常 2 桁の数字で表記される．不適合の数を数えるとき「～抗原不適合」

遺伝子型(中～高解像度)：第 1 区域と第 2 区域が，通常 4 桁の数字で表記され，各区域は「：」で区切られる．さらに，近年行われている NGS を用いた高解像度 HLA タイピング(NGS-SBT 法)では，第 3 区域ないし第 4 区域まで同定することが可能である．不適合の数を数えるとき「～アレル不適合」

※骨髄バンクの確認検査では，患者には高解像度 HLA タイピング(NGS-SBT 法)がルーチンで行われ，HLA11 座(A，B，C，DRB1，DRB3/4/5，DQA1，DQB1，DPA1，DPB1)について，HLA アレル全領域(エクソン，イントロン，

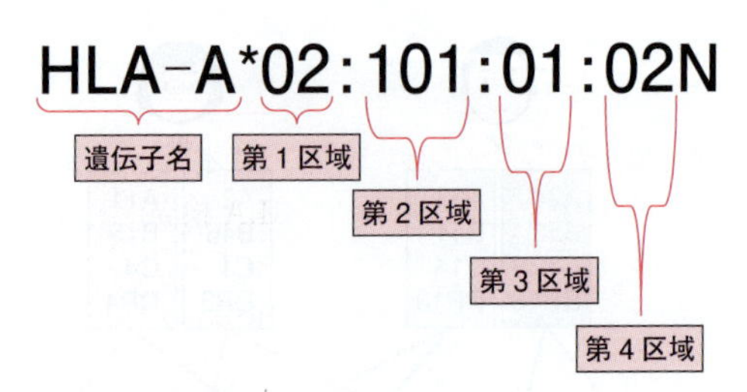

図2 HLAアレルの表記方法[1, 2]
第1区域：抗原型またはアレルグループを判別する
第2区域：アミノ酸変異を伴うアレルを判別する
第3区域：アミノ酸変異を伴わない塩基置換(同義置換)を認めるアレルを判別する
第4区域：HLAをコードする遺伝子領域外に塩基置換を伴うアレルを判別する

非翻訳領域)の塩基配列情報に基づいた「確定アレル」が報告される．一方，ドナー候補には中解像度の蛍光ビーズ法(ルミネックス法またはPCR-rSSO法)が行われており，HLA4座(A，B，C，DRB1)について検査結果から推定される日本人で最も頻度の高いアレルが「参考アレル」として報告される．ドナー候補者の「確定アレル」の情報が必要な場合には，NGS-SBT法によるHLAタイピングをオプション(有料：44,000円[2023年11月時点])で行うことができる[3]．例として，詳細なHLA情報に基づいてGVHD予防をしたい場合，患者がclass II抗原に対して広汎な抗HLA抗体を保有している場合，患者またはドナーが日本人に低頻度のHLAハプロタイプを保有していることが推定される場合などは特に有用である．

本人・家族のHLA検査を行う際，最初から血清型ではなく遺伝子型検査を行うことが多い．HLA検査は，口腔粘膜の擦過(スワブ)検体での検査が可能であり，白血球が少ない状態の患者でも検体提出が可能である．血液検体の場合は，2 mL EDTA-2Naスピッツ(ヘパリン管は不可)で提出している．

日本人に高頻度でみられるHLA-A，B，C，DRB1のハプロタイプを知っておくことは，骨髄バンク登録時だけではなく，親子など兄弟姉妹以外の血縁ドナーを探すときも有用である．HLA研究所のホームページでは，ハプロタイプ検索を行うためのツールを提供しており，非常に有用である〔HLA研究所ホームページ公開データ：https://hla.or.jp/med/frequency_search/ja/haplo/〕[4]．近年，NK細胞上の免疫グロブリン様受容体(killer cell immunoglobulin-like receptor：KIR)の重要性も注目されているが，当院ではドナー選択の判断にはまだ用いていない．

B 血縁ドナー候補

同種移植の適応を考慮する場合，早めに本人と血縁ドナー候補(兄弟姉妹・親子)の HLA 検査を行う．HLA 検査を行うタイミングは，疾患の種類や病型，治療反応性によって大きく異なる(☞ 56～138 頁，セクション 7～13)．当院では，血縁ドナー候補の負担を軽減するため，HLA 検査を行う前にチェックシート(表 1)を用いて大まかなドナー適格性を確認している．

HLA 一致血縁ドナー候補がいた場合には，移植のタイミングを考慮してドナーへの説明(☞ 161 頁，セクション 17)と健診を行う．HLA 一致血縁ドナーがいなかった場合は，骨髄バンクへの登録を行うか，特に移植を急ぐ場合は，臍帯血のユニット選定や血縁ハプロドナーの検索・健診を行う．

Memo

Myeloid neoplasms with germline predisposition と血縁ドナー選択

2016 年 WHO 診断分類に，造血機能にかかわる遺伝子に先天的な病的変異を有し，高率に造血器(悪性)疾患を発症する「生殖細胞系列変異を素因にもつ骨髄系腫瘍(myeloid neoplasms with germline predisposition)」という疾患群が追記され，さまざまな知見が蓄積されている[5]．本邦における造血器パネルの保険診療開始も今後，予定されており，同疾患群と診断された患者に対して同種移植を行う機会が増えることが推定される．これらの患者におけるドナー選択においては，ドナー候補である血縁者が未発症保因者の可能性があるという点がきわめて重要である．未発症保因者における G-CSF 使用の影響や，移植後のドナー由来白血病の発症のリスクが想定されるからである．

バリアントごとに骨髄系腫瘍発症に寄与するリスクが異なることも含め明確なコンセンサスが得られていない現状では，主治医判断が優先されるが，現時点では未発症バリアント保持者は可能な限り避けることも考慮すべきである．そのため，少なくとも症状あるいは重症度にかかわらず，何らかの家族歴を有する患者においては血縁ドナーの選択を慎重に考える必要がある．一方で，血縁者をドナー候補者とする際の遺伝子バリアントスクリーニング施行に関しては倫理的，精神的に十分な配慮が必要であり，遺伝子診療部と綿密に連携しながら患者と併せて血縁者への適切な説明と丁寧なフォローが不可欠である．

表１ 血縁ドナー候補者の HLA 検査前チェックシート

1	提供意思がある	なしは不可
2	年齢は 18〜60 歳である	該当しない場合はカンファレンスで検討
3	肥満（BMI 30 以上），低体重（男性 <45 kg，女性 <40 kg）の有無	有ならカンファレンスで検討
4	血管迷走神経反射（VVR）の既往	軽度（Ｉ度）の症状であればカンファレンスで検討
5	アナフィラキシーショックの既往	該当は不可
6	妊娠・授乳中である	
7	出産後１年または流産・中絶後，半年を経過していない	
8	現在治療中の疾患がある “はい”について＿＿＿＿＿＿＿＿	問診のうえ，カンファレンスで検討
9	既往歴がある “はい”について＿＿＿＿＿＿＿＿	
10	現在服用している薬がある “はい”について＿＿＿＿＿＿＿＿	
11	健康診断で異常の指摘を受けた検査項目がある “はい”について＿＿＿＿＿＿＿＿	
12	高血圧を指摘されたことがある 【基準値】収縮期＞180 mmHg　拡張期＞100 mmHg	
13	高コレステロール血症を指摘されたことがある 【基準値】総コレステロール値＞240 mg/dL	
14	家族歴について（特別な遺伝子疾患の有無など）	

ポイント　ドナー候補者の HLA 検査

年齢は原則，18〜60 歳で，提供の意思があること，大きな病気がないかどうかの確認を行ってから（表１），HLA 検査を行う．18 歳未満の小児ドナー候補は，適格性についてカンファレンスで慎重に検討する．61 歳以上の高齢ドナー候補については，他の代替ドナーを選択するケースが増えたこともあり，当院では原則として選択していない．明らかにドナーとして不適格な場合には，HLA 検査は行わない．

※後述（☞ 161 頁，セクション 17）のようにドナー候補の HLA 検査を行う前に，ドナーへの説明・同意を行うことが推奨されるため，緊急の場合は本人のみの HLA 検査を先に行うことがある．

- HLA 8 座(A, B, C, DRB1)についてアレル型の HLA 検査を実施する.
- HLA が一致する確率が高い兄弟姉妹の HLA 検査を優先して実施する. 国内の報告によると, 兄弟姉妹は約 33% の確率で HLA 1 抗原以内不一致(HLA 5/6 抗原以上一致)であり, そのうち約 70% が HLA 6/6 抗原一致である.
- 近年, ハプロ移植を行うことが多くなったため, 最初から親子も含めて HLA 検査を行う場合が多い. 親子は約 20% の確率で HLA 1 抗原以内不一致(HLA 5/6 抗原以上一致)であり, そのうち約 30% が HLA 6/6 抗原一致である[4,6].

文献

1) 一戸辰夫：造血幹細胞移植における HLA の基礎知識. 臨床血液 56：2134-2143, 2015
2) 日本赤十字社 HLA 委員会, 日本造血細胞移植学会：造血細胞移植のための HLA ガイドブック.
https://jmdp-doc.s3-ap-northeast-1.amazonaws.com/medical/familydoctor/hla_1/hla_guidebook20190510.pdf
3) 日本骨髄バンク HP：患者さんへ/骨髄バンク利用料金/患者負担金.
https://www.jmdp.or.jp/pdf/recipient/cost/futankin_setsumei_202212.pdf
4) HLA 研究所 HP. https://hla.or.jp/
5) Klco JM, et al: Advances in germline predisposition to acute leukaemias and myeloid neoplasms. Nat Rev Cancer 21: 122-137, 2021
6) Ikeda N, et al: Determination of HLA-A, -C, -B, -DRB1 allele and haplotype frequency in Japanese population based on family study. Tissue antigen 85: 252-259, 2015

4 ドナー・幹細胞の選択

A ドナー・幹細胞の選択肢

移植適応の考え方と，ドナー・幹細胞の選択方法は施設によって大きく異なる．血縁ドナーの場合には，ヒト白血球抗原(HLA)一致度ごとに優先度が異なり，骨髄(BM)と末梢血幹細胞(PBSC)のどちらを選択するかは施設固有の考え方がある．非血縁ドナーの場合，BM，PBSC，臍帯血(CB)のいずれもが選択可能であり，HLA一致度，移植タイミングも含めて比較検討する必要がある．表1に，当院におけるドナー・幹細胞選択の傾向を示す．また表2に移植ソース別の移植時必要細胞数を示す．

表1　ドナー・幹細胞の優先度(当院の傾向を図示)

Donor source	HLA 一致度	優先度 高い→→→→→→低い		
血縁 PBSC or BM	6/6	○		
	5/6		○	
	3〜4/6		○	
非血縁 BM or PBSC	8/8		○	
	7/8		○	
	6/8			○
非血縁 CB	6/6			○
	4〜5/6		○	

表2　移植ソース別の移植時必要細胞数

ドナー	移植時必要細胞数(患者体重あたり)
骨髄	有核細胞数：$2〜3\times10^8$ 個/kg 以上
末梢血幹細胞*	CD34 陽性細胞数：2×10^6 個/kg 以上
臍帯血	有核細胞数：2×10^7 個/kg 以上， CD34 陽性細胞数：0.5×10^5 個/kg 以上

*当院ではハプロ移植時，可能であればCD34陽性細胞数 4×10^6 個/kg 以上の末梢血幹細胞を目標としている．

1 選択のポイント1：非再発死亡割合(NRM)の推定

各ドナー・幹細胞ごとに，非再発死亡割合(NRM)をある程度予測できる．寛解期の急性白血病・骨髄異形成症候群(MDS)に対して1997年から2006年までに国内で行われた同種造血幹細胞移植後のNRMを図1に示す[1)]．HLA一致またはHLA 1抗原不一致血縁ドナーからの移植が最もNRMのリスクが低く，臍帯血移植(CBT)が最もNRMのリスクが高くなる．また移植前の病期が非寛解(Non-CR)の場合，CR例よりもNRMが1～2割高くなる[1, 2)]．

2 選択のポイント2：移植がすぐできるか・移植の時期を自由に調整できるか

HLA 8/8一致骨髄バンクドナーからの移植成績は，HLA一致血縁ドナーからの移植成績に近づいており，HLA一致血縁ドナーがいない患者では重要な選択肢である．しかし，骨髄バンクドナーからの移植を行うまでに3～4か月以上のコーディネート期間を要するため，病勢コントロールが困難な症例や血球減少が著しい症例などではバンクドナーコーディネートを待てないことがある．一方，HLA不一致血縁ドナーやCBTの場合は，急ぐ場合には1か月以内に移植が可能であり，患者の治療スケジュールに合わせた最適な

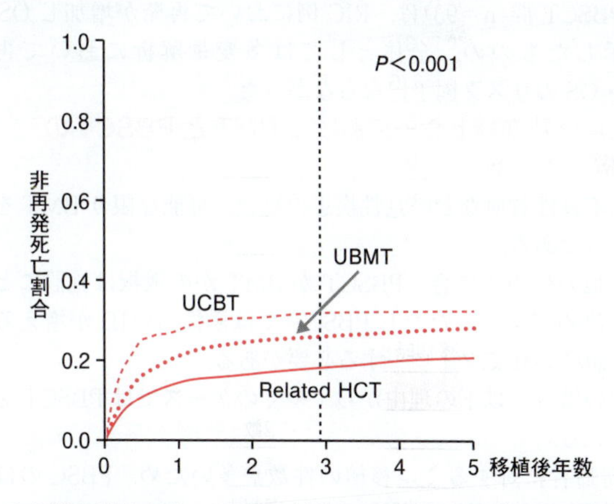

図1 寛解期急性白血病・MDSに対する同種移植後の非再発死亡割合
UCBT：unrelated cord blood transplantation，UBMT：unrelated bone marrow transplantation，HCT：hematopoietic cell transplantation.
〔文献1)より〕

タイミングで移植を行うことが可能である.

B HLA 一致血縁ドナーにおける骨髄移植(BMT) vs. 末梢血幹細胞移植(PBSCT)

HLA 一致血縁ドナーにおける BMT と PBSCT の比較として，海外から多数のランダム化比較試験が報告されている．メタ解析結果においても，PBSCT は好中球生着が早い一方，慢性移植片対宿主病(GVHD)が多く，全生存割合は同等であった[3].

国内では，ランダム化比較試験は行われておらず，2000〜2005 年の移植例を対象とした後方視的解析が報告されている[4]．PBSCT は好中球生着が早く，慢性 GVHD が多いという結果は海外と同様であったが，PBSCT と比べて BMT の OS が有意によかった(ただし，施設バイアスなども大きいと考えられる)．2009〜2018 年の移植例(n＝3,599)を対象としたより最近の報告では，PBSCT 群を ATG 併用の有無により 2 群に分けて解析がなされた[5]．ATG 非使用 PBSCT 群(n＝2,288)は，既報の通り BMT 群(n＝1,218)と比べて重症 GVHD や NRM が有意に多く，OS が不良であった．ATG 併用 PBSCT 群(n＝93)は，RIC 例において再発が増加し OS の低下を示したものの，全体としては多変量解析において再発・NRM・OS のリスク因子にならなかった.

1 HLA 一致血縁ドナーにおける BMT と PBSCT の選択ポイント

- 再生不良性貧血などの良性疾患の場合，可能な限り BMT を選択すべきである.
- その他の疾患の場合，PBSCT か BMT かの選択は施設ごとに方針を決めてよい．ただし PBSCT では慢性 GVHD が増えることを念頭にいれてフォローする必要がある.

※当院の場合，以下の理由から，多くのケースでは PBSCT を選択している.

① 高齢者に対するミニ移植の件数が多いため，PBSC のほうが生着や GVL 効果の誘導に有利となる.

② PBSC を凍結保存しておくことで，移植日の設定に自由度が大きい.

③ 骨髄採取に必要な手術室枠は，非血縁骨髄採取を優先して使用している．

2 血清型 HLA 6/6 一致のみ判明している場合

当院で HLA 検査を行う場合は，通常，本人・血縁ドナー候補ともに 8 座(HLA-A，B，C，DRB1)の遺伝子型検査を行う．しかし，他院から血清型 HLA 6/6 一致同胞ドナーからの移植を依頼された場合(最近は減ってきた)，ドナー候補が兄弟姉妹の場合には，ハプロタイプも同一であることが多いため，遺伝子型検査を行わない場合もある．一方，ドナー候補が親子，従姉妹，甥姪などの場合は，必ず HLA 8 座の遺伝子型検査を追加で行い，もし HLA アレル不一致があれば GVHD 予防を強化することも検討する．

C HLA 8/8 一致非血縁 BMT vs. HLA 1 抗原不一致(血清型 5/6 一致)血縁 PBSCT

親子も含めた血縁者で HLA-A，B，DR の計 6 抗原の HLA 血清型を調べた場合，GVHD 方向 1 抗原不一致血縁ドナーは 10〜15% 程度の確率で得られるとされ，ドナー候補となりうる．しかし，国内の報告によると HLA 1 抗原不一致血縁ドナーからの移植は，HLA 8/8 一致非血縁 BMT よりも重症急性 GVHD のリスクが有意に高く，OS が不良であった[6]．このため，バンクドナーコーディネートを待てる場合は，HLA 8/8 一致非血縁 BMT を選択するほうがよい．

HLA 5/6 一致血縁ドナーからの移植の場合，特に HLA-B 抗原不一致の場合は，C 座不適合など複数のミスマッチを有することが多いために成績が悪いと考えられている．このため，HLA 5/6 一致血縁ドナーについては，HLA 遺伝子型で 8 アレルの不一致数についても確認する．

当院では HLA 5/6 一致血縁 PBSCT には少量抗胸腺細胞グロブリン(ATG)を用いることが多い．そのためか，HLA 8/8 一致非血縁 BMT と HLA 5/6 一致血縁 PBSCT とで治療成績は変わらない．学会データでも，HLA 5/6 一致血縁ドナーからの移植で ATG を用いた場合，HLA 8/8 一致非血縁ドナーからの BMT に近い成績が報告されている[6]．

ATGはGVHD抑制効果が期待できるが，用量依存性に原疾患の再発，生着不全，感染症のリスクも増加するため，ATG投与量と投与タイミングの設定は重要である．当院で以前行った，HLA 5/6一致血縁ドナーからのフルダラビン(FLU)＋ブスルファン(BU)2日間投与を前処置としたミニ移植の臨床試験において，ATG-F(ゼットブリン®)5 mg/kg/日，day－2，－1を用いたところ，再発と生着不全が多かった．このため最近は，HLA 1抗原不一致血縁ドナーからの移植において，サイモグロブリン®の総投与量として1.0〜2.5 mg/kg/日を用いることが多い(☞220頁，セクション23)．生着不全のリスクを減らすため，念のため抗HLA抗体検査でドナーHLA特異的な抗体がないことを確認し，原則としてPBSCを用いるようにしている．また血清型5/6一致血縁ドナーであってもHLAアレル型不一致数が多い場合は，ハプロ移植と同様にPTCY予防を用いることもある．

D 非血縁BMTおよびPBSCT (HLA 8/8 vs. 7/8 vs. 6/8)

非血縁BMTでは，遺伝子型でHLA 8/8一致ドナーが第一優先となることは数多く報告されている．HLAアレル1座または2座不一致非血縁ドナーからのBMTにおいては，不一致アレルが多いほど重症GVHDのリスクは高くなる．以前の報告では，HLAアレル1座不一致の場合，HLA-A，HLA-Bの不一致のほうが，HLA-C，HLA-DRB1のみの不一致よりもGVHDリスクが高かったが，近年の報告では，アレルごとのGVHDリスクの差はなくなってきている[7]．

重症GVHDのハイリスクミスマッチについて以前報告されていたが[8]，検討されている症例数が少なく，近年の報告ではGVHD予防法の向上の影響もあって，GVHDリスクの差が小さくなっている[9]．このため当院ではドナー選択時にそれほど重要視はしていない．

非血縁PBSCTの本邦導入直後に行われた前方視的観察研究によると，非血縁PBSCTであっても非血縁BMTと比較して安全に施行可能と考えられた[10]．当院では，生着不全リスクが高く，移植まで時間的に余裕のない非寛解症例のミニ移植を行うことが多いこともあり，非血縁BMT，PBSCTの両方が選択できる場合は，ドナー選定から移植までの期間が数週間短い点や生着に有利である点を考慮して，PBSCTを優先している．

当院で2012〜2016年に実施した非血縁移植(BMT 199例，PBSCT 33例)において，PBSCT群はBMT群と比較して慢性GVHD，GRFS，OSはいずれも同等であった[11]．PBSCT群において，ATG使用群(n＝20[61％]；サイモグロブリン® 中央値1.5 mg/kg[範囲1.0〜3.0])は，非使用群(n＝13)と比較して，中等症/重症慢性GVHDの発症頻度は低く(移植後1年，6.1％ vs. 46.2％；P＝0.016)，GRFSは良好であり(移植後1年，66.7％ vs. 15.4％；P＝0.034)，NRM，再発，OSはいずれも同等であった．

また当院で2012年1月〜2022年4月に非血縁PBSCTを行った146例の解析では，約8割の患者でATGを使用していた(サイモグロブリン® 投与量中央値：1.0 mg/kg［0.5〜3.0 mg/kg］)．ATG使用群では，ATG非使用群と比較して中等度以上の慢性GVHDが少なく(移植後2年，17％ vs. 44％；P＝0.008)，免疫抑制剤の終了割合が高かったが(移植後2年，38％ vs. 8％；P＝0.004)，再発，NRM，OSは差がなかった．非血縁PBSCTにおいて，少量ATGを用いたGVHD予防により，NRMや再発を増やさずに高い生存割合およびQOLが得られる可能性が示唆される．

1 非血縁ドナーの選択条件で何を優先するか？

当院では，HLA 8/8一致非血縁ドナー候補が多数いる場合，下記の因子も考慮して選択している．

❶ ドナー年齢

当院では若年者(40歳以下)を優先している．再生不良性貧血に対する非血縁骨髄移植のレジストリデータ解析では，40歳未満の若年ドナーからの移植が40歳以上のドナーからの移植と比較して5年OSが有意に高く(77.7％ vs. 65.9％)，生着不全や急性GVHDが少なかった[12]．

❷ ドナー性別

当院では男性ドナーを優先している．女性患者の場合は，若ければ女性ドナーも選択している(女性は男性にくらべ体格が小さく患者体重あたりの採取細胞数が少なくなるリスクがある．また男児の妊娠歴がある女性ドナーから男性患者に移植した際，GVHDのリスクが上昇する可能性を考慮している[13])．

❸ 末梢血幹細胞(vs. 骨髄)

ドナーが骨髄と末梢血幹細胞いずれもが提供可能な場合，ドナー選定から移植までの期間が数週間短い点や生着に有利である点を考慮して，末梢血幹細胞を優先することが多い．

❹ ドナー体重

患者体重よりドナー体重が軽い場合，採取細胞数が少なくなる可能性があるため，避けることが多い．

❺ 血液型不一致パターン

血液型一致＞minor mismatch＞major mismatchの順に選択している．ただし，末梢血幹細胞の場合は処理が不要なため他の条件を優先させている．

2 HLA不一致非血縁ドナーの選択

HLA 8/8一致非血縁ドナー候補が少ない場合，HLA 7/8一致非血縁ドナー候補も含めて幅広く検索する．また，HLA 8/8一致ドナーがいない状態で移植を急ぐ場合は，HLA 6/8一致ドナーまで含めて非血縁骨髄ドナーを検索しつつ，CBTやハプロ移植を積極的に検討する．当院で非血縁骨髄移植を行った227例の集計では，HLA 8/8一致が103例(45%)，HLA 7/8一致が78例(34%)，HLA 6/8一致(C, DRB1不一致が多い)が46例(20%)であった．HLA不一致数が多いほどGrade Ⅱ～Ⅳの急性GVHDは増加していたが，3群間に重症急性GVHD，NRM，OSの有意差はなく，ほぼ同等の成績であった．しかしHLA不一致アレルが多いほど，少量ATGを併用する割合が高くなり，GVHD発症後のステロイド投与開始のタイミングも早くなる傾向があったため，解釈には注意が必要である．

また当院で2012年1月～2022年4月に非血縁PBSCTを行った146例の解析では，少量ATGを併用した非血縁PBSCT施行例(n＝119)のうち，半数近くでHLA 7/8一致ドナーを用いていたが，HLA 8/8一致ドナーに劣らない移植成績であった．一方，非血縁PBSCTの場合HLA 6/8一致ドナーを選ぶことが少なくなってきている．

ポイントは，「**適切なGVHD予防法の選択によって骨髄バンクド**

ナー選択の幅は広がる可能性がある」ということである．一般的にはHLA一致度を優先するが，移植のタイミングがあまり余裕がない状況では，HLA 7/8一致，HLA 6/8一致非血縁ドナー候補であっても，条件のよいドナー（特に若い大柄な男性ドナー）を選択し，原疾患の病勢や患者の全身状態を考慮して適切なタイミングで移植を行うことが重要である．例えば，HLA 8/8一致非血縁の40歳代女性ドナーと，HLA 7/8一致非血縁の若い男性ドナーの両方を選択できる場合，当院では少量ATGを併用してHLA不一致若年男性ドナーを選択することが多い．また，当院で非血縁骨髄移植を行った寛解期AML 96例の解析では，40歳以下の男性ドナーからの移植（全体の半分を占める）は，他のドナーからの場合と比較して，全生存率が約2割高かった．

骨髄バンクでドナー検索をすると，通常HLA一致度が最優先され，「HLAアレル完全一致ドナー＞血清型一致（アレル不明）ドナー＞HLA 1アレル不一致ドナー」の順でドナー一覧表が送られてくる．当院では，HLA一致度だけではなく，年齢，性別，体重，血液型など他の因子もドナー選択基準としているが，一般的にはこれらの項目を考慮した選択アルゴリズムは確立していないのが現状である．

E 非血縁BMT/PBSCT（HLA 8/8 vs. 7/8 vs. 6/8）vs. 代替ドナーからの移植（CBT ＆ ハプロ移植）

骨髄バンクの非血縁ドナーからのBMTは標準的に行われてきたが，2015年からCBT件数が非血縁BMT件数を上回った．国内レジストリーデータ解析によると，疾患によってはCBTとHLA 8/8～7/8一致非血縁BMTの成績は同程度であるという報告もあるが，年齢，疾患，病期，解析方法に注意する必要がある．例えば，AML-CR1を対象としたCBT vs. 非血縁BMTの比較について，治療成績のよい順にHLA 8/8一致非血縁BMT＝CBT＞HLA 7/8一致非血縁BMTという報告[14]と，HLA 8/8一致非血縁BMT＞HLA 7/8一致非血縁BMT＝CBTという報告[15]がある．これは，後者が診断3～8か月後に行われたCBTのデータを用いた臨床決断分析であるのに対し，前者は診断後長期経過したCBTも含めた全体の後方視的比較であり，解析方法の違いにより結果が異なったと考えられる．

また近年，HLA 半合致血縁ドナーからのハプロ移植が急速に増加しており，2020 年には年間 600 件を超え，HLA 一致血縁ドナーからの移植件数を上回った．これは PTCY を用いた血縁ハプロ移植の安全性や有効性を報告した国内の臨床試験結果[16, 17]が周知されたことと，移植後に用いる大量シクロホスファミドが 2019 年から保険診療で使えるようになった影響が大きい．当院も含めて国内で行われている PTCY ハプロ移植ではほとんど PBSCT が用いられている．

2012〜2015 年に急性白血病または MDS に対して実施された初回移植例を対象とした国内レジストリデータの解析では，多変量解析において，PTCY ハプロ移植(n = 133)は，HLA 8/8 アレル一致非血縁 BMT(n = 1,470)と比較して，再発リスクは高く(RR = 1.61)，NRM リスクは低く(RR = 0.40)，OS は同等であった(RR = 1.00)[18]．

Memo

非血縁 BMT/PBSCT を待つか？　あるいは早めに CBT または HLA 半合致血縁移植を行うか？

1) 移植まで到達できた場合(同じ寛解状態であれば)，非血縁 BMT のほうが CBT よりも安全性が高いという以前のデータ[1]があるが，その差は年々小さくなってきている．骨髄バンクからの移植では非血縁 PBSCT の導入や少量 ATG 併用，CBT ではユニット選択・前処置・GVHD 予防法の選択・合併症管理の進歩があり，さらに PTCY を用いた HLA 半合致血縁者間移植の経験量も増えてきた．当院の経験では，現時点でも非血縁 BMT/PBSCT のほうがわずかに安全性が高いと考えているが，ドナー選択では，各施設が慣れた方法で行うことが最も重要である．
2) 骨髄バンクコーディネートを待っている間に原疾患が再発・増悪となるリスク，感染症・臓器障害の合併など全身状態が悪化するリスクが高ければ，移植のタイミングを重視して，早めに CBT や HLA 半合致血縁移植を選択することが多い．

※骨髄バンクのコーディネート状況から，移植までの到達率や日数を予測する(☞ 34 頁，セクション 5)ことで，この両者の選択が行いやすくなる．

F 臍帯血ユニットの選択[19]

臍帯血ユニットを選択する場合，最も重要なポイントは患者体重あたりの総有核細胞数(TNC)とCD34陽性細胞数である．細胞数が少ないと生着が遅く，生着不全のリスクが高くなり，OSも低下する．当院では，TNC≧2×10^7/kgのユニットの中からCD34陽性細胞数が多いものを選択している．その他の考慮する因子として，顆粒球マクロファージコロニー形成単位(CFU-GM)の情報もあるが，よほど大きな差でない限りTNCとCD34陽性細胞数を優先して選択している(CD34陽性細胞数の最低量は0.5×10^5/kgを目安としている)．

臍帯血の場合，通常，血清型のHLA-A，B，DRの6抗原の不一致数をもとに選択され，2抗原までの不一致であれば実施可能とされているが，HLA-Cの関与やアレルレベルの不一致の意義については，今後の検討課題である．最近の国内レジストリデータの解析では，MDS，AML，ALLに対する初回single CBTを行われた成人例において(n＝3,537)，従来のタイピング(HLA-A，HLA-Bが抗原型，HLA-DRB1がアレル型)ではHLA一致度はOSに影響はなかったが，アレルレベル8座での解析では小児では4アレル以上，成人では5アレル以上の不一致があるとOSが有意に低下した[20]．CD34，TNC，HLA以外の因子を用いた臍帯血ユニットの選択アルゴリズムは今後の検討課題である．

臍帯血移植では，生着不全が最大の問題点である．近年，生着不全をきたす頻度は減少傾向だが，約1割強の症例で生着不全となることや，緊急で再移植が必要となる可能性を説明しておく必要がある(☞476頁，セクション47)．

G 代替ドナーの選択(CBT vs. ハプロ移植)

HLAが一致した血縁，非血縁ドナーがみつからない場合，代替ドナーを選択する必要性が出てくる．代替ドナーからの移植として，本邦ではCBTが最も多く行われてきたが，ハプロ移植(HLA半合致血縁者間移植)の件数も近年増えてきた．その要因として，HLA半合致移植で用いられる移植後シクロホスファミド(PTCY)が，2019年から保険診療で使えるようになり，2021年9月に社会保険診療報酬支払基金の審査情報提供事例に掲示され，(2023年11月時点では保険適用ではないものの)査定されなくなったことが大

表3 CBTとPTCYハプロ移植の比較

ドナー	CBT	PTCYハプロ移植
HLA不一致数(血清6抗原)	0〜2	2〜3
好中球生着	移植後3〜4週前後	移植後2週前後
生着不全	10%前後	少ない(特にPBSCTは少ない，数%以下)
急性GVHD	少ない	少ない
慢性GVHD	少ない	少ない
感染症	HHV-6，細菌感染	ウイルス感染
非再発死亡	早期に多い	少ない
再発	中程度	中程度
DLI	できない	可能(DLI施行時のGVHDは重症になる可能性がある)

きい．PTCYハプロ移植は，CBTと特徴が大きく異なる(表3)．PTCYハプロ移植と臍帯血移植のどちらを選択すべきかについて，現時点では結論は出ていないが，各施設が慣れた方法で行うことが最も重要である．

PTCYを用いたハプロ移植は，移植後早期の細菌感染症やヒトヘルペスウイルス6型(HHV-6)脳炎などのリスクがCBTよりも低く，生着不全も少ないため移植後早期の管理は楽な印象がある．CBTの場合は生着前免疫反応(PIR)や生着症候群(ES)，血球貪食症候群(HPS)に注意する必要があるが，PTCYを用いたハプロ移植の場合も，生着時にステロイド投与を要する免疫反応をみることは多い．PTCYハプロ移植の問題点は，初期の報告では移植後再発が多い点とウイルス感染症である．今後，免疫抑制剤の減量スピードなどの検討が必要である．

なお，当院では，PTCYに併用するカルシニューリン阻害薬(CNI)を移植前日(day－1)から開始する変法を用いている(☞217頁，セクション23)．2012〜2022年に当院で実施したPTCYハプロ移植例(ATG併用例を除く77例)の検討では，CNIをday 5(CY投与後)から投与した国内の既報[17]と比べ，cytokine release syndrome(CRS)の発症割合は70%程度と低く，ステロイド投与を要する重症CRS例は認めなかった．また既報と比べ，移植後100日のGrade Ⅱ～Ⅳ急性GVHDは36%，Ⅲ～Ⅳ急性GVHDは2.6%と同等であったが，移植後2年の慢性GVHDは44%とやや多かった．

CBTとPTCYハプロ移植とを比較した解析結果が，国内外から報告されている．国内レジストリデータを用いて，急性白血病またはMDSに対する初回のPTCYハプロ移植とCBTを比較したマッチドペア解析では，PTCYハプロ移植(n＝133)は，CBT(n＝408)と比べて，再発率は高いが(移植後2年，43% vs. 29%；P＝0.006)，NRMは低く(移植後2年，9% vs. 23%；P＜0.001)，OSは同等であった[21]．BMT-CTNによって，寛解期急性白血病または化学療法感受性リンパ腫の成人患者(18～70歳)に対するdouble UCBTとPTCYハプロ骨髄移植(いずれもFLU＋CY＋TBI 2 Gyを前処置としたミニ移植)を比較した第Ⅲ相ランダム化試験の結果，主要評価項目である2年PFSは両群で有意差がなかったが，副次評価項目であるOSおよびNRMはPTCYハプロ移植が優れていた[22]．

CBTやハプロ移植を計画する際には，必ず患者の抗HLA抗体を確認し，ドナーHLA抗原特異的な抗体(DSA)がないことを確認する(2018年に保険収載された)．特にCBTでは，患者がDSA陽性の際に生着達成率が有意に低いことが報告されている．最近の国内レジストリデータの解析では，2010～2014年に実施されたsingle UCBTのうち，患者の抗HLA抗体が陽性であったケースにおいて(n＝343)，平均蛍光強度(MFI)1,000をカットオフとしたDSA陽性例(n＝25)の移植後day 60までの累積好中球回復率は，DSA陰性例(n＝318)と比較して有意に不良であった(56.0% vs. 75.7%；P＝0.03)[23]．このため抗HLA抗体陽性の場合，HLA-CやタイピングされていないクラスⅡ抗原(HLA-DP，DQなど)へのDSAの有無も検討しておく[19]．一方，血縁ハプロ移植においても，特に1万以上のMFIのDSAを認める場合は生着不全のリスクが高くなる[24]．

またPTCYハプロ移植の適応を考慮する際には，大量CY投与後の心筋症のリスクを考慮し，早めの心機能評価が必要である(☞143頁，セクション14)．

より強力なGVL効果を狙った兵庫医大式ハプロ移植では，移植後早期にステロイドを用いている．非寛解期AMLを対象とした報告では，兵庫医大式ハプロ移植(n＝44)では他のドナーソースと比較した白血病の再発が有意に少なく，OSが良好であった[25]．国内レジストリデータ解析では，同じHaplotypeをもつドナー(Homo)からのHLA半合致血縁者間移植(Homo to Hetero)では，片方のHaplotypeが共通で他方が異なる場合(Hetero to Hetero)と比較して，OSが不良であった(PCTYを用いたHLA半合致血縁者移植に関する情報はまだ少ない)[26]．

文献

1) Kurosawa S, et al: Changes in incidence and causes of non-relapse mortality after allogeneic hematopoietic cell transplantation in patients with acute leukemia/myelodysplastic syndrome: an analysis of the Japan Transplant Outcome Registry. Bone Marrow Transplant 48: 529-536, 2013
2) Kurosawa S, et al: Recent decrease in non-relapse mortality due to GVHD and infection after allogeneic hematopoietic cell transplantation in non-remission acute leukemia. Bone Marrow Transplant 48: 1198-1204, 2013
3) Stem Cell Trialists' Collaborative Group: Allogeneic peripheral blood stem-cell compared with bone marrow transplantation in the management of hematologic malignancies: an individual patient data meta-analysis of nine randomized trials. J Clin Oncol 23: 5074-5087, 2005
4) Nagafuji K, et al: Peripheral blood stem cell versus bone marrow transplantation from HLA-identical sibling donors in patients with leukemia: a propensity score-based comparison from the Japan Society for Hematopoietic Stem Cell Transplantation registry. Int J Hematol 91: 855-864, 2010
5) Miyao K, et al; GVHD Working Group and Donor/Source Working Group of the Japanese Society for Transplantation and Cellular Therapy: Antithymocyte globulin potentially could overcome an adverse effect of acute graft-versus-host disease in matched-related peripheral blood stem cell transplantation. Transplant Cell Ther 28: 153. e1-153. e11, 2022
6) Kanda J, et al: Related transplantation with HLA-1 Ag mismatch in the GVH direction and HLA-8/8 allele-matched unrelated transplantation: a nationwide retrospective study. Blood 119: 2409-2016, 2012
7) Kanda Y, et al: Impact of a single human leucocyte antigen (HLA) allele mismatch on the outcome of unrelated bone marrow transplantation over two time periods. A retrospective analysis of 3003 patients from the HLA Working Group of the Japan Society for Blood and Marrow Transplantation. Br J Haematol 161: 566-577, 2013
8) Kawase T, et al: High-risk HLA allele mismatch combinations responsible for severe acute graft-versus-host disease and implication for its molecular mechanism. Blood 110: 2235-2241, 2007
9) Kanda Y, et al: Changes in the clinical impact of high-risk human leukocyte antigen allele mismatch combinations on the outcome of unrelated bone marrow transplantation. Biol Blood Marrow Transplant 20: 526-535, 2014
10) Goto T, et al: Prospective observational study on the first 51 cases of peripheral blood stem cell transplantation from unrelated donors in Japan. Int J Hematol 107: 211-221, 2018
11) Shichijo T, et al: Beneficial impact of low-dose rabbit anti-thymocyte globulin in unrelated hematopoietic stem cell transplantation: focusing on difference between stem cell sources. Bone Marrow Transplant 53: 634-639, 2018

12) Arai Y, et al: Allogeneic unrelated bone marrow transplantation from older donors results in worse prognosis in recipients with aplastic anemia. Haematologica 101: 644-652, 2016
13) Shinohara A, et al: High non-relapse mortality and low relapse incidence in gender-mismatched allogeneic hematopoietic stem cell transplantation from a parous female donor with a male child. Leuk Lymphoma 58: 578-585, 2017
14) Terakura S, et al: Comparison of outcomes of 8/8 and 7/8 allele-matched unrelated bone marrow transplantation and single-unit cord blood transplantation in adults with acute leukemia. Biol Blood Marrow Transplant 22: 330-338, 2016
15) Yanada M, et al: Unrelated bone marrow transplantation or immediate umbilical cord blood transplantation for patients with acute myeloid leukemia in first complete remission. Eur J Haematol 97: 278-287, 2016
16) Sugita J, et al: HLA-haploidentical peripheral blood stem cell transplantation with post-transplant cyclophosphamide after busulfan-containing reduced-intensity conditioning. Biol Blood Marrow Transplant 21: 1646-1652, 2015
17) Sugita J, et al: Myeloablative and reduced-intensity conditioning in HLA-haploidentical peripheral blood stem cell transplantation using post-transplant cyclophosphamide. Bone Marrow Transplantation 54: 432-441, 2019
18) Atsuta Y, et al: Comparable survival outcomes with haploidentical stem cell transplantation and unrelated bone marrow transplantation. Bone Marrow Transplant 57: 1781-1787, 2022
19) 日本造血・免疫細胞療法学会 HP：造血細胞移植ガイドライン 臍帯血移植，2022. https://www.jstct.or.jp/uploads/files/guideline/02_02n_cb.pdf
20) Yokoyama H, et al, HLA Working Group of the Japan Society for Hematopoietic Cell Transplantation: Impact of HLA allele mismatch at HLA-A, -B, -C, and -DRB1 in single cord blood transplantation. Biol Blood Marrow Transplant 26: 519-528, 2020
21) Sugita J, et al: Comparable survival outcomes with haploidentical stem cell transplantation and cord blood transplantation. Bone Marrow Transplant 57: 1681-1688, 2022
22) Fuchs EJ, et al: Double unrelated umbilical cord blood vs HLA-haploidentical bone marrow transplantation: the BMT CTN 1101 trial. Blood 137: 420-428, 2021
23) Fuji S, et al: Impact of pretransplant donor-specific anti-HLA antibodies on cord blood transplantation on behalf of the Transplant Complications Working Group of Japan Society for Hematopoietic Cell Transplantation. Bone Marrow Transplant 55: 722-728, 2020
24) Yoshihara S, et al: Risk and prevention of graft failure in patients with preexisting donor-specific HLA antibodies undergoing unmanipulated haploidentical SCT. Bone Marrow Transplant 47: 508-515, 2012
25) Kaida K, et al: Peritransplantation glucocorticoid haploidentical stem cell transplantation is a promising strategy for AML patients with high leukemic burden: comparison with transplantations using other donor types. Transplant Cell Ther 29: 273.e1-273.e9, 2023
26) Fukunaga K, et al: HLA haploidentical stem cell transplantation from HLA homozygous donors to HLA heterozygous donors may have lower survival rates than haploidentical transplantation from HLA heterozygous donors to HLA heterozygous donors: A retrospective nationwide analysis. Int J Hematol 119: 173-182, 2024

5 移植コーディネートの進め方

A 同種造血幹細胞移植の一般的なプロセス

同種造血幹細胞移植を行うには，移植適応の決定から，HLA 検査，ドナー検索，血縁および非血縁ドナーのコーディネートなどさまざまな過程が必要となる．図1に，一般的な同種造血幹細胞移植のプロセスを示す．ドナー・幹細胞のタイプにより移植の成功率は大きく異なるため(☞20頁，セクション4)，個々の患者の状況に応じて，適切なドナーから最適なタイミングで安全な移植が行えるように，コーディネートを進めていく必要がある．

1 患者コーディネート(図1中央の点線の部分)

患者コーディネートは，まず移植治療について説明・同意(IC)を行った後(☞7頁，セクション2)，個々の患者の状況を勘案して

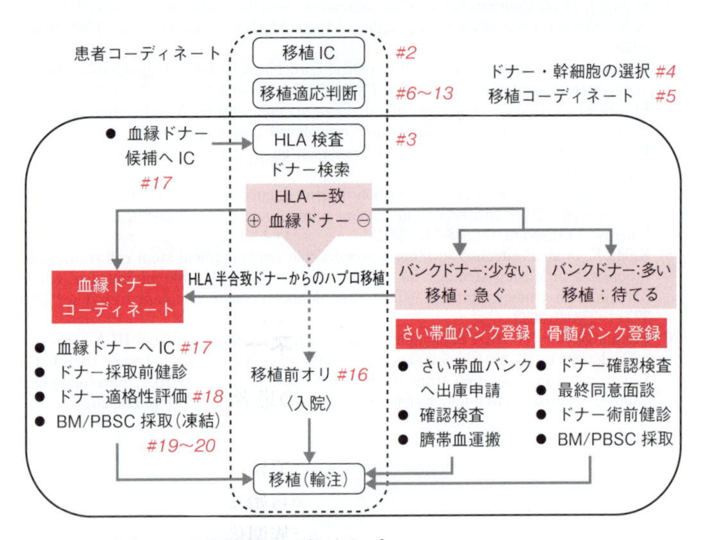

図1　同種造血幹細胞移植の一般的なプロセス
#の後の数字は，参照する本書のセクション番号を示す．

移植の方針が決定される(☞ 52〜138頁，セクション6〜13)．それから患者および血縁者(同胞・親子)のHLA検査を行い(血縁者のHLA検査は，提供意思と健康状態を確認した後に行う)，ドナー検索が進められる(☞ 14頁，セクション3)．通常は，HLA一致血縁ドナーがいれば，血縁ドナーコーディネートが開始され，不在の場合は非血縁ドナーコーディネート開始が検討される．ドナーコーディネートの進行状況に合わせて，移植前オリエンテーション(☞ 157頁，セクション16)が行われる．

2 血縁ドナーコーディネート(図1左側の部分)

血縁ドナー候補者へICを行った後(☞ 161頁，セクション17)，採取前健診を行ってドナー適格性を評価する(☞ 165頁，セクション18)．その後，移植スケジュールに合わせて骨髄(☞ 187頁，セクション20)または末梢血幹細胞(☞ 172頁，セクション19)の採取を行う．HLA一致血縁ドナーだけではなく，近年，HLA半合致(ハプロ)血縁ドナーからのコーディネートも増加傾向である．

3 非血縁ドナーコーディネート(図1右側の部分)

HLA一致血縁ドナーが不在の場合は，非血縁ドナーコーディネート開始が検討されるが，骨髄バンクのドナー候補者数と原疾患や合併症などの観点から移植まで待てるかどうかにより判断が大きく異なる．

骨髄バンクにドナー候補が多く，3〜4か月前後のバンクコーディネート期間を待てそうであれば，骨髄バンクへ登録しコーディネートを進めていく．一方，骨髄バンクにドナー候補が少なく，移植を急ぐ場合には臍帯血移植やHLA半合致(ハプロ)移植の適応が検討される．

B 血縁者間移植の患者コーディネート

図2は，当院における血縁者間移植の患者コーディネートの流れである．

実際の血縁者間移植のコーディネートでは，患者からの情報をもとにドナー候補者の検索を行うところから始まる．その際，可能な限りドナー候補者に関する健康状態や家族関係も含めて情報を確認しておく必要がある．血縁ドナー候補者のHLA検査費用の負担者

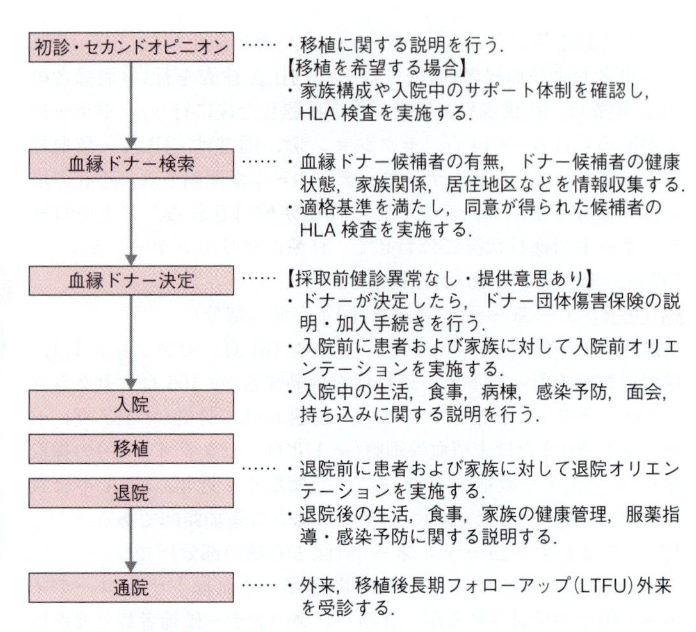

図2 血縁者間移植の患者コーディネートの流れ

や支払いについて確認し，幹細胞採取の際にドナーが背負うリスクやドナー団体傷害保険について説明を行う．またドナーの採取後フォローアップに関する点にも触れ，患者にも安心感を与えながらコーディネートを進めていくことも重要である．血縁者間移植は，以前は HLA 一致血縁ドナーからの移植が中心であったが，2020 年以降は HLA 半合致(ハプロ)移植の実施件数が上回っている．

C 血縁ドナーのコーディネート

血縁者間移植のコーディネートの最大の特徴として，患者とドナーがお互いの情報を知ることが可能な環境のなかで進められていくという点があり，患者・ドナーともに心の葛藤が生じやすいことに留意しなくてはならない．ドナーとしては，合併症のリスクを伴う幹細胞提供の話を突然持ち込まれるため，提供を受ける患者が血縁者であってもすぐに決断できないことがある．また，提供するか否かは自由意思にもとづくとはいいながらも，ドナー候補者は患者が血縁者であるがために「自分が提供しなければいけない」という心理的な圧力を感じる．一方，患者としても，自分の治療のために血縁者にドナーとしてリスクを背負わせることになり，「移植を受けたい」という思いと「ドナーに負担をかけたくない」という思いの間で悩むことになる．このため，ドナーは原則として患者担当医以外の医師が担当し，造血細胞移植コーディネーター(HCTC)が介入することが望ましい．

HCTC は患者の思いを受けながら，ドナー候補者の自主的な判断を助けるために必要な情報を提供し，ドナー自身が納得して結論を得るようにサポートする必要がある．

実際のコーディネートにおいては，血縁ドナー候補者との面談で幹細胞提供に関する説明を行い，適格性や提供意思を確認し，HLA 検査の実施を判断するところから始める．具体的な流れは以下の通りである(図 3)．

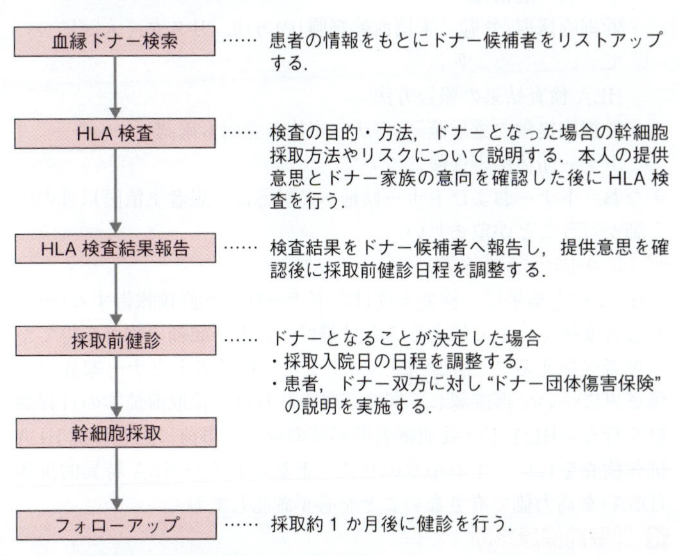

図 3　血縁ドナーのコーディネートの流れ

1 血縁ドナー検索

- 事前に患者へ説明・確認しておく.
  - ・ドナー候補者の有無
  - ・ドナー候補者との家族関係
  - ・ドナー候補者の健康状態，既往歴，合併症など(わかる範囲で)
  - ・ドナー候補者の連絡先
  - ・費用について

2 HLA 検査

- HLA 検査を行う前に，明らかにドナー適格性のない血縁者に高額の HLA 検査をしてしまうことがないよう，ドナー候補者の幹細胞提供意思や健康状態に関する最低限の情報について，チェックリスト(☞ 18 頁，セクション 3，表 1)を確認しておく.
- 患者や患者家族が同席しないよう配慮して，ドナー候補へ以下の説明を行う.
  - ・HLA 検査の目的・方法・料金に関する説明
  - ・健康状態の確認
  - ・ドナーの適格性
  - ・幹細胞採取(骨髄・末梢血幹細胞)の方法，リスク，入院について
  - ・HLA 検査結果の報告方法
  - ・幹細胞提供の意思確認(ドナー家族の意向も確認)
  - ・ドナー団体傷害保険について
- なお，ドナーおよびドナー候補への対応は，患者主治医以外の医師が行うことが望ましい.

3 HLA 検査結果報告

HLA 検査結果は，検査を受けたドナー候補へ直接報告する(患者や患者家族を介して伝えることは避け，ドナー候補の許可を得てから患者へ伝えることが望ましい). ドナー候補者とドナー家族の提供意思について再確認し，同意が得られれば，採取前健診の日程調整を行う. HLA 不一致血縁者間移植の場合，事前に患者の抗 HLA 抗体検査を行い，生着不全のリスクとなるドナー HLA 特異的抗体(DSA)を高力価で有さないことを必ず確認しておく.

4 採取前健康診断

- ドナーの採取前健診・適格性評価についてはセクション 18(☞

165頁)を参照.

① **ドナー適格となった場合**

- 患者にとって最適な移植時期を考慮のうえ，採取スケジュールを決定
- ドナー団体傷害保険の説明(☞ 165頁，セクション18)
- 採取スケジュールを関連部署(輸血部・麻酔科・アフェレーシス部門・外来・病棟など)へ連絡

② **ドナー不適格となった場合**

ドナーへ検査結果を伝えて，コーディネート中止とするか，再検査を行うか決定する.

5 幹細胞採取

幹細胞採取の実際はセクション19，20(☞ 172，187頁)を参照. 有害事象が生じた場合は，血縁造血幹細胞ドナー登録センターへ「有害事象報告書」を提出する. また，ドナー団体傷害保険に補償申請を行う場合は(株)厚生会にも連絡し，所定の手続きを行う.

6 採取後フォローアップ

採取後，約1か月後に健診を行い，血縁造血幹細胞ドナー登録センターへ「造血幹細胞採取報告書」を提出する. 再検査が必要となった場合は引き続きフォローアップを継続する. まれに，患者の症状が悪化したときに，ドナーのメンタルサポートを要することがある.

また，今後，移植後再発などに対してドナーリンパ球採取を依頼される可能性があることを説明しておく.

D 非血縁者間骨髄・末梢血幹細胞移植の患者コーディネート

1 骨髄バンクコーディネートの特徴

非血縁者間骨髄・末梢血幹細胞移植のコーディネートは，骨髄バンクのコーディネートシステムで定められたルールに従いながら行われる. その特徴として，患者とドナーが最初から最後までお互いの情報を知らないままコーディネートが進められていくという点がある. 血縁者間移植では，患者の移植を行う施設の医師やHCTCが直接ドナー候補者とかかわりながらコーディネートを進めていく

が，非血縁ドナー候補者との調整業務は，骨髄バンクから認定・委嘱を受けたコーディネーターが行う．

非血縁者間移植のコーディネートにおいては，骨髄バンクへ登録してから移植まで約3〜4か月間(中央値)のコーディネート期間を要するという大きな問題点がある．

2 患者コーディネートの進め方

骨髄バンクコーディネートには時間を要すること，移植時期のタイミングを計るのが難しいことが事前にわかっているため，"適切な時期に適切なドナーを得る"ことを心がけなければならない．このためには，骨髄バンクコーディネートの各プロセスにおける流れや注意点，コーディネートが進む確率や所要日数の見込みなど，さまざまな情報を把握しておく必要がある．図4に非血縁ドナーから骨髄移植や末梢血幹細胞移植を行う際の流れを示す．

❶ 患者への事前説明

1 コーディネートの流れ

コーディネートの各プロセスについての説明に加え，前述の通り，コーディネート期間が早くても約3〜4か月，遅ければ半年以上かかることもあるということを説明し，理解を得る．また移植へ到達するまでに約11人(中央値)のドナーをコーディネートする必要があることを伝えておく[1]．

2 コーディネート上のルール

互いのプライバシーが守られた形でコーディネートが進められるため，コーディネートの終了理由やドナー情報の詳細については情報提供できない(年齢・性別・在住する地方などは可)．

3 負担金について

一連のコーディネートの中で発生する検査費用などの負担金の支払いが必要なことを説明する．経済的な事情で支払いが困難な場合には，負担金免除のシステムがあることを伝える．

❷ 患者登録

造血幹細胞移植支援システムで患者登録を行い，患者HLA検査結果を含む登録申請書類を骨髄バンクへ提出すると，コーディネートが開始される．経済的理由で患者負担金の免除を申請する際は，申請書類および住民票，源泉徴収票などを提出する(提出は登録後でも可)．

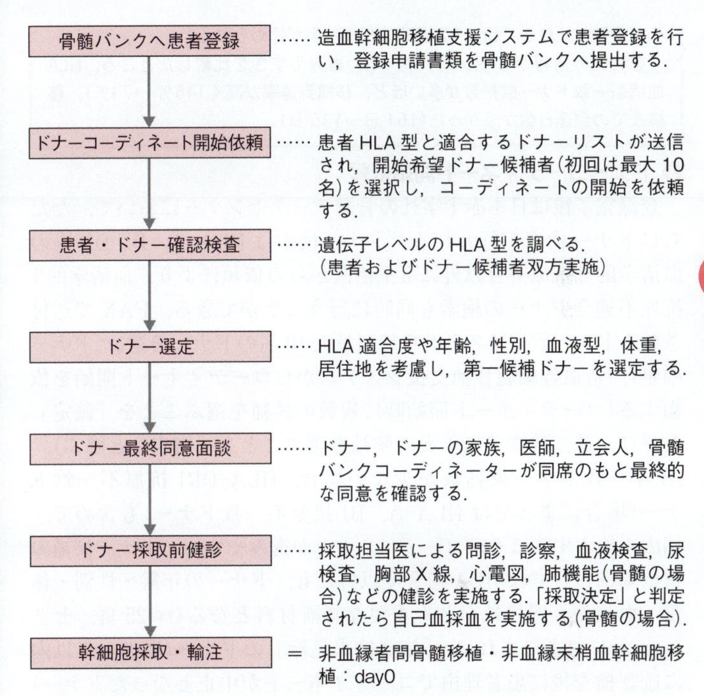

図 4　非血縁者間移植の患者ドナーコーディネートの流れ

日本骨髄バンクから発行されている“患者コーディネートの進め方(日本骨髄バンク HP：医師の方へ/患者主治医の方へ/患者コーディネートの進め方)”を参考にしながら進めるとよい．コーディネートに関する不明点や相談事が生じた場合は，早急に骨髄バンク移植調整部へ連絡を取り，早期に解決することが望ましい．

Memo

骨髄バンクコーディネートの進みやすさの予測

過去 10 年間の骨髄バンクコーディネート実態調査の結果[1]，非血縁骨髄移植まで到達するのは全体の 60％ であった．患者登録から移植までの期間中央値は 146 日で，約 11 人(中央値)のドナーをコーディネートする必要があった．また非血縁末梢血幹細胞移植の場合は，自己血採取が不要なため，骨髄と比較して約1〜2週間の短縮効果が認められる．
患者側の情報からコーディネートの進みやすさを比較したところ，HLA血清型一致ドナー候補数が多いほど，移植到達率が高く(45％→74％)，移植までの到達日数が短かった(151日→135日)．

❸ ドナーコーディネート開始依頼

登録完了後は日本赤十字社の骨髄データセンターにおいて，ただちにドナー検索が行われる．ドナー検索はHLA-A，B，DR座の血清学的6抗原適合以外にも主治医からの依頼により，血清学的1抗原不適合ドナーの検索も同時に行うことができる．FAXで送付されるドナー候補リストから初回最大10名のドナーを選び(ドナー確定)，造血幹細胞移植支援システムからコーディネート開始を依頼する(コーディネート開始時に複数の候補を選ぶことを「確定」と呼び，確認検査後に1人の候補を選ぶことを「選定」と呼ぶ)．HLA一致ドナー候補数が少ない場合，HLA-DR1抗原不一致ドナー(場合によってはHLA-A，B1抗原不一致ドナー)も含めて，幅広く検索するほうがコーディネートが進みやすい．ドナー候補の選択基準としてはHLA適合度以外にも，ドナーの年齢・性別・体重・血液型・居住地なども重要な判断材料となる(☞25頁，セクション4)．またまれに，「確認検査免除」のドナー(過去1年以内に確認検査後に患者理由でコーディネートが中止となったドナー)が候補として挙がってくることがある(オンラインのドナーリストの右端に日付がある場合)．確認検査免除ドナーは，採取までの到達率が高く，コーディネート期間が大幅に短縮されるため，当院では優先して選択している．

Memo 当院における骨髄バンクドナーを選択する基準

当院では，以下の理由で，HLA適合度よりもドナーの年齢・性別を特に重視しており，HLAアレル2座不一致(HLA 6/8一致)まで広げて検索を行っている(HLAアレル不適合座が多い場合はATG併用を検討)．

1) ドナーの年齢が若いほど，移植成績が良好である[2,3]．当院の寛解期AML 96例の解析では，40歳以下の若年男性ドナーからの移植(全体の半分を占める)は，他のドナーからの場合と比較して全生存割合(OS)が約2割高い．
2) 若年・男性ドナーの場合，採取細胞数が多くなる可能性が高く，生着に有利となる．

3)高齢ドナーは，健康理由によるコーディネート中止が若年ドナーと比較して2倍以上多く，若年ドナーは，コーディネート終盤での中止が少なくなり期間短縮につながる可能性がある．
4)造血幹細胞移植支援システムの画面には，ドナー候補情報のすぐ右側に「前回コーディネート履歴」として，ドナー理由または患者理由と中止理由が記載されている(FAXのリストに記載されていない)．複数回コーディネートを行ったドナーの解析によると，前回ドナー理由中止の場合は採取到達率が2.2%と低く[1)]，多数候補がいる場合は避けることが多い．一方，前回患者理由中止の場合は採取到達率が10.7%と高く(全体は6.9%)，また確認検査や最終同意面談が免除の可能性もあるため優先的に選択している．

❹ 患者確認検査

他院で患者が治療を受けている場合は，紹介医と密に連携をとって適切なタイミングで患者のHLA確認検査を実施する．原疾患や化学療法の影響で白血球数が少ない場合は，血液検査ではなく，口腔粘膜スワブでもHLA検査を行うことができる．

❺ ドナー選定

確認検査結果を含めたドナー候補者の情報から，「選定」あるいは不採用の判断を行う(または第二候補とすることも可能)．ドナー選定を行った場合は，移植希望時期，希望採取方法(骨髄または末梢血)，患者の身長，体重とともに所定の書類(ドナー選定通知書)を用いて骨髄バンクへFAXにて報告する．なお，選定期限は確認検査適格性判定日から40日以内と定められている(移植調整部へ相談は可能)．また当院では，移植までのコーディネート期間の短縮効果を優先して，可能であれば末梢血幹細胞を優先している．

ドナーを1人選定した後，(患者理由による中止がなければ)約83%の確率で採取まで到達できる(骨髄の場合，ドナー選定から採取まで約75日[1)]．2022年度のドナー選定から採取までの日数中央値は65日)．

なお，ドナー選定後に，ドナー候補者の「確定アレル」の情報が必要な場合には，NGS-SBT法によるHLAタイピング(11座)をオプション(有料：44,000円[2023年11月時点])で行うことができる．例として，詳細なHLA情報に基づいてGVHD予防をしたい場合，患者がclass Ⅱ抗原に対して広汎な抗HLA抗体を保有している場合，患者またはドナーが日本人に低頻度のHLAハプロタイプを保有していることが推定される場合などは特に有用である.

❻ 最終同意面談

第1位として選定したドナー候補者の最終同意面談が行われ同意が得られた場合は，提示される移植日の対応の可否について骨髄バンクへ返事をする．同意が得られなかった場合は，第2位以下のドナー候補を繰り上げ，再度，最終同意面談の日程調整を依頼する．もし，予備のドナー候補がいない場合は，臍帯血移植やHLA半合致血縁移植などを検討する.

最終同意面談で同意が得られた場合，(患者理由による中止がなければ)約93%の確率で採取まで到達できる(骨髄の場合，最終同意面談で同意が得られてから採取まで約50日[1]).

❼ 採取前健診

採取前健診の結果，“採取決定”の判定が下された場合は，前処置開始日を所定の書式(術前健診結果報告兼前処置確認依頼書)を用いて骨髄バンクドナーコーディネート部へFAXで報告する．もし“採取中止”の判定となった場合は，他の選定可能なドナー候補者を繰り上げ，改めての最終同意面談実施に戻り，コーディネートを継続する.

採取前健診で問題がなかった場合，(患者理由による中止がなければ)約99.5%の確率で採取まで到達できる(骨髄の場合，採取前健診の通過から採取まで約25日[1]).

❽ 移植

採取施設から移植施設へ骨髄・末梢血幹細胞を運搬する際のルールを把握しておく(業者へ運搬を委託することも可能)．移植施設と採取施設の担当医は，密に連携をとる必要がある．特に，末梢血幹細胞採取の場合は，採取CD34陽性細胞数やドナーの状況により，採取が2日間行われることもあるため注意する．またABO主不適合の末梢血幹細胞採血の場合，採取に用いる機器により採取産物のヘマトクリット値をある程度予測できる．移植完了後は骨髄バンクへ「非血縁者間骨髄等移植実施報告書」を作成し，FAXで報告する.

3 ドナーリンパ球輸注(DLI)の申請について

骨髄バンクでは，移植後に原疾患が再発した症例や重症ウイルス感染症を合併した症例に対して，ドナーリンパ球輸注(DLI)の申請が可能となっている．DLIを行う基準が定められており，骨髄バンクの医療委員会において審査が行われる．審査で適応ありと判断された場合でも，ドナーの意思や健康状態などによりコーディネートが終了となる場合もある．

4 海外骨髄バンク

❶ コーディネート

日本骨髄バンク(JMDP)は海外の骨髄バンクと提携しており，アメリカ(NMDP)，韓国(KMDP)，台湾(BTCSCC)，中国(CMDP)など4か国のバンクドナーも検索可能である．

❷ 負担金

海外骨髄バンクの患者負担金額は，日本の骨髄バンクと比較すると，かなり高額な費用がかかる．

5 非血縁コーディネートにおける留意点

非血縁移植を行う際の患者コーディネートが円滑に行われるように，HCTCが中心となって行うことが望ましいが，HCTC不在施設においては以下の点に留意して患者コーディネートを実施しなくてはならない．

❶ 骨髄バンクとの連絡・調整

骨髄バンクから日々送信される書類，電話連絡に対し，正確かつ迅速に対応しなければならない．そのためにはバンクとの窓口を一本化することが望ましい．連絡の遅滞や度重なる再調整の依頼はドナーへの負担にもつながるので注意が必要である．

❷ 情報の共有

移植に向けた事前の準備や，起こりうる問題に対応できるよう，各部門へ迅速かつ正確に情報を提供し，またチーム内で適宜情報交換を行うことが不可欠である．

❸ 患者への情報提供

移植コーディネートを進めていく過程で，適切なタイミングで患者へ情報を提供することが大切である．また患者は移植までの間に不安や相談事などが生じた場合にいつでも頼れる存在を求めている．HCTC在籍施設では，HCTCが患者および家族の相談窓口としての役割を果たしている．

❹ ドナーと患者への配慮

ドナーは幹細胞を提供するまでに不安を1つひとつ解消しながら

心の準備を整え，検査や面談に臨み，幹細胞を提供している．ドナーも負担を背負っているということを忘れてはならない．ドナーへ配慮すると同時に，患者側の事情も尊重しなくてはならない．患者が意思決定に時間を要している場合は，その旨を骨髄バンクへ伝えて理解を得ることが重要である．

E 骨髄バンクドナーのコーディネート

骨髄バンクの骨髄・末梢血幹細胞認定採取施設においては，ドナーが安心して幹細胞を提供できるよう，サポートする形でかかわっていくことが重要である．ドナーの社会的負担の軽減に努め，精神的支援を行うことで，採取に対する不安を軽減し，さらには提供への満足感を得られるよう，施設としてボランティアドナーを受け入れる体制を整えなくてはならない．

以下，病院ごとに異なるが，一例を示す．

1 採取日程の受け入れの検討と決定

- 院内の手術室やアフェレーシス部門のスタッフと調整する．

2 採取前健診の日程調整

- 担当医と骨髄バンクのコーディネーターがドナーの都合を合わせて調整し，日程を決める．

3 採取前健診時

- 骨髄バンクコーディネーターとドナーについての情報交換を行う．
- 必要な検査項目・検査結果の確認を行い，ドナー安全基準と照会し適格性を確認する．
- (骨髄の場合)骨髄採取量・自己血採血量を決定する．
- (末梢血の場合)処理血液目標・上限量，G-CSF投与量を確認する．
- 骨髄採取計画書または末梢血幹細胞採取計画書を作成し，採取決定または採取中止につき，骨髄バンク地区事務局にFAXする．
- 再検査が必要な場合は地区事務局，骨髄バンクコーディネーターと調整する．
- 日本赤十字社の検体保存事業について説明する．

4 自己血採血時の対応（骨髄の場合）

- 骨髄バンクのコーディネーターが同行しないため，施設状況に応じて対応する.

5 入院時

- 状況に応じてドナーへの対応を行う.
- ドナーの健康状態の確認と病棟スタッフへ情報提供を行う.
- 骨髄バンクの検体保存用の採血検体を発送する.

6 採取

- 幹細胞受け渡しの際，運搬担当者へ案内する.
- 採取後に訪室し，「無事に採取が終了したこと，ねぎらい・感謝の気持ち，幹細胞を採取施設へ渡すことができたこと」などをドナーへ伝える.
- 速やかに骨髄バンク地区事務局へ「採取速報」をFAXにて送信する.

7 退院

- 退院後に報告書のデータを確認し，担当医が署名し，地区事務局へ関係書類をFAXにて送信する.

8 採取後健診

- バンクコーディネーターが同行しないため，必要に応じたサポートを行う.
- 報告書のデータをチェックし，地区事務局へFAXを送信する.
- データに異常があり，再検査となった場合は地区事務局に連絡する.

F 臍帯血移植の患者コーディネート

臍帯血移植を実施する場合は，さい帯血バンクを介してコーディネートが進められる．さい帯血バンクは，全国に6つ存在し，それぞれが独立した形で運営されているが，保有している出庫可能な臍帯血の情報（細胞数など）はすべて共有されている．実際の臍帯血の出庫手続きは，申請したさい帯血バンクのルールに従いながら行われるため，検査費用や運用される書類などもさい帯血バンクごとに異なる.

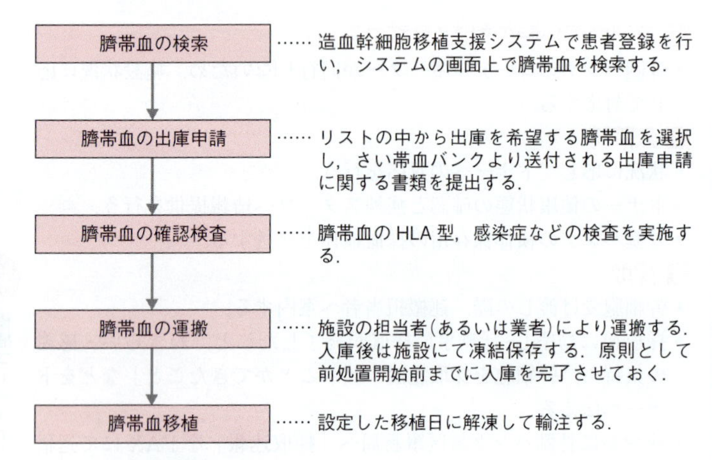

図5 臍帯血移植の患者コーディネートの流れ

1 患者への説明

臍帯血移植のコーディネートを開始する前に，患者へコーディネートの流れや，負担金などについて説明をしておかなければならない．コーディネート費用は基本的に無料であるが，出庫を申請している臍帯血および患者について検査を実施した場合は，費用が発生する．また施設への臍帯血の運搬費用は，骨髄バンクで骨髄などを運搬する場合と同様に，健康保険の療養費として保険者に申請することができる．

2 臍帯血移植コーディネートの特徴とルール

採取された臍帯血は凍結保存されているため，臍帯血移植のコーディネート期間は短い．特に，生着不全や骨髄バンクドナーからの移植が直前にキャンセルとなった場合は，緊急出庫という形で数日以内の対応も可能である．出庫申請については，原則として臍帯血移植を行うことを前提とするとされており，バックアップ用としての臍帯血を確保することは認められていない．また1人の患者に対し，出庫申請が可能な臍帯血は1つだけとなっている．ただし，骨髄バンクへ登録してコーディネートが継続されている状態でも，臍帯血の出庫を申請することは可能である．

3 コーディネートの流れ

実際の臍帯血移植の患者コーディネートの流れは図5の通りである．

❶ 臍帯血の検索

造血幹細胞移植支援システムで患者登録を行うと（患者のHLA型と体重を入力），候補となる臍帯血ユニットがCD34陽性細胞数が多い順に表示される．選択の際はCD34陽性細胞数，有核細胞数，HLA型の適合度などを考慮し，条件のよい臍帯血を選択する．

※臍帯血ユニットを選択する前に，患者の抗HLA抗体検査を行い，臍帯血がもつHLAに特異的な抗体（DSA）を高力価で有さないことを必ず確認しておく．

❷ 出庫申請

造血幹細胞適合検索サービスホームページは事前検索のみ可能である．リストの中から出庫を希望する臍帯血を選択し，さい帯血バンクより送付される出庫申請に関する書類を提出する．申し込み完了後，臍帯血の確保期間は3か月以内と規定されている．

❸ さい帯血バンクとの連絡調整

申請したさい帯血バンクの適応判定委員会で審査が行われ，承認されると，当該さい帯血バンクからFAXおよび郵送されてくる「臍帯血移植に関する同意書」「検査の依頼書」「施設とさい帯血バンク間の契約書類」を担当部署へ振り分け，処理を行う．

❹ 臍帯血の確認検査

臍帯血のHLA型や感染症などの確認検査を行う．

❺ 臍帯血の運搬，入庫

原則として，移植前処置を開始するまでに施設への入庫を完了させておく．ただし，出庫した後は臍帯血の返却はできないため，運搬・入庫時期は慎重に判断する必要がある．運搬は移植施設の関係者（HCTCなど）または業者が，液体窒素で約－196℃に保たれたドライシッパー（あるいはクライオシャトルという容器）を用いて行い，入庫後は施設で凍結保存する．

❻ 臍帯血移植

設定した移植日に臍帯血を解凍し，輸注後はFAXでさい帯バンクへ移植完了の報告を行う．患者理由などにより，移植中止となった場合も所定の書式を用いてその旨を報告する．

G 造血細胞移植コーディネーター(HCTC)の役割[4)]

日本造血・免疫細胞療法学会によるHCTCの定義は，「造血細胞移植が行われる過程の中で，ドナーの善意を生かしつつ，移植医療が円滑に行われるように，移植医療関係者や関連機関との“調整”を行うとともに，患者やドナー及びそれぞれの家族の“支援”を行い，倫理性の担保，リスクマネージメントにも貢献する医師以外の専門職」と示されている．

コーディネート全体を把握しながら，患者・ドナーや双方の家族の思いを把握し，意思決定ができるよう支援を行う必要性が認識され，HCTCを導入する施設が増えている．

HCTCは移植施設に所属する形でチーム医療の中における専門職として，院内各部門，公的バンク(骨髄バンク・さい帯血バンク)や採取施設，患者治療を行う関連病院との調整や事務管理業務を行う．また患者やドナーとその家族に対して継続的なサポートを行うことを基本的業務としている(表1)．

移植に対する患者本人の意思が尊重できるよう介入し支援していく必要がある．同様に，ドナー候補者が幹細胞提供に対し，本人の意思が尊重できるよう介入し支援していく．適宜，情報提供を行い，相談窓口となることで不安や疑問を解消しながら，安心して移植に臨むことができるようにかかわる．

また，移植コーディネートにおいてはさまざまな手続き，調整が必要となり，院内外の関係部署との連絡を密に行い，移植が円滑に進むよう調整管理していくこともHCTCの重要な役割となっている．移植の効率化のためには，調整の窓口が一本化されることが望ましく，その役割を担うHCTCは，医師や看護師，他の多くの専門職種と同様に，移植チームの一員として位置づけられている．

表1 HCTCの業務・役割

- 血縁者間移植のコーディネート
- 非血縁者間移植のコーディネート
- 患者・ドナー・家族への意思決定支援
- 患者・ドナー・家族への社会的・精神的支援
- 移植チーム・院内各部門との連絡・調整
- 骨髄バンク・さい帯血バンク，採取施設などの院外機関との連絡・調整

〔文献4)より〕

文献

1) 平川経晃，他：骨髄バンクコーディネートの現状．臨床血液 59：153-160，2018
2) Arai Y, et al: Allogeneic unrelated bone marrow transplantation from older donors results in worse prognosis in recipients with aplastic anemia. Haematologica 101: 644-652, 2016
3) Seo S, et al: Impact of the combination of donor age and HLA disparity on the outcomes of unrelated bone marrow transplantation. Bone Marrow Transplant 56: 2410-2422, 2021
4) 山崎裕介，他：移植コーディネートのプロセスと移植後の経過に応じた社会資源の活用．日本造血細胞移植学会(編)：同種造血細胞移植後フォローアップ看護．南江堂，2014

6 移植適応の考え方

A 予後予測

移植を選択すべきかどうかの適応判断において，原疾患が再発・治療抵抗性となるリスクを判断すること(予後予測すること)が最も重要である．

1 原疾患

移植以外に完治する可能性がない疾患から，早期の移植を必要としないものまで，原疾患の種類によって移植の位置づけはさまざまである．特にリンパ腫については，病理診断によって移植適応が異なる場合が多い．移植の判断に迷う場合は病理診断のセカンドオピニオンを求めることも必要である．

2 診断時の予後予測因子

原疾患ごとに診断時の予後予測因子が報告されている(☞ 56〜138頁，セクション7〜13)．急性骨髄性白血病が染色体異常の種類によって3群に分けられ，予後予測されることは有名である．近年はさらに遺伝子異常の有無も含めて検討するようになっている．

3 治療反応性

さまざまな予後予測因子があるが，化学療法への治療反応性は診断時の予後因子よりも，さらに重要な因子である．血液学的寛解の場合も，第一寛解期(CR1)に到達するまでに要した化学療法コース数や期間は重要である．またリンパ腫においては，同種移植前に要した治療レジメンの数が多いと予後不良となる．

4 移植前病期

移植前の病期は寛解のほうが，非寛解の場合と比較して予後は良好である．また血液学的寛解例における微小残存病変(MRD)は予後予測に有用である(☞ 488頁，セクション48)．

B 移植適応を検討するときに考慮する因子

1 年齢

国内における成人に対する同種移植成績を年齢ごとに比較してみると，50歳以上のほうが50歳未満よりも不良であることが多い．50歳以上をさらに50歳代・60歳代・70歳以上と3群に分けると，年齢が高くなるほど予後不良となる．当院では70歳以下を移植適応とすることが多いが，特に65〜70歳の患者は原疾患再発と非再発死亡のいずれの観点からも予後不良と考えられる．

2 全身状態

全身状態の指標としてパフォーマンス・ステータス(PS)(表1)は最も重要な因子である．化学療法中に低栄養状態となったり，リハビリテーションが全くできていないと，移植前のPSが低下し，移植成績に悪影響を与える可能性がある．特にPS 3以上は，移植成績がきわめて不良となるため，移植適応とすべきか否か検討が必要である．

3 HCT-specific comorbidity index(HCT-CI)

造血細胞移植患者の併存疾患をスコアリングするために，HCT-CIが作成された[1](表2)．以後，さまざまな疾患・移植方法においてこの予後因子が重要であることが報告されている．国内の検討で

表1 ECOG(Eastern Cooperative Oncology Group)PS

Score	定義
0	全く問題なく活動できる． 発病前と同じ日常生活が制限なく行える．
1	肉体的に激しい活動は制限されるが，歩行可能で，軽作業や座っての作業は行うことができる． 例：軽い家事，事務作業
2	歩行可能で自分の身の回りのことはすべて可能だが作業はできない． 日中の50%以上はベッド外で過ごす．
3	限られた自分の身の回りのことしかできない． 日中の50%以上をベッドか椅子で過ごす．
4	全く動けない． 自分の身の回りのことは全くできない． 完全にベッドか椅子で過ごす．

表2　HCT-specific comorbidity index の主要項目

併存疾患	HCT-CI スコア	HCT-CI の定義
不整脈	1	心房細動，心房粗動，洞不全症候群，心室性不整脈
心機能障害	1	冠動脈疾患（要内服治療，ステント・バイパス術の既往），うっ血性心不全，心筋梗塞，EF≦50%
炎症性腸疾患	1	クローン病，潰瘍性大腸炎
糖尿病	1	食事療法だけでなく，インスリンまたは経口糖尿病薬治療が必要な状態
脳血管障害	1	一過性虚血発作，脳血管障害の既往
精神疾患	1	精神科的診察や治療が必要なうつ病や不安障害
肝疾患（軽症）	1	慢性肝炎，T-Bil＞1〜1.5×施設上限値，AST/ALT＞1〜2.5×施設上限値
肥満	1	BMI＞35 kg/m^2
感染症	1	day 0 後も抗菌薬治療の継続が必要な状態
膠原病	2	全身性エリテマトーデス（SLE），関節リウマチ，多発性筋炎，混合性結合組織病，リウマチ性多発筋痛症
消化性潰瘍	2	治療が必要な状態
腎疾患（中等症/重症）	2	血清 Cre＞2 mg/dL，透析中，腎移植の既往
肺疾患（中等症）	2	DL_{CO} and/or %$FEV_{1.0}$ 66〜80%，軽度労作時に呼吸困難感あり
固形腫瘍の既往	3	治療の既往あり（非メラノーマ性皮膚がんを除く）
心臓弁膜疾患	3	僧帽弁逸脱を除く
肺疾患（重症）	3	DL_{CO} and/or %$FEV_{1.0}$ ≦65%，安静時呼吸困難感あり，酸素投与が必要な状態
肝疾患（中等症/重症）	3	肝硬変，T-Bil＞1.5×施設上限値，AST/ALT＞2.5×施設上限値

〔文献1）より〕

は，各併存疾患の頻度や非再発死亡に与える影響が原著[1]と一部異なる可能性もあるが，このスコアを移植前に十分検討する必要があることは変わりない．

4 ドナー条件

同種造血幹細胞移植の治療成績は，ドナー条件によって大きく異なっている(☞20頁，セクション4)．ただし，近年，代替ドナーからの移植成績は年々向上しているため，解釈には注意を要する．

5 患者の価値観

造血細胞移植は非常に合併症が多い治療である．そのため，患者本人が治療のゴールとしてどこを目指すかにより，適応判断は大きく変わってくる．完治を目指すためにリスクを覚悟で移植を選ぶのか，安全性を優先して移植をしない選択肢を選ぶのか，患者が考え選択できるように，情報提供が必要である．移植スタッフは化学療法と移植，それぞれの現時点での治療成績，短期的・長期的なメリットとデメリットを，慎重かつ簡明に説明する．デメリットとしては，治療関連死亡だけではなく，移植後に持続する身体症状によるQOL低下について説明することも重要である．急性白血病に対する同種移植を受けた場合と化学療法のみで治療された場合のQOLを比較した国内の報告がある[2]．同種移植を受けた後に移植片対宿主病(GVHD)がない患者は，化学療法のみを受けた患者と同等の身体的QOLがあり，精神的QOLは化学療法群よりも高い程度であった．一方，同種移植後にGVHDを合併している患者は，長期間，身体的QOLが低下していた．

6 患者の社会的背景・治療コンプライアンス

患者本人の職業，家庭環境，経済的状況についても考慮しておくことが重要である．退院後にサポートの中心となる家族(ケアギバー)も重要な役割がある．ケアギバー不在の場合，患者の治療コンプライアンス低下や体調不良時の対応の遅れにより，移植後予後は悪化しやすい．一人暮らしの患者の場合，別居家族のサポートを得られるかどうかなど，サポートの方法を検討しておく必要がある．移植前の精神的サポートがあることは，同種移植成績に好影響を及ぼしていた[3]．

文献

1) Sorror ML, et al: Hematopoietic cell transplanation (HCT)-specific comorbidity index: a new tool for risk assessment before allogeneic HCT. Blood 106: 2912-2919, 2005
2) Kurosawa S, et al: Patient-reported quality of life after allogeneic hematopoietic cell transplantation or chemotherapy for acute leukemia. Bone Marrow Transplant 50: 1241-1249, 2016
3) Ehrlich KB, et al: Pre-transplant emotional support is associated with longer survival after allogeneic hematopoietic stem cell transplantation. Bone Marrow Transplant 51: 1594-1598, 2016

7 急性骨髄性白血病

A 予後予測

1 診断時のリスク分類

急性骨髄性白血病(AML)の予後因子として，染色体異常，遺伝子異常，年齢，パフォーマンス・ステータス(PS)，初発時白血球数，FAB 分類，AML-MRC(AML with myelodysplasia-related changes)，治療関連 AML などが挙げられるが，中でも染色体異常と遺伝子異常をもとにリスクを層別化するのが主流である[1,2]．

表1に，NCCN(National Comprehensive Cancer Network)ガイドラインおよび ELN(European LeukemiaNet)ガイドラインから抜粋したリスク分類を示す[1,2]．中間リスク群は，染色体正常核型の症例を中心に治療反応性や予後の異なる多彩な病型が含まれ，*NPM1*，*FLT3-ITD*，*CEBPA*，*c-KIT* などの遺伝子異常の有無をもとに，さらなるリスクの層別化が試みられている．2022 年 7 月に ELN ガイドラインが更新され，染色体異常と遺伝子異常に基づくリスク分類が改訂された．大きな変更点としては，*FLT3-ITD* 変異の allelic ratio が考慮されなくなり，*NPM1* 変異の有無にかかわらず *FLT3-ITD* 変異陽性 AML は予後中間群とされたこと，骨髄異形成症候群関連遺伝子変異をもつ AML が予後不良とされたこと，*NPM1* 遺伝子変異が陽性であったとしても，他の予後不良因子があれば予後不良に分類されること，*CEBPA* 変異は両アレル変異であっても単アレル変異であっても bZip 領域(basic leucine zipper domain)に変異をもつものが予後良好とされたことなどが挙げられる[3]．

FLT3-ITD 変異に関しては，従来型化学療法に midostaurin を併用することによって治療成績が改善され予後中間群となった[4]．本邦では，midostaurin は未承認薬剤であるが，2023 年 5 月に臨床第Ⅲ相試験(QuANTUM-First)の結果に基づきキザルチニブが *FLT3-ITD* 変異を有する AML の一次治療薬として従来型化学療法との併用が承認された[5]．また，*NPM1* 変異陽性の意義につい

表1 当院における AML のリスク分類の考え方

リスク分類	染色体および遺伝子変異
Favorable（低リスク）	t(8；21)(q22；q22.1)/*RUNX1-RUNX1T1* inv(16)(p13.1q22)または t(16；16)(p13.1；q22)/*CBFB-MYH11* *NPM1* 変異陽性かつ *FLT3-ITD* 変異陰性 bZIP 領域における *CEBPA* 変異陽性（単アレル，両アレル変異問わず）
Intermediate（中間リスク）	*NPM1* 変異陽性かつ *FLT3-ITD* 変異陽性 *NPM1* 変異陰性（野生型）かつ *FLT3-ITD* 変異陽性（他の予後不良染色体/遺伝子異常なし） t(9；11)(p21.3；q23.3)/*MLLT3-KMT2A* inv(16)，t(16；16)，t(8：21)における，*c-KIT* 変異陽性 染色体および遺伝子異常が Favorable や Adverse に該当しないもの
Adverse（高リスク）	Complex karyotype*1 Monosomal karyotype*2 t(6；9)(p23.3；q34.1)/*DEK-NUP214* t(v；11q23.3)/*KMT2A*-rearranged t(9；22)(q34.1；q11.2)/*BCR-ABL1* t(8；16)(p11.2；p13.3)/*KAT6A-CREBBP* inv(3)(q21.3q26.2) or t(3；3)(q21.3；q26.2)/*GATA2, MECOM(EVI1)* t(3q26.2；v)/*MECOM(EVI1)*-rearranged −5 or del(5q)；−7；−17/abn(17p) *ASXL1, BCOR, EZH2, RUNX1, SF3B1, SRSF2, STAG2, U2AF1*, or *ZRSR2* 変異 *TP53* 変異

*1 染色体複雑核型：3つ以上の関連性のない染色体異常をもち，かつ他のリスク分類を定義する遺伝子異常がないもの．構造異常のない3つ以上のトリソミー（またはポリソミー）をもつ Hyperdiploid は除外される．
*2 単染色体核型：2つ以上の常染色体モノソミー，もしくは1つの常染色体モノソミーに加えて，少なくとも1つの染色体構造異常（CBF-AML を除く）を伴う．

て，本邦の初発 AML605 例の解析では，*NPM1* 変異陽性（n＝174）は OS に対する予後良好因子ではなく，R882 型の *DNMT3A* 遺伝子変異の共存例（n＝48）は予後不良であり，さらに *FLT3-ITD* 変異の共存例（トリプル変異陽性例；n＝25）はきわめて予後不良であることが示され，両遺伝子変異（*DNMT3A* R882 および *FLT3-ITD*）が *NPM1* 変異陽性例の予後層別化に有用であることが示唆された[6]．なお，CBF-AML における *c-KIT* 変異や *FLT3* 変異は，

ELN2022ではリスク分類を変更しないとされているが，その影響について多くの報告がなされている．本邦からは，*RUNX1-RUNX1T1*変異は*c-KIT*変異(exon17変異のみ)をもつ場合に予後不良となるが，*CBFB-MYH11*変異では*c-KIT*変異の有無は予後に影響を与えず，*NRAS*変異と地固め療法中のMRDの残存が予後不良因子であると報告された[7]．

当院では，全症例で網羅的に遺伝子異常を検索しているわけではなく，現行の保険診療の範囲で検索している(*FLT3*，*NPM1*，*c-KIT*など)．また，当院では他院からの紹介症例が多いため，初診時検体にアクセスできないことが多い．その他の遺伝子変異については，研究ベースで測定されているものであり，造血器腫瘍を対象としたオンコパネルの登場が待たれる．診断時に染色体異常や遺伝子変異を認めなかった症例のリスク分類については今後の課題であり，現状では他の予後因子や治療反応性を含めて総合的に判断することが重要である．

2 治療反応性(微小残存病変：MRD)

化学療法後のMRDはAMLの予後因子として確立されつつあり，ELN治療効果判定基準にも，MRD陰性化を伴うCRが加えられている[2]．MRDをモニタリングすることにより，化学療法中や移植前後の寛解状態の深さ・再発徴候を，従来の形態学的評価より鋭敏に評価できる．MRDが高レベルで持続陽性である場合や，分子学的寛解後に陽転化した場合は，その後の血液学的再発に注意を要する．

MRDの検出手法として，染色体転座によるキメラ遺伝子，疾患特異的な遺伝子変異(*NPM1*変異[8]など)，正常細胞に比し腫瘍細胞に過剰発現する遺伝子に由来するmRNA(*WT-1*[9]など)を検出する定量PCR検査に加えて，CD7+AMLやCD19+AMLなど腫瘍特異的な細胞表面マーカーの発現パターン(aberrant antigen expression：AAE)を検出するマルチカラーフローサイトメトリー(FCM)検査が挙げられる．NGS(next-generation sequencing)によるMRD測定の研究も進められている．

MRDの推移は，標的マーカー，検出手法，治療レジメンなどによって影響を受けるため，AMLにおいて汎用性のある評価タイミングは確立されていない．移植前MRDの意義については，最近の海外の後方視的研究で，移植前 PCR-MRD は独立した予後不良因子であり，CR1 かつ MRD 陽性の患者と CR2 かつ MRD 陰性の患者の予後は同等であったと報告されている[10]．当院では，保険診療の範囲で実施可能な *WT-1* やキメラ遺伝子を検出する定量 PCR，AAE を検出する FCM を，移植前（前処置開始前）にルーチンで評価している．

B 当院における移植適応の考え方

当院の AML に対する移植適応は，基本的に国内外のガイドラインと同様である[1, 2, 11, 12]．

1 AML〔急性前骨髄球性白血病（APL）を除く〕

図 1 に一般的な寛解導入療法以降の治療方針，表 2 に当院における移植適応を示す．AML（APL を除く）に対する自家移植の報告はあるが，当院では基本的に行っていない．

❶ 第一寛解期（CR1）

CR1 における移植適応は，疾患の再発リスクのみならず，移植

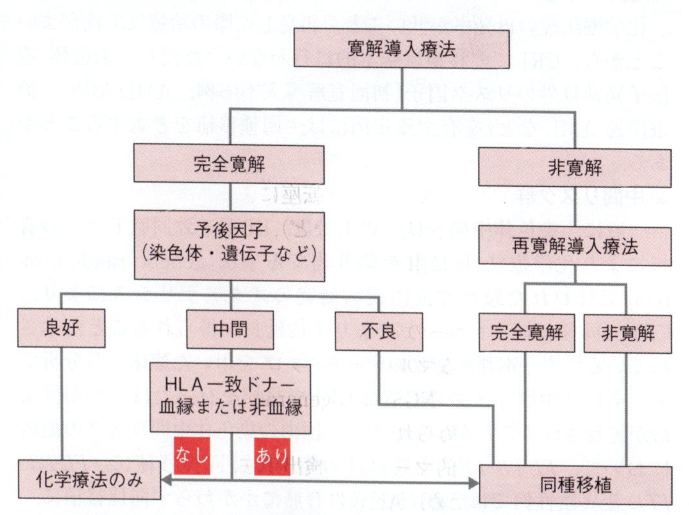

図 1 AML（APL を除く）の治療方針

表2 AML(APLを除く)の移植適応

		血縁一致	血縁1座不一致 非血縁一致	その他の 代替ドナー	自家
CR1	低リスク	△	×	×	×
	中間リスク	○	○	○	×
	高リスク	◎	◎	◎	×
CR2以降の寛解期		◎	◎	◎	×
再発，治療抵抗例		○	○	○	×

◎：積極的に勧める，○一般的に勧める，△：一部の症例で勧める，×：原則として勧めない．

あるいは化学療法を選択した場合の合併症〔非再発死亡(NRM)を含む〕や生活の質(QOL)低下のリスク，治療後に再発した場合の救援治療への反応性を加味して，慎重に検討する必要がある．

当院におけるリスク分類は，NCCN 2023年第3版やELNガイドライン2022年版に近い(表1)．基本的に染色体リスクを重視し，一部の症例で*c-KIT*変異や*FLT3-ITD*変異を加味している．

① 低リスク群

化学療法後の再発率が低いこと，再発した際の治療反応性がよいことから，CR1での移植は基本的に行わない．ただし，染色体/遺伝子異常以外のリスク因子(初回寛解導入不応例，AML-MRC，治療関連AMLなど)を有する症例には，同種移植を考慮することがある．

② 中間リスク群

一般に，染色体中間リスク以上では，HLA一致同胞ドナーの有無により化学療法/移植群を割り当てる手法(genetic randomization)で行われた複数の前方視的研究のメタアナリシスにより，CR1で同種移植を行うことにより予後延長が得られることが示されている[13,14]．本邦多施設のデータベースを用いた臨床決断分析でも，染色体中間リスク以上ではCR1で移植を行ったほうが期待余命が延長されることが示された[15]．国内の染色体中間リスクの症例において，*FLT3-ITD*変異陽性の症例では同種移植に，*FLT3-ITD*変異陰性例では*NPM1*変異の有無にかかわらず同種移植に，両アレル*CEBPA*異常陽性の症例では化学療法に，それぞれ優位性があることが示された(予後良好とされる *NPM1* 変異陽性かつ *FLT3-ITD* 変異陰性の症例においても同種移植に優位性があった点は海外データと異なる点であった[16]).

HLA 一致の血縁や骨髄バンクドナーがいれば同種移植を行う[17]. 上述の染色体/遺伝子以外のリスク因子がある場合には, 代替ドナー(臍帯血ドナーや HLA 半合致血縁ドナー)からの移植も考慮する.

日常診療では, 移植後の NRM のリスクから, 特に HLA 同胞ドナーが得られない場合や合併症を有する症例において, CR1 での移植を躊躇する場合もある. 染色体中間リスクの症例に対して, 移植を再発後に行う(CR1 で移植を行わない)方針とした場合, 再発後に第二寛解期(CR2)へ導入することができれば, 移植成績は CR1 で移植を行った場合と同等との国内外の報告がある[18, 19]. しかし, 再発後に CR2 を達成できる症例は約半数であること, 移植時まで CR2 を維持できない場合があること, CR2 に導入できず再発・非寛解状態で移植を行った場合にはきわめて予後不良となることは, 患者と家族によく説明する必要がある.

③ 高リスク群

代替ドナーも含めて同種移植を積極的に行う.

❷ 第二寛解期(CR2)以降の寛解期

CR2 以降の寛解期では, 代替ドナーも含めて同種移植を積極的に行う. 染色体低リスク群においては, 本邦のデータから t(8；21)を有する症例と inv(16)を有する症例のリスクは分けて考える[20]. t(8；21)では, いったん再発すると再寛解の有無によらず予後は不良となることが多いが, inv(16)では, CR2 が得られればその後の移植の有無による予後に差はなかった. ただし, inv(16)を有する症例でも, 移植を行わない場合の予後が移植を行う場合の予後を明らかに上回るわけではないため, 同種移植は積極的に検討する.

❸ 再発例および治療抵抗例

再発例および治療抵抗例では, 同種移植が長期生存を期待できる唯一の治療法であるため, 代替ドナーも含めて同種移植を積極的に行う.

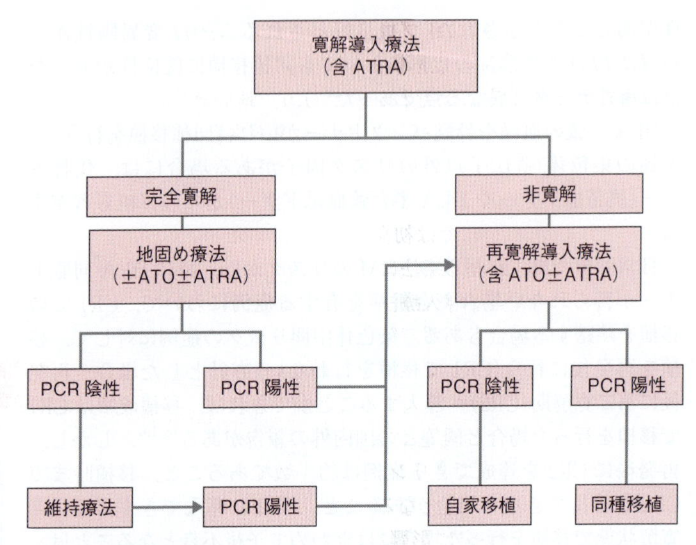

図2 APL の治療方針

表3 APL の移植適応

		血縁一致	血縁1座不一致 非血縁一致	その他の 代替ドナー	自家
CR1		×	×	×	×
CR 2[*1]	MRD(−)	×	×	×	◎
	MRD(+)	◎	◎	◎	×
再発進行期 寛解導入不応[*2]		○	○	○	×

◎：積極的に勧める，○：一般的に勧める，△：一部の症例で勧める，×：原則として勧めない.

*1 MRD(微小残存病変)を評価するため，*PML-RARα*キメラ遺伝子由来の mRNA を検出するリアルタイム PCR 検査を行う.

*2 初回寛解導入療法終了直後の MRD 陽性のみでは移植適応とはならない.

2 APL

図2に寛解導入療法以降の治療方針，表3に当院における移植適応を示す.

APL に対する初回治療として，疾患リスク(初発時白血球数など）に応じて，JALSG 204 プロトコールに準じた ATRA（all trans retinoic acid）による分化誘導療法にアントラサイクリン系薬剤などを併用した化学療法が行われる．一方，地固め療法で ATO（arsenic trioxide）を使用することで無イベント生存期間が延長し[21]，寛解導入療法から ATRA＋ATO を使用することで予後改善が得られることから[22]，世界的には初発から ATO を組み入れた治療が標準となっている．本邦では初発 APL に対する ATO は未だ承認が得られておらず，地固め療法に ATO を取り入れた JALSG212 試験や，現在進行中の寛解導入療法に ATO を加えた JALSG220 試験などの結果が待たれる．長期寛解を維持するため，再発リスクやアントラサイクリン系薬剤への耐容性などに応じて，ATRA，ATO，化学療法を適宜組み合わせた寛解後療法，維持療法が行われる．

経過中に再発を早期発見するため，リアルタイム PCR による微小残存病変（MRD）モニタリングが行われる．APL では，寛解導入療法直後には MRD 陽性となることがあるが，この時点での MRD 陽性は治療方針の決定に影響を与えない．一方，地固め療法後の MRD 陽性やその後の MRD 陽性化は再発のリスクとしてきわめて重要であり，pre-emptive に造血細胞移植を含めた早期の治療介入が必要である[23]．MRD の陽転化を認めた際には，4 週間以内に再検し，2 度続けて陽性が確認されたら，再発として救援治療を行う[11, 23]．再発に至るまでの治療レジメンや期間などに応じて，ATO を中心に ATRA や化学療法を適宜組み合わせた再寛解導入療法がなされる．再発時に頻度の高い中枢神経浸潤に対しては抗がん剤の髄腔内投与を行う．

CR2 で MRD 陰性の場合，自家移植が同種移植よりも生存割合が優れることが海外の後方視的解析で示されている[24]．CR2 で MRD 陽性の場合や，寛解導入不応または再発進行期の場合には，代替ドナーを含めて同種移植を考慮する．APL に対する同種移植成績については，国内レジストリデータの解析結果により，移植前非寛解，自家移植歴が予後不良因子として同定された[25]．同種移植前の MRD 陰性は再発率が低下する傾向にあったが，症例数が少なく有意差は認めなかった．自家移植後再発であっても，移植前に寛解が得られれば自家移植歴のない症例と同等の予後が期待できる．一方で，自家移植後再発で移植前非寛解の症例の予後は 5 年生存率 6%

と非常に悪い．

❶ CR1

移植適応はない．

❷ CR2でMRD陰性の場合

自家移植を第一選択とする．

❸ CR2でMRD陽性の場合

代替ドナーも含めて同種移植を行う．

❹ 寛解導入不応例または再発進行期の場合

代替ドナーも含めて同種移植を積極的に行う．

C 移植までの治療

1 AML〔急性前骨髄球性白血病(APL)を除く〕

寛解導入療法後にCR1を達成した症例については通常通りの地固め療法を実施する．近年，寛解例における同種移植までの橋渡し(ブリッジング)療法として，血球減少による感染症合併例や臓器障害のためアントラサイクリン系抗がん剤の追加投与が懸念される場合に，ベネトクラクス＋アザシチジン療法や*FLT3*阻害薬療法を実施することが増えてきている．また一般的な化学療法に対して非寛解の場合も，ベネトクラクス＋アザシチジン療法[26)]や*FLT3*阻害薬療法[27)]は救援療法として期待されている．ブリッジング療法後も腫瘍細胞が残存する場合，前処置直前に大量シタラビン療法を併用することもある．

AMLに対するゲムツズマブオゾガマイシン(GO)の有効性は近年見直されつつあるが，同種移植後の肝中心静脈閉塞症/類洞閉塞症候群(VOD/SOS)の発症リスクを高めることが知られている．移植前3か月以内に使用した場合，15〜40％の症例でVOD/SOSが発症したと報告[28)]されており，移植直前での使用は避けるべきである．一方，初発・未治療CD33＋AMLの寛解導入および地固め療法に分割した用量(3 mg/m^2)でGOを組み込み(国内の保険承認量は9 mg/m^2)，CR1での同種移植後の成績を比較した第Ⅲ相試験(前処置の78.1％はRIC，GO最終投与から2か月以上空けて移植実施)では，GO群と非GO群で移植後のOS，NRM，再発率で有意差はなく，GO群における移植後VOD/SOS発症率は6.5％と報告されている[29]．移植前のGO投与については，GO投与量の減量，GO投与から移植までの期間をあける，移植前処置をRICにすることで可能かもしれないが，安全性は十分に確立しておらず，当院では経験が少ない．

2 APL

初回治療時にATRA＋化学療法で治療された場合にはATRA＋ATOの組み合わせが，初回治療でATRA＋ATOが使用された場合にはATRA＋化学療法の組み合わせが推奨される．一方で，完全寛解を2年以上維持できていた症例については，前治療と同様のレジメンでもよい可能性がある[23]．

D 移植前処置

骨髄破壊的前処置においてBU/CYとCY/TBIを比較したRCTが過去に行われ，AMLにおけるBU/CYのCY/TBIに対する非劣性が示されたが，経口BU時代の報告であり現在の静注BU主体の前処置と同様に解釈するのは困難と考えられた[30]．静注BU/CYとCY/TBIの有効性について検討した前方視的コホート研究では，2年生存率は静注BU/CYが優れていたことから[31]，AMLをはじめとする骨髄系腫瘍ではBUを用いたレジメンが有用である可能性がある．

CY/TBIレジメンに大量シタラビン(CA)を追加することで治療効果を高める取り組みが行われ，後方視的な解析では臍帯血をドナーソースとした場合，CA/CY/TBIがCY/TBIよりも優れていることが本邦より報告されている[32]．2022年にAMLにおけるG-CSF製剤(レノグラスチム)のCAやFLUなどの抗がん剤との併用が認可された．現在本邦で行われている非盲検化の第Ⅲ相試験(G-CONCORD)では，成人AML/MDS患者に対する臍帯血移植において，G-CSFでプライミングした骨髄破壊的前処置(CA/CY/TBI)の有効性が検証されており，その結果が待たれる．

前処置として広く使用されているFLU/BU4はMACに分類されるが，BU/CYと比較して移植後早期の合併症やTRMが少ないとされ[33]，臓器機能障害のためBU/CYが使用できない症例や高齢者において有力な選択肢となっている．一方で，BU/CYが実施可能な若年 AML 症例においては，全生存率や無再発生存率などにおいて FLU/BU4 と比較して BU/CY が優れていたことから[34]，年齢や臓器障害の程度により慎重に選択する必要がある．また，FLU/BU4 に MEL を追加することで，更に治療効果を高めようとする試みが行われており[35]，国内の傾向スコアマッチングを用いた後方視的検討により，その有効性が FLU/BU4 vs. FLU/BU4/MEL の直接比較により報告されている（ドナーソースの約 7 割が臍帯血）[36]．また国内レジストリデータを用いた CR1 の臍帯血移植について前処置を比較した報告では，多変量解析にて全生存率と好中球生着について FLU/BU4/MEL が優れていた[37]．当院でも，特に臍帯血移植例において，従来型の MAC レジメンが適応となりづらい場合に，FLU/BU4/MEL レジメンを選択することが多い．

移植前 MRD に基づいて前処置強度を高めることの有用性については，最近の海外第Ⅲ相試験において，NGS 解析による MRD 陽性例のうち MAC 例は RIC 例と比べて有意に再発率が低く OS が高かったと報告されている[38]．一方，年齢または合併症のために MAC の適応にならない患者については，海外第Ⅱ相試験（RCT）において，FCM 解析による MRD 陽性例において，強度を高めた RIC では従来型 RIC に比べて予後改善は得られなかった[39]．

当院では若年者に対しては可能な限り従来型 MAC（BU/CY，CY/TBI）を選択し，従来型 MAC が適応となりづらい症例では FLU/BU4/MEL レジメンを選択することもある．高齢者では基本的に RIC を選択するが，年齢や再発リスクに応じて FLU/BU4 や FLU/BU2 レジメンに MEL や CA の追加を考慮することがある．

E 移植後再発対策

1 AML〔急性前骨髄球性白血病（APL）を除く〕

FLT3-ITD 変異陽性 AML においては，海外でソラフェニブ（保険適用外）維持療法の有効性が報告され[40, 41]，NCCN ガイドラインにおいても推奨されている[1]が，本邦では未承認である．ギルテリチニブを用いた同種移植後の維持療法については，ADMIRAL 試験の長期フォローアップデータの post hoc 解析にて有効である可能性が示唆された[42]．しかし，ギルテリチニブによる移植後維持療

法の有用性を評価する第Ⅲ相試験(Morpho 試験)では，ギルテリチニブ 120 mg を移植後 day 30〜90 に開始し移植後 2 年まで投与する群とプラセボ群にランダマイズされたが，主要評価項目である無再発生存期間に統計学的有意差は示されなかった．海外学会報告では，MRD 陽性群で維持療法により有意に RFS が改善していたが，詳細なサブ解析結果の公表が待たれる．またキザルチニブについては QuANTUM-R 試験にて，キザルチニブで治療されかつ移植前に composite CR を達成した *FLT-3* 変異陽性 AML において，移植後キザルチニブ維持療法を行った群で全生存率の中央値が 27.1 か月であり安全に使用可能であったと報告され[27]，また，第Ⅰ相試験ではあるが維持療法が historical cohort と比較して有効である可能性が報告されている[43]．

国内からの単施設報告では，25 例の再発・治療抵抗性 *FLT-3* 陽性 AML に対する同種移植後，14 例で移植後にギルテリチニブ維持療法が行われた[44]．維持療法の開始時期は中央値で移植後 26 日(21〜110)，少量で開始された(14 例中 8 例が 40 mg/日で開始)．観察期間は短いが，維持療法あり群の方がなし群と比較して 1 年無再発生存割合が有意に高かった(100% vs. 36%)．

当院では，*FLT3-ITD* 変異陽性 AML 患者において，造血回復後にギルテリチニブの内服を検討することがある．症例数は少ないが(n＝8)，開始までの中央値は 31 日(23〜45 日)，開始用量の中央値は 40 mg(40〜80 mg)で，8 例のうち 2 例に再発を認めている．

ギルテリチニブは QT 延長を認めるため，定期的な心電図フォローや電解質の補正が必要である．また，CYP3A や P-糖蛋白阻害作用のある薬物と併用する場合は，ギルテリチニブの血中濃度が増加する可能性があり減量が必要である．

当院では，*FLT3-ITD* 変異陽性 AML 以外の病型に対しては，移植後維持療法を行っていない．アザシチジン皮下投与の移植後維持療法は，有効性を証明されておらず使用していない[44]．ベネトクラクスによる移植後維持療法については，アザシチジンとの併用療法について国際臨床第Ⅲ相試験が進行中である(NCT04161885)．

2 APL

APL の移植後維持療法について検討されたものはなく，現時点で推奨されない．

文献

1) NCCN Clinical practice guidelines in oncology: acute myeloid leukemia, ver. 3, 2023. https://www.nccn.org/
2) Döhner H, et al: Diagnosis and management of AML in adults: 2022 ELN recommendations from an international expert panel on behalf of the ELN. Blood 140: 1345-1377, 2022
3) Wakita S, et al: Prognostic impact of CEBPA bZIP domain mutation in acute myeloid leukemia. Blood Adv 6: 238-247, 2022
4) Stone RM, et al: Midostaurin plus chemotherapy for acute myeloid leukemia with a FLT3 mutation. N Engl J Med 377: 454-464, 2017
5) Erba HP, et al: Quizartinib plus chemotherapy in newly diagnosed patients with FLT3-internal-tandem-duplication-positive acute myeloid leukaemia (QuANTUM-First): a randomised, double-blind, placebo-controlled, phase 3 trial. Lancet 401: 1571-1583, 2023
6) Wakita S, et al: Mutational analysis of DNMT3A improves the prognostic stratification of patients with acute myeloid leukemia. Cancer Sci 114: 1297-1308, 2023
7) Ishikawa Y, et al: Prospective evaluation of prognostic impact of KIT mutations on acute myeloid leukemia with RUNX1-RUNX1T1 and CBFB-MYH11. Blood Adv 4: 66-75, 2020.
8) Dillon R, et al: Molecular MRD status and outcome after transplantation in NPM1-mutated AML. Blood 135: 680-688, 2020
9) Ino K, et al: Clinical utility of WT1 monitoring in patients with myeloid malignancy and prior allogenic hematopoietic stem cell transplantation. Biol Blood Marrow Transplant 23: 1780-1787, 2017
10) Jentzsch M, et al: Impact of MRD status in patients with AML undergoing allogeneic stem cell transplantation in the first vs the second remission. Blood Adv 6: 4570-4580, 2022.
11) 日本造血・免疫細胞療法学会 HP：造血細胞移植ガイドライン 急性骨髄性白血病第3版，2019. https://www.jstct.or.jp/uploads/files/guideline/03_01_aml03.pdf
12) 日本血液学会：造血器腫瘍診療ガイドライン 2023年版. http://www.jshem.or.jp/
13) Koreth J, et al: Allogeneic stem cell transplantation for acute myeloid leukemia in first complete remission: systematic review and meta-analysis of prospective clinical trials. Jama 301: 2349-2361, 2009
14) Yanada M, et al: Efficacy of allogeneic hematopoietic stem cell transplantation depends on cytogenetic risk for acute myeloid leukemia in first disease remission: a metaanalysis. Cancer 103: 1652-1658, 2005
15) Kurosawa S, et al: A Markov decision analysis of allogeneic hemato-poietic cell transplantation versus chemotherapy in patients with acute myeloid leukemia in first remission. Blood 117: 2113-2120, 2011
16) Kurosawa S, et al: Decision analysis of postremission therapy in cytogenetically intermediate-risk acute myeloid leukemia: the impact of FLT3 internal tandem duplication, nucleophosmin, and CCAAT/enhancer binding protein alpha. Biol Blood Marrow Transplant 22: 1125-1132, 2016
17) Yano S, et al: Role of alternative donor allogeneic hematopoietic stem cell transplantation in patients with intermediate- or poor-risk acute myeloid leukemia in first complete remission. Bone Marrow Transplant 54: 2004-2012, 2019.
18) Kurosawa S, et al: Prognostic factors and outcomes of adult patients with acute myeloid leukemia after first relapse. Haematologica 95: 1857-1864, 2010
19) Burnett AK, et al: Curability of patients with acute myeloid leukemia who did not undergo transplantation in first remission. J Clin Oncol 31: 1293-1301, 2013
20) Kurosawa S, et al: Prognosis of patients with core binding factor acute myeloid leukemia after first relapse. Haematologica 98: 1525-1531, 2013
21) Powell BL, et al: Arsenic trioxide improves event-free and overall survival for

adults with acute promyelocytic leukemia: North American Leukemia Intergroup Study C9710. Blood 116: 3751-3757, 2010
22) Lo-Coco F, et al: Retinoic acid and arsenic trioxide for acute promyelocytic leukemia. N Engl J Med 369: 111-121, 2013
23) Sanz MA, et al: Management of acute promyelocytic leukemia: updated recommendations from an expert panel of the European Leukemia Net. Blood 133: 1630-1643, 2019
24) Thirugnanam R, et al: Comparison of clinical outcomes of patients with relapsed acute promyelocytic leukemia induced with arsenic trioxide and consolidated with either an autologous stem cell transplant or an arsenic trioxide-based regimen. Biol Blood Marrow Transplant 15: 1479-1484, 2009
25) Yanada M, et al: Allogeneic hematopoietic cell transplantation for patients with relapsed acute promyelocytic leukemia. Transplant Cell Ther 28: 847, 2022
26) Stahl M, et al: Clinical and molecular predictors of response and survival following venetoclax therapy in relapsed/refractory AML. Blood Adv 5: 1552-1564, 2021
27) Perl AE, et al: Gilteritinib or chemotherapy for relapsed or refractory FLT3-mutated AML. N Engl J Med 381: 1728-1740, 2019
28) McKoy JM, et al: Gemtuzumab ozogamicin-associated sinusoidal obstructive syndrome (SOS): an overview from the research on adverse drug events and reports (RADAR) project. Leuk Res 31: 599-604, 2007
29) Pautas C, et al: Outcomes following hematopoietic stem cell transplantation in patients treated with standard chemotherapy with or without gemtuzumab ozogamicin for acute myeloid leukemia. Bone Marrow Transplant 56: 1474-1477, 2021
30) 日本造血・免疫細胞療法学会 HP：造血細胞移植ガイドライン 移植前処置第2版, 2020.
https://www.jstct.or.jp/uploads/files/guideline/02_01_zenshochi.pdf
31) Bredeson C, et al: Prospective cohort study comparing intravenous busulfan to total body irradiation in hematopoietic cell transplantation. Blood 122: 3871-3878, 2013
32) Arai Y, et al: Efficiency of high-dose cytarabine added to CY/TBI in cord blood transplantation for myeloid malignancy. Blood 126: 415-422, 2015
33) Rambaldi A, et al: Busulfan plus cyclophosphamide versus busulfan plus fludarabine as a preparative regimen for allogeneic haemopoietic stem-cell transplantation in patients with acute myeloid leukaemia: an open-label, multicentre, randomised, phase 3 trial. Lancet Oncol 16: 1525-1536, 2015
34) Lee JH, et al: Randomized trial of myeloablative conditioning regimens: busulfan plus cyclophosphamide versus busulfan plus fludarabine. J Clin Oncol 31: 701-709, 2013
35) Yamamoto H, et al: A novel reduced-toxicity myeloablative conditioning regimen using full-dose busulfan, fludarabine, and melphalan for single cord blood transplantation provides durable engraftment and remission in nonremission myeloid malignancies. Biol Blood Marrow Transplant 22: 1844-1850, 2016
36) Shimomura Y, et al: Adding melphalan to fludarabine and a myeloablative dose of busulfan improved survival after allogeneic hematopoietic stem cell transplantation in a propensity score-matched cohort of hematological malignancies. Bone Marrow Transplant 56: 1691-1699, 2021
37) Mizuno S, et al: Favorable outcome with conditioning regimen of Flu/Bu4/Mel in acute myeloid leukemia patients in remission undergoing cord blood transplantation. Transplant Cell Ther 28: 775. e1-9, 2022
38) Hourigan CS, et al: Impact of conditioning intensity of allogeneic transplantation for acute myeloid leukemia with genomic evidence of residual disease. J Clin Oncol 38: 1273-1283. 2020
39) Craddock C, et al: Augmented reduced-intensity regimen does not improve postallogeneic transplant outcomes in acute myeloid leukemia. J Clin Oncol 39: 768-778, 2021
40) Xuan L, et al: Sorafenib maintenance in patients with FLT3-ITD acute myeloid leu-

kaemia undergoing allogeneic haematopoietic stem-cell transplantation: an open-label, multicentre, randomised phase 3 trial. Lancet Oncol 21: 1201-1212, 2020
41) Burchert A, et al: Sorafenib maintenance after allogeneic hematopoietic stem cell transplantation for acute myeloid leukemia with FLT3-internal tandem duplication mutation (SORMAIN). J Clin Oncol 38: 2993-3002, 2020
42) Perl AE, et al: Follow-up of patients with R/R FLT3-mutation-positive AML treated with gilteritinib in the phase 3 ADMIRAL trial. Blood 139: 3366-3375, 2022
43) Sandmaier BM, et al: Results of a phase 1 study of quizartinib as maintenance therapy in subjects with acute myeloid leukemia in remission following allogeneic hematopoietic stem cell transplant. Am J Hematol 93: 222-231, 2018
44) Terao T, et al: Early initiation of low-dose gilteritinib maintenance improves post-transplant outcomes in patients with R/R FLT3mut AML. Blood Adv 7: 681-686, 2023
45) Oran B, et al: A phase 3 randomized study of 5-azacitidine maintenance vs observation after transplant in high-risk AML and MDS patients. Blood Adv 4: 5580-5588, 2020

8 急性リンパ性白血病

A 予後予測

1 診断時のリスク分類

急性リンパ性白血病(ALL)の診断時のリスク因子として，古典的には年齢(30〜35歳以上)，初発時白血球数(B-ALLで3万/μL以上，T-ALLで10万/μL以上)，細胞遺伝学的(染色体・遺伝子)異常，免疫形質などが挙げられる[1,2]．NCCNガイドラインでは，B-ALLにおける標準リスクの細胞遺伝学的異常として高二倍体など，高リスクの細胞遺伝学的異常として低二倍体，*KMT2A*遺伝子再構成，Ph染色体，Ph-like ALLなどを挙げている(表1)[1]．T-ALLにおける細胞遺伝学的異常に基づくリスク分類は確立していない．

表1 B-ALLの細胞遺伝学的リスク分類

リスク分類	細胞遺伝学的異常	臨床的意義
標準リスク	高二倍体(染色体数51〜65)	小児ALLの20〜30%
	t(12；21)(q13；q22)：*ETV6-RUNX1*	小児ALLの20%
高リスク	低二倍体(染色体数<44)	
	KMT2A 再構成(t[4；11]等])	乳児ALLの80%
	t(v；14q32)/IgH	
	t(9；22)(q34；q11.2)：*BCR-ABL1*	成人ALLの25% TKI時代前の予後不良因子
	複雑核型(5個以上の染色体異常)	
	BCR-ABL1-like(Ph-like) ALL	成人ALLの10〜30% 小児ALLの15%
	iAMP21(intrachromosomal amplification of chromosome 21)	
	t(17；19)：*TCF3-HLF*	
	IKZF1 変異	

〔文献1)より改変〕

小児患者では，古典的には，初診時年齢1歳以上10歳未満かつ初発時白血球数5万/μL未満のB-ALLが標準リスク，それ以外が高リスクである（T-ALLは年齢や白血球数によらず高リスク）[3,4]．1歳未満の乳児は予後不良であり，特に*KMT2A*遺伝子再構成は乳児患者の80%に認められ予後不良である．一方，1歳以上の小児では2～5歳に発症のピークがあり，予後良好な高二倍体やt(12；21)転座が高頻度でみられる[3]．また，15歳以上の思春期ALLでは，T-ALLの頻度が高く，予後不良なt(9；22)転座，t(4；11)転座，低二倍体の頻度が増える[3,4]．

Ph-like ALLは，Ph染色体をもたないが，Ph陽性ALLに類似した遺伝子発現パターンをもつ，予後不良なB-ALLのサブタイプである[5,6]．成人ALL患者の10～30%（特にAYA世代に多い），小児ALL患者の15%を占める．Ph-like ALLでは，その多くでチロシンキナーゼ経路の活性化に関連した遺伝子異常を認め，活性化される経路によって，①JAK/STAT関連，②ABL関連，③その他に分類される．JAKやABLを標的としたチロシンキナーゼ阻害薬（TKI）の効果が期待されている．

Early T-cell precursor（ETP）-ALLは，CD1a/CD8の発現欠損，CD5の低発現，1つ以上の骨髄系/幹細胞マーカー（CD117，CD34，HLA-DR，CD13，CD33，CD11b，CD65）の発現により特徴づけられる，予後不良なT-ALLのサブタイプである[7,8]．小児T-ALLの12%（ALL全体の2%）を占め，non-ETP-T-ALLと比較して寛解導入不応や血液学的再発の頻度が高く，予後不良とされる．

2 治療反応性（微小残存病変：MRD）

治療開始後早期のリスク因子として，古典的には，寛解までに要した期間が4週間以上，2サイクル以上の寛解導入療法などが挙げられ，小児ALLではプレドニゾロンによる初期治療への反応性が重要な予後因子である．近年は，高感度検査により検出される微小残存病変（MRD）が，強力な予後因子として確立されている．MRDにより，治療中の寛解状態の深さ・再発徴候を，従来の形態的評価より鋭敏に評価できる．寛解導入療法終了時，以降は治療レジメンに応じたタイミングで，骨髄液検体のMRDをモニタリングすることが推奨されている[1]．MRDが持続陽性の場合や，分子学的寛解後に陽転化した場合は，その後の血液学的再発に注意を要する．

MRD 測定法として，腫瘍特異的な免疫グロブリン(Ig)/T 細胞レセプター(TCR)再構成や染色体転座によるキメラ遺伝子 mRNA を標的とした定量 PCR 検査，細胞表面マーカーの発現パターン(AAE)を検出するマルチカラーフローサイトメトリー(FCM)検査が挙げられる．それぞれの特徴について表 2 に示す[9]．

MRD 測定を高感度で行うためには，検体は 10^6 レベルの有核細胞を含むことが望ましく，骨髄穿刺の初回吸引液を MRD 測定用に用い，2 回目以降の吸引液をそれ以外の検査に用いることが合理的である[9]．Ig/TCR 遺伝子再構成を標的とした MRD 測定では，初発時に腫瘍特異的 PCR プライマーを設計するが，治療後の MRD 測定でも初発時の腫瘍 DNA を必要とするため，診断時骨髄検査では十分量(5×10^6 細胞以上)の検体採取が必要なことに注意する．本邦では，2019 年より診断後 2 回までの PCR による MRD 測定が保険適用となった．

MRD の測定タイミングは，測定法や治療プロトコールによって規定されるものであるが，特に寛解導入療法後の微小残存病変

表 2　ALL における MRD 測定方法の比較

測定法	マルチカラーフローサイトメトリー法(6～8 カラー)	Ig/TCR 遺伝子再構成を標的とした定量 PCR 法	キメラ遺伝子を標的とした定量 PCR 法
感度	10^{-4}	10^{-4}～10^{-5}	10^{-4}～10^{-6}
適応	B-ALL：>90% T-ALL：>90%	B-ALL：95% T-ALL：95%	B-ALL：25～40% T-ALL：10～15%
長所	• 結果が迅速 • 細胞集団ごとの解析が可能	• 適応範囲が広い • 高感度 • 世界的に標準化されている	• 手技が容易 • 高感度
短所	• 測定感度がまちまち • 解析パネルが標準化されていない • 白血病細胞と骨髄回復期正常細胞(hematogone 等)の免疫形質に類似性あり	• 時間・労力を要する • 解析費用が高額	• 適応範囲が狭い • 標準化されておらず検査会社間で感度が異なる可能性あり

〔文献 9)より改変〕

(EOI MRD)が予後因子として確立している．Ph 陰性 ALL における MRD の意義について，国内で前方視的コホート研究(ALL MRD2002)が行われた[10]．MRD は，追跡可能なキメラ遺伝子を有する，あるいは症例特異的な Ig/TCR 再構成を有する症例において，PCR 法により評価された．EOI MRD が陰性だった群は，陽性だった群と比べて 3 年無病生存割合(DFS)が有意に優れていたが(69% vs. 31%)，3 年全生存割合(OS)には有意差はなかった(85% vs. 59%)．多変量解析では，EOI MRD 陽性は DFS に対する独立した予後不良因子であった．

B 当院における成人 ALL に対する移植適応の考え方

図 1 に一般的な ALL の治療方針，表 3 に当院における成人 ALL に対する移植適応を示す．当院の ALL に対する移植適応は，基本的に国内外のガイドラインと同様である[1, 11, 12]．

1 Ph 陽性 ALL

CR1 例においては，化学療法＋TKI のみで長期寛解を維持できるかどうかは不明であるため，現時点では同種移植が推奨される．同種移植の至適タイミングは確立されていないが，移植前に MRD 陰性を得ることが望ましい．MRD が持続陽性または陽転化した場

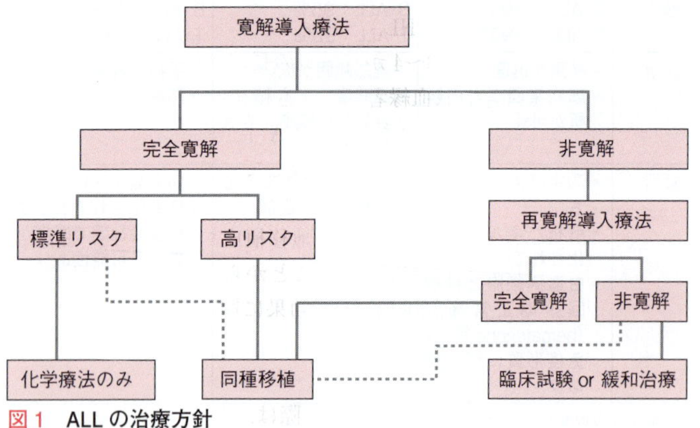

図 1　ALL の治療方針

表 3　当院における成人 ALL の移植適応

			血縁一致	血縁 1 座不一致 非血縁一致	その他の代替ドナー	自家
Ph 陽性 ALL	CR1		◎	◎	◎	×
	CR2 以上		◎	◎	◎	×
	非寛解期		△	△	△	×
Ph 陰性 ALL	CR1	標準リスク*1 かつ EOI MRD $<10^{-3}$	×	×	×	×
		高リスク*2 または EOI MRD $\geqq 10^{-3}$	◎	◎	◎	×
	CR2 以上		◎	◎	◎	×
	非寛解期		△	△	△	×

*1 標準リスク：高二倍体，*ETV6-RUNX1* など

*2 高リスク：低二倍体，*KMT2A* 再構成，t(v；14q32)/IgH，複雑核型(5 個以上の染色体異常)，*BCR-ABL1*-like，iAMP21，*TCF3-HLF*，*IKZF1* 変異，Early T-cell precursor(ETP)など

※*BCR-ABL1*-like の診断には，現時点では一般診療で行えない検査を要するため，臨床研究に参加して同定することが望ましい．将来的には，保険診療として実施可能な造血器腫瘍を対象としたオンコパネルが待たれる．

合は，別の TKI を併用した化学療法の継続や，ブリナツモマブなどの新規薬剤を含む救援化学療法により，MRD の陰性化を図ることが望ましい．当院では，HLA 一致血縁ドナーがおらず，非血縁ドナーコーディネートに 3〜4 か月以上の長期間を要する場合には，臍帯血移植，HLA 半合致血縁者間移植も積極的に選択している．

CR2 例に対しては，臍帯血移植や HLA 半合致移植を含めて同種移植を積極的に行う．MRD 陰性を達成していれば，良好な同種移植成績が示されている[13)]．

非寛解期 Ph 陽性 ALL に対する同種移植成績は不良であるが，一部の患者では長期寛解が得られることから，特に若年例において，移植前処置や移植後 TKI 療法の効果に期待し，同種移植を考慮することがある．

2 Ph 陰性 ALL

CR1 で移植を行うかどうか検討する際は，ALL では〔急性骨髄性

白血病(AML)と異なり〕，CR2に導入できたとしても，CR1で移植を行った場合と比べ，長期予後は1〜2割低くなることを念頭に置く．

診断時標準リスクのCR1例において，化学療法後にMRD陰性が得られた患者(EOI MRDが10^{-3}レベルで陰性化した場合)，特に小児型プロトコールで治療されたAYA世代患者に対しては，同種移植は基本的に行わない[1,11,12]．治療反応性が不十分であった場合(EOI MRDが10^{-3}レベルで陰性化が得られなかった場合，MRDが持続陽性または陽転化した場合など)，またはMRD指標がない場合には，HLA一致血縁ドナーやHLA一致骨髄バンクドナーからの移植を考慮する．移植前にMRD陰性化を得ることが望ましく，MRD陽性例では，移植までの橋渡し治療としてブリナツモマブ療法を行ってMRD陰性化を図ることが考慮される．

診断時高リスクのCR1例においては，同種移植を積極的に行う．ただし，年齢(35歳以上)以外の予後不良因子がない患者では，特にMRDモニタリングができない場合，移植適応について意見が分かれることがある．移植前にMRD陰性を得ることが望ましいが，高リスク例では標準リスク例と比較して血液学的CR達成後もMRD残存が多い傾向にある．MRD持続陽性例に対しては，ブリナツモマブの投与により78%の患者でMRD陰性化が得られたことが報告されている[14]．

CR2例に対しては，化学療法のみで完治を得ることが困難であるため，臍帯血移植やHLA半合致移植を含めて同種移植を積極的に行う．

非寛解期ALLに対する同種移植成績は不良であるが，一部の患者では長期寛解が得られることから，特に若年例において，移植前処置の効果に期待し，同種移植を考慮することがある．

C 移植までの治療

1 Ph陽性ALL

初発の成人およびAYA世代のPh陽性ALL患者には，初回治療としてTKIと多剤併用化学療法またはステロイドの併用療法が推奨され，血液学的CR割合は90%を越える．ダサチニブと

表 4 *BCR-ABL1* 変異プロファイルに基づく TKI 選択

第 2 世代および第 3 世代 TKI	投与を避けるべき変異
ボスチニブ	*T315I*, *V299L*, *G250E*, *F317L*
ダサチニブ	*T315I/A*, *F317L/V/I/C*, *V299L*
ニロチニブ	*T315I*, *Y253H*, *E255K/V*, *F359V/C/I*, *G250E*
ポナチニブ	None*

*ポナチニブに耐性を生じうる変異は存在する．ポナチニブは，*T315I* 変異例や複数 TKI 抵抗例にも有効性が認められるが，心血管イベント(脳卒中，心筋梗塞など)のリスクに注意を要する．
〔文献 1)より〕

Hyper-CVAD 療法を併用した前向き臨床試験では，94% の患者が血液学的 CR を達成した[15]．ダサチニブとプレドニゾロンによる寛解導入療法では，100% で血液学的 CR を達成し，寛解導入期の死亡例を認めず，高齢者でも施行可能なレジメンとして注目された[16]．初回治療としてダサチニブとステロイド併用寛解導入療法後に，ブリナツモマブ単剤の地固め療法を行う前向き試験では，98% で血液学的 CR を達成し，ブリナツモマブ 2 コース後の分子学的 CR は 60% に上った[17]．

寛解導入不応例および再発例に対しては，*BCR-ABL1* 変異解析を行い，変異プロファイルに基づいてセカンドラインの TKI を用いて治療するのが基本である(表 4)．*T315I* 変異に対してはポナチニブが有効である．また，Ph 陰性 ALL の難治例と同様，ブリナツモマブ，イノツズマブオゾガマイシン，CAR-T 細胞療法も考慮される．

2 Ph 陰性 ALL

初発の成人および AYA 世代の Ph 陰性 ALL 患者には，初回治療として多剤併用化学療法が行われ，75〜90% の症例で CR が得られる．地固め療法後に同種移植を行わない場合には，2 年程度の維持療法が行われる．若年 ALL に対しては小児型の強化プロトコールを参考に治療強度を高めた化学療法のほうが成績がよいことが示され[18〜20]，最新の NCCN ガイドライン(2023 年第 1 版)では AYA 世代(15〜39 歳)の症例には小児型プロトコールを推奨している[1]．なお，現時点では小児型プロトコールで治療すれば同種移植を行わなくてもよいというエビデンスはなく，移植適応は治療反応性(MRD)を含めて総合的に判断する．

寛解導入不応例および再発例において，新規の再発・難治性 B-ALL 治療であるブリナツモマブ[21)]，イノツズマブオゾガマイシン[22)]，CAR-T 細胞療法の登場により，CR 達成後に同種移植へ進む可能性が高くなった．血液学的 CR 達成率はイノツズマブオゾガマイシン単剤により 81%，ブリナツモマブ単剤により 44% と報告されている．ただし，イノツズマブオゾガマイシンは，VOD/SOS 発症リスクを高めるため，当院では可能な限り移植前の使用は控えている[23)]．25 歳以下の CD 19 陽性 B-ALL に対しては，チサゲンレクルユーセル(キムリア®)が承認されている．再発・難治性 T-ALL に対しては，ネララビンが承認されているが，移植後神経障害のリスクを高める可能性があるため[24)]，当院ではその適応を慎重に検討している．

D 移植前処置

1 Ph 陽性 ALL

50 歳以下の患者では CY/TBI を用いることが多い．ただし，50 歳以下であっても，TKI を用いた移植後維持療法が可能であるため，臓器機能低下例などでは，前処置強度を無理に上げずに MEL ベースの RIC を選択することがある．50 歳以上の患者では，骨髄非破壊的前処置(RIC)を選択する．国内の後方視的解析では，50 歳以上で TKI 療法により移植時に MRD 陰性が得られた症例(n＝226)において，RIC(n＝136)は多変量解析で OS(HR＝1.09；P＝0.72)，再発(HR＝1.97；P＝0.17)，非再発死亡(HR＝0.84；P＝0.54)に対する有意な予後不良因子ではなかった[25)]．

2 Ph 陰性 ALL

ALL に対する移植片対白血病(GVL)効果が他の造血器腫瘍と比べると高くないため，特に若年で PS が維持され臓器合併症のない症例では，全身放射線照射(TBI)を含む骨髄破壊的前処置を検討する．50 歳以下の患者では CY/TBI を用いることが多い．さらに耐容性のある患者では，CY/TBI に Ara-C や VP-16 を追加して，前処置強度を上げることもある．特に小児患者では，15 歳以下の患者を対象とした国内レジストリデータの解析において，VP-16/CY/TBIによる前処置(VP-16は約7割で60 mg/kg，約1割で30 mg/kgが併用されており，成人患者と比べて高用量が用いられていた)がCY/TBIと比較して有意に生存割合が高かったと報告されており[26)]，CY/TBIにVP-16の併用が試みられることが多い．ただし，VP-16の代謝および耐容性は年齢により大きく異なる可能性があり，15歳以上の思春期・AYA世代患者においても小児で一般的な高用量VP-16の追加が安全に実施可能かどうかは不明である．一方，前処置を強化できない50歳以上の患者では，移植適応を慎重に検討する．PSが維持され合併症のない寛解症例では，RICを用いた同種移植を考慮する．

E 移植後再発対策

1 Ph陽性ALL

TKIを用いた移植後維持療法については，CR1で同種移植を行った患者に対するTKIの予防的投与，またはMRD陽性例に対する先制攻撃的投与により，再発予防効果が示唆されている[27)]．しかし，TKIの開始タイミング，投与量，継続期間については，いずれも確立されていない．ドイツのグループは，血液学的寛解状態で同種移植を受けたPh陽性ALL症例に対し，イマチニブの予防的投与(n＝26)とnested PCR法によるMRD陽性化例に対する先制攻撃的投与(n＝29)とを比較する無作為化試験を行った[28)]．イマチニブ開始日の中央値は移植後48日と70日で予防投与群のほうが早く，治療期間の中央値は201日と127日で予防投与群のほうが長期間であった．イマチニブ600 mg/日が投与可能であったのは22%で，両群とも約7割の症例で予定より早期に治療が中止された．分子学的寛解の持続期間は予防投与群で長い傾向があったが，無白血病生存率(LFS)および全生存期間(OS)に有意差はなかった．

EBMTのレジストリデータ解析では，CR1で初回移植を受けた症例(n＝473)において，移植後TKI投与は，多変量解析においてLFS(HR＝0.44；P＝0.002)，OS(HR＝0.42；P＝0.004)，再発(HR＝0.40；P＝0.01)の予後良好因子であった[29)]．米国の後方視的研究では，CRで初回移植を受けた症例(n＝165)において，97例(59%)が移植後TKI療法を受けた(予防投与71例，先制治療26例)．移植後3か月時点で分子学的CRだった症例(n＝84)において，TKI投与期間の中央値は13か月で，24か月以上のTKI投与例(n＝29)における再発例は1例のみで，24か月未満での中止例と比較して有意に再発が少なかった[30]．

当院では，移植前MRD陽性例において，移植後day 30〜60頃から，1〜2年を目安にTKIの維持療法を行うことが多い．TKIは，移植前のTKIに対する効果・耐容性や*BCR-ABL1*変異の検出歴を参考に選択する．移植後MRD陰性例ではイマチニブを含めて選択するが，移植後MRD陽性例では第二世代以降のTKIを優先することが多い．TKIの用量は，少量から開始して(イマチニブでは300〜400 mg，ダサチニブでは50〜100 mg，ポナチニブでは15〜30 mg等)，MRDの推移と血球減少などの有害事象をモニタリングしながら用量を調整している．

2 Ph陰性ALL

Ph陰性ALLに対する移植後維持療法は確立しておらず，当院でもルーチンでは実施していない．海外では，ブリナツモマブ，イノツズマブオゾガマイシンなどを用いた移植後維持療法が試みられている．

Memo

難治性B-ALLに対するCAR-T細胞療法

再発難治ALLに対するチサゲンレクルユーセル(キムリア®)の有効性・安全性を検証したELINA試験では，CR到達率は82％と良好であり，サイトカイン放出症候群は77％(グレード3以上46％)，神経学的有害事象は40％(グレード3以上13％)に認められた[31]．成人の再発難治ALLを対象としたZUMA-3試験に基づいて，FDAでは2021年にbrexucabtagene autoleucelが成人の再発難治ALLに対して承認されている[32]．

B-ALLに対するチサゲンレクルユーセル(キムリア®)の本邦での適応は以下の通りである[33]．

- 再発または難治性のCD 19陽性のB細胞性急性リンパ芽球性白血病
- 下記のいずれかの場合であって，CD 19抗原を標的としたキメラ抗原受容体発現T細胞輸注療法の治療歴がない患者
  - 初発の患者では標準的な化学療法を2回以上施行したが寛解が得られない場合
  - 再発の患者では化学療法を1回以上施行したが寛解が得られない場合
  - 同種造血幹細胞移植の適応とならない，または同種造血幹細胞移植後に

再発した場合

- 投与時に25歳以下の患者
- フローサイトメトリー法，または免疫組織染色法等により検査を行い，CD19抗原陽性であることを確認
- キムリア® の成分に対し過敏症の既往歴がない

前述の再発難治B-ALLに対するCAR-T細胞療法のピボタル試験(ELINA試験およびZUMA-3試験)では，ポストホック解析において，CAR-T細胞療法後の寛解例に対して同種移植を行うことの有用性は示されなかった[30,31]．他の臨床試験，後方視的研究によっても一定の見解は得られていない．現時点では，B-ALLに対するCAR-T細胞療法後の地固め療法としての同種移植の意義は確立していない[34]．CAR-T細胞療法後にMRDモニタリングを行い，再発ハイリスク例に対して同種移植を行うことで予後を改善できるかどうかは今後の検討課題である．

Memo

小児ALLに対する同種移植の適応[3,4]

小児患者においては，年齢，初診時白血球数，染色体・遺伝子異常，初期治療反応性，MRDなどの予後因子に基づき層別化される．寛解導入不応例，早期強化療法後のMRD残存例，初期治療反応性不応例の他，Ph陽性ALL，低二倍体，*KMT2A-AF4*陽性，*TCF3-HLF*陽性，*KMT2A*遺伝子再構成陽性乳児ALLでは，CR1での移植を考慮する．昨今では，MRDが強力な予後規定因子であることがわかってきており，Ph陽性ALLや低二倍体でもMRDが陰性であれば，CR1での移植を行わないこともある．*KMT2A*遺伝子再構成陽性ALLでも，生後6か月以上かつCNS浸潤陰性例では，移植を行わなくても5年EFS 94%という結果が報告された[35]．このように，小児ALLの移植の適応はより細分化されつつある．今後は，ALL発症機転，芽球の薬剤感受性，薬物による毒性，二次がん発症の素因などの観点から，さらなる個別化医療の発展が期待される．

文献

1) National Comprehensive Cancer Network: NCCN Clinical practice guidelines in oncology: acute lymphoblastic leukemia, ver. 1. 2022.
https://www.nccn.org/home
2) Takeuchi J, et al: Induction therapy by frequent administration of doxorubicin with four other drugs, followed by intensive consolidation and maintenance therapy for adult acute lymphoblastic leukemia: the JALSG-ALL93 study. Leukemia 16: 1259-1266, 2002
3) 真部淳：急性リンパ性白血病：最新の知見．日本造血細胞移植学会雑誌 10：72-80, 2021
4) 日本造血・免疫細胞療法学会 HP：造血細胞移植ガイドライン 小児急性リンパ性白血病第3版，2018.
https://www.jstct.or.jp/modules/guideline/index.php?content_id=1

5) Den Boer ML, et al: A subtype of childhood acute lymphoblastic leukaemia with poor treatment outcome: a genome-wide classification study. Lancet Oncol 10: 125-34, 2009
6) Roberts KG, et al: High frequency and poor outcome of Philadelphia chromosome-like acute lymphoblastic leukemia in adults. J Clin Oncol 35: 394-401, 2017
7) Coustan-Smith E, et al: Early T-cell precursor leukaemia: a subtype of very high-risk acute lymphoblastic leukaemia. Lancet Oncol 10: 147-156, 2009
8) Jain N, et al: Early T-cell precursor acute lymphoblastic leukemia/lymphoma (ETP-ALL/LBL) in adolescents and adults: a high-risk subtype. Blood 127: 1863-1869, 2016
9) 長藤宏司：微小残存病変を活用した成人 Ph 陰性 ALL の治療. 日本造血細胞移植学会雑誌 1：1-8, 2019
10) Nagafuji K, et al: Monitoring of minimal residual disease (MRD) is useful to predict prognosis of adult patients with Ph-negative ALL: results of a prospective study (ALL MRD2002 Study). J Hematol Oncol 6: 14, 2013
11) 日本血液学会：造血器腫瘍診療ガイドライン. 2023 年版
http://www.jshem.or.jp/gui-hemali/table.html
12) 日本造血・免疫細胞療法学会：造血細胞移植ガイドライン 急性リンパ性白血病(成人)第 3 版, 2020.
https://www.jstct.or.jp/modules/guideline/index.php?content_id=1
13) Nishiwaki S, et al: Measurable residual disease affects allogeneic hematopoietic cell transplantation in Ph+ALL during both CR1 and CR2. Blood Adv 5: 584-592, 2021
14) Gökbuget N, et al: Blinatumomab for minimal residual disease in adults with B-cell precursor acute lymphoblastic leukemia. Blood 131: 1522-1531, 2018
15) Ravandi F, et al: First report of phase 2 study of dasatinib with hyper-CVAD for the frontline treatment of patients with Philadelphia chromosome-positive (Ph+) acute lymphoblastic leukemia. Blood 116: 2070-2077, 2010
16) Foà R, et al: Dasatinib as first-line treatment for adult patients with Philadelphia chromosome-positive acute lymphoblastic leukemia. Blood 118: 6521-6528, 2011
17) Foà R et al: Dasatinib-blinatumomab for Ph-positive acute lymphoblastic leukemia in adults. N Engl J Med 383: 1613-1623, 2020
18) Huguet F, et al: Pediatric-inspired therapy in adults with Philadelphia chromosome-negative acute lymphoblastic leukemia: the GRAALL-2003 study. J Clin Oncol 27: 911-918, 2009
19) Storring JM, et al: Treatment of adults with BCR-ABL negative acute lymphoblastic leukaemia with a modified paediatric regimen. Br J Haematol 146: 76-85, 2009
20) Hayakawa F, et al: Markedly improved outcomes and acceptable toxicity in adolescents and young adults with acute lymphoblastic leukemia following treatment with a pediatric protocol: a phase II study by the Japan Adult Leukemia Study Group. Blood Cancer J 4: e252, 2014
21) Kantarjian H, et al: Blinatumomab versus chemotherapy for advanced acute lymphoblastic leukemia. N Engl J Med 376: 836-847, 2017
22) Kantarjian HM, et al: Inotuzumab ozogamicin versus standard therapy for acute lymphoblastic leukemia. N Engl J Med 375: 740-753, 2016
23) Kantarjian HM, et al: Hepatic adverse event profile of inotuzumab ozogamicin in adult patients with relapsed or refractory acute lymphoblastic leukaemia: results from the open-label, randomised, phase 3 INO-VATE study. Lancet Haematol 4: e387-e398, 2017
24) Fukuta T, et al: Nelarabine-induced myelopathy in patients undergoing allogeneic hematopoietic cell transplantation: a report of three cases. Int J Hematol 117: 933-940, 2023
25) Akahoshi Y, et al: Reduced-intensity conditioning is a reasonable alternative for Philadelphia chromosome-positive acute lymphoblastic leukemia among elderly patients who have achieved negative minimal residual disease: a report from the Adult Acute Lymphoblastic Leukemia Working Group of the JSHCT. Bone Marrow

Transplant 55: 1317-1325, 2020
26) Kato M, et al: Comparison of chemotherapeutic agents as a myeloablative conditioning with total body irradiation for pediatric acute lymphoblastic leukemia: a study from the pediatric ALL working group of the Japan Society for Hematopoietic Cell Transplantation. Pediatr Blood Cancer 62: 1844-1850, 2015
27) Warraich Z, et al: Relapse prevention with tyrosine kinase inhibitors after allogeneic transplantation for Philadelphia chromosome-positive acute lymphoblast leukemia: a systematic review. Biol Blood Marrow Transplant 26: e55-e64, 2020
28) Pfeifer H, et al: Randomized comparison of prophylactic and minimal residual disease-triggered imatinib after allogeneic stem cell transplantation for BCR-ABL1-positive acute lymphoblastic leukemia. Leukemia 27: 1254-1262, 2013
29) Brissot E, et al: Tyrosine kinase inhibitors improve long-term outcome of allogeneic hematopoietic stem cell transplantation for adult patients with Philadelphia chromosome positive acute lymphoblastic leukemia. Haematologica 100: 392-399, 2015
30) Saini N, et al: Impact of TKIs post-allogeneic hematopoietic cell transplantation in Philadelphia chromosome-positive ALL. Blood 136: 1786-1789, 2020
31) Maude SL, et al: Tisagenlecleucel in children and young adults with B-cell lymphoblastic leukemia. N Engl J Med 378: 439-448, 2018
32) Shah BD, et al: KTE-X19 for relapsed or refractory adult B-cell acute lymphoblastic leukaemia: phase 2 results of the single-arm, open-label, multicentre ZUMA-3 study. Lancet 398: 491-502, 2021
33) 医薬品医療機器総合機構：最適使用推進ガイドライン チサゲンレクルユーセル. https://www.pmda.go.jp/review-services/drug-reviews/review-information/ctp/0011.html
34) Pasvolsky O, et al: Chimeric antigen receptor T-cell therapy for adult B-cell acute lymphoblastic leukemia: state-of-the-(C)ART and the road ahead. Blood Adv 7: 3350-3360, 2023
35) Tomizawa D, et al: A risk-stratified therapy for infants with acute lymphoblastic leukemia: a report from the JPLSG MLL-10 trial. Blood 136: 1813-1823, 2020

9 骨髄異形成症候群

A 予後予測

1 MDSの予後予測モデル

骨髄異形成症候群(MDS)の予後を規定する因子として，染色体異常，骨髄中の芽球割合，血球減少の程度などが含まれ，これらを組み合わせた予後予測モデルが構築されている．

❶ 国際予後スコアリングシステム(IPSS)[1)]

診断時の予後予測モデルとして古くから用いられている(表1)．IPSS Int-2 risk以上の高リスク症例では，骨髄破壊的前処置(MAC)が可能な若年者[2)]と骨髄非破壊的前処置(RIC)を要する高齢者[3)]のいずれにおいても，診断後早期に同種移植を行うことにより予後が改善されることが示されている．

表1 IPSS

スコア	0	0.5	1.0	1.5	2.0
骨髄中芽球(%)	<5	5〜10	—	11〜20	21〜30
染色体リスク*1	良好	中間	不良	—	—
血球減少の数*2	0〜1	2〜3	—	—	—

*1 染色体リスク：良好：正常核型，−Y, del(5q), del(20q).
不良：7番染色体異常，複雑核型(3個以上の異常).
中間：上記以外の染色体異常.
*2 血球減少の定義：好中球<1,500/μL，ヘモグロビン<10 g/dL，血小板<10万/μL.

リスク	スコア合計	生存中央値(年)		急性骨髄性白血病(AML)移行*1(年)	
		≦60歳	>60歳	≦60歳	>60歳
Low	0	11.8	4.8	>9.4(NR*2)	9.4
Int-1	0.5〜1.0	5.2	2.7	6.9	2.7
Int-2	1.5〜2.0	1.8	1.1	0.7	1.3
High	2.5〜3.5	0.3	0.5	0.2	0.2

*1 25%の症例がAMLへ移行する年数.
*2 not reached.
同種移植の適応.
〔文献1)より〕

表2　IPSS-R

スコア	0	0.5	1	1.5	2	3	4
染色体リスク*	Very good	—	Good	—	Intermediate	Poor	Very poor
骨髄中芽球(%)	≦2	—	>2～<5	—	5～10	>10	—
ヘモグロビン(g/dL)	≧10	—	8～<10	<8	—	—	—
血小板数(万/μL)	10≧	5～<10	<5	—	—	—	—
好中球数(/μL)	≧800	<800	—	—	—	—	—

*染色体リスク：Very good＝−Y，del(11q)，Good＝正常核型，del(5q)，del(12p)，del(20q)，del(5q)を含む2個の異常，Intermediate＝del(7q)，+8，+19，i(17q)，その他すべての1～2個の異常，Poor＝−7，inv(3)/t(3q)/del(3q)，−7/del(7q)を含む2個の異常，複雑核型(3個の異常)，Very poor＝複雑核型(4個以上の異常).

リスク	スコア合計	生存中央値(年)	AML移行*1(年)
Very low	0～1.5	8.8	NR*2
Low	2.0～3.0	5.3	10.8
Intermediate	3.5～4.5	3.0	3.2
High	5.0～6.0	1.6	1.4
Very high	6.5～10.0	0.8	0.7

*1 25%の症例が急性骨髄性白血病(AML)に移行する年数(脱メチル化阻害薬で治療された患者は含まない結果である).

*2 not reached.

同種移植の適応.

〔文献4)より〕

❷ 改訂IPSS(IPSS-R)[4)](表2)

2012年にIPSSが改訂された(Revised IPSS：IPSS-R)．多数例(n＝2,902)の国際データをもとに染色体リスクがアップデートされ，また骨髄中の芽球割合と血球減少が細分化され，予後カテゴリーが4つから5つに増やされた[4)]．同種移植施行症例における有用性も確認されている．IPSS-RでHigh risk以上は，診断後早期に同種移植を行うことにより予後が改善されることが示されている[5)]．またIPSSではなくIPSS-Rを用いることで，29%の症例で移植の方針が変更となり，2年の余命延長につながったとされており，予後予測はIPSS-Rが優れていることが示唆された[5]．

❸ WHO分類に基づく予後予測スコアリングシステム(WPSS)

診断時だけでなく，経過中のあらゆる時点で予後予測に用いることが可能であるが，現在はWHO分類2017が出ており使いにくい．

2 その他の予後因子

- 近年，MDSで認められるいくつかの遺伝子(*TP53*，*EZH2*，*ASXL1*，*RUNX1*など)におけるsomatic mutationが，IPSSとは独立した予後不良因子として同定されている．特に複雑核型を有するMDS症例で*TP53*遺伝子変異を認めると，同種移植後の予後も不良であった[6]．IWG-PM(International working group for prognosis of MDS)を中心としたグループは，IPSS-Rを更に改善することを目的に，MDSの診断時の臨床および分子情報による予後予測モデル(IPSS-Molecular：IPSS-M)を作成した[7]．本システムは754名の日本人MDS患者[7]や他の大規模コホート[8]でも確認されている．今後，国内でも造血器疾患を対象としたオンコパネルが利用可能になった際に，移植適応も含めた治療判断にIPSS-Mをどのように活用していくかが重要な課題となる．
- 二次性/治療関連MDSや，骨髄線維化を伴うMDSは，通常のMDSと比較して予後不良であり，同種移植が考慮される．

Memo

IPSS-Molecular (IPSS-M)

IWG-PMを中心としたグループは，957例のMDS患者において152遺伝子変異の有無を同定し，IPSS-Rで用いられた臨床的所見，細胞遺伝学的所見，遺伝子変異について，無白血病生存と全生存との関連を詳細に解析した[7]．94%の患者で少なくとも1つの造腫瘍性のあるゲノム異常を同定した．多変量解析によって両アレル*TP53*変異，*FLT3*変異と*MLL-PTD*が予後不良と最も強く関連したゲノム変異であった．IPSS-Rを更に改善することを目的に，MDSの診断時の臨床情報(骨髄中の芽球割合，ヘモグロビン，血小板数)，細胞遺伝学的異常(IPSS-Rに準ずる)および31個の体細胞変異情報を用いることで個々人のIPSS-Mリスクスコアが得られ，このスコアに基づきIPSS-Mリスク群を有意に予後の異なる6群に層別している[7]．ゲノム変異情報を追加することによって，IPSS-Rと比較してIPSS-Mはすべての臨床的エンドポイントに対して予後層別を改善し，IPSS-Rと比較して46%の患者においてリスク群が再層別化された(このうち74%がより予後不良のリスクグループになった)．また欠損データがあってもIPSS-Mスコアを計算できるようにIPSS-M計算サイト(https://mds-risk-model.com/)が公開されている.

B 当院における移植適応の考え方(表3)

- 当院におけるMDSに対する移植適応は,国内外のガイドライン[9~13]と基本的に同様である.MDSに対する移植適応を以下のように考える.
  - ・IPSS Low, IPSS-R Very low/Low riskでは,基本的に移植適応はない.
  - ・IPSS Int-1, IPSS-R Intermediate riskで,予後不良因子(輸血依存,繰り返す感染症,DNAメチル化阻害薬への反応不良,など)がない場合,HLA一致の血縁ドナーや骨髄バンクドナーなど条件のよいドナーが得られた場合のみ,同種移植を考慮することがある.
  - ・IPSS Int-1, IPSS-R Intermediate riskで,輸血依存など上記の予後不良因子がある場合,HLA一致血縁ドナーや骨髄バンクドナーなど条件のよいドナーが得られれば,同種移植を行う.代替ドナーからの移植も考慮する.
  - ・IPSS Int-2/High, IPSS-R High/Very high riskでは,代替ドナーを含めて同種移植を積極的に行う.
  - ・IPSS-R 3.5点以下を低リスクとして2群に分類すると予後判定や治療の判断に有用であるとの報告がある[14].一方で,本邦

表3 移植適応

<table>
<tr><th rowspan="2">IPSS</th><th rowspan="2">IPSS-R</th><th rowspan="2">血縁一致</th><th>血縁1座不一致</th><th rowspan="2">その他の代替ドナー</th><th rowspan="2">自家</th></tr>
<tr><th>非血縁</th></tr>
<tr><td>Low</td><td>Very low, Low</td><td>×</td><td>×</td><td>×</td><td>×</td></tr>
<tr><td>Int-1</td><td>Intermediate</td><td rowspan="2">△</td><td rowspan="2">△</td><td rowspan="2">×</td><td rowspan="2">×</td></tr>
<tr><td colspan="2">輸血依存・予後不良因子なし</td></tr>
<tr><td>Int-1</td><td>Intermediate</td><td rowspan="2">○</td><td rowspan="2">○</td><td rowspan="2">○</td><td rowspan="2">×</td></tr>
<tr><td colspan="2">輸血依存・予後不良因子あり</td></tr>
<tr><td>Int-2, High</td><td>High, Very high</td><td>◎</td><td>◎</td><td>◎</td><td>×</td></tr>
</table>

での疫学研究では，IPSS-R Intermediate risk 群は低リスク群と生存期間が変わらなかったとの結果が示されており[15]，この群での移植適応は，さまざまな因子を勘案して判断する．

- ドナーは，HLA 一致血縁ドナーを安全性・タイミングの観点から優先するが，得られない場合には骨髄バンクドナーを検索する．進行期で血球減少が強い場合や早期の AML への進展が危惧される場合には，臍帯血や HLA 半合致血縁ドナーを含めて移植を行う．

C 移植までの治療

1 移植前化学療法・DNA メチル化阻害薬

芽球の割合が増加した症例に対して，移植前に DNA メチル化阻害薬(HMA)や化学療法によって病勢抑止を図ったほうがよいかどうかは，確立されていない．後方視的解析では，移植前の芽球が少ないほうが，移植成績が良好であったとの報告があるが[16]，国内のデータでは，強力化学療法による寛解導入療法は移植後の生存率改善に寄与しなかった[17]．ただし，移植までに芽球を減らすことにより，移植後再発の減少が期待できるため，腫瘍量が多く再発リスクが高い症例ほど強力化学療法を選択されやすいというバイアスがある．一方，移植前の化学療法による感染症や臓器障害などで移植のタイミングを逃す可能性があり，注意が必要である．

当院では，MAC の場合には化学療法をはさまずに移植を行うことが多い．一方，高齢や合併症のために前処置として RIC を用いる症例で，移植後再発のリスクが高いと考えられる場合には，HMA や化学療法も積極的に考慮している．大規模な臨床決断分析により，特に高齢のハイリスク MDS 症例において，同種移植前に HMA による治療を行うことの有用性が示された[5]．高リスク MDS に対して，アザシチジンは生存期間だけではなく白血病化までの期間を延長するため[18]，移植までのブリッジング治療の選択肢として期待されている．海外の前向き臨床試験では，ドナー準備を待つまでのブリッジング治療としてアザシチジン投与(中央値：4 サイクル)が行われ，全身状態や HCT-CI を悪化させることなく，73 例中 54 例(74%)が同種移植へ到達できた[19]．

2 輸血後鉄過剰症

移植前の高フェリチン血症は，移植関連死亡の増加と相関することが報告されており[20]，移植前に鉄キレート療法を行い，血清フェリチンが1,000 ng/mL 以下に低下した症例では移植後の予後が改善したとの報告もあるが[21]，生存率への影響を認めなかったという前向き試験の報告もある[22]．NCCN ガイドラインでは，移植の可能性がある低～中リスクの MDS では，血清フェリチン 2,500 ng/mL 以上の症例で鉄キレート療法を行い，1,000 ng/mL 以下に保つことが推奨されている[9]．しかし，鉄キレート療法による腎障害などの有害事象があるため，当院では移植前，移植後どちらにおいても鉄キレート療法はほとんど行っていない．

D 移植前処置

MDS に対して特に有用な移植前処置は確立されていない．化学療法未施行例や輸血歴が長い症例，および骨髄線維化を伴う症例では，RIC の場合生着不全や再発のリスクが上昇するため，当院では，フルダラビンを用いた RIC に 2～4 Gy の TBI を加えることが多く，FLU/BU/MEL のレジメンも積極的に使用している．

米国で行われた芽球 5% 未満の AML と MDS を対象とした MAC と RIC の比較試験では，MAC を選択した症例で 18 か月無再発生存率が有意に高く，若年者などでは MAC の選択が望ましいと考えられる[23]．

E 移植後再発対策

WT-1，キメリズム解析，マルチカラーフローサイトメトリーなどを MRD マーカーとした早期先制治療や維持療法として，HMA やドナーリンパ球輸注(DLI)による治療介入の報告があるが，確立された移植後治療はない．GVHD の増悪や血液毒性などの有害事象もあり，今後検討が必要である．当院では *WT-1* がマーカーとなる症例では月 1 回モニタリングし，陽性時には HMA を開始する場合がある．

移植後に血液学的再発をきたした症例の予後は不良である．

HMA，化学療法やDLIを行い，可能であれば再移植を検討する．

文献

1) Greenberg P, et al: International scoring system for evaluating prognosis in myelodysplastic syndromes. Blood 89: 2079-2088, 1997
2) Cutler CS, et al: A decision analysis of allogeneic bone marrow transplantation for the myelodysplastic syndromes: delayed transplantation for low-risk myelodysplasia is associated with improved outcome. Blood 104: 579-585, 2004
3) Koreth J, et al: Role of reduced-intensity conditioning allogeneic hematopoietic stem-cell transplantation in older patients with de novo myelodysplastic syndromes: an international collaborative decision analysis. J Clin Oncol 31: 2662-2670, 2013
4) Greenberg PL, et al: Revised international prognostic scoring system for myelodysplastic syndromes. Blood 120: 2454-2465, 2012
5) Della Porta MG, et al: Decision analysis of allogeneic hematopoietic stem cell transplantation for patients with myelodysplastic syndrome stratified according to the revised International Prognostic Scoring System. Leukemia 31: 2449-2457, 2017
6) Yoshizato T, et al: Genetic abnormalities in myelodysplasia and secondary acute myeloid lenkemia: impact on outcome of stem cell transplantation. Blood 129: 2347-2358, 2017
7) Bernard E, et al: Molecular international prognostic scoring system for myelodysplastic syndromes. NEJM Evidence 1: 1-14, 2022
8) Sauta E, et al: Real-world validation of molecular international prognostic scoring system for myelodysplastic syndromes. J Clin Oncol 41: 2827-2842, 2023
9) NCCN Clinical practice guidelines in oncology: myelodysplastic syndromes, ver. 3. 2022.
https://www.nccn.org/
10) de Witte T, et al: Allogeneic hematopoietic stem cell transplantation for MDS and CMML: recommendations from an international expert panel. Blood 129: 1753-1762, 2017
11) 日本造血・免疫細胞療法学会 HP：造血細胞移植ガイドライン 急性骨髄性白血病第3版，2019.
https://www.jstct.or.jp/uploads/files/guideline/03_01_aml03.pdf
12) 日本血液学会 HP：造血器腫瘍診療ガイドライン 2018年版補訂版，2018.
http://www.jshem.or.jp/
13) 特発性造血障害に関する調査研究班 HP：骨髄異形成症候群診療の参照ガイド令和4年度改訂版，2022.
http://zoketsushogaihan.umin.jp/file/2022/Myelodysplastic_Syndromes.pdf
14) Pfeilstocker M, et al: Time-dependent changes in mortality and transformation risk in MDS. Blood 128: 902-910, 2016
15) Kawabata H, et al: Validation of the revised International Prognostic Scoring System in patients with myelodysplastic syndrome in Japan: results from a prospective multicenter registry. Int J Hematol 106: 375-384, 2017
16) Warlick ED, et al: Allogeneic stem cell transplantation is the only known curative therapy for myelodysplastic syndromes: importance of pretransplant disease burden. Biol Blood Marrow Transplant 15: 30-38, 2009
17) Konuma T, et al: Upfront allogeneic hematopoietic cell transplantation (HCT) versus remission induction chemotherapy followed by allogeneic HCT for acute myeloid leukemia with multilineage dysplasia: a propensity score matched analysis. Am J Hematol 94: 103-110, 2019
18) Fenaux P, et al: Efficacy of azacitidine compared with that of conventional care regimens in the treatment of higher-risk myelodysplastic syndromes: a randomised, open-label, phase III study. Lancet Oncol 10: 223-232, 2009
19) Voso MT, et al: Feasibility of allogeneic stem-cell transplantation after azacitidine bridge in higher-risk myelodysplastic syndromes and low blast count acute myeloid

leukemia: results of the BMT-AZA prospective study. Ann Oncol 28: 1547-1553, 2017
20) Pullarkat V, et al: Iron overload adversely affects outcome of allogeneic hematopoietic cell transplantation. Bone Marrow Transplant 42: 799-805, 2008
21) Lee JW, et al: Effect of iron overload and iron-chelating therapy on allogeneic hematopoietic SCT in children. Bone Marrow Transplant 44: 793-797, 2009
22) Cremers EMP, et al: A prospective non-interventional study on the impact of transfusion burden and related iron toxicity on outcome in myelodysplastic syndromes undergoing allogeneic hematopoietic cell transplantation. Leuk Lymphoma 60: 2404-2414, 2019
23) Scott BL, et al: Myeloablative versus reduced-intensity conditioning for hematopoietic cell transplantation in acute myelogenous leukemia and myelodysplastic syndromes. J Clin Oncol 35: 1154-1161, 2017

10 骨髄増殖性疾患

A 予後予測

1 慢性骨髄性白血病(CML)

各病期〔寛解期(CP)，移行期(AP)，急性転化期(BP)〕は，表1のように，WHO分類[1]やEuropean LeukemiaNet(ELN)の基準[2]に従い定義される(※CPはAP/BPの定義を満たさないもの)．CMLの予後予測に際して，従来より使用されていたSokalスコア，Hasfordスコアに加え，イマチニブ治療患者を対象とした解析より構築された予後予測システムEUTOS ELTSスコアの有用性が示されている[3,4]．それに加えてチロシンキナーゼ阻害薬(TKI)に対する治療反応性を参考にする．治療開始後の各時期に至適効果が得られているかどうかの判断は，ELNによる判定基準[2]を用い評価する．臨床的にTKI抵抗性が疑われた際には，*T315I*などの*BCR-ABL*変異の検索を行う．

2 原発性骨髄線維症(PMF)

予後予測モデルとして，国際予後スコアリングシステム(IPSS)[5]，D-IPSS(Dynamic IPSS)[6]，D-IPSS plus[7]が用いられる(表2)．D-IPSSでは，年齢，Hb値，白血球数，末梢血芽球割合，自覚症状の有無をもとに予後が層別化され(核型が不明でも評価可能)，D-IPSS plusでは，D-IPSSに加えて赤血球輸血の必要性，血小板減少の有無，さらに染色体リスクが加味され，予後予測の精度向上が図られた[5〜7]．ELN2018に基づく治療指針では*JAK2*，*CALR*，*MPL*といったドライバー変異のほかに，*ASXL1*，*SRSF2*変異を検索することが推奨されている[8]．*ASXL1*はドライバー変異やDIPSS-plusとは独立した予後不良因子であることが報告されている[9]．

3 慢性骨髄単球性白血病(CMML)

WHO分類(2016年)において，骨髄および末梢血中の芽球割合によりCMML-0，CMML-1とCMML-2に分類される．予後予測に際しては，欧州多施設の後方視的解析から，WHOおよびFAB分

表1 WHO分類またはEuropean LeukemiaNet(ELN)基準によるCMLの病期分類

移行期(accelerated phase)	
WHO分類	以下のいずれか1つ以上に該当するもの • 治療が奏効しない持続する白血球増加(＞10,000/μL) • 治療が奏効しない持続する脾腫の増大 • 治療が奏効しない持続する血小板増加(＞1,000,000/μL) • 治療に無関係の血小板減少(＜100,000/μL) • 末梢血における好塩基球割合≧20% • 末梢血あるいは骨髄における芽球割合10〜19% • 診断時におけるいわゆる"major route"の付加的染色体異常(second Ph, trisomy 8, isochromosome 17q, trisomy 19)または複雑型染色体異常, 3q26.2異常 • 治療中におけるPhクローンに新たな付加的な染色体異常の出現とTKIに対する反応性による基準(provisional)は下記のいずれかに該当するもの ・1st line TKIへの血液学的な治療抵抗性(あるいは1st line TKIで血液学的完全奏効が得られない) ・2つの連続したTKI治療に対して血液学的, 細胞遺伝学的あるいは分子生物学的治療抵抗性 ・TKI治療中に2つ以上の*BCR-ABL1*遺伝子変異の出現
ELN分類	以下のいずれか1つに該当するもの • 末梢血あるいは骨髄における芽球割合15〜29%, または芽球と前骨髄球が30%以上 • 末梢血における好塩基球割合≧20% • 治療に無関係の血小板減少(＜100,000/μL) • 染色体異常　治療中の付加的な染色体異常の出現(major route)
急性転化期(blast phase)	
WHO分類	下記のいずれか1つに該当するもの • 末梢血あるいは骨髄における芽球割合≧20% • 髄外浸潤　髄外病変の出現(明らかなリンパ芽球の増加を末梢血や骨髄に認めた場合, 差し迫ったリンパ芽球性急性転化を疑い, 詳細な遺伝学的検査が必要である)
ELN分類	下記のいずれか1つに該当するもの • 末梢血あるいは骨髄における芽球割合≧30% • 髄外浸潤　髄外病変の出現

〔文献1, 2)より〕

類のsubtype, 染色体異常, 輸血依存の有無を予後因子とした新しい予後予測モデル(CPSS：CMML-specific prognostic scoring system)が提唱された[10)](表3). 近年では*ASXL1*などの遺伝子変異を組み込んだGroupe Français des Myélodysplasies(GFM)scoring

表2　原発性骨髄線維症の予後予測モデル

予後予測モデル	予後不良因子（スコア）	予後評価スコアの合計とリスク分類	生存期間中央値（年）
IPSS[5]	年齢＞65歳（1） 発熱・夜間盗汗・体重減少の持続（1） Hb＜10 g/dL（1） WBC＞25,000/μL（1） 末梢血芽球≧1%（1）	0：Low	11.3
		1：Intermediate-1	7.9
		2：Intermediate-2	4.0
		≧3：High	2.3
D-IPSS/aaD-IPSS[6]	DIPSS：年齢＞65歳（1） 発熱・夜間盗汗・体重減少の持続（1） Hb＜10 g/dL（2） WBC＞25,000/μL（1） 末梢血芽球≧1%（1）	0：Low	到達せず
		1〜2：Intermediate-1	14.2
		3〜4：Intermediate-2	4.0
		5〜6：High	1.5
	Age-adjusted DIPSS（65歳未満）： 発熱・夜間盗汗・体重減少の維持（2） Hb＜10 g/dL（2） WBC＞25,000/μL（1） 末梢血芽球≧1%（2）	0：Low	到達せず
		1〜2：Intermediate-1	9.8
		3〜4：ntermediate-2	4.8
		5〜7：High	2.3
D-IPSS plus[7]	予後不良核型（複雑核型（3種類以上の異常），＋8，−7/7q−，i(17q)，−5/5q−，12p，inv(3)，11q23異常）（1） 血小板＜100,000/μL（1） 輸血の必要性（1） DIPSS Intermediate-1 リスク（1） DIPSS Intermediate-2 リスク（2） DIPSS High リスク（3）	0：Low	15.4
		1：Intermediate-1	6.5
		2〜3：Intermediate-2	2.9
		4〜6：High リスク	1.3

〔文献5〜7）より〕

system，CMML-specific prognostic scoring system（CPSS-Mol），Mayo Molecular Model（MMM）などが提唱されている[11]．

B　当院における移植適応の考え方

当院における骨髄増殖性疾患に対する移植適応は，基本的に国内外のガイドラインと同様である[12〜15]（表4）．

1 CML

- CP1では，基本的に移植は行わない．ただしTKI治療反応性が

表3 CMMLのCPSSスコアリングシステムと予後

＜スコアリングシステム＞

スコア	0	1	2
WHO subtype	CMML-1 *1	CMML-2 *1	—
FAB subtype	CMML-MD *2	CMML-MP *2	—
染色体異常(1)	Low	Intermediate	High
輸血依存(2)	なし	あり	—

*1 CMML-1：末梢血中の芽球(前単球を含む)＜5% かつ骨髄中の芽球＜10%
CMML-2：末梢血中の芽球5～19% かつ骨髄中の芽球10～19% またはアウエル小体陽性

*2 CMML-MD：白血球数＜13,000/μL,
CMML-MP：白血球数≧13,000/μL

(1)CMML特異的染色体リスク分類：Low＝正常核型，－Y；Intermediate＝その他の染色体異常；High＝＋8，複雑核型(3個以上の異常)，7番染色体異常

(2)輸血依存：8週間に1回以上，4か月持続．または高度貧血(Hb＜10 g/dL)

＜予後＞

リスク	スコア合計	生存期間中央値(月)	AMLへの移行(%/2年)
Low	0	61	8
Intermediate-1	1	31	25
Intermediate-2	2～3	15	49
High	4～5	9	100

WHOおよびFABの各subtype，染色体異常，輸血依存あるいはヘモグロビン濃度のスコアを合算した点数により4つのリスクに分類する．
〔文献10)より〕

不良の場合には，代替ドナーも選択肢に含めて同種移植を検討する．第2世代TKIに抵抗性の症例に対してはポナチニブや新規薬剤の投与を行い，ドナー検索など同種移植の準備を行う．ポナチニブに対して治療抵抗性であった場合は早期に同種移植を行う．

- 初発APではニロチニブまたはダサチニブを，TKI治療中のAPに対してはボスチニブとポナチニブを含む未投与のTKIを使用する．これらのTKIで至適奏効が得られない場合に同種移植を行う．
- TKI治療中に進行したAPに対しては積極的に同種移植を行う．
- BPでは感受性のあるTKI単剤または化学療法併用で最大効果を得た後，可能な限り同種移植を行う．

10 骨髄増殖性疾患

表4 当院における慢性骨髄性白血病/骨髄増殖性疾患の移植適応

		血縁一致	血縁1座不一致非血縁一致	代替ドナー	自家
CML	CP1	×	×	×	×
	反応不良CP1	○	○	○	×
	CP2以降	○	○	○	×
	AP/BP	△	△	△	×
PMF*1	Low/Int-1	×	×	×	×
	Int-2/High	◎	◎	◎	×
CMML*2	Low/Int-1	△	△	×	×
	Int-2/High	◎	◎	◎	×

*1 PMFのリスク分類として，D-IPSS plusを用いる[7]．Int-1 riskの症例でも，輸血依存度が高い場合や予後不良染色体遺伝子異常を有する場合は，同種移植を考慮する場合がある．

*2 CMMLのリスク分類として，CPSSを用いる[10]．Int-1 riskの症例でも，若年でよい条件のドナーがいれば同種移植を考慮する場合がある．

2 PMF

- D-IPSS plusでLow/Int-1 riskの症例では，基本的に移植適応はない．ただしInt-1 riskの症例でも，輸血依存度が高い場合や予後不良染色体遺伝子異常を有する場合は，同種移植を考慮する．
- Int-2 risk以上の高リスク症例においては，同種移植を積極的に勧める．

3 CMML

- CPSSでLow/Int-1 riskの症例では，基本的に移植は行わない．ただしInt-1 riskでも，特に若年症例では，HLA一致血縁ドナーや骨髄バンクドナーなど条件のよいドナーがいれば，同種移植を考慮する．
- Int-2 risk以上の高リスク症例には，同種移植を積極的に勧める．
- 海外の2つのコホート(n＝1,114)を用いた解析によると，CPSS Int-2/High risk症例(特に男性)では同種移植のメリットが示された[16]．一方，Low/Int-1 risk症例では早期に移植を行うメリットを認めなかった．

C 移植までの治療・移植前処置・移植後再発対策

1 CML

さまざまなTKIの導入によりCML患者の長期予後は改善してきており[17]，再発リスクがきわめて高い患者のみが移植適応となるケースが増えてきた．移植までにさまざまなTKIを用いて血液学的寛解へ導入することが理想的であるが，同種移植のタイミングの判断も重要である．

移植前処置については，海外からRIC(n＝191)とMAC(n＝1,204)を比較した報告があり[18]，RICは慢性GVHDが少なく，早期再発のリスクが高いが，OSやLFSは同等であった．当院では，移植までの治療である程度奏効するTKIがある場合は，年齢・臓器障害なども考慮して移植前処置強度を無理に強化しないことが多い．一方，すべてのTKIに耐性で非寛解の状態で移植を行う場合は，前処置強度を強化することもある．

移植後再発対策としてTKIによる維持療法が有望視されているが，現時点では至適な開始のタイミング・薬剤・投与量などは確立されていない．海外で2014年までに同種移植が行われたCML390例の解析では，維持療法を受けた患者が89例と少なかった影響もあるためか，維持療法の有用性が示されなかった[19]．CMLは元々GVL効果が期待しやすい腫瘍であるが，TKI時代に同種移植が必要となる患者は再発リスクがきわめて高いことが多いため，当院ではPh陽性ALLに準じて移植後のTKIによる維持療法を検討することが多い．

2 PMF

移植前治療としてJAK阻害薬(ルキソリチニブ)が有力な選択肢となるが，ルキソリチニブの投与継続率が3年で50%程度であること[20]を考慮する必要がある．ルキソリチニブが奏効している時期の移植成績がよいため[21]，移植のタイミングが重要となる．国内のレジストリデータ解析によるとPMFを含むPh陰性骨髄増殖性疾患から急性白血病へ転化した29例に対する同種移植後2年OSは29%であった[22]．ルキソリチニブを投与する場合は移植の少なくとも2か月以上前から投与を開始し，前処置の1週間前程度から慎重に減量し前処置前日までに中止する[23]．移植前のルキソリニチニブ使用によって，全身症状の改善や脾腫の縮小，腫瘍量の減量が期待できるものの，移植後成績の向上に寄与するかどうかについては現段階ではエビデンスが得られていない[24)].

骨髄が線維化しているため生着不全が問題となるので，当院では幹細胞ソースとしてはPBSCを優先している(CD34陽性細胞数も多いほうが望ましい)．国内レジストリデータを用いたPMF224例の解析では，HLA一致血縁ドナーがいない場合，非血縁BMT・CBTも選択肢となるものの，CBT後のNRMリスクに注意が必要と考えられた[25)]．多変量解析では高齢者，頻回の血小板・赤血球輸血が移植後OS不良のリスク因子となっていた．

PMF患者は比較的高齢であることから，治療関連毒性がより少ないRICを用いた移植前処置が試みられてきたが，現段階では最適なレジメンは明らかでない．当院では，腫瘍量を減らす目的で投与するBU(2〜4日)に加えて，生着不全のリスクを減らすためにTBI 2〜4 GyやMELを追加することが多い．骨髄線維化をきたしたPMFやAMLに対するCBTで，MELやTBIのdoseを増やすことで生着可能という国内からの報告もある[26)].

移植後再発対策として，ルキソリチニブを用いた維持療法も考えられるが，一方でGVHD治療薬でもあるためGVL効果を落とす可能性があり，当院では用いていない．

3 CMML

CMMLに対する移植を準備する間のブリッジング治療としてアザシチジンなどのHMAが選択肢となる．海外からの報告では，HMA投与群で移植後再発率が低くPFSが良好であったが，OSには差がなく[27)]，その意義は確立されておらず症例ごとに検討が必要である．

CMMLの場合も，腫瘍量が多い場合はPMF患者と同様に生着不全が問題となるので，幹細胞ソースとしてはPBSCを優先している(CD34陽性細胞数も多いほうが望ましい)．国内レジストリデータを用いたCMML159例の解析では，HLA一致血縁者間移植と比較して非血縁移植のOSは不良であり，特にCBT後のNRMのリスクが高かった[28)]．移植前処置について海外からの報告では，RICとMACで移植成績に有意差は示されていないが，当院では，BUに加えて，生着不全のリスクを減らすためにTBI 2〜4 Gyや

MEL を追加することが多い.

また移植後の維持療法としてアザシチジンは候補となるが，当院では行っていない.

文献

1) Swerdlow SH, et al: WHO Classification of Tumours of Haematopoietic and Lymphoid Tissues. IARC, 2017
2) Hochhaus1 A, et al: European LeukemiaNet 2020 recommendations for treating chronic myeloid leukemia. Leukemia 34: 966-984, 2020
3) Hasford J, et al: Predicting complete cytogenetic response and subsequent progression-free survival in 2060 patients with CML on imatinib treatment: the EUTOS score. Blood 118: 686-692, 2011
4) Pfirrmann M, et al: Prognosis of long-term survival considering disease-specific death in patients with chronic myeloid leukemia. Leukemia 30: 48-56, 2016
5) Cervantes F, et al: New prognostic scoring system for primary myelofibrosis based on a study of the International Working Group for Myelofibrosis Research and Treatment. Blood 113: 2895-2901, 2009
6) Passamonti F, et al: A dynamic prognostic model to predict survival in primary myelofibrosis: a study by the IWG-MRT (International Working Group for Myeloproliferative Neoplasms Research and Treatment). Blood 115: 1703-1708, 2010
7) Gangat N, et al: DIPSS plus: a refined Dynamic International Prognostic Scoring System for primary myelofibrosis that incorporates prognostic information from karyotype, platelet count, and transfusion status. J Clin Oncol 29: 392-397, 2011
8) Barbui T, et al: Philadelphia chromosome-negative classical myeloproliferative neoplasms: revised management recommendations from European LeukemiaNet. Leukemia 32: 1057-1069, 2018
9) Tefferi A, et al: CALR and ASXL1 mutations-based molecular prognostication in primary myelofibrosis: an international study of 570 patients. Leukemia 28: 1494-1500, 2014
10) Such E, et al: Development and validation of a prognostic scoring system for patients with chronic myelomonocytic leukemia. Blood 121: 3005-3015, 2013
11) Patnaik MM, et al: Chronic myelomonocytic leukemia: 2022 update on diagnosis, risk stratification, and management. Am J Hematol 97: 352-372, 2022
12) 日本血液学会：造血器腫瘍診療ガイドライン 2023 年版，2023.
http://www.jshem.or.jp/
13) 日本造血・免疫細胞療法学会 HP：造血細胞移植ガイドライン 骨髄異形成症候群/骨髄増殖性腫瘍(成人)第 3 版，2018.
http://www.jshct.com/
14) NCCN Clinical practice guidelines in oncology. Chronic Myeloid Leukemia: version 2, 2024, Myeloproliferative Neoplasms: version 3, 2023.
https://www.nccn.org/
15) 骨髄線維症の診断基準と診療の参照ガイド改訂版作成のためのワーキンググループ：骨髄線維症診療の参照ガイド令和 4 年改訂版(第 6 版)，2022
16) Robin M, et al: Role of allogeneic transplantation in chronic myelomonocytic leukemia: an international collaborative analysis. Blood 140: 1408-1418, 2022
17) 堺田恵美子：慢性期 CML の治療ー診断，治療選択，長期マネジメントと treatment-free remission についてー．臨床血液 62：1021-1023，2021
18) Chhabra S, et al: Myeloablative vs reduced-intensity conditioning allogeneic hematopoietic cell transplantation for chronic myeloid leukemia. Blood Adv 2: 2922-2936, 2018
19) DeFilipp Z, et al: Maintenance tyrosine kinase inhibitors following allogeneic hematopoietic stem cell transplantation for chronic myelogenous leukemia: a center for international blood and marrow transplant research study. Biol Blood Marrow

Transplant 26: 472-479, 2020
20) Vannucchi AM, et al: A pooled analysis of overall survival in COMFORT-I and COMFORT-II, 2 randomized phase III trials of ruxolitinib for the treatment of myelofibrosis. Haematologica 100: 1139-1145, 2015
21) Shanavas M, et al: Outcomes of allogeneic hematopoietic cell transplantation in patients with myelofibrosis with prior exposure to janus kinase 1/2 inhibitors. Biol Blood Marrow Transplant 22: 432-440, 2016
22) Takagi S, et al: Allogeneic hematopoietic cell transplantation for leukemic transformation preceded by Philadelphia chromosome-negative myeloproliferative neoplasms: a nationwide survey by the Adult Acute Myeloid Leukemia Working Group of the Japan Society for Hematopoietic Cell Transplantation. Biol Blood Marrow Transplant 22: 2208-2213, 2016
23) Kröger NM, et al: Indication and management of allogeneic stem cell transplantation in primary myelofibrosis: a consensus process by an EBMT/ELN international working group. Leukemia 29: 2126-2133, 2015
24) Abd Kadir SSS, et al: Impact of ruxolitinib pretreatment on outcomes after allogeneic stem cell transplantation in patients with myelofibrosis. Eur J Haematol 101: 305-317, 2018
25) Murata M, et al: Comparison of outcomes of allogeneic transplantation for primary myelofibrosis among hematopoietic stem cell source groups. Biol Blood Marrow Transplant 25: 1536-1543, 2019
26) Takagi S, et al: Successful engraftment after reduced-intensity umbilical cord blood transplantation for myelofibrosis. Blood 116: 649-652, 2010
27) Kongtim P, et al: Treatment with hypomethylating agents before allogeneic stem cell transplant improves progression free survival for patients with chronic myelomonocytic leukemia. Biol Blood Marrow Transplant 22: 47-53, 2016
28) Itonaga H, et al: Prognostic impact of donor source on allogeneic hematopoietic stem cell transplantation outcomes in adults with chronic myelomonocytic leukemia: a nationwide retrospective analysis in Japan. Biol Blood Marrow Transplant 24: 840-848, 2018

11 リンパ腫(ATL も含む)

悪性リンパ腫における移植適応の判断は，病理組織型ごとに大きく異なる．近年，新規の抗体薬，分子標的治療薬，キメラ抗原受容体(CAR)T 細胞療法が実地臨床で利用可能になっていることから，移植適応の考え方は変化し続けており，最新のエビデンスに基づいた判断が求められる．

リンパ腫に対する造血細胞移植として，超大量化学療法＋自家移植が広く行われている．一方，同種移植は，リンパ腫の多くの病型に対し，移植時の疾患コントロールが良好であれば根治が期待できる．さらに，治療抵抗性であっても最新の薬物療法を含むさまざまな治療を移植直前まで駆使することによって長期の無増悪生存期間を提供できる可能性がある有力な治療選択肢であると当院では考えている(当院ではリンパ腫・ATL に対する同種移植件数が AML/ALL に対する件数よりも多い)．本項では，各病型における自家移植と同種移植の適応に加え，近年急速に普及している CAR-T 細胞療法の適応についても示す．

なお，リンパ腫・ATL に関しては，病理組織型により予後予測，移植までの治療，移植後再発対策が大きく異なるため，これらを本文に含めて記載し，移植前処置のみ本項の最後にまとめて記載した．

A ホジキンリンパ腫(HL)(表 1)

当院における HL の移植適応は，基本的には学会ガイドラインと同様である[1)]．HL は限局期，進行期のいずれも 1 次治療(化学放射線療法)の治療成績が良好なため，1 次治療後については移植適応はない．

自家移植は，初回再発または治療抵抗例に対して行った救援化学療法に感受性(CR/PR)の場合，65 歳以下で臓器障害がない場合の標準治療である．再発 HL に対する通常量の救援化学療法と自家移植を比較した RCT では，救援化学療法(Dexa-BEAM)に感受性が

表1 当院におけるホジキンリンパ腫に対する造血・免疫細胞療法の適応

治療	効果判定	同種移植(RIC のみ)	自家移植
1次治療	CR/PR	×	×
2次以降の治療	CR/PR	△*	○
	SD	△	△
	PD	×	×
自家移植後PD→救援療法	CR/PR	○	×
	SD	△	×

○：勧める，△：一部の症例で勧める，×：勧めない．
*自家末梢血幹細胞採取が困難な場合や，3次以降の治療後のCR/PR例に対して同種移植を行う場合もある．

あると判断された症例を対象にした場合，治療成功割合は自家移植群が有意に優れていた(OSは有意差なし)[2]．HLの場合，救援療法に対してSDでも自家移植を考慮することがある．国内レジストリデータを用いた再発・難治性HLに対する初回自家移植を行った298例の解析では，3年OS 70%，3年PFS 59%で，性別(女性)，年齢(＜40歳)，病期(CR)，PS(≦1)が予後良好因子であった[3]．移植前病期ごとの3年OSは，CR例が85%，PR例が61%であるのに対して，(SD症例が主体と考えられる)非CR/PR例が62%であった．

救援療法としては，非ホジキンリンパ腫(NHL)と同じく多剤併用化学療法(ICE，CHASE，ESHAPなど)が行われ，レジメン間でランダム化比較試験が行われていないため優先順位は確立されていない．自家移植後のPFSに対する最も重要な予後良好因子は，移植前にCMRを達成することである．海外では，自家移植前のCMR達成率を向上させるために，新規薬剤(brentuximab vedotin [BV]，抗programmed cell death-1[PD-1]抗体)と多剤併用化学療法の併用，interim PET-CTガイド下の治療戦略などが試みられている．BV(1.2 mg/kg×3日：day 1, 8, 15)2サイクル後，PET-CT陰性であればそのまま自家移植，PET-CT陽性あれば治療強度を高めたaugmented ICE 2サイクルを追加し自家移植を考慮するという第Ⅱ相試験結果(n＝46)が報告されている[4]．12名(27%)がBVのみ，22名(48%)がBV＋augmented ICE療法を行われ，全体の 74% が PET-CT 陰性を達成して自家移植を行った．PET 陰性の状態で行われた移植群は ICE 追加の有無にかかわらず 2 年 EFS 90% 以上と良好であった(PET 陽性群の 2 年 EFS は 46%)．

自家移植後の再発高リスク例(初回治療で CR 未到達，初回寛解から 12 か月未満の再発，救援化学療法開始時における節外病変陽性)に対しては，臨床第Ⅲ相試験(AETHERA 試験)に基づき[5)]，BV による維持療法(1.8 mg/kg，3 週間ごと，16 サイクル)を考慮する．海外の expert opinion では，自家移植前の BV 投与回数が 4～6 回以下の場合(ただし BV 抵抗性の既往がないこと)，BV による維持療法が推奨されている[6)]．また再発高リスクの自家移植症例に対する地固め療法としては，抗 PD-1 抗体[7)]，BV と抗 PD-1 抗体の併用療法[8)]についても，第Ⅱ相試験で良好な移植後 PFS が示され，その有用性が示唆されている．

同種移植は，学会ガイドラインにおいて 1 次治療奏効例を除くすべての場合で，Clinical Option with weak evidence と規定されている[1)]．同種移植のための HLA 検査時期は，第一再発時，初回寛解導入不応時が推奨される．2 次治療に対して SD の場合や，3 次以降の治療に対する CR 例に対して，同種移植を行うことも多い．また自家移植後再発に対して，BV，抗 PD-1 抗体を含む救援療法を行い CR/PR の場合，同種移植のよい適応と考えている(SD 症例に対して行う場合もある)．患者が若年であることも多いため，代替ドナーからの移植を含めて積極的に考慮する．近年は，移植後シクロホスファミドを用いた HLA 半合致血縁者間移植(PTCY ハプロ移植)の有用性が多くの研究で示されており[9)]，HLA 半合致血縁ドナーは有望な代替ドナーソースである．国内レジストリデータを用いた再発・難治性 HL に対する初回同種移植を行った 122 例の解析では，3 年 OS 43%，3 年 PFS 31% で，自家移植の既往がある 82 例(67%)を除いてもほぼ同等の成績であった[3)]．本解析は 2009 年までの移植施行例を対象としているため RIC の使用割合が 62% と低く，新規薬剤導入後の患者を対象とした解析も待たれる．

同種移植前の救援化学療法として，BV は，GVHD や VOD のリスクを上昇させないためよい選択肢となる．一方，抗 PD-1 抗体は，移植後早期の非感染性発熱症候群や重症急性 GVHD のリスクが上昇することが国内外複数の後方視的研究で示されている[10, 11)]．

しかし，必ずしもNRMリスクを上昇させるものではなく，移植後1年のPFSは約70〜80%と，むしろ従来の同種移植と比べて良好な成績であった．国際ワーキンググループによるコンセンサスレポートでは，GVHDリスクを低減させるために，抗PD-1抗体の最終投与から移植まで6週間以上あけること，骨髄グラフト，RICを用いることに加えて，PTCYによるGVHD予防が抗PD-1抗体療法後の同種移植において推奨されている[12]．

HLに対する同種免疫反応による移植片対リンパ腫(GVL)効果はFLなどの高感受性リンパ腫と比較すると弱いため，同種移植後の晩期再発もありうる．同種移植後再発を予防するための維持療法は確立しておらず，当院でもルーチンでは行っていないが，一部の症例では，BVによる維持療法を行うこともある．抗PD-1抗体は，同種移植後再発症例に対してもORR 75〜94%と高い奏効率を示したものの，治療を契機としたGVHDまたは免疫関連有害事象(irAE)が高頻度であった[11,13,14]．前述のコンセンサスレポートでは，GVHDの既往や移植から再発までの期間を考慮すること(移植後半年以内ではGVHDの高リスク)，抗PD-1抗体を低用量から開始し(ニボルマブ0.5 mg/kg/日など)，効果不十分かつ毒性がない場合に増量を考慮すること，GVHDを発症した場合には抗PD-1抗体の投与を速やかに中止し，メチルプレドニゾロン2 mg/kg/日を投与すること，ステロイド抵抗性の場合には速やかに二次治療を考慮することが推奨されている[12]．しかし，抗PD-1抗体療法後の同種移植例におけるPTCY法のような有効性の高いGVHD予防戦略は現時点では明らかでなく，投与後はGVHDの厳重なモニタリングを要する．

B 濾胞性リンパ腫(FL)(表2)

FLは高齢で発症することが多く，進行が緩徐であり，近年の薬物療法の進歩も加わり，大半の患者は造血細胞移植を受けずに長期生存する．しかし，FL患者の最大の死因は原疾患の増悪/形質転換であることに変わりはなく，特に1次治療後24か月以内の再発/増悪は予後不良とされている．診断後早期に進行して致死的になることはほぼないため，1次治療後のupfront settingでの造血幹細

表2 当院における濾胞性リンパ腫に対する造血・免疫細胞療法の適応

治療	効果判定	同種移植(RIC のみ)	自家移植	CAR-T 細胞療法*
1 次治療	Any	×	×	×
2 次治療	CR/PR	×	×	×
	SD/PD	×	×	△
3 次以降の治療	CR/PR	○	×	△
	SD/PD	○	×	○
自家移植後 PD→救援療法	CR/PR	○	×	○
	SD/PD	○	×	○
CAR-T 細胞療法後 PD→救援療法	Any	○	×	×

○：勧める，△：一部の症例で勧める，×：勧めない．
*白血球アフェレーシス，ブリッジング療法，リンパ球除去化学療法，CAR-T 細胞投与を包括したもの．
tisa-cel(キムリア®)は FL のいかなる Grade に対しても使用可．liso-cel(ブレヤンジ®)は FL，Grade 3B のみ使用可．axi-cel(イエスカルタ®)は FL に対して使用不可(国内未承認)．いずれも CAR-T 細胞療法の治療歴がない患者に限り実施可．
CAR-T 細胞：キメラ抗原受容体発現 T 細胞，FL：濾胞性リンパ腫
CAR-T 細胞療法の詳細についてはPMDA のホームページに掲載されている最新の「最適使用推進ガイドライン(再生医療等製品)を参照されたい(https://www.pmda.go.jp/review-services/drug-reviews/review-information/ctp/0011.html)．

胞移植は実施されない．ドイツで行われたRCT では，形質転換していない FL に対する R-CHOP 療法後の upfront 自家移植の意義は認められなかった[15]．

形質転換していない再発・難治性 FL に対して造血細胞移植を行う場合，自家移植と同種移植のどちらを選択すべきかについては，主にレジストリ研究を用いて議論されてきたが，自家移植群の生存曲線は低下し続けるため，PFS では移植後 1 年，OS では移植後 5 年以降は同種移植群が上回った[16, 17]．米国で，主に 2 次治療後の化学療法感受性のある FL 患者を対象として，自家移植と RIC 同種移植を比較する RCT が実施されたが，症例登録が進まず中止となった(3 年 OS は 22 例の自家移植群で 73%，8 例の同種移植群で 100%)[18]．

FL は他の組織型のリンパ腫よりも強い GVL 効果が期待できるため，ATG などを用いて GVHD をしっかり予防することで，同種移植の安全性・有効性はかなり高くなる．当院における再発・難治

性 FL(n＝46)に対する同種移植は，移植時病期を問わず NRM が低く，PFS も良好(5 年 PFS 70%)のため[19]，自家移植よりも同種移植を優先して行ってきた．しかし，近年は紹介される FL 患者が激減しており，直近の 5 年間では 4 例(同種移植前レジメン数中央値 5.5，移植時病期：PR3，CR4，PR3，CR3)のみに留まったが，全例無増悪生存している(観察期間中央値 26 か月)．化学療法後の造血回復が不良の患者や繰り返される薬物療法に辟易している患者に対しては，3 次治療あるいはそれ以上の治療歴があれば，最終化学療法の効果を問わず治癒に至る可能性が高い同種移植を積極的に検討している．国内外のレジストリ研究では，自家移植後に再発/増悪した FL に対する同種移植は NRM がやや高く，PFS がやや低い[20, 21]．当院では自家移植後再発 FL に対する同種移植の経験はないが，最終化学療法の効果を問わず同種移植を行うことを検討している．

本邦では，2 次以降の治療が無効の FL に対し，患者由来 T 細胞による抗 CD19 CAR-T 細胞療法として tisa-cel(キムリア®)と liso-cel(ブレヤンジ®)とが使用可能である(2023 年 11 月時点)．Tisa-cel(キムリア®)は FL のいかなる Grade の FL に対しても使用可であるが，liso-cel(ブレヤンジ®)は FL，Grade 3B のみ使用可である．〔2023 年 11 月時点で axi-cel(イエスカルタ®)は FL に対して国内未承認〕．Tisa-cel の国際共同治験では，1 次治療後 24 か月以内の PD 症例が 24 か月以降の PD 症例よりも tisa-cel 後の CR 割合が明らかに低かった[22]．海外では，axi-cel(イエスカルタ®)も FL に対して迅速承認(適応拡大)されており[23]，通常の薬物療法コホートと比べて ORR，OS，PFS などの評価項目が明らかに上回った[24]．

3 次以降の治療後の SD/PD 例や自家移植後 PD 例に対して，現時点では CAR-T 細胞療法と同種移植のどちらも選択肢となり，さまざまな要素を考慮して判断している．例えば，ベンダムスチン投与後など血球数に問題がある場合，よい条件のドナーがいれば同種移植を選択している．FL に対する CAR-T 細胞療法後の再発・PD が(GVL 効果の傾向と同じように)大細胞型 B 細胞リンパ腫と比較して少ないのかなど CAR-T 細胞療法後の長期成績の結果次第では，同種移植と CAR-T 細胞療法の適応の考え方も今後，大きく変わってくる可能性がある．また，CAR-T 細胞療法後の再発/増悪例に対する同種移植の効果についても今後の検討が待たれる.

C 形質転換低悪性度 B 細胞リンパ腫(表 3)

FL, 辺縁帯リンパ腫, 慢性リンパ性白血病/小リンパ球性リンパ腫, MALT リンパ腫などのインドレント NHL(iNHL)が形質転換すると, アグレッシブな経過をとることが多いため, びまん性大細胞型 B 細胞リンパ腫(DLBCL)に準じた造血・免疫細胞療法が積極

表 3　当院における形質転換低悪性度 B 細胞リンパ腫に対する造血・免疫細胞療法の適応

形質転換後の治療	効果判定	同種移植(RIC のみ)	自家移植	CAR-T 細胞療法 *1
WW・アントラサイクリンを含まない治療後の形質転換→1 次治療	CR/PR	×	×	×
	SD/PD	×	×	△*2
アントラサイクリンを含む治療後の形質転換→1 次治療	CR/PR	△	○	×
	SD/PD	×	×	○*2
2〜3 次治療	CR/PR	○	△	○
	SD/PD	×	×	○
自家移植後 PD→救援療法	CR/PR	○	×	○
	SD/PD	×	×	○
CAR-T 細胞療法後 PD→救援療法	CR/PR	○	×	×
	SD/PD	△	×	×
2〜3 次治療後/上記の救援療法後 SD/PD→救援療法	—	△	×	△

○:勧める, △:一部の症例で勧める, ×:勧めない.

*1 アフェレーシスまでの病勢コントロール治療, 白血球アフェレーシス, ブリッジング療法, リンパ球除去化学療法, CAR-T 細胞投与を包括したもの. *2 を除き, liso-cel(ブレヤンジ®)のみ使用可. CAR-T 細胞療法の治療歴がない患者に限り実施可.

*2 Liso-cel(ブレヤンジ®)はすべての iNHL からの形質転換例に対して使用可. axi-cel(イエスカルタ®)と tisa-cel(キムリア®)は FL からの形質転換例のみ使用可.

CAR-T 細胞:キメラ抗原受容体発現 T 細胞, FL:濾胞性リンパ腫, iNHL:低悪性度 B 細胞リンパ腫, WW:watch-and-wait

的に検討される(表3).

形質転換したiNHLの初期段階の治療方針は，形質転換のタイミングによって異なる．iNHLと診断され，無治療で経過観察(watch-and-wait)中，またはアントラサイクリン系抗腫瘍薬を含まない治療を受けた後に形質転換した症例の場合，形質転換後の1次治療にてCR/PRを達成しても地固め療法としての造血細胞移植は追加しない．iNHLに対してアントラサイクリン系抗腫瘍薬を含む治療を受けた後に形質転換した症例の場合，形質転換後の1次治療にてCR/PRを達成した際には，(DLBCLの場合と同様に)地固め療法として自家移植を追加する[25~27]．また十分量の自家PBSCを採取できなければ，同種移植を検討する．

形質転換したiNHLに対する患者由来T細胞による抗CD19 CAR-T細胞療法として，liso-cel(ブレヤンジ®)はすべてのiNHLからの形質転換例に対して使用可能であるが，axi-cel(イエスカルタ®)およびtisa-cel(キムリア®)はFLからの形質転換例のみが対象となる(2023年11月時点)．なお，リヒター形質転換の場合はCAR-T細胞療法の実施対象外である．

形質転換FL(tFL)に対する1次治療にてSD/PDの場合，通算2レジメン以上の化学療法歴を有していれば，患者由来T細胞による抗CD19 CAR-T細胞療法を検討する．形質転換後の2~3次治療にてCR/PRを達成した場合，自家移植を行うことは少なくなってきており，当院では同種移植の追加を積極的に検討していた[19,27,28]．tFLに対するGVL効果は，FLとDLBCLに対するGVL効果の中間程度か，FLに近い成績である[19]．このため，形質転換後の2~3次治療にてCR/PR例では，現時点では同種移植とCAR-T細胞療法のどちらも選択肢となり，様々な要素を考慮して判断している．一方，2~3次以降の治療後のSD/PD例や自家移植後PD例に対しては，今後はCAR-T細胞療法を検討する機会が増えてくると思われる．形質転換後iNHLに対するCAR-T細胞療法の長期成績に関する報告が待たれる．

また2~3次治療や自家移植後のPD，CAR-T細胞療法後のPDに対する救援療法にてSD/PDとなった場合でも，一部の症例では他の救援療法を施行後，効果判定/血球回復を待たずにRICを用いた同種移植を行うこともある．

D 大細胞型 B 細胞リンパ腫(LBCL)(表 4)

LBCL は，びまん性大細胞型 B 細胞リンパ腫(DLBCL)，原発性縦隔大細胞型 B 細胞リンパ腫(PMBCL)，高悪性度 B 細胞リンパ腫(HGBCL)を含み，リンパ腫のうち本邦で最も多い病型である．LBCL は，アグレッシブな経過をとる病型であるが，リツキシマブを含む 1 次治療(R-CHOP 療法など)によって約半数の患者は長期 PFS を達成する．当院における LBCL に対する(2023 年 11 月時点の)移植適応の考え方(表 4)は，ガイドライン[1, 29]を基にしているが，移植の位置づけは抗 CD19 CAR-T 細胞療法の導入により大きく変わってきている[30]．現時点では，CAR-T 細胞療法を実施可能な施設が少なく，各施設のスロット数(製造枠)も限られているが，最新の保険適用やエビデンスを確認しながら CAR-T 細胞療法実施施設との連携体制の構築が重要となる．

1 次治療奏効例に対する地固め療法としての upfront 自家移植は，さまざまな臨床試験が行われたが，メタ解析で OS の改善は示されておらず[31]，移植適応はないと考えられる．寛解導入不応例(1 次治療無効例)や第 1 再発例では 2 次治療(救援化学療法)に奏効した場合，古い時代の RCT(Parma 試験)[32]を基にして，自家移植を追加することが多かった．その後の CORAL 試験において，リツキシマブを含む 1 次治療後 1 年以内の早期再発例や再発時 aaIPI が high/high-intermediate risk の例では，2 次治療の奏効例への地固め療法としての自家移植の成績は不良であった[33]．しかし，しばらく有力な代替治療は登場せず，自家移植前の FDG-PET/CT で PR であった場合，早期再発例でも晩期再発例でも治療成績は同等とする海外レジストリデータの報告もあり[34]，2 次治療(救援化学療法)の奏効例には従前からの自家移植が選択されていた．また自家移植を目指して PBSC 採取を試みたものの poor mobilizer であったか，骨髄浸潤が残存した場合のみ同種移植を考慮する場合もある．

その後，患者由来 T 細胞による抗 CD19 CAR-T 細胞療法の臨床開発が進み，1 次治療無効例や 1 次治療後 1 年以内の早期再発例に対する 2 次治療としての CAR-T 細胞療法と救援化学療法＋自家移植を比較する複数の RCT が実施された．ZUMA-7 試験の一次解析では，主要評価項目である EFS 中央値は，axi-cel 群で 8.3 か月，救援療法・自家移植群で2.0か月(2年EFS：41% vs. 16%)であり[35]，二次解析でもEFS中央値は10.8か月 vs. 2.3か月といずれもaxi-cel群が有意に上回った[36]．OS中央値においても未到達 vs. 31.1か月(1年OS：76% vs. 63%，4年OS：55% vs. 46%)とaxi-cel群が有意に上回った[36]．TRANSFORM試験の中間解析では，主要評価項目であるEFS中央値はliso-cel群で10.1か月，救援療

表4 当院における大細胞型B細胞リンパ腫(形質転換低悪性度B細胞リンパ腫を除く)に対する造血・免疫細胞療法の適応

治療	効果判定	同種移植(RICのみ)	自家移植	CAR-T細胞療法*1
1次治療	CR	×	×	×
	PR/SD/PD	×	×	○*2
2次治療	CR	△*3	○	△
	PR	△*3	○	○
	SD/PD	×	×	○
3次治療	CR	○	△	○
	PR	○	×	○
	SD/PD	×	×	○
自家/同種移植	PD	×	×	△*4
自家移植後PD→救援療法	CR/PR	○	×	○
	SD/PD	×	×	○
CAR-T細胞療法後PD→救援療法	CR/PR	○	×	×
	SD/PD	×	×	×
3次治療後/上記の救援療法後SD/PD→救援療法	—	△	×	△

○：勧める，△：一部の症例で勧める，×：勧めない．

*1 アフェレーシスまでの病勢コントロール治療，白血球アフェレーシス，ブリッジング療法，リンパ球除去化学療法，CAR-T細胞投与を包括したもの．原発性縦隔大細胞型B細胞リンパ腫，高悪性度B細胞リンパ腫の場合，liso-cel(ブレヤンジ®)とaxi-cel(イエスカルタ®)は使用可だが，tisa-cel(キムリア®)は使用不可(未承認)．二次性中枢神経リンパ腫の場合，liso-cel(ブレヤンジ®)のみ使用可．いずれもCAR-T細胞療法の治療歴がない患者に限り実施可．

*2 2nd line治療として，liso-cel(ブレヤンジ®)とaxi-cel(イエスカルタ®)は使用可だが，tisa-cel(キムリア®)は使用不可(未承認)．

*3 自家移植を目指していたが，poor mobilizerであったか，骨髄浸潤が残存した場合のみ適応あり．

*4 同種移植後はliso-cel(ブレヤンジ®)のみ使用可．

CAR-T細胞：キメラ抗原受容体発現T細胞

法・自家移植群で 2.3 か月(1 年 EFS：46% vs. 24%)であり[37]，一次解析でも未到達 vs. 2.4 か月(1 年 EFS：57% vs. 23%)[38]といずれも liso-cel 群が有意に上回った．一方，tisa-cel 群と救援療法・自家移植群を比較する BELINDA 試験の一次解析では，EFS 中央値は，tisa-ce 群で 3.0 か月，救援療法・自家移植群で 3.0 か月と有意差を認めなかった[39]．上記の結果に基づいて，LBCL に対する 2 次治療として axi-cel(イエスカルタ®)と liso-cel(ブレヤンジ®)の CAR-T 細胞療法が実施可能となった(2022 年 12 月国内追加承認)．

2023 年 11 月現在，晩期再発の 2 次治療(救援化学療法)後に縮小傾向がみられた場合，自家移植と CAR-T 細胞療法の両方の選択肢がある．CIBMTR の後方視的研究では，救援療法に対して PR を達成した DLBCL 症例に対する自家移植(n＝266)群は CAR-T 細胞療法(n＝145)群と比較して 2 年再発率が低く(40% vs. 53%，P＝0.05)，2 年 OS が高かった(69% vs. 47%，P＝0.004)[40]．1 次治療後 1 年以内の早期再発や初回治療抵抗性(一次治療が PR の場合も含む)の患者に対しては CAR-T 細胞療法(axi-cel または liso-cel)が標準治療と考えられる．現在，高リスク患者に対する 1 次治療として CAR-T 細胞療法を導入する試みが進んでいるが[41]，2023 年の海外ガイドラインでは(診断時の IPI や *MYC*，*BCL2*，*BCL6* などの転座にかかわらず)1 次治療としての CAR-T 細胞療法は推奨されていない[29]．エビデンスの蓄積により適応やガイドラインの記載が今後，大きく変わってくる可能性もあるため，高リスクの LBCL 患者では早期の段階で CAR-T 細胞療法実施施設との連携を開始することが重要である．

2 次(以降の)治療の無効例(SD/PD)に対しては，3 次(以降の)治療として，従来は一部の症例で同種移植が試みられてきた．しかし，治療抵抗性の DLBCL に対するドナーの免疫力による GVL 効果は効きにくく，非再発死亡も多いため治療成績はきわめて不良である．一方，患者由来 T 細胞による抗 CD19 CAR-T 細胞療法は比較的安全に施行でき有効性に関する報告が増えてきていることから，CAR-T 細胞療法が 2 次(以降の)治療の無効例(SD/PD)の標準治療と考えられる．

自家移植後の再発・PD に対して，救援化学療法が奏効すれば同種移植を検討している[42〜44]．一方，救援療法にて SD/PD の場合は

CAR-T細胞療法を検討するが，CR/PRでもCAR-T細胞療法は選択肢となる．また自家移植後の再発・PDの場合，救援化学療法を挟まずにそのままCAR-T細胞療法を行う場合もある．自家移植後に再発したDLBCLの別々のレジストリデータを用いた解析では，同種移植とCAR-T細胞療法の両方が治療選択肢となるが，PS，自家移植からのインターバル，化学療法感受性に基づいたCIBMTR予後スコアが重要であった[45]．また同種移植後の再発・PDに対するCAR-T細胞療法は，(CAR-T細胞療法の実施歴がなければ)liso-cel(ブレヤンジ®)のみ適応があるが，当院での使用経験はない．

2〜3次治療や自家移植後のPD，CAR-T細胞療法後のPDに対する救援療法にてSD/PDとなった場合，一部の症例では，他の救援療法を施行後，効果判定/血球回復を待たずにRICを用いた同種移植を行うこともある．当院で化学療法後の造血回復前に同種移植(なだれ込みRIC移植)を行った54例(うちLBCLが25例)の解析では，移植後3年時点のOS 45%，NRM 23%，PD 39%であった．ただし*de novo*のDLBCLは，形質転換したiNHLよりもGVL効果は効きにくいため同種移植の適応は慎重に判断している．

CAR-T細胞療法後の再発・PDに対する同種移植を行った88例の解析では，観察期間中央値15か月で1年OSが59%，1年PFSが45%であり，同種移植前のCR達成例とCAR-T細胞療法から同種移植までの治療が1ライン以下の場合にOSが良好であった[46]．当院におけるCAR-T細胞療法後のPDに対する同種移植の経験は4例のみであるが，今後，国内でも多数例による検討が待たれる．

MYC転座とBCL2転座またはBCL6転座を有するdouble-hit lymphoma(DHL)は予後不良といわれており[47]，海外のガイドラインではR-CHOP療法後のCR1の状態でupfront自家移植を考慮してもよいとされているが[29]，当院では行っていない．当院で同種移植を受けたDLBCL患者をdouble-expressor lymphoma(DEL)群と非DEL群に分けて解析すると，DEL群の治療成績が明らかに劣っていた[48]．

中枢神経リンパ腫(PCNSL)のCR1到達後に追加する治療を比較したRCTで，2年PFSは自家移植群80%，全脳放射線照射群63

%で，全脳放射線照射群の患者は認知機能が低下していた[49]ことから，海外のガイドラインでも自家移植が推奨されている[29]．当院でも PCNSL に対して BU/TT を前処置として自家移植を行っており，12 例(うち 7 例が upfront)中，再発は 2 例のみで 11 例が無再発生存中である(観察期間中央値 16 か月)．

また 2023 年 11 月に，T 細胞の CD3 と B 細胞の CD20 に同時に結合し，T 細胞介在性細胞傷害を誘導する二重特異性抗体製剤であるエプコリタマブ(エプキンリ® 皮下注 4 mg/48 mg)が発売された．対象は抗 CD20 抗体製剤を含む少なくとも 2 つの標準治療が無効または治療後に再発した DLBCL，HGBL，PMBCL，FL(Grade 3B)である．CAR-T 細胞療法と同じく，サイトカイン放出症候群(CRS)や免疫エフェクター細胞関連神経毒性症候群(ICANS)に注意が必要であり，最新の適正使用ガイドを確認しておく．

Memo

再発難治性 B 細胞リンパ腫に対する CD19 CAR-T 細胞療法

2023 年 11 月時点の最適使用推進ガイドラインによると，本邦における CD19 CAR-T 細胞療法の承認状況は以下の通りであり，最新の情報を常に確認する必要がある．

アキシカブタゲンシロルユーセル：axi-cel(イエスカルタ®)

病理診断：再発/難治性 LBCL(PMBCL，形質転換した FL，HGBCL を含む)

前治療：1 次治療により CR を達成したが，治療終了 12 か月以内の再発または初回治療抵抗性，または化学療法 2 ライン以上，再発後に化学療法 1 ライン以上施行し，CR が得られない場合

リソカブタゲンマラルユーセル：liso-cel(ブレヤンジ®)

病理診断：再発/難治性 LBCL(PMBCL，形質転換したインドレントリンパ腫，HGBCL を含む)および Fl，Grade 3B

前治療：1 次治療により CR を達成したが，治療終了 12 か月以内の再発または初回治療抵抗性，または化学療法 2 ライン以上，再発後に化学療法 1 ライン以上施行し，CR が得られない場合

チサゲンレクルユーセル：tisa-cel(キムリア®)

病理診断：再発/難治性の DLBCL または FL

前治療：化学療法 2 ライン以上，再発後に化学療法 1 ライン以上施行し，CR が得られない場合

CAR-T 細胞療法の適応判断のポイントとして最も重要なのは，アフェレーシス後に CAR-T 細胞の輸注までブリッジング治療で腫瘍コントロールが可能かどうかであり，前治療の内容やライン数，残存する腫瘍量や腫瘍の増殖スピードなどから総合的に判断する必要がある．またリンパ球採取や

CAR-T細胞製造をスムーズに行えるかどうかの判断も重要であり，国内の408例の解析では，tisa-cel製造不良(30例：7.4%)となるリスク因子は頻回のベンダムスチン使用(3〜24か月に6回以上投与または3か月以内に3回以上投与)，血小板数減少，CD4/8比の低下であった[50]．現時点では，CAR-T細胞療法を施行可能な施設数が少なく，各施設のスロット数(製造枠)も限られているため，早期の段階でCAR-T細胞療法実施施設との連携を開始することが重要である．今後，CAR-T細胞療法の有効性が期待される患者群の適切な選定や，適切なタイミングで細胞採取およびCAR-T細胞投与を行うために，他の治療法との比較も含めたCAR-T細胞療法後の長期フォローアップのエビデンスが構築されてくることを期待したい．

E　マントル細胞リンパ腫(MCL)(表5)

国内外の臨床試験の結果を受け，大量シタラビンやリツキシマブを含む1次治療(intensive chemoimmunotherapy)後にCRを達成した患者に対して，地固め療法として自家移植[51〜54]，維持療法としてリツキシマブ投与が広く行われている[55]．当院でも，国内外のガイドラインと同じく，1次治療でCRが得られたらupfront settingでの自家移植を行っている[1,56]．ただし，将来，BTK阻害薬が1次治療に組み込まれた場合，upfront自家移植が不要になる可能性がある．

CIBMTRからの報告では，CR1/PR1(1次治療後CRが主体)例

表5　当院におけるマントル細胞リンパ腫に対する造血・免疫細胞療法の適応

治療	効果判定	同種移植(RICのみ)	自家移植
1次治療	CR	×	○
1次治療PR/SD/PD→2次治療(BTK阻害薬)	CR	△	○
	PR/SD	○	×
CR1達成後に第一再発→2次治療(BTK阻害薬)	CR/PR/SD	○	△
2次治療後PD→3次治療	CR/PR/SD	○	×
3次治療後PD→4次治療	—	△	×
自家移植後PD→救援療法	CR/PR/SD	○	×

○：勧める，△：一部の症例で勧める，×：勧めない．

に対する早期自家移植ではRICを用いた早期同種移植と比較して移植後5年再発率は高かったが(32% vs. 15%, $P=0.009$), 1年NRMが有意に低く(3% vs. 25%, $P<0.001$), OSやPFSは同等であった[57]. きわめて予後不良な *TP53* 変異を有するMCLに対するupfront同種移植の有用性が検討されている[58]が, 現時点ではCR1症例に対するupfront同種移植は選択されない.

MCLの治療体系においてBTK阻害薬の重要性が増している. 1次治療後CR未達成例に対し, 2次治療としてBTK阻害薬が最も使われている[59]. BTK阻害薬投与後にCRを達成した場合, 速やかにPBSCを採取し, 自家移植を行う[56]. BTK阻害薬奏効中の同種移植実施によって良好なPFSを認めたとする少数例の報告がある[60]. BTK阻害薬投与中にPR〜SD程度の縮小が続く場合, 同種移植を行う(CRで行う場合もある). 1次治療でCR1達成後にPBSC採取困難などの理由で自家移植を行わない患者は多くはないと予想されるが, 長期寛解維持後の再発に対してBTK阻害薬が有効であった場合に自家移植を行う場合もある[56]. 2次治療後PDとなった場合, 3次治療として多剤併用化学療法を行い, PDでなければ同種移植を行う. BTK阻害薬未使用例に対するupfront自家移植後の再発に対しては, BTK阻害薬を投与し, PDでなければ同種移植を行う.

自家移植後のMCLに対する維持療法として, ガイドラインでもリツキシマブ投与が推奨されているが[1,56], 海外のリアルワールドデータでは, 自家移植施行例の31%しかリツキシマブ維持療法を行われていない[59]. 自家移植後のリツキシマブ維持療法は, 原法では2か月ごとに3年間行うが[55], 本邦では2年間までしか保険が適用されない. 国内で行われたJCOG試験の自家移植後長期フォローアップデータでも, PFSはプラトーとならず再発イベントが継続して起きており, 8年PFSは17%まで低下していたが, 再発後の治療により6〜7割の長期生存を認めた[61].

同種移植後の維持療法のエビデンスはないが, 同種移植後再発に対するBTK阻害薬の再投与は考慮に値する. 海外では, 再発・難治性MCLに対してCAR-T細胞療法が既に導入されており[62], 本邦に導入された際には移植適応の考え方が大きく変わってくる可能性が高い.

F 末梢性T細胞リンパ腫(PTCL)(表6)

PTCLは多くの病型において通常化学療法に抵抗性を示しやすいため，治療選択肢として造血細胞移植が考慮される[1,63]．比較的予後良好なALK陽性未分化大細胞リンパ腫(ALCL)を除く初発PTCLに対してCHOPまたはCHOEP療法を施行後，upfront自家移植を行う単群第II相試験が報告されているが[64,65]，自家移植群と非移植群を比較するRCTは存在しない．日韓共同研究においてPTCLに対する自家移植時CR1/PR1群の再発割合が高かったこともあり[66]，当院ではupfront自家移植を行っていない．LYSA/GLAによるupfront settingでの自家移植と同種移植を比較するRCTでは，同種移植群において再発は認められなかったが，NRMは1年時点で23%，3年時点で30%を超えており，EFS，PFS，OSは両群間で差がなかった[67]．このRCTでは，同種移植群でMAC(FLU/BU3/CY)を用いていたため，RICを用いた場合のupfront同種移植の効果を否定することはできない．フランスの単施設研究[68]や日韓共同研究[66]からPTCLに対するupfront同種移植の

表6 当院における末梢性T細胞リンパ腫に対する造血・免疫細胞療法の適応

疾患	治療	効果判定	同種移植(RICのみ)	自家移植
MEITL	1次治療	CR	×	○
HSTCL/PCGDTCL			○	×
上記以外のPTCL			×	×
ALK陽性ALCL	2次治療	CR/PR	×	○
ALK陽性ALCL以外のPTCL	2〜3次治療	CR/PR/SD	○	×
Any	2〜3次治療後SD/PD→3〜4次治療	—	△	×
	自家移植後PD→救援療法	CR/PR/SD	○	×

○：勧める，△：一部の症例で勧める，×：勧めない．
MEITL：単形性上皮向性腸管T細胞リンパ腫，HSTCL：肝脾T細胞リンパ腫，PCGDTCL：原発性皮膚$\gamma\delta$T細胞リンパ腫，ALK陽性ALCL：ALK陽性未分化大細胞リンパ腫

良好なアウトカムが示されており，有望な治療選択肢と考えるが，近年の国内レジストリ解析で 2〜4 次治療後の同種移植の成績も良好のため[69]，当院では upfront 同種移植を行っていない．

単形性上皮向性腸管 T 細胞リンパ腫（MEITL）に対しては upfront 自家移植を積極的に検討する[70]．きわめて予後不良な肝脾 T 細胞リンパ腫と原発性皮膚 $\gamma\delta$T 細胞リンパ腫に対しては upfront 同種移植を積極的に検討するため，初発時から HLA 検査を実施する[71, 72]．皮膚 T 細胞リンパ腫である菌状息肉症・セザリー症候群の進行期（Ⅱ B〜Ⅳ期）や大細胞転化を認めている患者の予後は不良のため，同種移植を積極的に検討する[72〜74]．移植前処置開始直前まで局所（または全身）電子線照射＋多剤併用（または単剤）化学療法により，移植後早期増悪を防ぐことを試みている．

PTCL は LBCL と比較すると強い GVL 効果があると考えており，初回寛解導入不応や再発に対する救援化学療法後は同種移植を積極的に検討する．救援化学療法後の奏効例に対して（LBCL と同じように）自家移植を検討するのは ALK 陽性 ALCL のみである．2〜3 次治療や自家移植後 PD に対する救援療法にて CR/PR/SD となった場合は，積極的に RIC を用いた同種移植を行っている．再発・難治性 PTCL に対する同種移植と自家移植を比較する RCT はないが，後方視的な比較では同種移植の優位性が示され，特に 2〜4 次治療後の節性 T 細胞リンパ腫に対する同種移植の成績は良好であった[66, 69]．自家移植歴の有無で同種移植の成績は変わらないが，速やかに同種移植を施行したい．2〜3 次治療にて SD/PD となった場合でも，3〜4 次治療を施行後，効果判定/血球回復を待たずに GVL 効果を期待して同種移植を行うことを検討している．

同種移植後維持療法のエビデンスはないが，再発リスクが高い患者に対して BV やロミデプシンの減量投与は考慮に値する．同種移植後再発に対しては，新規薬剤などによるブリッジングによって再移植を目指すことを考慮する．

G NK細胞腫瘍(表7)

NK細胞由来の腫瘍細胞には多剤耐性(MDR)に関与するP糖蛋白が発現していることが知られており，MDR関連薬剤を主体とするCHOP療法やCHOP類似療法に抵抗性である原因の1つである．

初発限局期(IE期または一照射野内のIIE期)の節外性NK/T細胞リンパ腫(ENKTL)に対しては，局所放射線療法+2/3DeVIC療法が主に行われ，CRとなった場合，地固め療法としての移植は不要である[1]．

初発進行期ENKTLと初発アグレッシブNK細胞白血病(ANKL)に対しては，L-アスパラギナーゼを含む多剤併用療法(SMILE療法など)が行われるが，CRを達成した場合に造血細胞移植を追加すべきかについては，RCTもなく結論が出ていない．海外の第II相試験や後方視的研究ではupfront自家移植を行っても再発が多いという結果が優勢のため，当院ではCR1の状態で自家移植を行っていない．国内多施設共同研究グループからの報告では，進行期ENKTL80例のうち25例がupfront settingで自家移植(n=8)と同種移植(n=17)を受けており，診断後5年OSは移植群で54%(自

表7 当院におけるNK細胞腫瘍に対する造血・免疫細胞療法の適応

疾患	治療	効果判定	同種移植(RICのみ)	自家移植
ENKTL(stage IEまたは一照射野内のstage IIE)	1次治療	CR	×	×
ENKTL(その他のstage)			△	×
ANKL			○	×
Any	2次治療	CR/PR	○	×
	2次治療後SD/PD→3次治療	—	△	×
	自家移植後PD→救援療法	CR/PR	○	×

○：勧める，△：一部の症例で勧める，×：勧めない．
ENKTL：節外性NK/T細胞リンパ腫，ANKL：アグレッシブNK細胞白血病

家移植群 38%，同種移植群 63%)，非移植群で 14% であった[75]．ただし，upfront 同種移植後の NRM が非常に高いとする報告もあることから[76]，原法通りのスケジュール/用量で SMILE 療法などの 1 次治療を実施できなかったにもかかわらず何とか CR に達したような患者に限り，upfront 同種移植を検討する場合もある．なお，ENKTL に対する初回治療後，CNS に再発すると極めて予後不良であるため[75]，同種移植前の CNS 浸潤の除外診断と CNS 再発予防の髄注を積極的に検討すべきである．きわめて予後不良な疾患である ANKL に対しては，upfront 同種移植を積極的に検討するため，初発時早々に HLA 検査を実施する[77]．

2 次治療以降の NK 細胞腫瘍においても RCT はなく，自家移植よりも同種移植の治療成績がよいという後方視的研究もないが，ENKTL は LBCL と比較すると強い GVL 効果があると考えている．当院における ENKTL 28 例に対する同種移植の成績は良好であり，自家移植後再発の問題を考慮すると，1 次治療不応または再発/増悪に対する救援療法(2 次治療)にて CR/PR となった場合，同種移植の追加を積極的に検討する．2 次治療にて SD/PD となった場合でも，3 次治療を施行後，効果判定/血球回復を待たずに GVL 効果を期待して同種移植を行うことを検討する．

進行期 ENKTL と ANKL に対しては初発時早々に HLA 検査を実施する．本邦でも 2023 年 6 月に承認されたペグアスパルガーゼを含む DDGP 療法(シスプラチン，デキサメタゾン，ゲムシタビン，ペグアスパルガーゼ併用)など有望なレジメンの登場により[78]，移植適応の考え方が変わってくる可能性がある．

H 成人 T 細胞白血病リンパ腫(ATL)：急性型およびリンパ腫型(表 8)

急性型およびリンパ腫型のアグレッシブ ATL は多剤併用化学療法や抗 CCR4 抗体(モガムリズマブ)のみでは生存期間中央値は 1 年未満である．自家移植では，長期生存は期待できないが，ATL に対する GVL 効果は他のアグレッシブリンパ腫と比較すると高く，同種移植は治癒を目指す治療法として位置づけられている[79]．70 歳以下のアグレッシブ ATL 2,553 例の全国調査データベースの

表8　当院における成人T細胞白血病リンパ腫(急性型，リンパ腫型，予後不良因子を有する慢性型)に対する造血・免疫細胞療法の適応

治療	効果判定	同種移植(RIC のみ)	自家移植
1 次治療	CR/PR/SD	○	×
	PD	△*	×

○：勧める，△：一部の症例で勧める，×：勧めない．
*(抗 CCR4 抗体以外の)救援治療を行った後に，効果判定/血球回復を待たずに同種移植を行う場合もある．

表9　modified ATL-PI(70 歳以下のアグレッシブ ATL におけるリスク分類)

予後因子	スコア
急性型(vs. リンパ腫型)	1
ECOG PS 2～4(vs. 0～1)	1
補正 Ca 値≧12 mg/dL(vs. ＜12 mg/dL)	1
CRP≧2.5 mg/dL(vs. 2.5 mg/dL)	1
sIL-2R＞5,000 U/mL(vs. ≦5,000 U/mL)	1

リスク	スコアの合計	生存中央値(日)
Low	0～1	562
Intermediate	2～3	337
High	4～5	206

〔文献 80)より〕

解析から抽出された予後因子をもとにした modified ATL-PI によるリスク分類(表9)は，移植適応を考える際に有用と考えている[80]．特に，modified ATL-PI で Intermediate および High risk の症例においては，マルコフモデルを用いた臨床決断分析で診断後早期に同種移植を行うほうがよいことが示された[81]．

ATL は寛解へ到達した後，再発・進行をきたすまでの期間が非常に短いため(約半数の症例が診断後6か月以内に再発進行をきたす[80])，急性型・リンパ腫型 ATL と診断した時点から，HLA 検査を行い，ドナー検索を早急に進める必要がある．近年，アグレッシブ ATL の発症年齢中央値は 60 代後半に上昇し，適格な同胞ドナーがみつかる頻度が低いため，子供を含めて HLA 検査を行うことが推奨される．

アグレッシブ ATL に対する同種移植において，最も重要な予後因子は移植前病期である．化学療法の奏効(CR/PR)期間中に同種移植を行うことが重要であり，HLA 一致血縁ドナーがいる場合は，ATL の診断後 100 日以内の移植を目指す．HLA 一致血縁ドナーがいない場合は，骨髄バンクドナーの検索を開始するが，本邦では 3〜4 か月のコーディネート期間を要するため診断後早期にバンク登録をする．国内レジストリ解析では，HLA 7/8 アレル一致非血縁 BMT は HLA 一致血縁者間移植と比較して，NRM は増加するものの移植後再発が少なく OS は同等であった[82]．また非血縁末梢血幹細胞ドナーでは，自己血採血を要する非血縁骨髄ドナーと比べて，数週間のコーディネート期間短縮が期待されるが，GVHD のリスクが高まることが懸念される．当院では，HLA 完全一致ドナーと HLA 7/8 アレル一致非血縁ドナーを含めてコーディネートを開始し(末梢血幹細胞ドナーを優先して選択)，少量の ATG を用いて GVHD 予防の強化を図っている(☞ 217 頁，セクション 23)．一方，骨髄バンクに適切なドナーがみつからない場合や，化学療法中に ATL の再燃を認めた場合は，臍帯血や HLA 半合致(ハプロ)血縁ドナーからの移植が考慮される．近年，ハプロ移植における PTCY 法の導入や，臍帯血移植における支持療法の進歩により，これら代替ドナーからの移植成績が向上している．多施設前向き観察研究では，2015〜2018 年に診断された 70 歳以下のアグレッシブ ATL 患者 113 例が登録され，移植施行例 90 例のうち，約半数(55 %)は PTCY ハプロ移植または臍帯血移植が行われており，血縁移植，非血縁移植，臍帯血移植，PTCY ハプロ移植の 4 群間で，OS や NRM は同等であった[83]．ATL に対する PTCY ハプロ移植の国内臨床第Ⅰ/Ⅱ相試験では，2016〜2018 年に 18 例が登録され，主要評価項目である移植後 60 日の無 Grade Ⅲ〜Ⅳ急性 GVHD 生着生存は 89% と高い安全性が示された[84]．観察期間中央値は 572 日と短いものの，急性・慢性 GVHD 抑制効果が高く(移植後 100 日 Grade Ⅲ〜Ⅳ急性 GVHD 11%；移植後 1 年 moderate/severe 慢性 GVHD 17%)，きわめて良好な成績であった(移植後 1 年 OS 83%，NRM 11%)．当院では，診断から 3〜4 か月を超えるバンクコーディネート期間が予想される場合には，PTCY ハプロ移植や臍帯血移植に積極的に切り替えている．ハプロ移植および臍帯血移植では，HLA 不一致座が多いため，患者がドナー特異的な抗 HLA 抗体を有さないかどうかの確認が必要である．また，PTCY ハプロ移植では，大量 CY 療法に耐えうる心機能があるかどうかの確認が必要である．

化学療法後に SD であっても，PD と比較すると（PR に近い）長期生存の可能性が残されており，積極的に同種移植を勧めている．当院単施設の ATL76 例における同種移植後 2 年 OS は CR 76%，PR 65%，SD 54%，PD 17% であった[85]．初回化学療法後 SD 例に対して，化学療法を追加で行って CR/PR を目指すべきという考え方もあるが，当院では化学療法後の造血回復前の移植（なだれ込み RIC 移植）や移植後の維持療法なども含めて検討し，そのまま同種移植に進むことも多い．

初回化学療法後に再発・PD をきたした場合，そのまま移植を実施した場合の成績は不良であるため，何らかの救援治療を要する．新規薬剤の 1 つである抗 CCR4 抗体は有力な選択肢であるが，抗 CCR4 抗体療法に引き続いて同種移植を実施することの安全性は確立していない．同種移植前に抗 CCR4 抗体の投与を受けた患者では，制御性 T 細胞が長期間抑制され，重症・治療抵抗性移植片対宿主病（GVHD）の生じる確率や NRM が有意に高くなる[86]．このため同種移植を目指す 70 歳以下の患者では，原則，抗 CCR4 抗体を含まない治療で移植を目指す場合が多い．ATL の病勢コントロールのためにやむを得ず抗 CCR4 抗体を用いた症例では，抗 CCR4 抗体最終投与から移植までの間隔を 2～3 か月以上あけることが望ましい．抗 CCR4 抗体投与後に移植を急ぐ場合は，当院では少量の ATG を併用して GVHD 予防を強化して同種移植を行っているが安全性は確立されていない．一方，現時点では，同種移植前に投与される抗 CCR4 抗体以外の新規薬剤（レナリドミド，ツシジノスタット，バレメトスタット）の移植への影響については明らかではない．また（抗 CCR4 抗体以外の）救援治療を行った後に，効果判定/血球回復を待たずに同種移植（なだれ込み RIC 移植）を行う場合もある．

ATL に対する同種移植において，中枢神経（CNS）病変のコントロールは重要である．初回化学療法中は，早めに髄液検査および抗がん剤髄腔内投与を行う．同種移植前に CNS 浸潤を認めた場合，抗がん剤髄腔内投与，放射線照射，大量メトトレキサート療法等の髄液移行のよい化学療法によって十分に制御する必要がある．

ATL の同種移植後再発は，約 40% と高頻度であり，再発後の予後はきわめて不良である[87]．移植後の血液学的再発を予防するための維持療法，MRD に対する先制攻撃的治療は確立されていない．当院では，sIL-2R のフォローと末梢血フローサイトメトリー(HAS-Flow)による MRD モニタリングを行っている．アグレッシブ ATL を対象とした前向き観察研究の付随研究において，移植後 4 週における HAS 陽性例(n＝11)は陰性例(n＝30)と比較し，有意に再発率が高く(移植後 2 年再発率，陽性群 72.7% vs. 陰性群 43.3%；P＝0.016)，移植後 HAS を時間依存性変数とした多変量解析においても HAS 陽性は再発(HR＝3.64；95% CI＝1.34〜9.92；P＝0.011)および OS(HR＝5.61；95% CI＝1.99〜15.8；P＝0.001)に対する独立した予後不良因子であった．

移植後再発に対する新規薬剤療法に関するエビデンスは乏しい．移植後再発に対する抗 CCR4 抗体療法では，GVHD 増悪リスクは低く，末梢血中の病変に有効であることが示唆されているが，移植後早期(3 か月以内)の投与では GVHD リスクに注意を要する[88, 89]．移植後再発に対するレナリドミドは，血球減少や GVHD 惹起に注意を要するが，リンパ節・節外病変に一定の奏効を示す[89, 90]．当院では，抗 CCR4 抗体とレナリドミドとの相乗効果に期待し，抗 CCR4 抗体の単回投与後に，少量(5〜10 mg)のレナリドミド併用を試みることがある．ただし，両剤の併用により重篤な GVHD をきたした症例報告もあり，GVHD 併発には厳重な注意を要する．移植後再発例における，他の新規薬剤(BV，ツシジノスタット，バレメトスタット)のエビデンスは現時点では少なく，当院でも使用経験は乏しい．

I 移植前処置

悪性リンパ腫に対する前処置は，白血病など他の造血器疾患と考え方が大きく異なるが，病理診断ごとの差はあまり大きくない．自家移植と同種移植に分けて概説する．

1 自家移植

以前は自家移植の前処置として全身放射線照射(TBI)12 Gyがしばしば用いられていたが，二次性のMDS/AMLに対する懸念から最近は使われなくなった[1]．リンパ腫患者4,917例に対する大量化学療法レジメンを比較検討したCIBMTRの後方視研究(移植年1995～2008)では，BEAM療法がHLとFLで最もOSが高く[91]，海外で広く用いられている．国内ではBEAM療法に含まれるcarmustine(BCNU)が未承認のため，代わりにラニムスチン(MCNU)を用いたMEAM療法やMCEC療法，ニトロソウレア系薬剤を用いないLEED療法が多く用いられている(☞213頁，セクション22)．前処置を比較したRCTはないが，国内で自家移植を受けた再発・難治性DLBCL 2,280例において移植前処置を比較した解析では，MEAM療法がMCEC療法やLEED療法と比較して有意に移植後再発が少なく，PFSが良好であった[92]．

当院では通常，重篤な心機能障害を合併するリスクがある大量CYを含まないMEAM療法を選択することが多い．ただし中枢神経リンパ腫(PCNSL)に対しては，CNS移行性が高いチオテパ(TT)を含む前処置のほうがPCNSLの疾患制御が良好であったため[93,94]，BU/TTを選択している．

2 同種移植

リンパ腫に対する同種移植では，白血病などと同様にMACを用いるとNRMが4割近くに増加していたが[95]，その詳細なメカニズムは明らかにされていない．近年は，RICを用いることでNRMが明らかに減少したため，悪性リンパ腫に対する同種移植が広く実施されるようになった[96]．一般的にFLUに減量したアルキル化薬1種類を併用することが多く，MELかBUを併用することが多い．MELは，直接的な腫瘍縮小効果に加えて，移植後早期の完全キメラ達成による同種免疫効果の早期発現を期待できる．FLU/MELを用いて臍帯血移植を行ったリンパ腫413例のレジストリ解析では，MEL総投与量が80～100 mg/m^{2}のほうが140 mg/m^{2}と比較してOS, NRMが良好で，CNI+MMFのほうが他のGVHD予防よりもOS，再発が良好であった[97]．BUは，古くからミニ移植の前処置として用いられており，完全キメラ達成のタイミングが遅いが，粘膜障害が少なく生着前後の重症合併症が少ないため，高齢者が多いリンパ腫患者でも安全に移植を行うことができる．FLU/BU を用いて同種移植を行ったリンパ腫 415 例のレジストリ解析では，BU を 2 日間投与した群のほうが BU 4 日投与群よりも NRM が少なく，OS も有意に良好であった[98]．また同種移植を行った ATL 914 例のレジストリ解析では，55 歳以下の患者において MAC と RIC は同等で，RIC の中では FLU/MEL を用いたほうが FLU/BU2 よりも移植後再発が少なかったが，OS では有意差を認めなかった[99]．

当院では悪性リンパ腫に対して，主に FLU 180 mg/m^2 および MEL 80 mg/m^2 を選択しており，移植前の病勢に応じて MEL 100 mg/m^2 あるいは 140 mg/m^2 まで増量している．一方，リンパ腫の活動性が落ち着いていて，高齢または全身状態があまりよくない場合は，FLU/BU2(6.4 mg/kg)を選択する場合もある．またドナーソースに応じて TBI 2〜4 Gy や ATG を適宜併用している．また移植前のリンパ腫の病勢コントロールが困難な場合は，前処置強度を MAC へ上げるのではなく，各病型に有効な薬物療法や局所放射線療法を移植前処置開始直前あるいは 2〜3 週前までしっかりと行ったうえで，造血回復を待たずに RIC を用いた移植(sequential intensified-RIC：なだれ込み RIC 移植)を行っている．当院における 54 例の高リスクリンパ腫(DLBCL 24 例，PTCL 21 例)に対するなだれ込み移植の preliminary な解析では，移植後 3 年時点の NRM 23%，OS 45%，PD 39% であった．

文献

1) 日本造血・免疫細胞療法学会 HP：造血細胞移植ガイドライン 悪性リンパ腫(成人) 第 3 版，2019.
https://www.jstct.or.jp/uploads/files/guideline/03_07_ml03.pdf
2) Schmitz N, et al: Aggressive conventional chemotherapy compared with high-dose chemotherapy with autologous haemopoietic stem-cell transplantation for relapsed chemosensitive Hodgkin's disease: a randomised trial. Lancet 359: 2065-2071, 2003
3) Kako S, et al: The role of hematopoietic stem cell transplantation for relapsed and refractory Hodgkin lymphoma. Am J Hematol 90: 132-138, 2015
4) Moskowitz A, et al: PET-adapted sequential salvage therapy with brentuximab vedotin followed by augmented ifosamide, carboplatin, and etoposide for patients with relapsed and refractory Hodgkin's lymphoma: a non-randomised, open-label, single-centre, phase 2 study. Lancet Oncol 16: 284-292, 2015
5) Moskowitz CH, et al: Brentuximab vedotin as consolidation therapy after autologous stem-cell transplantation in patients with Hodgkin's lymphoma at risk of relapse or progression(AETHERA): a randomised, double-blind, placebo-controlled, phase 3 trial. Lancet 385: 1853-1862, 2015

6) Kanate AS, et al: Maintenance therapies for Hodgkin and non-Hodgkin lymphomas after autologous transplantation: a consensus project of ASBMT, CIBMTR, and the lymphoma Working Party of EBMT. JAMA Oncol 5: 715-722, 2019
7) Armand P, et al: PD-1 blockade with pembrolizumab for classical Hodgkin lymphoma after autologous stem cell transplantation. Blood 134: 22-29, 2019
8) Herrera AF, et al: Brentuximab vedotin plus nivolumab after autologous haematopoietic stem-cell transplantation for adult patients with high-risk classic Hodgkin lymphoma: a multicentre, phase 2 trial. Lancet Haematol 10: e14-e23, 2023
9) Martínez C, et al: Post-transplantation cyclophosphamide-based haploidentical transplantation as alternative to matched sibling or unrelated donor transplantation for Hodgkin lymphoma: a registry study of the Lymphoma Working Party of the European Society for Blood and Marrow Transplantation. J Clin Oncol 35: 3425-3432, 2017
10) Merryman RW, et al: Allogeneic transplantation after PD-1 blockade for classic Hodgkin lymphoma. Leukemia 35: 2672-2683, 2021
11) Ito A, et al: Safety and efficacy of anti-programmed cell death-1 monoclonal antibodies before and after allogeneic hematopoietic cell transplantation for relapsed or refractory Hodgkin lymphoma: a multicenter retrospective study. Int J Hematol 112: 674-689, 2020
12) Herbaux C, et al: Recommendations for managing PD-1 blockade in the context of allogeneic HCT in Hodgkin lymphoma: taming a necessary evil. Blood 132: 9-16, 2018
13) Haverkos BM, et al: PD-1 blockade for relapsed lymphoma post-allogeneic hematopoietic cell transplant: high response rate but frequent GVHD. Blood 130: 221-228, 2017
14) Herbaux C, et al: Efficacy and tolerability of nivolumab after allogeneic transplantation for relapsed Hodgkin lymphoma. Blood 129: 2471-2478, 2017
15) Alig S, et al: Evaluating upfront high-dose consolidation after R-CHOP for follicular lymphoma by clinical and genetic risk models. Blood Adv 2020 4: 4451-4462, 2020
16) van Besien K, et al: Comparison of autologous and allogeneic hematopoietic stem cell transplantation for follicular lymphoma. Blood 102: 3521-3529, 2003
17) Klyuchnikov E, et al: Long-term survival outcomes of reduced-intensity allogeneic or autologous transplantation in relapsed grade 3 follicular lymphoma. Bone Marrow Transplant 51: 58-66, 2016
18) Tomblyn MR, et al: Autologous versus reduced-intensity allogeneic hematopoietic cell transplantation for patients with chemosensitive follicular non-Hodgkin lymphoma beyond first complete response or first partial response. Biol Blood Marrow Transplant 17: 1051-1057, 2011
19) Tada K, et al: Comparison of outcomes after allogeneic hematopoietic stem cell transplantation in patients with follicular lymphoma, diffuse large B-cell lymphoma associated with follicular lymphoma, or de novo diffuse large B-cell lymphoma. Am J Hematol. 87: 770-775, 2012
20) Robinson SP, et al: Reduced intensity allogeneic stem cell transplantation for follicular lymphoma relapsing after an autologous transplant achieves durable long-term disease control: an analysis from the Lymphoma Working Party of the EBMT †. Ann Oncol 27: 1088-1094, 2016
21) Sakurai M, et al: Outcome of allogeneic hematopoietic stem cell transplantation for follicular lymphoma relapsing after autologous transplantation: analysis of the Japan Society for Hematopoietic Cell Transplantation. Bone Marrow Transplant 56: 1462-1466, 2021
22) Fowler NH, et al: Tisagenlecleucel in adult relapsed or refractory follicular lymphoma: the phase 2 ELARA trial. Nat Med 28: 325-332, 2022
23) Jacobson CA, et al: Axicabtagene ciloleucel in relapsed or refractory indolent non-Hodgkin lymphoma(ZUMA-5): a single-arm, multicentre, phase 2 trial. Lancet Oncol 23: 91-103, 2022

24) Ghione P, et al: Comparative effectiveness of ZUMA-5（axi-cel） vs SCHOLAR-5 external control in relapsed/refractory follicular lymphoma. Blood 140: 851-860, 2022
25) Villa D, et al: Autologous and allogeneic stem-cell transplantation for transformed follicular lymphoma: a report of the Canadian blood and marrow transplant group. J Clin Oncol 31: 1164-1171, 2013
26) Kuruvilla J, et al: Salvage chemotherapy and autologous stem cell transplantation for transformed indolent lymphoma: a subset analysis of NCIC CTG LY12. Blood 126: 733-738, 2015
27) Ida H, et al: Outcomes of hematopoietic cell transplantation for transformed follicular lymphoma. Hematol Oncol 39: 650-657, 2021
28) Villa D, et al: Favorable outcomes from allogeneic and autologous stem cell transplantation for patients with transformed nonfollicular indolent lymphoma. Biol Blood Marrow Transplant 20: 1813-1818, 2014
29) Epperla N, et al: ASTCT Clinical practice recommendations for transplant and cellular therapies in diffuse large B-cell lymphoma. Transplant Cell Ther 29: 548-555, 2023
30) 伊豆津宏二：悪性リンパ腫に対する造血幹細胞移植．日本造血・免疫細胞療法学会雑誌 11：140-147，2022
31) Epperla N, et al: Upfront autologous hematopoietic stem cell transplantation consolidation for patients with aggressive B-cell lymphomas in first remission in the rituximab era: a systematic review and meta-analysis. Cancer 124: 4417-4425, 2019
32) Philip T, et al: Autologous bone marrow transplantation as compared with salvage chemotherapy in relapses of chemotherapy-sensitive non-Hodgkin's lymphoma. N Engl J Med 333: 1540-1545, 1995
33) Gisselbrecht C, et al: Salvage regimens with autologous transplantation for relapsed large B-cell lymphoma in the rituximab era. J Clin Oncol 28: 4184-4190, 2010
34) Shah NN, et al: Is autologous transplant in relapsed DLBCL patients achieving only a PET＋PR appropriate in the CAR T-cell era? Blood 137: 1416-1423, 2021
35) Locke FL, et al: Axicabtagene ciloleucel as second-line therapy for large B-cell lymphoma. N Engl J Med 386: 640-654, 2022
36) Westin JR, et al: Survival with axicabtagene ciloleucel in large B-cell lymphoma. N Engl J Med 389: 148-157, 2023
37) Kamdar M, et al: Lisocabtagene maraleucel versus standard of care with salvage chemotherapy followed by autologous stem cell transplantation as second-line treatment in patients with relapsed or refractory large B-cell lymphoma（TRANSFORM）: results from an interim analysis of an open-label, randomised, phase 3 trial. Lancet 399: 2294-2308, 2022
38) Abramson JS, et al: Lisocabtagene maraleucel as second-line therapy for large B-cell lymphoma: primary analysis of the phase 3 TRANSFORM study. Blood 141: 1675-1684, 2023
39) Bishop MR, et al: Second-line tisagenlecleucel or standard care in aggressive B-cell lymphoma. N Engl J Med 386: 629-639, 2022
40) Shadman M, et al: Autologous transplant vs chimeric antigen receptor T-cell therapy for relapsed DLBCL in partial remission. Blood 139: 1330-1339, 2022
41) Neelapu SS, et al: Axicabtagene ciloleucel as first-line therapy in high-risk large B-cell lymphoma: the phase 2 ZUMA-12 trial. Nat Med 28: 735-742, 2022
42) van Kampen RJ, et al: Allogeneic stem-cell transplantation as salvage therapy for patients with diffuse large B-cell non-Hodgkin's lymphoma relapsing after an autologous stem-cell transplantation: an analysis of the European Group for Blood and Marrow Transplantation Registry. J Clin Oncol 29: 1342-1348, 2011
43) Kim JW, et al: Allogeneic stem cell transplantation in patients with de novo diffuse large B-cell lymphoma who experienced relapse or progression after autologous stem cell transplantation: a Korea-Japan collaborative study. Ann Hematol 93: 1345-1351, 2014
44) Fenske TS, et al: Allogeneic transplantation provides durable remission in a subset

of DLBCL patients relapsing after autologous transplantation. Br J Haematol 174: 235-248, 2016
45) Hamadani M, et al: Allogeneic transplant and CAR-T therapy after autologous transplant failure in DLBCL: a noncomparative cohort analysis. Blood Adv 6: 486-494, 2022
46) Zurko J, et al: Allogeneic transplant following CAR T-cell therapy for large B-cell lymphoma. Haematologica 108: 98-109, 2023
47) Landsburg DJ, et al: Outcomes of patients with double-hit lymphoma who achieve first complete remission. J Clin Oncol 35: 2260-2267, 2017
48) Kawashima I, et al: Double-expressor lymphoma is associated with poor outcomes after allogeneic hematopoietic cell transplantation. Biol Blood Marrow Transplant 24: 294-300, 2018
49) Houillier C, et al: Radiotherapy or autologous stem-cell transplantation for primary CNS lymphoma in patients 60 years of age and younger: results of the Intergroup ANOCEF-GOELAMS Randomized Phase II PRECIS Study. J Clin Oncol 37: 823-833, 2019
50) Jo T, et al: Risk factors for CAR-T cell manufacturing failure among DLBCL patients: a nationwide survey in Japan. Br J Haematol 202: 256-266, 2023
51) Geisler CH, et al: Long-term progression-free survival of mantle cell lymphoma after intensive front-line immunochemotherapy with in vivo-purged stem cell rescue: a nonrandomized phase 2 multicenter study by the Nordic Lymphoma Group. Blood 112: 2687-2693, 2008
52) Eskelund CW, et al: 15-year follow-up of the Second Nordic Mantle Cell Lymphoma trial(MCL2): prolonged remissions without survival plateau. Br J Haematol 175: 410-418, 2016
53) Ogura M, et al: R-High-CHOP/CHASER/LEED with autologous stem cell transplantation in newly diagnosed mantle cell lymphoma: JCOG0406 STUDY. Cancer Sci 109: 2830-2840, 2018
54) Hermine O, et al: Addition of high-dose cytarabine to immunochemotherapy before autologous stem-cell transplantation in patients aged 65 years or younger with mantle cell lymphoma(MCL Younger): a randomised, open-label, phase 3 trial of the European Mantle Cell Lymphoma Network. Lancet 388: 565-575, 2016
55) Le Gouill S, et al: Rituximab after autologous stem-cell transplantation in mantle-cell lymphoma. N Engl J Med 377: 1250-1260, 2017
56) Munsh PN, et al: American Society of Transplantation and Cellular Therapy, Center of International Blood and Marrow Transplant Research, and European Society for Blood and Marrow Transplantation Clinical Practice Recommendations for Transplantation and Cellular Therapies in Mantle Cell Lymphoma. Transplant Cell Ther 27: 720-728, 2021
57) Fenske TS, et al: Autologous or reduced-intensity conditioning allogeneic hematopoietic cell transplantation for chemotherapy-sensitive mantle-cell lymphoma: analysis of transplantation timing and modality. J Clin Oncol 32: 273-281, 2014
58) Lin RJ, et al: Allogeneic haematopoietic cell transplantation impacts on outcomes of mantle cell lymphoma with TP53 alterations. Br J Haematol 184: 1006-1010, 2019
59) Narkhede N, et al: Evaluating real-world treatment patterns and outcomes of mantle cell lymphoma. Blood Adv 6: 4122-4131, 2022
60) Dreger P, et al: Ibrutinib for bridging to allogeneic hematopoietic cell transplantation in patients with chronic lymphocytic leukemia or mantle cell lymphoma: a study by the EBMT Chronic Malignancies and Lymphoma Working Parties. Bone Marrow Transplant 54: 44-52, 2019
61) Ogura M, et al: Long-term follow-up after R-High CHOP/CHASER/LEED with Auto-PBSCT in untreated mantle cell lymphoma-Final analysis of JCOG0406. Cancer Sci 114: 3461-3465, 2023
62) Wang M, et al: KTE-X19 CAR T-Cell therapy in relapsed or refractory mantle-cell lymphoma. N Engl J Med 382: 1331-1342, 2020

63) Abeyakoon C, et al: Role of haematopoietic stem cell transplantation in peripheral T-cell lymphoma. Cancers(Basel) 12: 3125, 2020
64) d'Amore F, et al: Up-front autologous stem-cell transplantation in peripheral T-cell lymphoma: NLG-T-01. J Clin Oncol 30: 3093-3099, 2012
65) Wilhelm M, et al: First-line therapy of peripheral T-cell lymphoma: extension and long-term follow-up of a study investigating the role of autologous stem cell transplantation. Blood Cancer J 6: e452, 2016
66) Kim SW, et al: Comparison of outcomes between autologous and allogeneic hematopoietic stem cell transplantation for peripheral T-cell lymphomas with central review of pathology. Leukemia 27: 1394-1397, 2013
67) Schmitz N, et al: A randomized phase 3 trial of autologous vs allogeneic transplantation as part of first-line therapy in poor-risk peripheral T-NHL. Blood 137: 2646-2656, 2021
68) Loirat M, et al: Upfront allogeneic stem-cell transplantation for patients with nonlocalized untreated peripheral T-cell lymphoma: an intention-to-treat analysis from a single center. Ann Oncol 26: 386-392, 2015
69) Kameda K, et al: Autologous or allogeneic hematopoietic cell transplantation for relapsed or refractory PTCL-NOS or AITL. Leukemia 36: 1361-1370, 2022
70) Jantunen E, et al: Autologous stem cell transplantation for enteropathy-associated T-cell lymphoma: a retrospective study by the EBMT. Blood 121: 2529-2532, 2013
71) Voss MH, et al: Intensive induction chemotherapy followed by early high-dose therapy and hematopoietic stem cell transplantation results in improved outcome for patients with hepatosplenic T-cell lymphoma: a single institution experience. Clin Lymphoma Myeloma Leuk 13: 8-14, 2013
72) Isufi I, et al: Outcomes for allogeneic stem cell transplantation in refractory mycosis fungoides and primary cutaneous gamma Delta T cell lymphomas. Leuk Lymphoma 61: 2955-2961, 2020
73) Mori T, et al: Outcome of allogeneic hematopoietic stem cell transplantation for mycosis fungoides and Sézary syndrome. Hematol Oncol 38: 266-271, 2020
74) de Masson A, et al: Allogeneic transplantation in advanced cutaneous T-cell lymphomas(CUTALLO): a propensity score matched controlled prospective study. Lancet 401: 1941-1950, 2023
75) Miyazaki K, et al: Long-term outcomes and central nervous system relapse in extranodal natural killer/T-cell lymphoma. Hematol Oncol 40: 667-677, 2022
76) Kanate AS, et al: Allogeneic haematopoietic cell transplantation for extranodal natural killer/T-cell lymphoma, nasal type: a CIBMTR analysis. Br J Haematol 182: 916-920, 2018
77) Fujimoto A, et al: Allogeneic stem cell transplantation for patients with aggressive NK-cell leukemia. Bone Marrow Transplant 56: 347-356, 2021
78) Wang X, et al: Efficacy and safety of a pegasparaginase-based chemotherapy regimen vs an L-asparaginase-based chemotherapy regimen for newly diagnosed advanced extranodal natural killer/T-cell lymphoma: a randomized clinical trial. JAMA Oncol 8: 1035-1041, 2022
79) 日本造血・免疫細胞療法学会 HP：造血細胞移植ガイドライン 成人 T 細胞白血病・リンパ腫, 2018.
https://www.jstct.or.jp/uploads/files/guideline/03_09_atll.pdf
80) Fuji S, et al: Development of a modified prognostic index for patients with aggressive adult T-cell leukemia-lymphoma aged 70 years or younger: possible risk-adapted management strategies including allogeneic transplantation. Haematologica 102: 1258-1265, 2017
81) Fuji S, et al: Role of up-front allogeneic hematopoietic stem cell transplantation for patients with aggressive adult T-cell leukemia-lymphoma: a decision analysis. Bone Marrow Transplant 53: 905-908, 2018
82) Inoue Y, et al: Impact of HLA-mismatched unrelated transplantation in patients with adult T-cell leukemia/lymphoma. Bone Marrow Transplant 58: 980-990, 2023

83) Ito A, et al: Improved survival of patients with aggressive ATL by increased use of allo-HCT: a prospective observational study. Blood Adv 5: 4156-4166, 2021
84) Tanaka T, et al: A Phase I/II Multicenter Trial of HLA-Haploidentical PBSCT with PTCy for Aggressive Adult T Cell Leukemia/Lymphoma. Transplant Cell Ther 27: 928. e1-e7, 2021
85) Inoue Y, et al: Prognostic importance of pretransplant disease status for posttransplant outcomes in patients with adult T cell leukemia/lymphoma. Bone Marrow Transplant 53: 1105-1115, 2018
86) Fuji S, et al: Pretransplantation anti-CCR4 antibody mogamulizumab against adult T-cell leukemia/lymphoma is associated with significantly increased risks of severe and corticosteroid-refractory graft-versus-host disease, nonrelapse mortality, and overall mortality. J Clin Oncol 34: 3426-3433, 2016
87) Kato K, et al: The outcome and characteristics of patients with relapsed adult T cell leukemia/lymphoma after allogeneic hematopoietic stem cell transplantation. Hematol Oncol 37: 54-61, 2019
88) Inoue Y, et al: Safety of mogamulizumab for relapsed ATL after allogeneic hematopoietic cell transplantation. Bone Marrow Transplant 54: 338-342, 2019
89) Sakamoto H, et al: Treatment with mogamulizumab or lenalidomide for relapsed adult T-cell leukemia/lymphoma after allogeneic hematopoietic stem cell transplantation: the Nagasaki transplant group experience. Hematol Oncol 38: 162-170, 2020
90) Tanaka T, et al: Lenalidomide treatment for recurrent adult T-cell leukemia/lymphoma after allogeneic hematopoietic cell transplantation. Hematol Oncol 41: 389-395, 2023
91) Chen YB, et al: Impact of conditioning regimen on outcomes for patients with lymphoma undergoing high-dose therapy with autologous hematopoietic cell transplantation. Biol Blood Marrow Transplant 21: 1046-1053, 2015
92) Koresawa-Shimizu R, et al: Comparison of MEAM, MCEC and LEED high-dose chemotherapy followed by autologous stem cell transplantation in relapsed/refractory diffuse large B-cell lymphoma: data from the Japan Society for Hematopoietic and Cellular Therapy Registry. Bone Marrow Transplant 2023 Oct 7. Online ahead of print
93) Kondo E, et al: High-dose chemotherapy with autologous stem cell transplantation in primary central nervous system lymphoma: data from the Japan Society for Hematopoietic Cell Transplantation Registry. Biol Blood Marrow Transplant 25: 899-905, 2019
94) Scordo M, et al: Outcomes associated with thiotepa-based conditioning in patients with primary central nervous system lymphoma after autologous hematopoietic cell transplant. JAMA Oncol 7: 993-1003, 2021
95) Kim SW, et al: Myeloablative allogeneic hematopoietic stem cell transplantation for non-Hodgkin lymphoma: a nationwide survey in Japan. Blood 108: 382-389, 2006
96) Bacher U, et al: Conditioning regimens for allotransplants for diffuse large B-cell lymphoma: myeloablative or reduced intensity? Blood 120: 4256-4262, 2012
97) Sakatoku K, et al: Improved survival after single-unit cord blood transplantation using fludarabine and melphalan-based reduced-intensity conditioning for malignant lymphoma: impact of melphalan dose and graft-versus-host disease prophylaxis with mycophenolate mofetil. Ann Hematol 101: 2743-2757, 2022
98) Kamijo K, et al: Fludarabine plus reduced-intensity busulfan versus fludarabine plus myeloablative busulfan in patients with non-Hodgkin lymphoma undergoing allogeneic hematopoietic cell transplantation. Ann Hematol 102: 651-661, 2023
99) Inoue Y, et al: Impact of conditioning intensity and regimen on transplant outcomes in patients with adult T-cell leukemia-lymphoma. Bone Marrow Transplant 56: 2964-2974, 2021

12 骨髄腫

多発性骨髄腫(MM)の治療成績はさまざまな新規薬剤の導入により飛躍的に向上しているが，現状では治癒は困難であり，治療抵抗性となった場合の予後は不良である．当院におけるMMに対する移植適応は，基本的に国内外のガイドラインと同様である[1~4](表1).

初発MMにおいて，65歳未満で主要臓器障害のない症例では，初回寛解導入療法3~6コースの後，MEL 200 mg/m^2を移植前処置とした自家移植をupfrontで行う．移植前に最良部分奏効(VGPR)以上の奏効が得られることが望ましいが，近年の臨床試験や海外ガイドライン[3]では寛解導入療法によりSD以上の奏効が得られれば自家移植を許容していることが多く，当院でもSD以上の奏効を条件にしている．以前は65歳以下の患者を対象にしていたが，近年は70歳まで適応年齢上限を引き上げている．70歳以上の高齢患者の場合は，当院では基本的に自家移植を実施していないが，PSや臓器機能が良好であれば適応を考慮することもある．

自家末梢血幹細胞採取は，G-CSF単独またはシクロホスファミド併用で行われることが多いが，当院ではほとんどの症例でG-CSF単独での採取を行い，プレリキサホル(モゾビル®)を併用していることが多い．自家移植は，初回導入療法後の実施を基本とするが，IFM/DCFI 2009試験およびDETERMINATION試験の結果[5]から，初回再発時に自家移植を行うことも許容している(その場合

表1 当院における多発性骨髄腫の移植適応

	血縁一致	血縁1座不一致 非血縁一致	その他の 代替ドナー	自家	タンデム 自家
初回寛解(VGPR以上)	×	×	×	◎	×
初回寛解(VGPR未満)	×	×	×	○	○
再発・難治性	△	△	△	△	×

◎：積極的に勧める，○：一般的に勧める，△：一部の症例で勧める，×：原則として勧めない．

でも，基本的に初回治療中に採取した末梢血幹細胞を用いて移植を行う）．ただし，染色体高リスクの症例では upfront の自家移植を基本としている．

初回自家移植後に，タンデム自家移植を行うことの意義は，新規薬剤の導入により低下している．当院では日常診療での実施は基本的に行っていないが，初回寛解導入療法で VGPR を達成しなかった症例ではタンデム自家移植を検討することもある．

自家移植後の新規薬剤を用いた地固め療法・維持療法については，薬剤選択・至適投与法がいずれも確立されていない．現在本邦で使用できるのはレナリドミドおよびイキサゾミブの維持療法である．レナリドミドは染色体高リスクまたは ISS Ⅲ期の症例においては有効性が乏しく，またイキサゾミブは染色体高リスクの症例にも有効である可能性が示唆されているが，現時点ではプラセボと比較して OS の優越性は示されていない．治療毒性の観点からは，サリドマイドは末梢神経障害，レナリドミドについては二次発がん増加などが問題となり，リスク・ベネフィットバランスを考慮する必要がある．

再発・難治性 MM において，染色体標準リスクの症例で，自家移植後一定期間の寛解が得られていれば2回目の自家移植の実施を考慮することもある．IMIDs，プロテアソーム阻害薬および抗 CD38 抗体を含む複数の前治療歴を有し（2023 年 11 月現在，アベクマ® は2つ，カービクティ® は3つ），かつ直近の前治療に対して抵抗性を示した再発・難治性の症例においては，BCMA CAR-T 細胞療法〔idecabtagene vicleucel（アベクマ®）や ciltacabtagene autoleucel，（カービクティ®）〕の適応も考慮するが，適応症例については院内カンファレンスなどを実施し慎重に検討することが望ましい．BCMA CAR-T 細胞療法の詳細については，最新の総説[6,7]および最適使用推進ガイドライン（再生医療等製品）（https://www.pmda.go.jp/review-services/drug-reviews/review-information/ctp/0011.html）を参照されたい．

一方，若年でパフォーマンス・ステータス（PS）が維持され合併症がない症例で，高リスクの場合〔t(4：14)，del(17p)，t(14；16)，t(14；20)，1q gain/amplification などを有する，高 LDH 血症を伴う，plasma cell leukemia など〕や自家移植，および CAR-T

細胞療法やその他治験を含めた新規治療法が行えない場合に，移植片対骨髄腫(GVM)効果を期待し，同種移植を考慮することもある[4]．移植前処置は，若年者であっても高い治療関連毒性が問題となるため，FLU/MELを軸とした骨髄非破壊的前処置(RIC)を選択する．

文献

1) 日本血液学会：造血器腫瘍診療ガイドライン2023年版，2023.
http://www.jshem.or.jp/
2) 日本造血・免疫細胞療法学会：造血細胞移植ガイドライン 多発性骨髄腫および類縁疾患第3版，2018.
https://www.jstct.or.jp/uploads/files/guideline/03_10_mm03.pdf
3) Network NCC: NCCN Clinical practice guidelines in oncology: Multiple Myeloma, ver. 2, 2024.
https://www.nccn.org/
4) Dhakal B, et al: ASTCT clinical practice recommendations for transplantation and cellular therapies in multiple myeloma. Transplant Cell Ther 28: 284-293, 2022
5) Richardson PG, et al: Transplantation, and maintenance until progression in myeloma. N Engl J Med 387: 132-147, 2022
6) 後藤秀樹：多発性骨髄種におけるCAR-T細胞療法の展開．臨床血液 63：580-588, 2022
7) 黒田純也：CAR-T細胞療法時代の多発性骨髄腫治療の臨床と研究の新たな課題．日本造血・免疫細胞療法学会雑誌 12：213-221，2023

13 再生不良性貧血

再生不良性貧血(AA)では，他の骨髄不全症候群の鑑別が十分に行われているかを再確認することが重要であり，骨髄穿刺・生検，染色体検査，全脊椎 MRI，PNH 血球の有無を参考にする．特に低形成骨髄異形成症候群(MDS)の鑑別は非常に難しく，異形成は AA 患者でも認められうる．一般的には，10% 以上の異形成を伴う場合には MDS が，赤芽球系のみに異形成を認める場合には AA が疑われる．両者の鑑別に際しては，染色体異常の有無が特に重要であり，5 番または 7 番染色体に関連した異常や複雑核型を認める場合は，MDS としての治療を要する．AA と MDS では治療戦略が大きく異なるため，特に同種移植を検討する際は慎重な鑑別を要する．

当院では，AA に対する移植経験は少ないが，厚生労働省特発性造血障害調査研究班により作成された再生不良性貧血診療の参照ガイドや，日本造血・免疫細胞療法学会ガイドラインなどを参考にしている[1~3]．移植適応を考える際に特に重要なのは，年齢，疾患重症度，免疫抑制療法(IST)への反応性である．重症度が stage 2b 以上(赤血球輸血を必要とする中等症例と重症例)の AA に対する，移植適応を含めた治療アルゴリズムを図 1 に示す．40 歳未満の症例では，HLA 一致血縁ドナーがいる場合は，初回治療として骨髄移植を勧める．年齢の上昇とともに移植関連死亡(TRM)が増加し全生存率(OS)が悪化するため，20 歳未満では絶対適応と考えられるが，20 歳以上 40 歳未満においては患者ごとに適応を検討する．IST(ATG + CSP ± G-CSF)を選択するメリットは，TRM が少ないことや慢性 GVHD による QOL 低下のリスクを回避できることである．IST を選択するデメリットとして，AA が再燃しやすいこと，長期的に骨髄細胞の clonal evolution を認めることが知られており，MDS や急性骨髄性白血病(AML)への移行が懸念されること[4]，同種移植までの治療期間が長い場合に生着不全のリスクが上がることなどが挙げられる．ATG + CSP にエルトロンボパグ(EPAG)を上乗せすることで，ATG + CSP のみと比較してより早

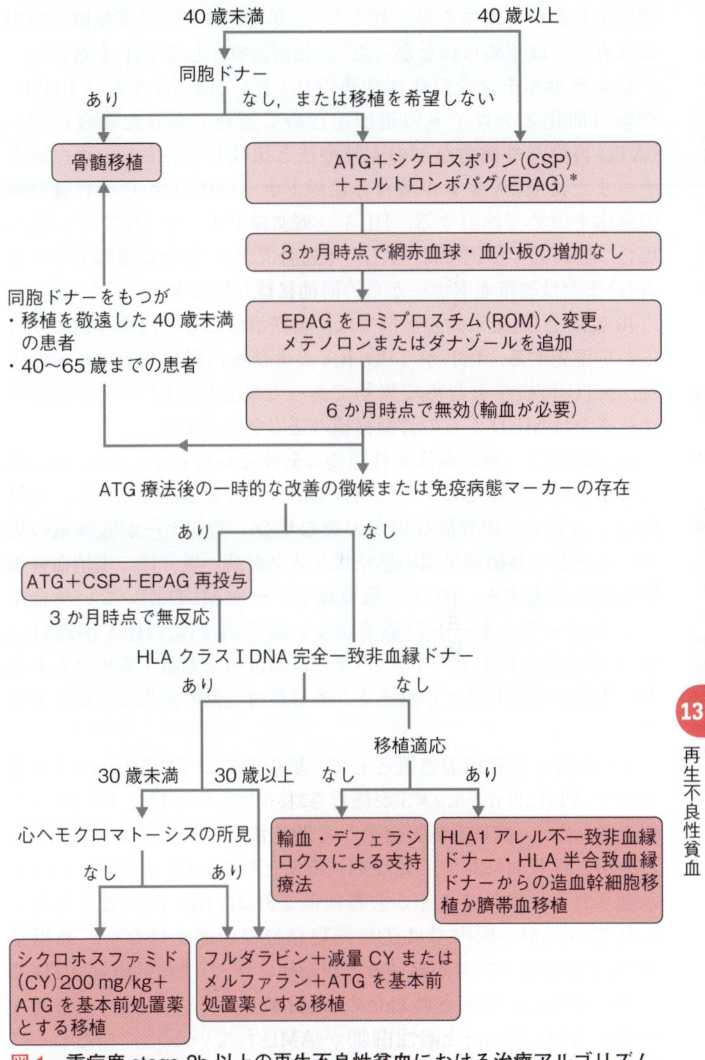

図 1 重症度 stage 2b 以上の再生不良性貧血における治療アルゴリズム

*EPAG によって，染色体異常をもつ造血幹細胞の増殖が誘発される可能性が否定できないため，免疫病態マーカーが陽性の若年者に対しては，EPAG の併用は慎重に行う．

〔文献 1)より改変〕

期により高い奏効率を得られるが，2年OSおよび同種移植実施率には有意差は認められなかった[5]．初回治療としてISTを選択し，トロンボポエチン受容体作動薬(TPO-RA：EPAGまたはROMI)や蛋白同化ステロイドの追加を含めて無効であった場合には，(ATG再投与や輸血などの支持療法と比較して)HLA一致血縁ドナーまたはHLAアレル適合非血縁ドナー(MUD)からの骨髄移植の適応を改めて検討する．HLA一致血縁ドナーやMUDがいない場合，特に若年症例では，HLA不適合ドナー(半合致血縁ドナーを含む)または臍帯血ドナーからの同種移植も検討する．

40歳以上65歳未満の症例では，初回治療として同種移植よりもISTを優先する．ISTがTPO-RAおよび蛋白同化ステロイドの追加，ATG再投与を含めて無効であった場合に，HLA一致血縁ドナーまたはMUDからの骨髄移植の適応を検討する．

幹細胞源は，他の血液悪性腫瘍に対する同種移植と異なりGVL効果が不要であるため，末梢血幹細胞よりも骨髄を優先する．例外的に，①ドナーの骨髄採取が困難な場合，②ドナーが低体重の場合，③患者の移植後早期の感染症リスクが高い場合は，末梢血幹細胞採取を考慮する．HLA一致血縁ドナーやMUDがいない場合やバンクコーディネートの猶予がない劇症例では，HLA不適合ドナー(半合致血縁ドナーを含む)または臍帯血を考慮する場合もあるが，生着不全のリスクが高まるため移植前処置の選択に注意を要する[6]．

AAに対する移植前処置として，歴史的にはCY 50 mg×4日間＋ウマATG 30 mg/kg×3が施行され，生着不全4%，OS 88%と報告された[7]．抗ヒト胸腺細胞ウマ免疫グロブリン(アトガム®)は，再生不良性貧血に対する免疫抑制療法として2023年3月に国内で承認された．海外で古くから移植前処置(GVHD予防)として用いられていたが，国内では造血細胞移植での適応はない．高用量ATGで感染症リスクが高いことが指摘され[8]，また低用量ATGでの良好な成績が報告されたため[9]，日本ではCY 50 mg×4日間＋ウサギATG 2.5 mg/kg×2日間が推奨されている[1,2]．ただし，高用量CYによる心毒性が懸念されており，CYを減量した前処置の開発が進んでいる．当院では，HLA一致血縁ドナーの場合，Bacigalupoらのレジメン[10]を基に変更し，FLU(30 mg/kg×4日)＋減

表1 再生不良性貧血に対する移植前処置

day	−6	−5	−4	−3	−2	−1	0
FLU (30 mg/m^2)	↓	↓	↓	↓			
CY (25 mg/kg)	↓	↓	↓	↓			
ATG (1.25 mg/kg) *1			↓	↓			
TBI (2 Gy) *2						(↓)	
HSCT							↓

*1 ウサギATG(サイモグロブリン®).
*2 TBIは，HLA不適合血縁ドナーまたは非血縁ドナーからの移植において追加された.
〔文献11)より〕

量CY(25 mg/kg×4日)＋ATGを用いることが多い．ただしATG総投与量は2.5〜5 mg/kgなど海外の報告よりも減量している．非血縁ドナーまたはHLA不適合ドナーなど生着不全のリスクが高い場合には，全身放射線照射(TBI)2〜4 Gyを追加している(☞198頁，セクション22)．最近，関東造血幹細胞移植共同研究グループ(KSGCT)は，FLU(30 mg/m^2/日，day−6〜day−3)＋CY(25 mg/kg/日，day−6〜day−3)＋サイモグロブリン®(1.25 mg/kg/日，day−4〜day−3)(表1)を前処置とする前向き試験を行った(非血縁ドナーまたはHLA不適合ドナーではTBI 2 Gyが追加された)．登録された27例の年齢中央値は36歳(18〜61歳)で，感染症による早期死亡1例を除く全例で生着が得られ，1年，3年生存率はともに96.3%という良好な成績であった[11)]．

混合キメラ・二次性生着不全の予後への影響については，国内レジストリデータを用いた解析が行われた[12)]．臍帯血移植を除く初回同種移植後に好中球生着が確認された819例のうち二次調査に回答された418例を対象として，混合キメラが61例(14.6%)，混合キメラまたは完全レシピエント型の二次性生着不全が19例(4.5%)，完全ドナー型の二次性生着不全が17例(4.1%)に認められた．混合キメラをきたしても二次性生着不全に至らなければOSには影響しなかったが，二次性生着不全に至った場合にはキメリズム検査結果にかかわらず混合キメラおよび生着不全を認めない患者群(340例)と比較して有意にOSが劣っていた(5年OS：50%前後)．多変量解析の結果，FLUの使用とTBIを含まない前処置が二次性生着不全のリスク因子として抽出されたが，FLU の使用自体は OS への影響は認めなかった．

海外で行われた第Ⅱ相試験で，PTCY を用いた HLA 半合致 BMT の成績が報告された[13]．ATG 投与後に FLU，減量 CY(14.5 mg/kg/日×2 日間)，2～4 Gy TBI の前処置が行われた．27 例が登録され(年齢中央値 25 歳[3～63 歳])，急性(Ⅱ～Ⅳ 7%)および慢性(4%)GVHD はきわめて少なく，3 年 OS は 92% と良好な成績であった．最初の 7 例では TBI 2 Gy が用いられ 3 例が生着不全となったため，以降の 20 例は TBI 4 Gy が用いられ生着不全は認めなかった．

文献

1) 特発性造血障害に関する調査研究班：再生不良性貧血診療の参照ガイド令和 4 年度改訂版，2023．http://zoketsushogaihan.umin.jp/file/2022/Aplastic_Anemia.pdf
2) 日本造血・免疫細胞療法学会 HP：造血細胞移植ガイドライン 再生不良性貧血(成人)第 2 版，2019．https://www.jstct.or.jp/uploads/files/guideline/02_04_apla02.pdf
3) Killick SB, et al: Guidelines for the diagnosis and management of adult aplastic anaemia. Br J Haematol 172: 187-207, 2016
4) Yoshizato T, et al: Somatic mutations and clonal hematopoiesis in aplastic anemia. N Engl J Med 373: 35-47, 2015
5) Peffault de Latour R, et al: Eltrombopag added to immunosuppression in severe aplastic anemia. N Engl J Med 386: 11-23, 2022
6) Yamamoto H, et al: Successful sustained engraftment after reduced-intensity umbilical cord blood transplantation for adult patients with severe aplastic anemia. Blood 117: 3240-3242, 2011
7) Storb R, et al: Cyclophosphamide and antithymocyte globulin to condition patients with aplastic anemia for allogeneic marrow transplantations: the experience in four centers. Biol Blood Marrow Transplant 7: 39-44, 2001
8) Wakabayashi S, et al: Rapidly progressive Epstein-Barr virus-associated lymphoproliferative disorder unpredictable by weekly viral load monitoring. Intern Med 49: 931-935, 2010
9) Park SS, et al: Beneficial role of low-dose antithymocyte globulin in unrelated stem cell transplantation for adult patients with acquired severe aplastic anemia: reduction of graft-versus-host disease and improvement of graft-versus-host disease-free, failure-free survival rate. Biol Blood Marrow Transplant 23: 1498-1508, 2017
10) Bacigalupo A, et al: Fludarabine, cyclophosphamide and anti-thymocyte globulin for alternative donor transplants in acquired severe aplastic anemia: a report from the EBMT-SAA Working Party. Bone Marrow Transplant 36: 947-950, 2005
11) Kako S, et al: Allogeneic hematopoietic stem cell transplantation for aplastic anemia with pre-transplant conditioning using fludarabine, reduced-dose cyclophosphamide, and low-dose thymoglobulin: A KSGCT prospective study. Am J Hematol 95: 251-257, 2020
12) Kako S, et al: Mixed chimerism and secondary graft failure in allogeneic hematopoietic stem cell transplantation for aplastic anemia. Biol Blood Marrow Transplant 26: 445-450, 2020
13) DeZern AE, et al: Alternative donor BMT with posttransplant cyclophosphamide as initial therapy for acquired severe aplastic anemia. Blood 141: 3031-3038, 2023

14 移植を目指す場合の注意点

A 移植適応を検討するタイミング

診断確定後にどのタイミングで移植適応を考えるかは造血器腫瘍の診療において重要な課題である．移植の至適なタイミングを逃すと再発死亡率や合併症死亡率が上昇し，完治の可能性は低下する．さまざまな診療ガイドラインに疾患ごとの移植適応が示されているが，至適なタイミングは疾患や患者ごとに異なる．例えば，成人T細胞白血病(急性型)のように診断後すぐに移植の準備をしないと間に合わない疾患もあるが，濾胞性リンパ腫のように再発・治療抵抗性となってから移植を検討する疾患もある(☞ 56〜138 頁，セクション 7〜13)．

実際の臨床現場では「移植は合併症が多く危険な治療」というイメージから移植を躊躇して，経過観察や化学療法を継続している症例も多い．このような症例の一部は，結果的に原疾患の病勢や全身状態が悪くなってから移植を行う方針となり，より成功率の低い移植に臨まざるをえない状況に陥る．化学療法のみで寛解状態を長期間維持できそうな場合に無理に移植を勧める必要はないが，再発・治療抵抗性となった場合に，タイミングを逃さず移植できるよう，移植という選択肢は早期から意識すべきである．HLA 検査(☞ 14 頁，セクション 3)，ドナー選択(☞ 20 頁，セクション 4)，移植コーディネート(☞ 34 頁，セクション 5)を参照されたい．

当院は，造血細胞移植を専門としているため，診断から移植までの化学療法については，他院で行われる症例が半数以上を占める．このため，紹介元の医師との連携が非常に重要と考えており，情報交換を密に行い，患者ごとに適切なタイミングで移植できるよう努めている．本項では移植の成功率を高めるために当院で重要と考えている「移植を目指す場合の注意点」をまとめる．

B 移植前の化学療法

移植を成功させるためには，原疾患を寛解に導入することが重要である．寛解状態での同種移植の場合，非寛解状態での移植と比べて，移植後再発のリスクが低下するだけではなく，非再発死亡のリスクも通常1割以上低下する[1,2]．

また若年患者においては，精子保存や卵子保存のタイミングについても検討を行う(☞153頁，セクション15)．

1 移植前に寛解を達成した症例

原疾患の再発リスクや移植までの待機期間，化学療法に伴う臓器障害や感染症のリスクなどを考慮し，地固め療法を行うか，合併症のリスクを回避するため治療間隔を空けて移植を待つかを総合的に判断する．

2 移植前に非寛解の症例

強力な抗がん剤治療を移植前に行うと寛解の状態で移植に臨める可能性は増加するが，合併症により移植に到達できないリスクも増加する．一方，強度を減弱した化学療法では合併症のリスクは減少するが，原疾患のコントロールが困難となる．寛解が期待できないと判断した場合は，非寛解を許容し，移植まで合併症が少なく腫瘍量のコントロールを目的とした治療を選択することもある．またリンパ腫では，残存腫瘍に対して化学療法よりも局所放射線療法を選択することもある．移植前に原疾患コントロールを重視するか，合併症のリスクを重視するかは患者の状態や移植施設の方針によって異なるため，移植を別の病院で行う場合は，移植担当医と密に連絡を取りながら方針を決める必要がある．

3 中枢神経病変の評価と対応

移植前に中枢神経浸潤を認める場合，同種移植の適応を考える際に大きな問題となる．中枢神経病変に対しては移植片対白血病(GVL)効果が出にくいと考えられている．このため，急性リンパ性白血病や成人T細胞白血病など，中枢神経浸潤のリスクが高い疾患においては，化学療法中から必ず髄液検査を行うとともに，抗がん剤の予防的髄注を行う．髄液検査が困難な症例については，頭部造影MRIで造影効果を伴う腫瘍性病変がないか精査する．中枢神経浸潤を認める症例については，移植適応や移植までの治療，前処置も含めて検討する必要があり，移植医と紹介医との連携が特に重要である．

4 移植前の放射線治療

中枢神経病変，bulky mass，化学療法不応症例の腫瘍性病変に対し，移植前の病勢コントロールを目的として，放射線照射を行うことがある．このとき，放射線照射線量を多くすると，組織の耐容線量の上限を超えて照射してしまい，結果的に移植時に全身放射線照射(TBI)ができなくなる場合がある．そのため，放射線照射を行う場合は，事前に移植医と相談して，前処置時にTBIを2〜12 Gy照射する可能性があることを放射線治療医に伝えることが重要である．

C 移植前の臓器障害の予防と対策

造血細胞移植においては，大量化学療法以外にも合併症管理のために臓器毒性をきたしやすい薬剤を使用することが多い．また，合併症管理のために大量輸液や呼吸循環管理が必要となるケースも多い．移植前に臓器機能が低下していると，移植後の治療選択が制限され，結果的に合併症が重症化するリスクが高くなる．そのため，移植前から臓器機能を可能な限り温存することが重要である．特に移植前に注意すべき臓器障害発症のリスクをまとめる(表1)．

1 腎障害の予防と対策

移植を目指している患者にとって，腎障害の合併は重大な問題である．腎毒性をきたしやすい薬剤を使用する際は，その必要性をよく検討する．原疾患や感染症の治療を優先して使用しなければならないこともあるが，使用する場合は前後に十分な量の細胞外液を点滴するなど，腎保護に努める．

❶ プラチナ系抗がん剤(シスプラチンなど)

当院で同種造血幹細胞移植を行ったリンパ腫患者229例を解析したところ，シスプラチン使用例では，カルボプラチン使用例やプラチナ系薬剤非使用例と比較して，移植前の腎機能障害合併率が有意に高かった[3]．

対策：十分な量の生理食塩水(2,000〜3,000 mL/m^2/日を目標)点滴を行い，MgやKの補正を行うことも腎保護に重要である．必

表1 移植前に注意すべき臓器障害発症のリスク

腎機能障害	薬剤性腎障害： プラチナ系抗がん剤 バンコマイシン(VCM)などのグリコペプチド系抗菌薬 リポソーマルアムホテリシンB(L-AMB) ヨード系造影剤 デフェラシロクス(ジャドニュ®) 原疾患の腎臓への浸潤 腫瘍崩壊症候群
心機能障害	アントラサイクリン系抗がん剤 縦隔への放射線照射 原疾患の心膜浸潤，心嚢液貯留
肺機能障害	肺炎(特に真菌性肺炎) 薬剤性肺障害 原疾患の肺浸潤
内分泌障害	糖尿病(ステロイド性糖尿病を含む) 脂質異常症 脂肪肝
全身状態低下	PSの低下(早期リハビリテーション介入が必要) 低栄養，肥満への介入

要に応じて利尿剤を使用する．

❷ バンコマイシン(VCM)・テイコプラニン(TEIC)

対策：リネゾリド(LZD)やダプトマイシン(DAP)などへの変更(ただし治療効果や他の臓器機能も含めた検討が必要)．使用する場合はPIPC/TAZとの併用を避ける(☞285頁，セクション31)．またトラフ値の適正な管理も重要である．

❸ リポソーマルアムホテリシンB(L-AMB)

対策：他の抗真菌薬〔ポサコナゾール(PSCZ)，ボリコナゾール(VRCZ)，イサブコナゾール(ISCZ)，ミカファンギン(MCFG)〕への変更．L-AMB投与前後の十分な補液．Kの補充を行う．

生理食塩水500 mL またはラクテック® 500 mL L-AMB投与前後にそれぞれ3時間かけて点滴静注

❹ ヨード系造影剤

対策：造影CTが必要かどうか，MRIやPET-CTで代用できないか検討する．腎機能障害時に造影CTを行う場合は検査前後の十分な補液を行う．

生理食塩水 500〜1,000 mL 造影剤投与前後 6〜12 時間の間 1 mL/kg/時で点滴静注

❺ デフェラシロクス(ジャドニュ®)

対策：移植前の鉄キレート剤投与中止(腎機能障害が出現した場合は，フェリチンが上昇しても極力避けるべきである).

2 心機能障害の予防と対策

移植時に心機能が低下していると大量輸液ができなくなり，腎保護目的の輸液や敗血症時の大量輸液が困難になるなど移植時の管理がより難しくなる．移植まで心機能を良好な状態で維持することは移植を成功させる秘訣の1つである．しかし，血液腫瘍患者は移植までに心毒性を有するアントラサイクリンを含む化学療法(悪性リンパ腫に対するCHOP療法など)を繰り返し受けていることが多い.

アントラサイクリンの心毒性については1967年に初めて報告されたが，半世紀以上経過した現在でも克服できていない．心毒性のメカニズムは完全には解明されていないが，近年のさまざまな研究により評価方法や予防・治療法が少しずつ進歩している．アントラサイクリン系の抗がん剤を用いる場合の注意点については，海外からガイドラインやrecommendationが多数出されているが，当院は2022年に欧州心臓病学会(ESC)から発表されたガイドラインを参考にしている[4)]．腫瘍領域の学会(ASCO, ESMOなど)からのガイドラインは心臓超音波検査でLVEFをフォローアップすることを推奨していることが多いが，循環器領域の学会からのガイドラインでは心臓超音波検査でLVEFだけでなくglobal longitudinal strain (GLS ☞次頁，Memo)や血液検査で心筋トロポニンやBNPを測定し早期に対応することが推奨されている．心筋トロポニンが持続陽性の症例やGLSの絶対値が低値(18%以下)あるいはベースラインから相対的に15%を超えて低下している症例は注意が必要であり，循環器医の多くは「LVEFが低下してから対応しても遅い」と感じている．ESCのガイドラインやESMOからのconsensus recommendations[5)]では循環器医と連携することの重要性が繰り返し記載されており積極的に循環器医にコンサルトすべきである.

Memo

スペックルトラッキング法によるGLS (global longitudinal strain)

心臓超音波検査において収縮能のスタンダードはEF(ejection fraction)であるが，近年はより早期に左室収縮機能低下をとらえることができるGLSも重要視されている[4]．GLSはスペックルトラッキング法で計測するが，これは心筋内の微小な輝度パターン(スペックル)を時系列で追いかけて(トラッキング)移動距離や移動速度を捉える方法である．ストレインとは心筋内の2点間の距離がどれだけ伸びたり縮んだりしたか，つまり元の長さからどれほど変形したかをみたものである．GLSは心尖三断面の6セグメント，合計18セグメントの長軸方向ストレイン値(longitudinal strain)を平均して算出したものである．長軸方向の心筋の動きは収縮期に縮んで短くなるため，GLSの値はマイナスの値(−20％など)となる．しかし増減を評価する際に混乱をきたしやすいため絶対値で示されることが多い．収縮がよいほど絶対値は大きくなる．GLSは抗がん剤による心機能障害だけでなく，アミロイドーシスやEFが保たれた心不全(heart failure with preserved ejection fraction：HFpEF)にも有用とされている．最近の心臓超音波検査機器に内蔵されているソフトウェアでは，GLSの解析までほぼ自動で行うことが可能で，再現性に優れ解析が完結するのも数秒以内となっている．造血細胞移植を行う施設は，循環器医や生理検査部門とGLSが測定可能な機器の導入について協議することが望ましい．

アントラサイクリンの心毒性は総投与量に関係しており，200 mg/m^{2}で7％以上，400 mg/m^{2}で16％以上，500 mg/m^{2}で32％に左室収縮機能障害(LVEFがベースラインから10〜15％以上の低下または50％未満への低下)を認める[5]．また，総投与量が100〜200 mg/m^{2}程度でLVEFが正常であってもGLSの有意な低下を認めることがあり，総投与量が少ない場合でも心機能低下に注意すべきである．アントラサイクリンの積算量はドキソルビシン(DXR)に換算し計算するが，換算する際に参考となるデータが乏しい．当院では以前はChildren's Oncology Group(COG)[6]のLong-Term Follow-Up Guidelinesの記載を参考にしてきたが，ESCのガイドラインに係数が記載されており現在はそちらを参考にしている[4]．ダウノルビシンの係数(ダウノルビシン総投与量×係数＝DXR換算総投与量)は0.6，エピルビシンは0.8，イダルビシンは5，ミトキサントロンは10.5となっておりCOGとはやや異なっている．特にミトキサントロンはCOGと比較して大幅に換算比が異なる．またア

表2 アントラサイクリン系抗がん剤の換算表

	心不全発症率が増加する投与量 (mg/m²)	係数	各薬剤の添付文書上の注意点
ドキソルビシン (DXR)	500〜600	1	＞500 mg/m² で重篤な心筋障害が増加
ダウノルビシン (DNR)	900〜1,000	0.6	＞25 mg/kg で重篤な心筋障害が増加
ミトキサントロン (MIT)	160〜180	10.5	＞160 mg/m² で重篤な心筋障害が増加(DXR など既使用例では ＞100 mg/m²)
イダルビシン (IDA)	280	5	なし(ドイツでは上限 120 mg/m², DXR or DNR 既使用例の場合はその 1/4 を加算)

〔文献4)より〕

クラルビシン(ACR)はガイドラインには記載がなく，動物実験データから DXR の 1/10 以下の心毒性とされているが，心不全の発症率に関する臨床データはない．論文によって換算値が異なるため，どのような方法で換算が行われているか確認することが重要である．当院におけるアントラサイクリン系抗がん剤の換算表を表2に示す．

アントラサイクリンによる心機能障害のリスク因子としては総投与量以外にもさまざまなものが報告されており，年齢(＜5 歳または＞65 歳)，胸部放射線照射の既往，心疾患(心不全，LVEF＜50 %，心筋症，心房細動など)の合併，心血管リスク(糖尿病，高血圧，喫煙，肥満など)の合併などが知られている．これらを有する患者にアントラサイクリンを投与する場合はフォローアップを強化するなどの対策が必要となる．

当院では ESC のガイドライン[4)]を参考にして診療している．アントラサイクリンによる心機能障害の治療は一般的な心不全の治療と同様で，ACE 阻害薬や β ブロッカーが投与される．治療開始時期が重要であることが報告されており，発症後 2 か月以内に治療を開始した場合は 64% の症例が回復したが，6 か月を過ぎると回復する可能性はほぼ 0% であった[7)]．

近年は早期に介入する重要性が認識され，心毒性を予防する研究・試験が多数行われている．デクスラゾキサンは，国内ではアントラサイクリンの血管外漏出に対する静注薬が認可されているが，海外では成人患者に対するアントラサイクリンの心毒性予防薬として推奨されている[4]．またβブロッカー，ACE阻害薬，スタチンが予防に有効であることが報告されており，今後はハイリスクの症例において予防が行われる時代がくるかもしれない．

❶ アントラサイクリン系抗がん剤使用患者で必要な検査

- 心臓超音波検査（EFだけではなく拡張障害，右心系負荷，弁膜症なども含めた確認を行う）

※LVEF，GLSの評価：LVEFについては各ガイドラインで異なるが，当院では50〜55%をカットオフ値としている．またGLSについては絶対値で18%（実際の値は－18%）を超えていれば正常，16〜18%はボーダーライン，16%未満は有意に低下と判断する．また，ベースラインから相対的に15%を超えて低下している場合は心毒性ありと判断する（例：25%→21%：16%減で基準を満たす，25%→22%：12%減で基準満たさず）．

- 血液検査（NT-proBNPまたはBNP，トロポニンI）

  BNPが100 pg/mL以上，またはNT-proBNPが300 pg/mL以上の場合は精査が必要と考えている．

❷ 化学療法中

アントラサイクリン総投与量がDXR換算で240〜250 mg/m^2以上となった際はアントラサイクリンを含む化学療法を行うごとに，また投与終了後も定期的に心臓超音波検査やBNP，トロポニンによるモニタリングを行う．異常を認めた場合は，早めに循環器医へコンサルトする．

3 内分泌・代謝疾患の予防と対策

糖尿病や脂質異常症，高血圧，高尿酸血症などの内分泌・代謝疾患の多くは血管内皮障害の原因となることが知られている．同種造血幹細胞移植において血管内皮をいかに保護するかは重要な課題の1つである．移植前から血管内皮保護を意識した管理が重要である．

❶ 糖尿病

移植前糖尿病はHCT-CI（hematopoietic cell transplantation-specific comorbidity index）の因子の1つであるが，国内のデータ

でも移植後非再発死亡のリスク因子であり，特に感染症関連死亡が多いという結果であった[8]．造血器疾患の診断以前に糖尿病と診断されていない例でも，必ず糖尿病の有無を再確認すべきである．ストレスやステロイドなどの薬剤投与に伴い血糖値が上昇して，新たに糖尿病と診断されることもまれではない．一般的にHbA1c<7%程度がコントロールの目標となるが，造血器疾患ではHbA1cの値の信用性が低く，グリコアルブミンや実測の血糖値も参考にするべきである．実測の空腹時血糖値で考えるとおおよそ<140 mg/dL程度を目指すこととなる．血糖コントロールが困難な場合には，糖尿病専門医にコンサルトすべきである．

❷ 脂肪肝

移植前の肝障害はHCT-CIでも重要な非再発死亡のリスク因子であり，移植後の肝中心静脈閉塞症(VOD/SOS)のリスクも高める．脂肪肝を有する例で肥満があれば，体重の適正化が最も確立された治療である．

❸ 脂質異常症

スタチンは血管内皮保護作用だけでなく造血細胞移植における免疫調整作用も期待されている薬剤である．脂質異常症を認める症例では他剤(特に抗真菌薬)との相互作用に注意しながら積極的にスタチンを投与する．

4 栄養管理とADL維持へ向けての対策

❶ 低栄養

造血器疾患による慢性炎症状態や化学療法に伴う経口摂取量の減少に伴い，しばしば高度の体重減少をきたす．筋肉量減少を伴う体重減少はADLの低下，感染リスクや非再発死亡の増加につながる[9]．移植前の化学療法時より適切な中心静脈栄養(TPN)導入などの栄養管理が重要である(栄養管理の方法については移植中と同様☞253頁，セクション26)．

❷ 肥満

移植前の肥満はHCT-CIの因子の1つである．欧米ではBMI 35を超えると非再発死亡を増やすと報告されているが，日本人ではそのようなBMI高値の例はまれで参考にならない．国内のデータではBMI 30以上で非再発死亡が有意に高かった[10]．肥満は糖尿病や脂肪肝のリスクを高めるため，化学療法中にも適切な栄養管理とリハビリテーションで体重の適正化を図る．

❸ ADLの維持

パフォーマンス・ステータス(PS)はHCT-CIと並び，移植時の独立した予後因子である．造血器疾患の治療中は長期間の入院や無菌室などの限られた居住スペースで過ごすことを余儀なくされるため，PSの低下をきたしやすい．そのため，診断時より看護師やリハビリテーション部門と連携をとってADLの維持を図ることが重要である(リハビリテーションの内容については移植中と同様☞496頁，セクション49)．また喫煙歴のある患者には，禁煙の重要性を説明する．

D 移植前の感染症のコントロール

造血細胞移植前に感染症のfocusが残存していると，生着までの血球減少期に重症化し，コントロールが困難となることがある．このような病変をつくらないようにする努力が移植前から必要である．疾患や化学療法のタイプにより，どのような感染症のリスクがあるのかを把握し，それぞれに応じた対応が必要である．セクション40〜43(☞372〜439頁)には移植時の感染症対策を記載しているが，化学療法の際にも基本は同じである．

1 好中球減少時の予防・治療

急性骨髄性白血病や骨髄異形成症候群など，高度の好中球減少の期間が長い場合は，細菌感染症と真菌感染症のリスクが高くなる．施設における耐性菌の出現にも注意は必要であるが，メタ解析において有用性が示されている下記の予防投与を検討する[11, 12]．

① レボフロキサシン 1日500 mg 分1 内服
および
② フルコナゾール 1日100〜200 mg 分1 内服

発熱性好中球減少を合併した際には，セクション40(☞382頁)に述べられている通り緑膿菌をカバーする抗菌薬の静注投与を行う．

発熱が軽快しない場合は，アスペルギルス抗原やβ-Dグルカンなどの血清マーカーの確認と，早期に単純CT撮影を行い，肺病変の有無を確認する．

侵襲性肺アスペルギルス症や播種性カンジダ症・肝脾カンジダ症

などの真菌感染症を合併すると，その後に移植を行う際に大きな支障をきたすため，注意が必要である．フルコナゾールはアスペルギルスなどの糸状菌をカバーしないため，下記の抗真菌薬への変更を検討する．

ミカファンギン 150 mg 1日1回 点滴静注

※ミカファンギンと同系統の薬剤であるカスポファンギンも同様に有効である．

または

ボリコナゾール 初日 6 mg/kg 1日2回，2日目以降 4 mg/kg 1日2回 点滴静注

※ボリコナゾールを使用する際は，十分な血中濃度に達しているかを確認する（通常は投与開始後 5〜7 日で定常状態に達するため，血中濃度採血はそれ以降に実施する．トラフ値は 1〜4 μg/mL を目標とする．トラフ値が 4 μg/mL 以上のときは肝障害に注意する）．

または

ポサコナゾール（ノクサフィル®） 初回 300 mg 1日2回，2日目以降 300 mg 1日1回 経口

肺に真菌感染症を疑う陰影がある場合は，ミカファンギンよりもボリコナゾールやポサコナゾール，イサブコナゾールを優先する．ムーコル症を強く疑う場合はリポソーマルアムホテリシンBの投与を考慮するが，腎機能障害をきたしやすいために十分注意する．

2 細胞性免疫低下時の予防・治療

リンパ腫や成人T細胞白血病などの化学療法を行う場合，細胞性免疫が低下し移植後と同様の日和見感染症を合併するリスクがある．CD4 陽性細胞数を確認し，減少している場合はニューモシスチス肺炎（PCP）や水痘・帯状疱疹ウイルス（VZV）に対する予防投与を行い，サイトメガロウイルス（CMV）などのウイルス感染症の検査も行う．

PCP 予防には下記を用いる．

ST 合剤 1日1錠 内服（または1日4錠 分2 週2回）

※腎障害や血球減少を認める場合，当院では1日 0.5 錠へ減量投与している．

または

アトバコン（サムチレール®） 1日 1,500 mg 分1 内服

または

ペンタミジン(ベナンバックス®) 300 mg を注射用水 10 mL に溶解して吸入 3～4 週ごとに

※吸入中に気管支痙攣が起きることがあるため前投薬としてβ刺激気管支拡張剤(サルタノール®)吸入を使用する.

VZV 予防には下記を用いる.

アシクロビル(ゾビラックス®) 1日 200 mg 分1 内服

3 口腔ケア(☞ 269 頁, セクション 29)

化学療法後の血球減少期に齲歯を感染源とする感染症をしばしば経験する. 移植予定の患者は移植1か月前までには歯科受診が必須であり, 齲歯の治療や抜歯を済ませておく. また, 化学療法開始後, 早期からうがいやブラッシングの指導を行い, 患者がセルフケアを習得できるようにする.

4 肛門部ケア

肛門部の痔核や痔瘻, 裂肛は, 好中球減少期の感染 focus となる. 肛門部は膿瘍を形成しやすく, 時に肛門周囲のデブリードメントが必要となる場合もある. そのため, 移植前の化学療法時より痔核, 痔瘻, 裂肛の既往を確認し, 特に意識して問診, 診察する(内痔核の場合は直腸診をしなければわからない). 痔核や痔瘻, 裂肛がある場合は早めに肛門科に相談し, 活動性の感染症の有無や外科的治療の必要性について評価する.

硬便の排便時に怒責すると肛門部の損傷が起こるため, 患者に排便時の注意点を指導し, 便秘の予防を行う. 適宜, 緩下薬を使用して最低1日1回は排便があるようにコントロールする〔特にビンクリスチン(VCR)を含むレジメン使用時は注意する〕.

酸化マグネシウム(マグミット® 錠 330 mg) 1日 3～6 錠 分3 内服(排便状態によって適宜減量)

可能であれば排便後はウォシュレットを使用するように指導する. また肛門部の損傷のリスクがあるため, 坐薬や浣腸の使用は推奨しない. 使用する場合は十分な潤滑薬などを使用し, 愛護的に挿入する.

E 輸血

1 抗 HLA 抗体の測定

臍帯血移植や HLA 不一致移植を行う際，患者がドナーの HLA に対する抗 HLA 抗体をもっていると，生着不全のリスクが高くなる．ドナー特異的な抗 HLA 抗体(DSA)の mean fluorescence intensity(MFI)が高い場合は，ドナーとして不適格と判断することもある．臍帯血移植や HLA 不一致ドナーからの移植を行う場合は，ドナーを選択する前に患者の抗 HLA 抗体を必ず検査しておく．また，血小板輸血を繰り返していると抗 HLA 抗体が出現するリスクが高くなるため，不必要な血小板輸血は避ける．

2 不規則抗体

輸血を行う際は，不規則抗体の有無を確認する．特に輸血頻度が高い場合，診断時に不規則抗体をもっていなくても輸血中に新たに抗体を産生するケースがあるため，定期的に確認する．

3 CMV 陰性血の使用

同種移植ドナーが CMV 陰性で患者も CMV 陰性の場合，移植後の CMV 感染症が減少し，全生存率が 1 割近く高くなることが報告されている[13]．近年は若年者において CMV 抗体陰性者の割合が増えてきており，造血器疾患の診断時より CMV-IgG(ELISA 法)の有無を確認することが重要である．CMV-IgG 陰性患者では，移植を予定している場合，CMV 陰性の濃厚血小板輸血を使用することが望ましい(☞ 251 頁，セクション 25)．

F アレルギー

化学療法中に薬剤，食物や輸血などに対するアレルギーが疑われた際は，症状・所見や重症度について詳細な情報を移植医に伝えることが重要である．

文献

1) Kurosawa S, et al: Changes in incidence and causes of non-relapse mortality after allogeneic hematopoietic cell transplantation in patients with acute leukemia/myelodysplastic syndrome: an analysis of the Japan Transplant Outcome Registry. Bone Marrow Transplant 48: 529-536, 2013
2) Kurosawa S, et al: Recent decrease in non-relapse mortality due to GVHD and in-

fection after allogeneic hematopoietic cell transplantation in non-remission acute leukemia. Bone Marrow Transplant 48: 1198-1204, 2013

3) Onishi A, et al: Detrimental effects of pretransplant cisplatin-based chemotherapy on renal function after allogeneic hematopoietic cell transplantation for lymphoma. Bone Marrow Transplant 55: 2196-2198, 2020
4) Lyon AR, et al: 2022 ESC Guidelines on cardio-oncology developed in collaboration with the European Hematology Association (EHA), the European Society for Therapeutic Radiology and Oncology (ESTRO) and the International Cardio-Oncology Society (IC-OS). Eur Heart J 43: 4229-4361, 2022
5) Curigliano G, et al: Management of cardiac disease in cancer patients throughout oncological treatment: ESMO consensus recommendations. Ann Oncol 31: 171-190, 2020
6) Children's Oncology Group: Long-term follow-up guidelines for survivors of childhood, adolescent, and young adult cancers Ver 5.0 - October. p40, 2018
7) Cardinale D, et al: Anthracycline-induced cardiomyopathy: clinical relevance and response to pharmacologic therapy. J Am Coll Cardiol 55: 213-220, 2010
8) Takano K, et al: Pre-transplant diabetes mellitus is a risk factor for non-relapse mortality, especially infection-related mortality, after allogeneic hematopoietic SCT. Bone Marrow Transplant 50: 553-558, 2015
9) Sakatoku K, et al: Prognostic significance of low pre-transplant skeletal muscle mass on survival outcomes in patients undergoing hematopoietic stem cell transplantation. Int J Hematol 111: 267-277, 2020
10) Fuji S, et al: Impact of pretransplant body mass index on the clinical outcome after allogeneic hematopoietic SCT. Bone Marrow Transplant 49: 1505-1512, 2014
11) Gafter-Gvili A, et al: Meta-analysis: antibiotic prophylaxis reduces mortality in neutropenic patients. Ann Intern Med 142: 979-995, 2005
12) Kanda Y, et al: Prophylactic action of oral fluconazole against fungal infection in neutropenic patients. A meta-analysis of 16 randomized, controlled trials. Cancer 89: 1611-1625, 2000
13) Boeckh M, et al: The impact of cytomegalovirus serostatus of donor and recipient before hematopoietic stem cell transplantation in the era of antiviral prophylaxis and preemptive therapy. Blood 103: 2003-2008, 2004

15 不妊対策

A 造血細胞移植による性腺機能障害のリスク

造血細胞移植では大量抗がん剤投与や全身放射線照射を行うため，高頻度に不可逆的な性腺機能障害を生じる．そのため，特に若年患者において不妊対策は重要である．

移植前処置による性腺機能障害のリスクは，前処置の種類や年齢，性別により大きく異なる(表1[1,2])．

表2[3]に同種移植でよく用いられる前処置ごとの性腺機能回復率を示す．特に若年女性ではブスルファン(BU)投与後の回復率が低

表1　性腺機能障害のリスク因子

精巣機能障害のリスク因子	卵巣機能障害のリスク因子
全身放射線照射 大量シクロホスファミド(>7.5 g/m²) 大量メルファラン(>140 mg/m²) 精巣への放射線照射 (成人≧2.5 Gy，男児≧6 Gy) 頭蓋への放射線照射(≧40 Gy) 高齢 慢性 GVHD	全身放射線照射 大量シクロホスファミド 20 歳未満：≧7.5 g/m² 40 歳以上：≧5 g/m² 大量ブスルファン 腹部・骨盤への放射線照射 成人≧6 Gy，思春期後女児≧5 Gy， 思春期前女児≧10 Gy 頭蓋への放射線照射(≧40 Gy) 高齢 慢性 GVHD

〔文献 1，2)より〕

表2　移植前処置別の性腺機能回復率

前処置	男性	女性
大量 CY のみ	61%	74%(26 歳未満は 100%)
TBI/CY	18%	10～14%
BU/CY	17%	1%
BEAM	0%	60%

再生不良性貧血に対する CY 単独の前処置の場合は高頻度に回復する．
〔文献 3)より〕

い．全体的な傾向としては，フル移植のほうが性腺機能障害をきたす確率が高いが，フルダラビン(FLU)とBU(2日間)のミニ移植であっても，卵巣機能障害のリスクは非常に高い．また慢性GVHDの合併も精巣機能や卵巣機能を障害するリスク因子となる．

一方，自家移植の前処置では，BEAM療法による性腺機能障害のリスクが女性よりも男性で高頻度にみられる．国内の自家移植で多く用いられているMEAM療法やMCEC療法についてのデータは少ない．

2017年に日本癌治療学会から「小児，思春期・若年がん患者の妊孕性温存に関する診療ガイドライン」[4]，2020年にヨーロッパ生殖医学会(ESHRE)から「女性患者の妊孕性温存に関するガイドライン」[5]が発表された．また，2021年度より厚生労働省による「小児・AYA世代のがん患者等の妊孕性温存療法研究促進事業」が開始された．妊孕性温存療法および温存後生殖補助医療に関するエビデンス創出やガイドライン作成に資する研究が推し進められるとともに，患者の経済的負担を軽減するために国・自治体により費用の一部が助成される(公的助成制度)．

B 男性患者の不妊対策：精子保存(表3[6])

男性患者では，挙児希望がある場合，精子の凍結保存を行うことが可能である．ただし通常量の化学療法であっても，治療開始後は運動率の保たれた精子を十分量保存することが困難な場合があるため，可能な限り化学療法開始前の採取を試みる．また移植前までに紹介元病院で精子保存について説明されていない場合もまれにあるため，移植前のオリエンテーションでは，必ずこの点について患者・家族の希望を確認する．なお，思春期前の男児においては，精巣組織の凍結保存が唯一の選択肢であるが，組織の採取に外科手術を要し，精巣組織に腫瘍細胞が混入するリスクを伴うことから，国内では研究段階である．

C 女性患者の不妊対策(表3[6])

女性患者の不妊対策は男性よりも困難な場合が多く，原疾患に対

表3 国内で実施可能な妊孕性温存療法の概要

介入法	適格患者	特徴(長所と短所)
受精卵凍結保存	成人女性	生児出産率が高いが，ホルモン刺激(卵巣刺激症候群や血栓症のリスクを伴う)および男性パートナーを必要とし，卵巣刺激開始から採卵まで最低2週間前後かかる.
未受精卵凍結保存	成人女性	男性パートナーを必要としないが，ホルモン刺激(卵巣刺激症候群や血栓症のリスクを伴う)を必要とし，卵巣刺激開始から採卵まで最低2週間前後かかる.
卵巣組織の凍結保存	成人女性 思春期女児	化学療法スケジュールを遅らせることなく直ちに実施可能であり，正常のホルモン機能ならびに妊孕性の回復が期待できる. また思春期女児にとっては唯一の選択肢である. 一方，組織の採取および再移植には腹腔鏡下手術を必要とし，また腫瘍細胞が組織に混入するリスクを伴う.
精子凍結保存	成人男性	化学療法スケジュールを遅らせることなく直ちに実施可能であり，採取に伴うリスクが低い(あるいはない)が，男性がん患者には乏精子症がしばしばみられる.

〔文献6)より〕

する治療開始前や治療中にタイミングを合わせることは難しい. 以前は採卵を排卵周期に合わせて行っていたが，最近では「ランダムスタート」という排卵周期と関係なく卵巣刺激を実施する方法が造血器疾患患者ではよく用いられている. 化学療法を繰り返している状況下では，妊娠を試みるのに十分な数採卵できない場合もある. 好中球減少期や血小板減少期は採卵に伴う出血や感染症などのリスクが問題となる. できるだけ早期に患者・家族の希望を確認し，(可能であれば化学療法開始前から)生殖医療を専門とする医師と情報を共有し，化学療法と採卵のタイミングなどを検討することが重要である. 採卵が困難な女性患者または思春期女児においては，卵巣組織の凍結保存が選択肢となる. 化学療法スケジュールを遅滞なく実施でき，正常のホルモン機能ならびに妊孕性の回復を期待できるが，組織の採取および再移植には腹腔鏡下手術を必要とし，また卵巣組織に腫瘍細胞が混入するリスクを伴う. また，妊孕性温存療法を試みたが採取できなかった場合の患者・家族へのフォローも重要である.

1 妊孕性温存療法の選択

- 配偶者がいる場合：卵子を採取して受精卵として凍結保存する.
- 配偶者がいない場合：未受精卵を凍結保存する.
- 卵巣組織を凍結保存している施設もある.

2 移植前処置の選択

特に女性患者においては，移植前処置ごとに性腺機能回復の可能性は大きく異なる．骨髄破壊的前処置が必要な場合の性腺機能回復率は，TBI/CY で 10〜14%，BU/CY で 1% であった(表 2[3])．このため移植前に卵子凍結保存ができなかった若年女性では，原則として BU の使用を避けている．当院では行っていないが，TBI 時に卵巣を金属片で遮断することによって，移植後早期に卵巣機能が高頻度に回復することが報告されている[7].

3 移植後の妊娠・出産

移植後に女性患者あるいは男性患者の配偶者が妊娠・出産する場合，生児出産の確率は一般の出産と同程度との報告がある[8]．先天性異常や発育遅延の頻度は一般と比較して変わらないという報告が多い．ただし通常の出産と比較して帝王切開，早期産，低体重児の頻度が高く，母子ともに高リスク出産として扱う必要がある[9].

文献

1) Lee SJ, et al: American Society of Clinical Oncology recommendations on fertility preservation in cancer patients. J Clin Oncol 24: 2917-2931, 2006
2) Levine J, et al: Fertility preservation in adolescents and young adults with cancer. J Clin Oncol 28: 4831-4841, 2010
3) Socié G, et al: Nonmalignant late effects after allogeneic stem cell transplantation. Blood 101: 3373-3385, 2003
4) 日本癌治療学会(編)：小児，思春期・若年がん患者の妊孕性温存に関する診療ガイドライン 2017 年版．金原出版，2017
5) ESHRE Guideline Group on Female Fertility Preservation; Anderson RA, et al: ESHRE guideline: female fertility preservation. Hum Reprod Open 2020: hoaa052
6) Loren AW, et al: Fertility preservation in patients with hematologic malignancies and recipients of hematopoietic cell transplants. Blood 134: 746-760, 2019
7) Kanda Y, et al: Protection of ovarian function by two distinct methods of ovarian shielding for young female patients who receive total body irradiation. Ann Hematol 93: 287-292, 2014
8) Carter A, et al: Prevalence of conception and pregnancy outcomes after hematopoietic cell transplantation: report from the Bone Marrow Transplant Survivor Study. Bone Marrow Transplant 37: 1023-1029, 2006
9) Salooja N, et al: Pregnancy outcomes after peripheral blood or bone marrow transplantation: a retrospective survey. Lancet 358: 271-276, 2001

16 移植前オリエンテーション

当院では，他院から移植目的で紹介される患者が全体の半数以上を占めている．通常，紹介元やセカンドオピニオンの担当医から移植についての説明を受けているが，患者・家族の理解度は個人差が大きい．そこで，移植の約1～2か月前に，図1のような情報シートを用いて，看護師がマンツーマンで1時間半かけて移植前オリエンテーションを行っている(サポートの中心となる家族も参加)．

造血細胞移植を受けるにあたり，患者は以下のような問題に直面する．

- 原疾患や合併症などの医学的問題
- 長期入院，通院加療が必要となることでの経済的問題
- 退院後の生活環境，社会復帰における社会的問題
- 患者自身の社会や家庭内での役割の変化，ボディイメージの変化に伴う精神的問題

移植前の段階で，患者ごとに直面しうる問題を想定しておくことが，退院後に質の高い生活を送ってもらううえで重要である．移植前オリエンテーションでは，看護師が資料を用いて説明するが，患者にできるだけ質問をしてもらうよう参加を促している．移植後は長期フォロー外来(LTFU)などを通じて看護師などの多職種が患者にかかわる機会が増えてきているものの，他院からの紹介患者の割合が多い当院では，移植前の「治療準備」に看護師がかかわれる機会は限られている．看護師による移植前オリエンテーションを通じて，早期から患者自らが主体的に必要な情報を獲得し，感情表出でき，さらに移植治療への意思決定につながるように支援することで，移植治療へスムーズに適応できることを目指している．

A オリエンテーション時に特に注意する点

1 患者の治療歴

- 治療歴，副作用歴
- 副作用への対処法(効果のあった制吐剤など)

患者氏名：	ID：

オリエンテーション参加者		□ 本人 □ 親 □ 配偶者 □ 兄弟 □ その他
就労状況		□ 退職 □ 休職 □ 休学 □ その他
職業		□ デスクワーク □ 肉体労働 □ 専業主婦
家族構成		□ 夫 □ 妻 □ 子供 □ 父親 □ 母親 □ 祖父 □ 祖母 □ 兄弟 □ その他
サポート体制	主に面会に来る方	□ 父親 □ 母親 □ 配偶者 □ 兄弟 □ 子供 □ その他
	面会の頻度	□ 毎日 □ 週に2〜3回 □ 週に1回 □ 必要時に来院可能
	退院後，主に家事をする人	□ 父親 □ 母親 □ 配偶者 □ 兄弟 □ 子供 □ その他
乳幼児との接触の可能性		□ あり □ なし
ペット		□ あり □ なし 対応：
経済的問題		□ あり □ なし
高額療養費制度の利用		□ あり □ なし
MSWへの相談希望		□ あり □ なし
化学療法経験		□ 点滴 □ 内服 □ なし
副作用経験		□ 悪心・嘔吐 □ 口腔粘膜障害 □ その他
効果のあった制吐剤		□ グラニセトロン(カイトリル®) □ イメンド® □ プリンペラン® □ ノバミン® □ ソラナックス® □ ワイパックス® □ その他
悪心・嘔吐リスク		□ 前の治療で著明な悪心・嘔吐あり □ アルコールに弱い □ 副作用に対する不安あり □ 女性 □ 妊娠中の悪阻が強かった □ 高齢

(つづく)

図1 移植前オリエンテーション情報シート

- 治療に対する不安への対処法
- アレルギー歴(薬剤，輸血，食事，テープ，アルコールなど)
- 感染予防習慣(手洗い，うがい，歯磨きの頻度)

2 家族

- 病状説明時のキーパーソン，退院後のケアギバーの把握
- 発病前の家庭内での患者の立場(経済的中心か，家族サポートの中心か，サポートを受ける側か)

<table>
<tr><td>喫煙歴</td><td colspan="2">□ 吸ったことがない □ 吸っていたがやめた
□ 吸っている</td></tr>
<tr><td>CVカテ挿入経験</td><td colspan="2">□ あり □ なし</td></tr>
<tr><td>テープかぶれ</td><td colspan="2">□ あり □ なし</td></tr>
<tr><td>輸血歴</td><td colspan="2">□ あり □ なし</td></tr>
<tr><td>輸血アレルギー</td><td colspan="2">□ あり □ なし</td></tr>
<tr><td>薬剤アレルギー</td><td colspan="2">□ あり □ なし</td></tr>
<tr><td>食事アレルギー</td><td colspan="2">□ あり □ なし</td></tr>
<tr><td rowspan="6">感染リスク</td><td>齲歯</td><td>□ 未治療 □ 治療中 □ 治療済み
□ なし</td></tr>
<tr><td>痔核</td><td>□ あり □ なし</td></tr>
<tr><td>その他感染巣</td><td></td></tr>
<tr><td>感染予防行動
：手洗い</td><td>□ 回数・洗い方ともにできている
□ 洗い方が不十分 □ 回数が不十分
□ 回数・洗い方ともに不十分</td></tr>
<tr><td>：うがい</td><td>□ 8回以上実施 □ 5〜7回程度
□ 3〜5回程度 □ あまりできていない
□ 含嗽薬を使用している</td></tr>
<tr><td>：歯磨き</td><td>□ 3回以上磨けている
□ 2回以下しか磨けていない
□ 丁寧に磨いている □ 磨き方が不十分</td></tr>
<tr><td rowspan="5">性機能</td><td>不妊の説明</td><td>□ 受けた □ 受けていない</td></tr>
<tr><td>精子・卵子保存</td><td>□ 希望する □ 希望しない
□ 実施済 □ 相談中</td></tr>
<tr><td rowspan="3">月経(女性)</td><td>最終月経時期：</td></tr>
<tr><td>月経停止方法：</td></tr>
<tr><td>最終薬剤投与：</td></tr>
</table>

<table>
<tr><td>移植の種類</td><td>□ フル移植 □ ミニ移植 □ 自家移植</td></tr>
<tr><td>移植時に使用予定</td><td>□ CY □ BU □ TBI □ FLU □ CA
□ MEL □ ATG □ PTCY □ その他</td></tr>
</table>

図1 (つづき)

- 移植後の家族サポート(生活面，経済面)がどの程度得られそうか
- 家族の不安・落ち込みに対してメンタルサポートが必要か

3 移植についての理解度・気持ち

- 紹介医や外来主治医の説明により，移植についてどの程度理解できているか(理解が不十分で通常の化学療法と同じと考えている患者もいる)
- 移植に向けての気持ちの確認

4 治療費用

- 療養中の治療費支払いの計画
- 経済的問題の把握(高額療養費制度の申請，助成金の申請，生活保護の申請)(☞ 516頁，セクション52)

5 退院後の療養体制と社会復帰

- 自宅環境の確認(上水道の整備状況，ほこり，土，空調設備など真菌感染症を発症するリスクの把握，ペット，同居する乳幼児など感染源となりうる同居者の有無)
- 早めに「退院後の生活について」のパンフレットを渡して，自宅環境の整備を早期から始めてもらう．
- 患者の復職の予定，希望について確認し，必要があれば医療ソーシャルワーカー(MSW)に紹介する．
- 不妊についての説明，挙児希望，精子・卵子保存の有無(☞ 153頁，セクション15)

B メンタルサポート移植前面談

当院では，同種造血幹細胞移植を受ける全患者に対して，「心のケアチーム」によるメンタルサポートを提供している(☞ 509頁，セクション51)．継続的なメンタルサポートの要否について，移植前オリエンテーションのタイミングに合わせて，簡単なアンケートと臨床心理士・精神腫瘍科医の面接によるスクリーニングを行う．患者の希望も考慮して検討し，約2/3の同種移植患者が入院後も継続的なメンタルサポートを受けている．

17 同種移植ドナーへの説明

A 血縁ドナーと非血縁ドナーへの説明

血縁ドナーの場合，ヒト白血球抗原(HLA)検査を施行する前に，幹細胞採取のリスクについて十分に説明をすることが望ましい．当院では，明らかにドナー適格性のない血縁者にHLA検査やドナー健診を行うことを避けるよう，ドナー候補者の幹細胞提供意思や健康状態に関する最低限の情報についてチェックシートを用いて確認を行っている(☞18頁，セクション3，表1)．ドナーの権利擁護のため，患者主治医とは別の医師(ドナー主治医)が担当し，意思確認に際しては患者や患者の家族が同席していない環境をつくることが必要である．

非血縁ドナーの場合，日本骨髄バンクの調整医師が，規定に則り，ドナー(候補)への説明と同意取得を行う[1]．

いずれの場合も，幹細胞採取の必要性や方法だけではなく，起こりうる合併症，健診・採取にかかる費用，ドナー団体傷害保険の補償の範囲などについても詳しく説明する．原則として，骨髄(BM)採取と末梢血幹細胞(PBSC)採取の両方について説明するが，患者・ドナー・施設の要因で片方の採取法についてのみ説明することもある．

以下の説明・同意取得，および採取前健診・適格性判定に際しては，骨髄バンクの「患者コーディネートの進め方」[2]，「ドナー適格性判定基準」[3]，「ドナー傷害保険加入適格基準」[4]，日本造血・免疫細胞療法学会のガイドライン[5]などを参考にする．

B 造血幹細胞採取に関する説明の要点

1 同種造血幹細胞移植の概要と幹細胞採取の必要性

2 幹細胞源としてBMとPBSCの2種類があること

3 採取の準備

BM採取では採取の1〜4週間前に自己血貯血が必要である．

4 採取の方法

BM採取とPBSC採取について説明する．PBSC採取では初日に目標細胞数に到達しなかった場合は採取が複数日(多くの場合は2日間まで)に及ぶ可能性がある．またPBSC採取では，肘静脈での採血ルート確保・アフェレーシスが困難な場合には，大腿静脈に局所麻酔下でカテーテルを挿入する可能性がある．

5 入院のスケジュール

BM採取では通常3泊4日，PBSC採取では幹細胞動員(G-CSFの投与)を入院で行う場合4泊5日ないし5泊6日の入院が必要である．なお，ドナーの入院負担を軽減する外来管理下でのPBSC採取に向け，持続型G-CSF(ペグフィルグラスチム：ジーラスタ®)の効能・効果に「同種造血幹細胞移植のための造血幹細胞の末梢血中への動員」が2022年2月に追加され，一部の施設で血縁ドナーへの使用が試みられている．

6 採取に伴う合併症と危険性(☞172頁，187頁，セクション19，20)

BM採取・PBSC採取のいずれにおいても，最も出現頻度が高くドナーへの負担となる自覚症状は痛みである．BM採取では採取終了後に出現する採取部位(腰部)の痛みがある．PBSC採取ではG-CSF投与による骨の痛み(腰痛，背部痛，四肢の痛みなど)がある．2つの採取法を比較した海外の研究では，採取終了1週間後の疼痛はPBSCドナーのほうが少なく，提供後の疼痛の回復もPBSCドナーのほうが有意に早かった[6)]．骨髄バンクドナーからのBM採取とPBSC採取を比較した研究によると，採取後の中等度以上の有害事象はBMのほうが多く，採取1週間後の身体的QOLはBMのほうが低かった(特に女性ドナーで多い)[7)]．骨髄採取に関連したドナーの死亡事故は，世界では6件の報告があり(国内の血縁1例を含む)，PBSC採取に伴う死亡事故は世界で12件報告されている．

7 骨髄移植(BMT)と末梢血幹細胞移植(PBSCT)の違い

BMTとPBSCTのメリットとデメリットを，患者の立場からみた場合(表1)とドナーの立場からみた場合(表2)に分けて示す．患者の立場からみた場合，PBSCTはBMTと比較して，好中球生着が早く生着不全が少ないが，慢性GVHDが多い．ドナーの立場からみた場合，PBSC採取はBM採取と異なり自己血貯血や全身麻酔が不要であるが，G-CSF投与後の疼痛やアフェレーシスに伴うリスクがあるため，一概な比較は困難である．

8 代替可能な方法(その他のドナーソース)について

表1 患者の立場からみた骨髄移植と末梢血幹細胞移植の違い

	骨髄移植	末梢血幹細胞移植
好中球生着	2～3週間前後	2週間前後
生着不全	中程度	少ない
慢性GVHD	中程度	多い
移植日スケジュール	固定されることが多い	調整しやすい（凍結する場合）

表2 ドナーの立場からみた骨髄採取と末梢血幹細胞採取の違い

	骨髄採取	末梢血幹細胞採取
自己血採取	1～4週前に必要	不要
全身麻酔	必要	不要
G-CSF投与	不要	必要（4～6日間）
アフェレーシス	不要	必要（1回4～5時間）
入院期間	3泊4日	4泊5日～5泊6日*

*G-CSFを入院で行う場合.

⑨ドナーの安全性を最優先すること

⑩幹細胞提供は自由意思に基づき，拒否する権利もあること

⑪プライバシーは保護されること（健診結果や不適格理由の詳細を患者や他の家族には原則伝えない）

⑫幹細胞を凍結保存する場合の保存期間と破棄する可能性について

⑬骨髄・末梢血幹細胞ドナー団体傷害保険について

⑭骨髄・末梢血幹細胞ドナー手帳について

ドナーの提供に関する情報や健康状態，採取施設の連絡先などの記録，また採取による合併症や体調管理に関する情報提供や中長期の有害事象を把握することを目的に，日本骨髄バンクと日本造血・免疫細胞療法学会が共同でドナー手帳を発行している．ドナー登録後にドナー登録センターから施設に送付されるため，医師・HCTCは目的を説明しドナーに手渡す．手帳は常に携行し，ドナーが他の医療機関を受診する際には手帳を医師に提示するよう説明し，本手帳を介して医療機関同士の連携が図れるようにする．2023年11月現在，日本骨髄バンクのドナーには第4版第1刷[8]が配布されているが，血縁ドナーでは「ジーラスタ®」の適応拡大に伴い持続型G-CSF製剤に関する内容が追加された第5版第1刷が配布される．

⑮ 医療費について

健診(約3万円)・末梢血幹細胞採取(約80万円)に要した費用は，基本的に患者に請求されるが，予定通り採取や移植ができなかった場合には保険請求できずに自費診療になる可能性がある．

⑯ 幹細胞の凍結について

従来は，骨髄バンクを介して採取された幹細胞の凍結は原則として不可であった．しかし，COVID-19蔓延に対する避難的措置として，採取直前のドナーや採取病院スタッフの感染などにより前処置開始後に移植延期/中止となることを防ぐため，幹細胞凍結により移植を延期することが許可されている．凍結を希望する場合は，指定様式にて移植調整部に申請を要する．骨髄バンクを介した幹細胞凍結を行った国内353例(BM 235例，PBSC 118例)の解析によると，使用されなかったのは2例(<1%)のみであった[9]．多変量解析の結果，BM凍結は好中球生着に影響を与えなかったが，PB凍結は好中球生着遅延のリスク因子となった．BM凍結とPB凍結はともに血小板生着遅延のリスク因子となった．

文献

1) 日本骨髄バンクHP：ドナー登録している方へ(ドナーのためのハンドブック第9版)，2023.
https://www.jmdp.or.jp/donation/
2) 日本骨髄バンクHP：患者コーディネートの進め方(国内)，2022.
https://www.jmdp.or.jp/medical/familydoctor/cordinate.html
3) 日本骨髄バンクHP：ドナー適格性判定基準第3版，2022.
https://www.jmdp.or.jp/medical/work/qualification.html
4) 日本造血・免疫細胞療法学会HP：血縁造血幹細胞移植科幹細胞(骨髄・末梢血)ドナー傷害保険加入適格基準 ver 2.2, 2015.
https://www.jstct.or.jp/uploads/files/facility/tekikaku-kijun150801.pdf
5) 日本造血・免疫細胞療法学会HP：造血細胞移植ガイドライン 造血幹細胞採取第2版，2022.
https://www.jstct.or.jp/uploads/files/guideline/02_03_harvest02.pdf
6) Pulsipher MA, et al: Acute toxicities of unrelated bone marrow versus peripheral blood stem cell donation: results of a prospective trial from the National Marrow Donor Program. Blood 121: 197-206, 2013
7) Fujimoto A, et al: Health-related quality of life in peripheral blood stem cell donors and bone marrow donors: a prospective study in Japan. Int J Hematol 111: 840-850, 2020
8) 日本造血・免疫細胞療法学会/日本骨髄バンク：骨髄・末梢血幹細胞ドナー手帳. JMDPホーム/ドナー登録している方へ/骨髄・末梢血幹細胞の提供までの流れ/提供までの流れ/採取前にお願いしたいこと/骨髄・末梢血幹細胞ドナー手帳.
https://www.jmdp.or.jp/pdf/donation/flow/about/donor_techo202108.pdf
9) Kanda Y, et al: Effect of cryopreservation in unrelated bone marrow and peripheral blood stem cell transplantation in the era of the COVID-19 pandemic: an update from the Japan Marrow Donor Program. Transplant Cell Ther 28: 677. e1-677, e6, 2022

18 同種移植ドナーの適格性評価

A 血縁ドナーの適格性評価

造血幹細胞ドナーとしての適格性を判断するために，採取前健診として問診，診察，検査などの健康診断を行う．特に骨髄採取の場合には，事前に自己血採取を行う必要があるため，十分な時間的余裕が必要となる．事前準備として，患者主治医は造血細胞移植コーディネーター(HCTC)などと協力し，(HLA 検査前に)ドナー候補に簡単なスクリーニングを行っておくことが望ましい(☞ 18 頁，セクション 3，表 1)．大まかな健康状態や既往歴に加え，ドナー家族(配偶者や両親など)から幹細胞ドナーになることに反対がないかどうかも確認しておく．

ドナーの権利擁護・安全確保のため，患者と血縁ドナーはそれぞれ別の医師が担当することが望ましい．当院における血縁ドナーコーディネートの流れを表 1 に示す．患者主治医は患者治療方針にかかわる採取日程などを調整し，ドナー主治医は採取前健診(表 2)から採取後健診までの安全確保に努める．HCTC はドナー健診前から採取後フォローアップに至るまで患者・ドナー・家族への調整・支援業務を行う．

ドナー適格性基準として，日本骨髄バンクの基準[1]，日本造血・免疫細胞療法学会のガイドライン[2]，血縁ドナー団体傷害保険加入適格基準[3]などがある．このうち日本骨髄バンクの基準が最も厳格である．日本骨髄バンクのドナー適格性判定基準は，最新版をホームページからダウンロードでき，キーワード検索が可能な「ドナー適格性判定基準検索システム」[4]は有用である．血縁ドナーでは，この基準を満たさない場合も，代替ドナーの利用可能性等の状況に応じて，リスクの説明と提供意思の確認を行ったうえで，採取を行うこともある．その場合，血縁ドナー団体傷害保険の適格基準を満たしていることを確認し，カンファレンスなど(複数の診療科や職種を含むほうが望ましい)で適格性を慎重に検討している．骨髄バンク基準では不適格であるが血縁ドナー団体傷害保険は適格となっ

表1 当院における血縁ドナーコーディネートの流れ

	患者主治医	HCTC	ドナー主治医
事前準備	● 患者家族構成，患者と候補者の関係性などHCTCと情報共有し，ドナー候補者を検索する ● ドナー候補者とのHLA適合度と健康状態の確認 ※HLA不一致ドナーの場合は患者の抗HLA抗体も確認する	● HCTCの立場をドナー候補者へ説明 ※患者の病状によらず中立的な立場であり，ドナーの擁護者として提供の有無にかかわらず相談の窓口となる ● ドナー候補者の健康状態・社会的背景・患者との関係性などについて情報収集し，医師と共有する ※ドナー候補者に明らかな不適格要件がある場合には不要な検査は避けるよう配慮する ● ドナー候補者のHLA検査を受ける意思を確認したうえで検査の手配を行う	
		● HLA適合度をドナー主治医とダブルチェックする ● 患者の抗HLA抗体検査を行っている場合には検査結果を医師とダブルチェックする	● HLA適合度をHCTCとダブルチェックする ● 患者の抗HLA抗体検査を行っている場合には検査結果をHCTCとダブルチェックする
	● ドナー候補者の「説明を聞き，健診を受ける意思」を確認 ※ドナーの家族（配偶者や両親など）に幹細胞提供について了解が得られているかも確認する	● ドナー候補者の意思決定に必要な情報を提供する ※医学的内容以外にも，採取までの流れ，生活への影響，費用，補償など	
ドナー健診	● ドナー候補者およびドナー主治医と日程調整 ● ドナー候補者の受診予約	● ドナー候補者およびドナー主治医と日程調整 ● 必要に応じて健診に同席し，ドナー候補者が自由に発言できる場を整える	● ドナー候補者およびHCTCと日程調整

表1 (つづき)

	患者主治医	HCTC	ドナー主治医
ドナー健診		● ドナー補償のための「ドナー団体傷害保険」について説明する ● ドナー手帳の説明，手帳を渡す ● これまでの説明についてのドナー候補者の理解を確認し，必要時は補足説明する	● 幹細胞提供に関する説明用資料を用いて説明，同意取得を行う ※意思確認に際しては，自由意思を尊重するため，患者・患者家族の同席がないよう配慮する ● 実施する検査について説明 ※当院では，カルテ記載項目と健診項目をあらかじめ電子カルテにセット登録している(表2)
適格性評価〜採取日程調整，採取計画	● 移植に向けた患者の準備をすすめる	● 健診結果をドナー主治医とダブルチェック 【適格の場合】 ● 血縁造血幹細胞ドナー登録センターへ登録し，ドナー団体傷害保険加入申請手続きを行う ● 採取日程調整(ドナー，関連部署と相談)を行う ※末梢血幹細胞採取では，アフェレーシス担当部門と調整 ※骨髄採取では，麻酔科，手術室，輸血部と調整，麻酔科受診の手配，自己血採血の日程調整	● 健診結果を確認して適格性を判断する(必要時はカンファレンスで検討) 【適格の場合】 ● ドナー候補者へ報告⇒採取日程を調整する ● 患者主治医へ報告⇒移植に向けた準備を行う ● 末梢血幹細胞採取計画を立てる(目標CD34細胞数，処理血液予定量，G-CSF製剤投与予定など) ● 骨髄採取計画を立てる(骨髄採取予定量，自己血貯血量など) ● 関連部門への業務依頼を行う 【再検査を要する場合】 ● ドナー候補者へ結果説明と再検査日程調整を行う 【不適格の場合】 ● ドナー候補者へ結果を説明する
造血幹細胞採取			
採取後健診		● 血縁造血幹細胞ドナー登録センターへ「造血幹細胞採取報告書」を記入し提出する ● 重篤な有害事象が発生した際は，血縁造血幹細胞ドナー登録センターへ医師が記載した「重篤な有害事象報告書」を提出し，日本造血・免疫細胞療法学会および(株)厚生会および保険会社に連絡し，ドナー団体傷害保険の補償申請の準備をする	● 採取後健診は採取2〜4週後に行う(PBSCT後に血小板減少が著明な場合は採取1週間後に早める) ● 重篤な有害事象が発生した際は，血縁造血幹細胞ドナー登録センターへ「重篤な有害事象報告書」を記入し提出する．またHCTCと連携し，ドナー団体傷害保険の補償申請の準備をする ● 遠方在住等の事情で，他施設で採取後健診を行う際は，受診時期を把握し，紹介状に健診結果報告のお願いを明記する

表2 当院における血縁ドナー候補の健康診断チェックリスト

項目	内容
問診	□既往歴：血管迷走神経反射(VVR)や悪性高熱症〔骨髄採取(BMH)のみ〕の既往を含む □腰痛・感染症の有無 □生活歴：内服歴，輸血歴，献血歴，アレルギー歴，喫煙歴，飲酒歴など
診察	□一般所見：身長，体重，BMI，PS，バイタルサイン(体温，血圧，脈拍，SpO_2) □理学所見：特に，両肘静脈(穿刺可能かどうか)，脾腫の有無，下肢静脈瘤の有無を確認する
採血検査	□血算(目視) □生化学：TP，Alb，T-bil，BUN，Cre，AST，ALT，LDH，γ-GTP，ALP，CK，CRP，Na，K，Cl，Ca，Glu，T-Chol，LDL-Chol，UA，HbA1c □凝固 □尿検査：一般，沈渣 □輸血関連：ABO血液型，Rh血液型，不規則抗体スクリーニング □感染症関連：RPR，TP抗体，HBs抗原，HBs抗体，HBc抗体，HCV抗体，HTLV-Ⅰ抗体，HIV抗原・抗体(感染症検査に関しては同意書が必要)，CMV抗体など □尿中ヒト絨毛性ゴナドトロピン(HCG)定性(女性のみ妊娠の可能性を除外)
放射線検査	□胸部X線，腹部X線(BMHのみ)
生理検査	□12誘導心電図 □呼吸機能検査(BMHのみ)

た例として，悪性腫瘍の既往(ボウエン病や上皮内がん等の場合，1年以上無再発で経過していれば可．早期がん・進行がんの場合，5年以上無再発で経過していれば可)，肝炎ウイルス既往歴(主治医判断)などがある．

18歳未満の小児ドナー候補は，適格性についてカンファレンスで慎重に検討する．61歳以上の高齢ドナー候補については，他の代替ドナーを選択するケースが増えたこともあり，当院では原則として選択していない．また，明らかにドナーとして不適格な場合には，HLA検査は行わない．

またドナー団体傷害保険の加入適格基準は，骨髄採取と末梢血幹細胞採取でいくつか異なっている点があるので注意を要する(表3)．

表 3 ドナー団体傷害保険の加入適格基準の違い

	骨髄採取	末梢血幹細胞採取
年齢	1~65 歳	10~65 歳
ヘモグロビン （成人男性） （女性・≦15 歳小児）	 ≧13 g/dL ≧12 g/dL	 ≧12 g/dL ≧11 g/dL
肥満（BMI≧30）	不可	可
%VC＜70%，$FEV_{1.0}$%＜70%	不可	可
悪性高熱症の既往	不可	可
顎関節症	不可	可
前立腺肥大	不可	可
T-Chol＞240 mg/dL	可	不可*
尿酸＞8 mg/dL，痛風	可	不可
G-CSF に対する過敏症	可	不可
脾腫	可	不可

*LDL-Chol が 140 mg/dL 未満の場合は可.
〔文献 3）より抜粋〕

B 血縁造血幹細胞ドナーフォローアップ調査とドナー団体傷害保険

1 血縁造血幹細胞ドナー登録センターへの登録

幹細胞採取時の有害事象発生状況の把握，採取後の中長期的な安全性確認のための調査を目的として，日本造血・免疫細胞療法学会（JSTCT）と日本造血細胞移植データセンター（JDCHCT）が共同で，「血縁造血幹細胞ドナーフォローアップ事業」を行っている．なお，2017 年からは，同じく JSTCT と JDCHCT による「造血細胞移植および細胞治療の全国調査」の一環として，血縁ドナーに関する情報収集が一元管理されるようになった．そのため，ドナー登録の際には「全国調査」研究への参加についてドナーの同意取得が必要となる．

- ドナー適格性が確認されたら，“ドナー登録票（様式 1：JDCHCT のホームページ内から入手可能）”にドナーおよび採取に関する情報を記載し，血縁造血幹細胞ドナー登録センターへ FAX にてドナー登録をする．登録後，血縁ドナー登録センターより登録者宛てに，“造血幹細胞採取報告書(様式2)”および“重篤有害事象報告用紙(様式3)”が送付される．

- 採取完了後30日間，ドナーの安全性に問題がないことを確認し，“造血幹細胞採取報告書(様式2)”に記載し，血縁造血幹細胞ドナー登録センターへFAXにて報告する．
- 重篤な有害事象が生じた際には，採取との関連性の有無にかかわらず，“重篤有害事象報告用紙(様式3)”を用いて，血縁造血幹細胞ドナー登録センターへFAXにて報告する．

2 ドナー団体傷害保険への加入

- ドナーおよび患者にドナー団体傷害保険について説明する．
- ドナーの採取前健診の結果から，血縁ドナー団体傷害保険加入適格基準[3](表3)を満たしていることを確認する．加入適格基準に関して判断に迷う場合は，日本造血・免疫細胞療法学会ドナー委員会に問い合わせることが可能である(z-donor-sodan-jshct@umin.ac.jp)．
- ドナー団体傷害保険加入依頼書に必要事項を記載し，(株)厚生会へ送付する．この際，前述の血縁造血幹細胞ドナー登録時に発行される登録番号が必要となる．
- 保険料(2023年11月現在：25,000円)は，パンフレットに記載されている所定口座に，依頼者名で振り込む．

※加入依頼書の送付は幹細胞採取1週間前までに行い，保険料の振込はドナー入院日の前日までに完了させなければならない(入院のために自宅を出発する時点から保険期間となるため)．

C 骨髄バンクドナーの適格性評価

骨髄バンクドナーの適格性評価は，骨髄バンクより委嘱された調整医師が，日本骨髄バンクの適格性基準[1]に則って判定する．日本骨髄バンクのドナー適格性判定基準は，最新版をホームページからダウンロードできる(https://www.jmdp.or.jp/medical/work/qualification.html)．世界的な新型コロナウイルス感染症(COVID-19)蔓延後は，新型コロナワクチン接種後，COVID-19罹患後の適格性判定基準も示されている．キーワード検索が可能な「ドナー適格性判定基準検索システム」[4]は有用である．なお，最新版の基準に沿った判定が求められるため，常に最新情報にあたってほしい．

文献

1) 日本骨髄バンク HP：ドナー適格性判定基準第 3 版，2022.
https://www.jmdp.or.jp/medical/work/qualification.html
2) 日本造血・免疫細胞療法学会 HP：造血細胞移植ガイドライン 造血幹細胞採取第 2 版，2022.
https://www.jstct.or.jp/uploads/files/guideline/02_03_harvest02.pdf
3) 血縁造血幹細胞（骨髄・末梢血）ドナー傷害保険加入適格基準 ver 2.2, 2015.
https://www.jstct.or.jp/uploads/files/facility/tekikaku-kijun150801.pdf
4) 日本骨髄バンク HP：ドナー適格性判定基準検索システム．
https://www.jmdp.or.jp/donor_judgment/

19 アフェレーシス

末梢血幹細胞採取やリンパ球採取などのアフェレーシスは骨髄採取と異なり，全身麻酔が不要なため，患者やドナーへの負担が軽いと考えられている．しかし，末梢血幹細胞採取では，大量の顆粒球コロニー刺激因子(G-CSF)投与が必要であり，予期せぬトラブルに遭遇することもある．安全に採取を行うためには患者・ドナーごとにリスク評価を行い，トラブル時の対処方法について採取前から検討しておくことが重要である．採取にかかわる医師は必ず学会や骨髄バンクのガイドラインやマニュアルを熟読しておく[1~3]．

A 患者からの採取

1 幹細胞の末梢血中への動員と自家末梢血幹細胞採取

悪性リンパ腫の患者では ESHAP や CHASE，ICE，CHOP などの化学療法投与後の造血回復期に採取する．多発性骨髄腫の患者ではシクロホスファミド(CY)大量療法後の回復期に採取されていたが，近年はプレリキサホル(モゾビル®)を併用して G-CSF 単独で動員を行うことが増えてきた．

❶ 化学療法後の G-CSF の投与時期，投与量

①化学療法直後から高用量の G-CSF を投与する方法，②化学療法直後から低用量の G-CSF を投与し採取直前に高用量に増量する方法，③化学療法直後は G-CSF を投与せず採取直前に高用量の G-CSF を投与する方法など，G-CSF の投与時期や投与量はさまざまである．当院では化学療法直後から低用量の G-CSF を投与し，血小板が回復傾向となった時点から高用量の G-CSF を投与している(②の方法)．1日投与量はフィルグラスチム(グラン®)の場合は 400 μg/m^2，レノグラスチム(ノイトロジン®)の場合は 10 μg/kg で，2分割し，1日2回投与を行っている．

グラン®　200 μg/m^2　1日2回　皮下注射

または

ノイトロジン®　5 μg/kg　1日2回　皮下注射

Memo

HPC(hematopoietic progenitor cell)

- シスメックス社の自動血球分析装置で，血算の残余検体を用いて測定が可能である．
- 界面活性剤による溶血の程度が細胞の分化成熟過程で増加する細胞膜リン脂質の量によって異なること(未分化な細胞は染まりにくい)を利用した方法であり，より特異的に未分化な造血細胞を認識できる．
- HPC数の測定は，フローサイトメトリーによるCD34陽性細胞数の測定と比較して「安価，血算の残検体を用いて手技が簡便，短時間で測定可能」という利点がある．
- 当院で自家末梢血幹細胞採取を行った84例の経験では，末梢血においてHPC数はCD34陽性細胞数と高い相関を示しており，採取当日と採取前日のHPC数はアフェレーシスのタイミングを決定する際に有用であった[4]．

アフェレーシスを行うタイミングの決定には造血前駆細胞(HPC)をモニタリングしている．アフェレーシスには危険が伴い，患者の負担も大きいため，できるだけ1回のアフェレーシスで目標量の末梢血幹細胞が採取できるように計画する．アフェレーシス中の採取量の決定や採取産物の末梢血幹細胞の測定はCD34陽性細胞数で行っている．

また「自家末梢血幹細胞移植のための造血幹細胞の末梢血中への動員促進」を効能・効果として2017年に発売されたプレリキサホル(モゾビル®)を多発性骨髄腫の場合は全例に，悪性リンパ腫の場合は必要に応じて併用している．

モゾビル®　0.24 mg/kg　採取前日(採取9～12時間前)　1日1回　皮下注射

2 自己リンパ球採取(CAR-T細胞療法を行うための)

CAR-T細胞療法に用いる自己リンパ球採取については製剤ごとに詳細な手順書が作成されており，それに従って採取する．現時点では，CAR-T細胞療法を実施可能な施設は限られる．

B ドナーからの採取

当院ではG-CSF投与初日に入院することが多く，アフェレーシスが1日で終了すれば4泊5日，2日間を要する場合は5泊6日の入院期間となる．血縁ドナーの場合は，3日間アフェレーシスを行う場合もまれにあるが，非血縁ドナーの場合は2日間までの採取しか認められていない．

ドナーは健常人であるため，安全を最優先に管理する．

1 幹細胞の末梢血中への動員と同種末梢血幹細胞採取

ドナーの場合はG-CSF単独で造血幹細胞の動員を行う．G-CSF製剤投与により脾破裂を起こした症例の報告があるため，G-CSFを投与する前に触診や打診などで脾腫がないことを確認する．また，G-CSF投与時は血栓形成に注意が必要であり，下肢静脈瘤の有無についても再度診察を行う．

① G-CSFの投与時期，投与量

- G-CSFを連日皮下注射し，当院では基本的にday 4から採取を開始しているが，day 5から採取を開始している施設もある．
- G-CSFは1日1回投与で，アフェレーシス当日の朝は開始4時間前に投与している（1日2回に分割して投与している施設もある）．

グラン® 400 μg/m² 1日1回 皮下注射

または

ノイトロジン® 10 μg/kg 1日1回 皮下注射

※当院ではバイオシミラー製剤も使用している．

白血球数，血小板数に応じてG-CSF投与量の減量基準が設けてあり，G-CSF投与前に基準に該当していないかを確認する[2]．白血球数が5万/μL以上まで増加した場合，あるいは血小板数が10万/μL以下に減少した場合はG-CSF投与量を半分へ減量する．白血球数が7.5万/μL以上まで増加した場合，あるいは血小板数が5万/μL以下に減少した場合は，G-CSF投与を中止する．

- 近年，持続型G-CSF製剤（ジーラスタ®）も「幹細胞の末梢血中への動員」として承認されたが，当院でも使用を検討中である．持続型G-CSFを用いた健常ドナーからのPBSC採取について国

内から第Ⅱ相試験の結果が報告された[5]．Pegfilgrastim 7.2 mg単回投与された23例全例で，安全に十分な量のCD34陽性細胞が採取できた(CD34陽性細胞のピークはday 5)．

2 同種リンパ球採取

DLI採血が必要となった場合は再度ドナーの同意と事前検査が必要となる．ドナー適格基準はDLI用の基準があるため詳細はドナーリンパ球輸注(DLI)マニュアルを参照されたい[6]．

骨髄バンクのDLI採血においては採血量は以下のように規定されている．

① 全血は最大400 mLまで．
② 成分採血は，処理血液総量でドナー体重1 kgあたり100 mLが上限．
③ EBVによるPTLDに対するDLIの場合は，原則全血での提供．ただし，移植施設側からの希望があればアフェレーシス2 Lまでの処理が可能(医療委員会での審査が必要)．

3 顆粒球採取

顆粒球輸血は，好中球減少時の難治性感染症を治療する目的で行われる．造血細胞移植においては，好中球生着前に重症感染症を合併し，抗菌薬では改善が困難と考えられる場合に検討される．

❶ 適応

顆粒球輸血は，基本的には健常ドナー由来の顆粒球を輸注することでのみ患者の救命が可能であると判断される場合に限り考慮される．当院では，患者およびドナーの適格性について，国内のガイドライン[7]を参考にして院内基準を設定している．多くの場合，緊急での実施となるが，カンファレンスで検討し慎重に判断されることが望ましい．また，末梢血幹細胞採取と異なりドナー団体傷害保険の対象外であることにも留意する必要がある．採取は原則として外来で行っているが，採取のため大腿静脈カテーテルを挿入する場合や副作用発生のため経過観察が必要となった場合には入院が必要となる．

1 患者の適格性

1. 無顆粒球症の状態の患者が難治性感染症に罹患している．
2. 各種検査にて感染症の証明ができている．
3. G-CSFを使用しても好中球の回復がすぐには得られない．

4. 抗菌薬投与や外科的処置などの治療を行っても十分な改善が得られない.
5. 今後，好中球の回復が期待できる.

② ドナーの適格性

1. 当該患者の血縁者もしくは親類縁者で十分な説明の上，同意が得られている.
2. 年齢は原則として18〜60歳を対象とする.
3. 血液型はABO型，RhD型が一致していることを原則とし，ABO副不適合型ドナーからの採取も可とする.
4. 同一ドナーからの連日採取は可能な限り避けるが，他のドナーを確保困難な場合には2日間までとする.
5. 健診で，造血幹細胞ドナーに準じた健康状態であることが確認できている.
6. G-CSFの使用が可能である.

❷ 顆粒球の採取

当院ではアフェレーシス法(Spectra Optia® のPMNモード)により行っている.

ドナーに対して，顆粒球を採取する12〜18時間前にフィルグラスチム400 μg/m^2 を単回皮下注する. 同時に，デキサメタゾン8 mgを内服してもらう. アフェレーシス時にhydroxyethyl starch (HES)を用いることで顆粒球の採取効率が上がるとされているが，当院では使用していない. 1×10^{10} 個以上の顆粒球を採取することを目標とし，処理量は原則として7,000 mLとしている.

採取後は，輸血後GVHD予防の目的で採取産物に対して必ず15〜50 Gyの放射照射を行う. 当院では15 Gy照射している.

Memo

顆粒球の輸注

放射線を照射後，できるだけ速やかに輸注を行う. 輸注前に，抗ヒスタミン剤および副腎皮質ステロイドの前投薬を行う. 通常の輸血フィルターを用い，成人では200 mLを1〜2時間かけて輸注を行う. 輸注中は，アレルギー反応およびアナフィラキシー，輸血関連急性肺障害などの合併症に注意し，バイタルサインを観察する.

リポソーマルアムホテリシンB(L-AMB)の同時投与により致命的な肺障害を引き起こすリスクが高くなるため，L-AMB最終投与から12時間以上空けて輸注を行う.

C アフェレーシス前の注意点

高用量のG-CSF投与に伴う副作用で多いのは発熱や骨痛である．当院ではNSAIDsは基本的に使用せず，アセトアミノフェンを第一選択にしている．アスピリンは出血のリスクがあるため使用しない．G-CSF投与中は血栓を形成しやすくなるため，十分に水分を摂取するよう指導する．白血球数や有害事象に応じてG-CSF減量基準が設けてあるため，投与する前に必ず基準に該当していないかを確認する．連日の血液検査が必要であるが，アフェレーシス時に穿刺する可能性のある血管(肘静脈など)は温存し，前腕または手背の静脈から採血を行う．

健常ドナーでは採取前に貧血や血小板減少が問題となることは少ないが，自家末梢血幹細胞移植患者では血球の回復が十分でないことも多い．当院では安全にアフェレーシスを行うために，Hb 8.0 g/dL以上，血小板5万/μL以上になるように輸血を行っている．

化学療法後に末梢血幹細胞採取を行う場合は，しばしば発熱性好中球減少症(FN)を合併することがある．感染症を合併すると，サイトカインの影響で幹細胞の採取効率が落ちる可能性があるため，できるだけ感染症を起こさないように管理する．G-CSFによる発熱と感染症との鑑別が困難な場合は，抗菌薬を投与する．また菌血症を起こしていると採取産物にも菌が混入する可能性があるため，発熱時は血液培養を繰り返し行う．一方，健常ドナーへG-CSF投与後に発熱した場合は，感染症を強く疑う症状がなければ抗菌薬は投与せず，採取日の朝にコロナ迅速PCR検査を確認している(2023年11月現在)．

D アフェレーシス

これまでドナーからの末梢血幹細胞採取に伴う死亡事故が，世界で12件報告されている．脱血ルートに伴うトラブル，アフェレーシスに伴うトラブル，血栓症などが主な原因である．また，死亡に至らないまでもアフェレーシス中に心停止をきたした症例もいくつか報告されており，アフェレーシスには危険が伴うことを忘れてはいけない．

ポイント 脱血ルート確保のための穿刺のポイント

- 部屋が寒いと血管が収縮するため，部屋の温度に注意する（少し暑いと感じるくらいがよい）．
- 穿刺の直前にシャワーを浴びてもらうとより血管がみやすい．
- 血管が深い位置にある場合，探らなくてもわかるように，あらかじめマジックなどでマーキングしておく（血管を探りながら穿刺する場合は必ず清潔手袋を着用する）．
- 脱血に使用できる血管は限られているため，失敗した場合は早めに上級医と交代する．

1 脱血ルートの確保

脱血ルートの確保はアフェレーシスを行ううえで重要な手技である．よい脱血ルートが確保できると十分な流量で安定したアフェレーシスを行うことができる．細い血管に留置してしまうと脱血不良を頻回に起こし，時間がかかるだけでなく，採取効率も落ちてしまう．脱血ルートを留置できても十分な速度で脱血できなければ患者やドナーに苦痛を与えるため，血管選びは重要である．十分な速度で脱血できる血管かどうかの判断は，ある程度採取を経験した医師でないと難しい．経験が少なく慣れていない場合は，経験のある医師と一緒に判断する．上肢（肘）からの脱血が困難である場合，大腿静脈からの脱血ルート確保を行う．

❶ 上肢（肘）から脱血ルートを確保する場合

穿刺の対象になるのは肘正中静脈，橈側皮静脈，尺側皮静脈である．患者・ドナーごとに走行は異なるので最も太くてまっすぐな血管を選ぶ．穿刺の30分以上前に貼付用局所麻酔薬を貼付する．失敗した場合に備えて第2候補の血管にも貼付しておく．消毒方法は各種ガイドラインやマニュアルを参照されたい[2)]．当院ではクランプキャス®（内径19 G，外径17 G）などの透析用の穿刺針で穿刺を行っている．

❷ 大腿静脈から脱血ルートを確保する場合

肘静脈よりも太くほぼ確実にルートを確保できるが，穿刺に伴う合併症も多い．当院では放射線科（IVR）でエコーガイド下に穿刺している．ハッピーキャスフェモラル®（内径18 G，外径16 G）で穿刺を行う場合は翌日まで留置せず，アフェレーシス終了後に抜針している．ドナーには主にカテーテル長 15 cm の 8 Fr ダブルルーメンカテーテル（ブラッドアクセス UK カテーテルキット® など）を用いているが，体格が大きいドナーでは先端が IVC まで届かず脱血不良となるリスクがある．患者（自家，CAR-T）にはカテーテル長 25 cm の 12 Fr トリプルルーメンカテーテル（GentleCath™ ブラッドアクセスカテーテルなど）を用いている．十分な流量を確保できるが（返血ルートも確保できる），出血や血栓などの合併症のリスクが高く，抜去後の止血は十分に行う必要がある．また 2 日間採取の場合には，8 Fr や 12 Fr のカテーテルの場合は一晩留置している．

2 返血ルートの確保

脱血ルートを確保した腕と反対の腕にルートを確保する．通常は前腕に 20 G 針で確保している．中心静脈（CV）ルートがある場合は CV ルートを返血ルートに用いてよい．ただし，複数のルーメンがある場合は最も太いルーメンに接続する．CV ポートの場合は返血圧が高くなるため返血ルートとしては不適である．

3 目標採取細胞数の決定

一般的に CD34 陽性細胞数が患者体重あたり 2.0×10^6 個あれば，移植可能と考えられている．ただし，生着不全のリスクが高い移植や PTCY を用いた血縁ハプロ移植では，患者体重あたり 4.0×10^6 個を目標に採取することもあり，最終的にはドナーへの負担を考慮しつつ決定する．2～3 日間アフェレーシスを行っても目標採取細胞数に到達しなかった場合，患者の生着不全リスクや原疾患・前処置などを考慮してそのまま移植するか，原則として，臍帯血や他のドナーへの変更を検討する．

4 処理血液量の決定

自家末梢血幹細胞採取や血縁ドナーからの採取では，末梢血中の造血前駆細胞（HPC）数からある程度必要な血液処理量を予想することができる．当院での処理血液量は 250 mL/kg を超えない範囲で基本的に 10,000 mL に設定している．また，当院では患者・ドナーや採取にかかわるスタッフの負担をできるだけ軽減することを目的に，採取 CD34 陽性細胞数の中間サンプリングを実施している．CMNC モードで採取産物が 50 mL となった時点でサンプリングポートから検体を採取し，CD34 陽性細胞数を測定する．その結果から比例計算で最終採取産物の CD34 陽性細胞数を予測し，処理血液量を調整する．中間サンプリングを行うメリットとしては，①目標採取量を大幅に超えそうな場合は早めに終了することができる，②上限量の 250 mL/kg まで処理量を増やせば，1日で目標を達成できそうな場合は処理血液量を増量し1日で採取を終えることができる(ただし，ドナーの体調に注意)，③上限量の 250 ml/kg まで処理量を増やしても1日で目標を達成できないと判断した場合は，無理に処理血液量を増量せず2日目に備えることができる，などがある．一方，デメリットとして CD34 陽性細胞数を測定する業務が増加することがある．当院で行った末梢血幹細胞採取 52 件(同種 28 件，自家 24 件)の検討では，CD34 中間サンプリングにより血液処理量が 21 件(40%)で増量，10 件(19%)で減量となった[8]．採取産物の CD34 陽性率は中間値と最終値で強い相関を認めたが，自家移植の場合は最終値が有意に高くなっていた．

非血縁ドナーについては骨髄バンクの基準(200〜250 mL/kg)に基づいて設定している．

5 脱血流量

脱血流量が速ければアフェレーシスの時間を短くすることができるが，速度が速すぎると患者・ドナーの負担となる．「造血幹細胞移植の細胞取り扱いに関するテキスト」[1]では，自家移植の患者は患者体重×1.6 mL/分まで，ドナーの場合はドナー体重×1.2 mL/分までと記載されている．また，無理に速い速度に設定すると頻回に脱血不良のアラームが鳴り，採取効率が落ちる．アラームが鳴らず，安定して脱血できる速度に設定することが大切である．当院の経験では，肘静脈から脱血の場合，50〜55 mL/分程度，大腿静脈から脱血の場合は 60 mL/分程度で安定することが多い．骨髄バンクでは血流速度は 50〜80 mL/分に設定することが記載されている．

当院で末梢血幹細胞採取を行う場合は，クエン酸中毒のリスクを減らすために，ACD-A 液 500 mL に対してヘパリン 2,500 単位を加えたものを使用し，ACD-A 液：血液の比率(AC 比)を 1：24 で開始している(時間あたりのクエン酸投与量を減らす効果がある)．ヘパリン起因性血小板減少症の既往を確認するとともに，アフェレーシス終了後の出血傾向に注意する．また外来でドナーリンパ球採取を行う場合は，ヘパリンを混注しない ACD-A 液を抗凝固剤として用いるため，AC 比は 1：15 で開始し，ACD-A 液の流量をさらに増やす場合もある(1：8など)．ただしクエン酸中毒のリスクが高くなるため後述するカルシウムの持続投与による予防を検討する．

6 アフェレーシス中のトラブル

❶ 脱血不良

最も多いトラブルの1つである．穿刺する血管選びが最も重要であるが，十分太い血管を穿刺したにもかかわらず脱血不良になる場合は，以下のことを確認する．

1 患者・ドナーが脱水ではないか(採取中にトイレへ行きたくなることを心配して水分を控える患者・ドナーが多い)

輸液負荷を行う．

2 患者・ドナーが寒いと感じていないか．血管が収縮していないか

体外循環により体温が低下し寒いと感じることが多く，血管も収縮してしまう．部屋の温度を上げ，電気毛布などで患者の体を暖める．

3 駆血帯の位置，締まり具合に問題はないか

透析用の脱血ルートは通常よりも長いため，穿刺部位近くに駆血帯を巻くと脱血できなくなる．十分離れた位置に駆血帯またはマンシェットを巻く．しっかり巻いたつもりでも時間とともに緩くなっていることがある．

4 ハンドグリップを握っているか

握ることを忘れていることもあるので，定期的に握り続けるよう依頼する．

5 脱血ルート先端の位置は適切か

先端が血管壁に当たり十分に脱血できないこともあるので，角度を変えたり，少しルートを抜いたりしてみる．

6 脱血流量は適切か

設定が速すぎることがあるので，少し速度を落としてみる．

以上のことを行っても脱血不良が持続する場合は再穿刺を検討する．

❷ 返血圧の上昇

1 穿刺部の腫れや血管外に漏れている所見がないかを確認

2 返血ラインに異常がないかを確認

3 返血ルートの角度，固定具合の調整

④ 脱血流量を下げる

以上のことを行っても改善しない場合は，再穿刺を検討する．

❸ 血小板凝集

アフェレーシスキット回路内で血小板凝集が生じた場合は，ACD-A液の流入比率をAC比1：12程度まで上げることもある．この場合，クエン酸中毒のリスクが高くなるため，その後の患者の状態に注意する．

❹ クエン酸中毒

抗凝固薬であるACD-A液の注入により血中のカルシウムイオン濃度が低下し発症する．

① 症状

軽症：口のまわりや手足のしびれ，不安感，過呼吸など．

中等症：強度の寒気，手足の攣縮，吐き気，腹痛，胸痛，血圧低下など．

重症：痙攣などのテタニー症状，精神状態の変化，不整脈，喉頭痙攣など．

② リスク因子

女性，低体重，高齢，循環血液量が少ないなど．

③ 予防

当院ではクエン酸中毒の予防のため，採取前日から乳酸カルシウムの内服を行っている．また採取中のスポーツドリンク（ポカリスエット®）の飲用を推奨している．

乳酸カルシウム　1日3g　分3　毎食後　採取前日から採取終了まで内服

採取中にカルシウムの持続点滴を行う施設もあり，「造血幹細胞移植の細胞取り扱いに関するテキスト」[1]に具体的に記載されている．当院では自家末梢血幹細胞採取や自己リンパ球採取では基本的にカルシウムの持続投与による予防を行っている（カルチコール®原液3～5 mL/時）が，ドナーの末梢血幹細胞採取では持続投与を行っていない．

④ 治療

クエン酸中毒の症状が現れたら速やかに対処し，重症化させないことが重要である．カルチコール®投与で対応する．

カルチコール®　5 mL　緩徐に静注

❺ 血管迷走神経反射(VVR)[9)]

- アフェレーシス中の合併症としては頻度が高い．
- 症状：迷走神経刺激による徐脈・心停止，交感神経抑制による血圧低下を起こす．あくびや顔面蒼白，冷汗，悪心・嘔吐を認めることもある．

① 重症度

Ⅰ度：血圧低下，徐脈，顔面蒼白，冷汗，悪心

Ⅱ度：血圧低下(<90 mmHg)，徐脈(≦40 回/分)，意識消失

Ⅲ度：Ⅱ度に加えて痙攣，失禁

② リスク因子

アフェレーシスの場合とは異なるが，献血ドナーにおいては以下のリスク因子が報告されている．失神の既往，強い不安感や緊張感，強い空腹，食べ過ぎ，睡眠不足，体重や血圧が基準値の上限・下限に近い，衣服などにより体を締め付けた状態，水分摂取不足などである．

③ 予防

睡眠を十分取り，水分を十分摂取するように指導する．患者・ドナーが緊張している場合は，緊張を和らげるよう積極的に話しかける．

④ 治療

VVR は短時間のうちに心停止まで進行することがあるため，早期に発見し，重症化させないことが最も重要である．異常を認めた場合は直ちに採取を中止し，人を集める．徐脈が出現し，症状を伴う場合はアトロピン投与を検討する．アトロピンを 0.5 mg 未満に減量して投与すると徐脈がさらに悪化することがあるため，減量してはいけない．血圧低下を認めた場合は下肢挙上，輸液負荷を行い，エフェドリン投与を検討する[10)]．

①アトロピン(0.5 mg/mL)　1 A　静注
効果がない場合は②を追加
②エフェドリン(40 mg/mL)　1 mL を生理食塩水 9 mL にて希釈して，適宜 1～2 mL 静注(血圧の異常上昇をきたさないように慎重に投与)

❻ 排尿，排便に伴うトラブル

立ち上がる際のふらつきや排尿・排便に伴い失神などを起こす可能性があり，看護師の付き添いが望ましい．男性は座って排尿するように指導する．

E アフェレーシス終了後

アフェレーシス終了後は車いすで部屋に戻り，ベッドで少し休憩してもらう．終了後にVVRを起こすことがあるので無理をしないように患者・ドナーに説明する．

1 血小板減少

アフェレーシスによる血小板減少が問題となることがある．当院では血縁ドナーに関しては末梢血幹細胞採取バッグから多血小板血漿(PRP)を分離して返却している．非血縁ドナーの場合は骨髄バンク基準(終了時8万/μL未満)に準じて返却している．

2 抜針，止血

抜針後は圧迫止血をしっかり行う．ACD-A液はすぐに分解されるが，ヘパリンは体内に数時間残存しているため出血に注意する．当院では，特に大腿静脈ルートを抜針する場合は用手的に10分以上圧迫止血し，その後1時間以上ベッド上安静とし，安静解除時には担当医か看護師が立ち会うようにしている．

F 末梢血幹細胞の冷蔵保存

非血縁者間末梢血幹細胞移植においては，1日目に採取された末梢血幹細胞を翌日まで冷蔵保存し，2日目に採取された末梢血幹細胞とまとめて運搬・輸注することも多い．骨髄バンクでは1日目に採取された末梢血幹細胞を翌日まで冷蔵保存する場合は，① 細胞濃度は2×10^8/mL以下が望ましく，それ以上の場合は自己血漿あるいは生理食塩水で希釈する，② ACD比率が1/13以下で採取した場合や希釈した場合は最終産物中で最低1/13となるようにACDを追加する，③2〜8℃で静置保存することが推奨されている[2]．

G 末梢血幹細胞の凍結保存

自家移植においては全例，血縁者間移植においては約 8 割の施設で末梢血幹細胞の凍結保存が行われている．当院では，緊急の再移植の場合を除くと，凍結保存を行うことが多い．非血縁末梢血幹細胞移植の場合は，原則，凍結保存は禁止されていた．しかし，COVID-19 蔓延に対する避難的措置として，採取直前のドナーや採取病院スタッフの感染などにより前処置開始後に移植延期/中止となることを防ぐため，幹細胞凍結により移植を延期することが許可されている．骨髄バンクを介した幹細胞凍結を行った国内 112 例(BM 83 例，PBSC 29 例)の解析によると，採取から凍結までに要した時間の中央値は 9.9 時間(2.6〜44.0)，凍結から輸注までに要した時間の中央値は 231.2 時間であり，移植後早期死亡 3 例を除く 109 例のうち 1 例を除く全例で day 60 までに好中球生着が得られ，幹細胞凍結は安全に実施可能であることが示唆された[11]．凍結細胞を用いた非血縁 PBSCT では，凍結しない場合と比較して好中球や血小板の生着が遅延していた[12]．

当院では，凍害防止液(DMSO)を混合した後にプログラムフリーザーを用いて徐々に冷却し，最終的に－196℃ の液体窒素内に保管している．最終的な DMSO の濃度は 10% で，採取バッグから分離した自己血漿を用いている．また HBV やヒト T 細胞白血病ウイルス(HTLV-I)などの感染症のリスクがある場合は，CP-1® を用いてディープフリーザーに保存している(－80℃)．CP-1® を用いて－80℃ で PBSC を長期保存した検討が報告されており，保存後 1〜5 年は CFU-GM などのリカバリーには問題がなかった[13]．詳細は「造血幹細胞移植の細胞取り扱いに関するテキスト」[1]を参照されたい．

文献

1) 日本輸血・細胞治療学会：造血幹細胞移植の細胞取り扱いに関するテキスト，2015
2) 日本骨髄バンク HP：非血縁者間末梢血幹細胞採取マニュアルホームページ版，2022. https://www.jmdp.or.jp/pdf/medical/physicians/manual/PB_manual_20230710.pdf
3) 日本骨髄バンク HP：ドナーのためのハンドブック第 9 版，2023. https://www.jmdp.or.jp/pdf/donation/handbook_d.pdf
4) Kasane M, et al: Usefulness of hematopoietic progenitor cell monitoring to predict autologous peripheral blood stem cell harvest timing: A single-center retrospective study. Transfus Apher Sci 60: 103150, 2021

5) Goto H, et al. Efficacy and Safety of Single-dose Pegfilgrastim for CD34+Cell Mobilization in Healthy Volunteers: A Phase 2 Study. Transplantation. 2023 Nov 28. Online ahead of print
6) 日本骨髄バンク HP：ドナーリンパ球輸注(DLI)マニュアル第3版，2019. https://www.jmdp.or.jp/pdf/medical/physicians/manual/DLI-Manual-Procedure20191213_2.pdf
7) Ohsaka A, et al: Guidelines for safety management of granulocyte transfusion in Japan. Int J Hematol 91: 201-208, 2010
8) 中林咲織ほか：末梢血幹細胞採取における中間産物中 CD34 陽性細胞数測定の有用性に関する検討．日本輸血細胞療法学会雑誌 In press
9) 日本循環器学会，他：失神の診断・治療ガイドライン，2012
10) 日本麻酔科学会：麻酔薬および麻酔関連薬使用ガイドライン第3版，2012
11) Kanda Y, et al: Cryopreservation of unrelated hematopoietic stem cells from a Blood and Marrow Donor Bank during the COVID-19 pandemic: A nationwide survey by the Japan Marrow Donor Program. Transplant Cell Ther 27: 664. e1-664. e6, 2021
12) Kanda Y, et al: Effect of cryopreservation in unrelated bone marrow and peripheral blood stem cell transplantation in the era of the COVID-19 pandemic: An update from the Japan Marrow Donor Program. Transplant Cell Ther 28: 677. e1-677. e6, 2022
13) Katayama Y, et al: The effects of a simplified method for cryopreservation and thawing procedures on peripheral blood stem cells. Bone Marrow Transplant 19: 283-287, 1997

20 骨髄採取

A 骨髄採取の準備

1 ドナーの適格性評価

日本骨髄バンクの適格性判定基準[1]などに従い，各施設で慎重に適格性を判定する(☞165頁，セクション18)．

骨髄採取は全身麻酔下で施行するため，ドナーへの負担が大きい．安全に採取を行うためにドナーの健康診断を行い(採取の4〜6週間前)，適応を慎重に判断する．検査の結果，基準外の場合は，提供の意思が強くても採取が中止となる．

2 骨髄採取量の決定

同種骨髄移植を行うには，生着に十分な量の骨髄液を採取する必要があり，目標細胞数は骨髄の有核細胞数として患者体重あたり3×10^{8}/kgである．骨髄バンクドナーの場合には採取可能な骨髄液の上限量が決まっている．いかなる場合も「最大採取量」を超えて採取できない．血縁ドナーの場合，成人では800〜1,200 mL程度採取されることが多いが，ドナーの安全性も考慮しながら個々に検討されている．

❶ 骨髄採取計画量

- 標準採取量(1回の骨髄移植を行うために必要な量)
  患者体重(kg)×15 mL/kg＝標準採取量(mL)
- ドナー上限量：採取前健診時のHb値と体重をもとに算出．

ドナー上限量(mL)＝ドナー体重(kg)×採取前健診時のHb値を基準とした採取上限量(mL/kg)
採取前健診時のHb値による採取上限量(男女とも)
1．12.5 g/dL未満の場合，ドナー体重1 kgあたり，12 mL/kg以下
2．13.0 g/dL未満の場合，ドナー体重1 kgあたり，15 mL/kg以下
3．13.5 g/dL未満の場合，ドナー体重1 kgあたり，18 mL/kg以下
4．13.5 g/dL以上の場合，ドナー体重1 kgあたり，20 mL/kg以下
※男性13.0 g/dL未満・女性12.0 g/dL未満は採取中止または保留になる．

※標準採取量とドナー上限量の少ないほうを，骨髄採取計画量とする．

❷ 自己血貯血量

- 自己血貯血量は，骨髄採取計画量－(100〜400 mL)の範囲で決定する．
- 1回あたりの自己血採取量は最大400 mLとする(ドナー体重が50 kg未満の場合は減量が必要である．例えば体重が45 kgの場合は400 mL×45/50＝360 mLが1回あたりの最大自己血採取量となる)．
- 採取される骨髄液の中には多数の赤血球が含まれるため，採取の1〜4週間前に自己血採取を行う．自己血採取後は，血管内ボリュームを維持するために生理食塩水などで補液を行う．女性やHb低値のドナーでは貧血を予防するために鉄剤を処方する．

❸ 最大採取量

- ドナー上限量(同上)
- 骨髄採取上限量：自己血貯血量(mL)＋400 mL
- ドナー上限量と骨髄採取上限量との少ないほうを，最大採取量とする．
- 骨髄バンクドナーから採取を行う場合，最大採取量を超えて採取することはできない．採取中に細胞数をカウントし，最大採取量を超えない範囲で骨髄採取計画量を超えて採取をすることは可能である．

B 骨髄採取の実際

骨髄採取のための入院は通常3泊4日程度である．全身麻酔下で，腸骨に専用の骨髄採取針を刺し，数十〜百回以上注射器で吸引することによって採取する．採取のための手術時間は1〜2時間程度で，麻酔時間は1〜3時間程度である．

麻酔中に骨髄ドナーに緊急の処置が必要な場合には，直ちに採取を中止し，適切な処置を行わなければならない．骨髄バンクドナーからの採取中に何らかの問題が発生した際は，担当地区事務局に連絡する．

手順や物品の詳細は骨髄バンクの採取マニュアル[2)]に準じる．

1 採取針

金属疲労による破損のリスクおよび感染予防の観点からディスポ

針(シーマン社，TSK 社，バクスター社など)の使用が推奨されている．穿刺創の回復を早めるためなるべく細い針(11〜13 G)を用いる．針が深く刺さらないように可能な限り短い針(2 インチ程度)を使用する(脂肪の厚いドナーは除く)．

2 抗凝固剤

骨髄液と希釈液を合わせて全体に対する最終ヘパリン濃度は 10 単位/mL 前後とすることが推奨されている(希釈液に対する濃度ではないことに注意)．

3 希釈液

生理食塩水が推奨されている．組織培養液(RPMI 1640 培地など)の人体へ投与した場合の安全性は確認されていない．

4 マーキングと術野消毒

全例において採取好適部位を判定するため，骨髄バンクが定める採取担当医と術者の 2 名以上で触診のうえ，皮膚消毒前に採取部位皮膚へのマーキングを行う．その後，ポビドンヨードで術野を 3 回以上消毒する．

5 採取部位

両側後腸骨(原則として，上後腸骨棘を中心に腸骨稜後ろ 1/3)から採取する．皮膚穿刺は片側の後腸骨稜で 1〜2 か所(最大 3 か所)とする(図 1)[2]．

6 体位(神経障害と血栓症の予防)

採取中は腹臥位とする．荷重部への圧迫によって起こる神経障害や血栓症への予防対策が重要である．前上腸骨棘などの荷重部位に

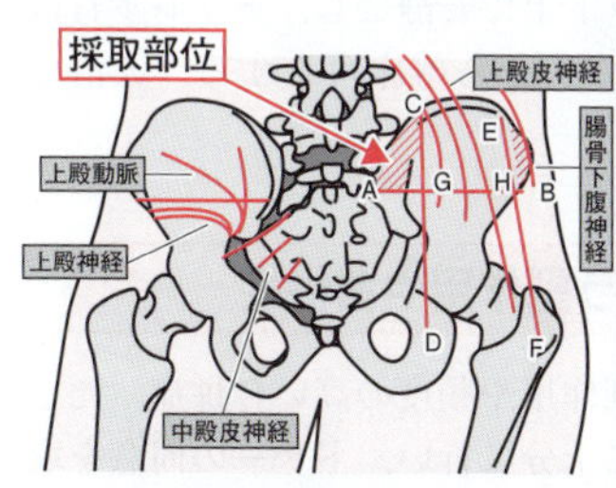

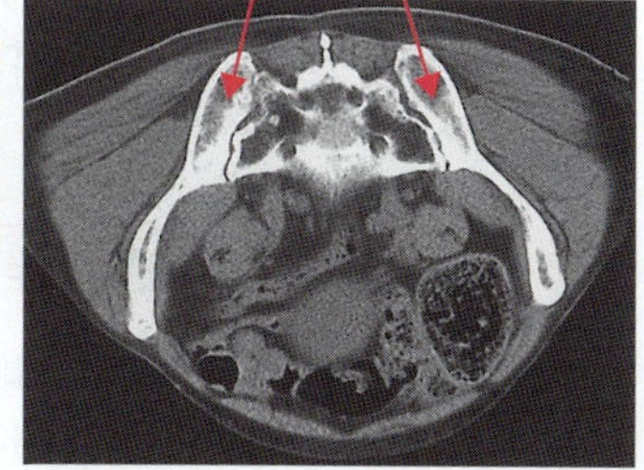

図 1　骨髄採取時の穿刺部位
〔文献 2)より〕

はパッドを当てて保護する(カマボコ型パッドはずれやすく，外側大腿皮神経を圧迫して神経障害をきたすことがあり不可)．血栓塞栓症のリスクを減らすために弾性ストッキング着用や間欠的空気圧迫法により予防を行う．

7 人員配置

計3名以上(採取者はドナーの左右から2名，骨髄処理担当者1名)．

8 骨髄液の採取と処理

上後腸骨棘を目標に垂直に穿刺する(腸骨稜の向きを考えて，やや内側から外側へ向けて穿刺する)(図1)．末梢血の混入を防ぐため5～10 mLの骨髄液を吸引する(当院では，スムーズに吸引できる場合には10 mL程度吸引することも多い)．内針を戻して同部位で5 mm程度進めるか，同じ皮膚の針穴から新しい骨膜部分を穿刺して，同様に骨髄液を吸引する．採取開始後に自己血輸血を開始し，採取速度は500 mL/30分以下とする．採取困難事例においては，腹臥位による合併症(視力障害，皮膚障害，神経障害)のリスクを考慮し，採取時間を3時間以内とすることが望ましい．

一般的に成人では移植に必要な骨髄液は800～1,200 mL程度である．目標細胞数は3×10^8個/kg患者体重とする．採取途中で細胞数のカウントを行い，少ない場合は最大採取量の範囲内で多めに骨髄液を採取する(バンクの場合は特に上限を守る必要がある)．

9 術後の注意点

採取直後は，穿刺部位を十分に圧迫止血する．圧迫は5～10分かけてしっかりと行い，新規の出血がないことを確認してガーゼで圧迫固定する．採取後は基本的にベッド上で安静とし，トイレ歩行は付き添いがあれば可とする．同日夕方から離床可とする．入浴やシャワーは術翌日まで不可とする．

C 骨髄採取および麻酔に伴う副作用や合併症

骨髄採取および全身麻酔に伴う副作用や頻度の高い合併症，死亡を含む重大な合併症の説明を事前に十分に行い，ドナーの同意を取得する必要がある．

最も多いのが，採取した部分の疼痛で，腰痛，咽頭痛，尿道痛，発熱などもみられる場合がある．また，自己血採取時に，まれではあるが血管迷走神経反射（VVR）を起こす場合がある．以下，日本骨髄バンクの「ドナーのためのハンドブック」[3]の記載を引用する．

1 一過性のもの

血圧低下，不整脈．

2 その他

前歯損傷，骨髄穿刺針の破損，喉頭肉芽腫，尿道損傷，血栓症，肺脂肪塞栓症，麻酔覚醒後の一過性半身麻痺，後腹膜血腫，C型肝炎，長期間におよぶ採取部位の疼痛など．

3 まれに起こる重大な合併症

全身麻酔を用いて骨髄採取を行った場合，生命にかかわるような重大な合併症がみられる場合がある．海外のデータによれば，1980～1989年に世界で実施された8,296例の骨髄採取のうち，24例で比較的重大な合併症が起こったと報告されている．これらの合併症の原因として，使用した麻酔薬，感染症，採取に伴う機械的な損傷，輸血などに関連したものが考えられる．

日本骨髄バンクで行われた25,000件以上の採取において，比較的重大な合併症は急性C型肝炎1例，後腹膜血腫1例，肺脂肪塞栓症疑い1例，腸腰筋血腫2例，中殿筋内血腫1例，急性腎機能障害1例，尿道損傷1例，脳梗塞1例などである．

骨髄採取に関連したドナーの死亡例も，世界では6例の報告があり，1例は本邦の事例である．死因としては採取中の心室細動（以前から心電図異常あり），麻酔薬に対するアナフィラキシーショック，麻酔中の呼吸停止（本邦の事例，血縁ドナー），肺動脈塞栓症，重症肺塞栓症（以前よりアンチトロンビンⅢ欠乏症あり），局所麻酔下で昏睡状態に陥り死亡（睡眠時無呼吸症候群と鎌状赤血球貧血あり）であった．その危険性はおよそ10,000回に1回程度と考えられる．

骨髄バンクでは年間700～800件程度の骨髄採取が行われているが，年間数件ほど，後遺障害保険が適用されている（原因としては神経障害が大多数を占める）．

D 骨髄の凍結保存

骨髄は多量の赤血球を含むため保存に手間がかかることもあり，骨髄の凍結保存は血縁者間移植でもあまり行われておらず，非血縁者間移植では原則，禁止されていた．しかし，COVID-19蔓延に対する避難的措置として，採取直前のドナーや採取病院スタッフの感染などにより前処置開始後に採取延期/中止となることを防ぐため，幹細胞凍結により移植を延期することが許可されている．2023年8月に「新型コロナウイルス感染症に伴う特別対応による凍結申請書」が改訂された(凍結した骨髄等が確実に使用されると判断した根拠と使われなかった場合の費用負担について記載が必要)．

日本輸血・細胞治療学会のホームページに，「造血幹細胞移植の細胞取り扱いに関するテキスト」を補完する「骨髄液の凍結保存・解凍・輸注に関する参考資料(暫定版)」が公開されている[4]．骨髄バンクを介した幹細胞凍結を行った国内112例(BM 83例，PBSC 29例)の解析によると，採取から凍結までに要した時間の中央値は9.9時間(2.6〜44.0)，凍結から輸注までに要した時間の中央値は231.2時間であり，移植後早期死亡3例を除く109例のうち1例を除く全例でday 60までに好中球生着が得られ，幹細胞凍結は安全に実施可能であることが示唆された[5]．凍結細胞を用いた非血縁BMTでは，凍結しない場合と比較して好中球や血小板の生着が遅延していた[6]．

文献

1) 日本骨髄バンク HP：ドナー適格性判定基準第3版，2022.
https://www.jmdp.or.jp/medical/work/qualification.html
2) 日本骨髄バンク HP：骨髄・末梢血幹細胞採取マニュアル，2023.
https://www.jmdp.or.jp/medical/physicians/manual.html
3) 日本骨髄バンク HP：ドナーのためのハンドブック第9版，2023.
https://www.jmdp.or.jp/pdf/donation/handbook_d.pdf
4) 日本輸血・細胞治療学会 HP：〈参考資料〉骨髄液の凍結保存・解凍・輸注(暫定版).
http://yuketsu.jstmct.or.jp/wp-content/uploads/2020/05/815c1eca9763a1b8a44728ec6f51352e.pdf
5) Kanda Y, et al: Cryopreservation of unrelated hematopoietic stem cells from a Blood and Marrow Donor Bank during the COVID-19 pandemic: A nationwide survey by the Japan Marrow Donor Program. Transplant Cell Ther 27: 664. e1-664. e6, 2021

第2章

造血細胞移植：入院編

21 移植前の入院時チェックリスト

A 血液検査

採血	**必須項目** □血算 □リンパ球サブセット □生化学 □凝固 □感染症チェック（β-D グルカン，アスペルギルス抗原，C7-HRP または CMV-PCR，トキソプラズマ-IgG，RPR，TP 抗体，各種ウイルス抗体：HSV-IgG，HSV-IgM，VZV-IgG，CMV-IgG，CMV-IgM，EBV-VCA-IgG，EBV-VCA-IgM，EBV-EBNA-IgG，ムンプス-IgG，麻疹-IgG，風疹-IgG，ADV11 型抗体，HTLV-Ⅰ抗体，HIV 抗原・抗体），結核 INF-α □HBs 抗原，HBs 抗体，HBc 抗体，HCV 抗体 □FT3/FT4/TSH □LH/FSH（女性のみ） □BNP，トロポニン I（アントラサイクリン投与歴のある患者） □ハプトグロビン □フェリチン □シスタチン C □HbA1c，グリコアルブミン，血糖日内変動 □ABO 血液型，Rh 血液型，不規則抗体スクリーニング □キメリズム検査用採血（allo の症例のみ） □抗 HLA 抗体：臍帯血移植など HLA 不一致移植では必須（ドナー選定前に行う） Option □血液ガス □*WT-1*，sIL-2R，β_2MG，EBV-DNA 定量（病勢のマーカーになる場合は測定） □KL6/SP-D □HBV-DNA（HBs 抗原，HBs 抗体，HBc 抗体のいずれかが陽性の場合） □便潜血

当院では単純ヘルペスウイルス（HSV），水痘・帯状疱疹ウイルス（VZV），サイトメガロウイルス（CMV），Epstein-Barr ウイルス（EBV），ムンプス，麻疹，風疹の抗体価を ELISA 法で測定している．

B 尿検査

尿検査	□尿検査：随時尿，蓄尿検査(CCr，尿生化学，尿蛋白定量) □尿細管障害マーカー：β_2MG，NAG，NGAL(尿細管マーカーが高値の場合は血清 Cre が正常であっても腎障害のリスクが高いと判断する)

血清クレアチニンが正常であっても，尿検査で糸球体障害や尿細管障害の有無を確認している．

C 便検査

便検査	□便培養検査　□CD トキシン

当院では他院から移植前に転院してくる患者が多いため，便培養検査を行い，耐性菌〔基質特異性拡張型 β-ラクタマーゼ(ESBL)産生菌，メチシリン耐性黄色ブドウ球菌(MRSA)，バンコマイシン耐性腸球菌(VRE)〕の有無の評価を行っている．当院で同種移植を施行した 183 例中 28 例で移植前の便培養で耐性菌(26 例が ESBL 産生菌)を認めた．これらの培養結果をもとに発熱性好中球減少症時の抗菌薬を決定している．

D 画像検査

画像	□胸部 X 線(2 方向)　□腹部 X 線(立位・臥位) □パントモ(歯科用パノラマ X 線撮影) □CT：全身(頭蓋底～鼠径)，基本的に単純 CT を行う □骨塩定量 Option □造影 CT 検査(肝膿瘍，血栓などの評価を行う場合) □FDG-PET/CT(リンパ腫，ATL) □造影 MRI 検査(髄外病変および中枢神経浸潤が疑われる場合) □上部・下部消化管内視鏡(消化管病変の既往がある場合や消化管出血が疑われる場合)

当院では副鼻腔を含め全身の単純 CT 検査を施行し，特に以下の点を確認している．単純 CT 検査でも十分な情報が得られる．

> **Memo**
> **移植前に全身 CT で確認するポイント**
>
> - 副鼻腔：副鼻腔炎の有無.
> - 肺：浸潤影や結節影の有無. 胸水の有無. 気腫性変化の有無.
> - 心臓：心嚢液の有無. 冠動脈および弁の石灰化の程度.
> - 肝・胆嚢：肝臓のサイズの評価. 胆石および胆泥の有無.
> - 腸管：口腔から十二指腸まで，回腸末端から肛門までの走行を確認する. 特に回盲部の腸管の走行および横行結腸の走行を確認しておくと，移植後に腹部超音波検査を行う際の参考となる. また，虫垂も同定しておく.
> - 腎臓・尿管：サイズ，結石，尿管閉塞の有無を確認.
> - 膀胱：異常に拡張していないか確認.
> - 前立腺：サイズを確認する.
> - 子宮：筋腫の有無.
> - 軟部組織：皮下結節などの有無.

E 生理検査

生理検査	□ 心電図 □ 呼吸機能(DL_{CO} も含めた検査を行う) □ 心臓超音波検査 □ 腹部超音波検査(HokUS-10 で VOD/SOS のリスクを評価しておく. 脂肪肝の有無)

- 心臓超音波検査では収縮能(LVEF)だけではなく，心房，心室のサイズや壁の厚さ，拡張能，弁膜症についても評価を行う. また GLS(Global longitudinal strain)を測定し，絶対値が 18% 以下の症例やベースラインから相対的に 15% 以上低下している場合は循環器医にコンサルトしている(☞ 143 頁，セクション 14).
- 腹部超音波検査では通常のスクリーニングに加え，HokUS-10 も全例で施行している(☞ 293 頁，セクション 32).

F 髄液検査

髄液検査・髄注	□ 腰椎穿刺：CNS 浸潤の有無は移植適応にかかわるため早めに検査する □ 髄注：良性疾患や多発性骨髄腫を除くすべての症例で髄液検査と同時に抗がん剤の髄腔内投与(髄注)を行う

• 末梢血中に芽球が多数存在する場合は髄注を延期することがある.

髄注レジメン：メトトレキサート 15 mg＋シタラビン 40 mg＋プレドニゾロン 20 mg＋生理食塩水 3 mL(合計 5 mL)

• 骨髄系腫瘍で，肝障害や粘膜障害がある場合にはシタラビンとプレドニゾロンを選択する場合もある.
• 低髄圧症候群による嘔気や嘔吐，メトトレキサートによる肝障害に注意する.

G 骨髄検査

骨髄検査	□ 骨髄穿刺 ±生検：Dry tap の場合，骨髄線維化を評価する場合など，積極的に生検を施行

H 他科受診

他科受診	□ 歯科：齲歯の評価・治療．抜歯．ブラッシング指導など □ 放射線科：TBI のスケジュール相談 □ 放射線科：中心静脈カテーテル挿入(当院では全例エコーガイド下にトリプルルーメンを挿入している．挿入部位は鎖骨下静脈を第一選択にしている) □ 精神科：精神疾患の既往のある患者や不安の強い患者(つらさの寒暖計も参考にする) □ 婦人科：婦人科疾患の既往がある患者 □ 大腸外科：肛門部病変の既往がある患者や肛門の診察で問題のある患者 □ 耳鼻咽喉科：副鼻腔炎のある患者．膿が採取できれば培養検査に提出 □ 眼科：眼病変の既往がある患者

I HCT-specific comorbidity index(HCT-CI)

移植後の非再発死亡リスクを予測する HCT-CI を移植前に評価しておく(☞ 53 頁，セクション 6).

22 移植前処置の選択

造血細胞移植に先行して施行される大量化学療法や全身放射線照射を，「移植前処置」あるいは「移植前治療」と呼ぶ．前処置の治療強度や治療関連毒性は多彩であり，患者ごとにどの前処置を選択するかを判断しなければならない．

A 移植前処置の目的

- 自家移植における前処置の目的は，血液毒性を気にせずに最大耐用量の大量化学療法による抗腫瘍効果を得ることである．
- 同種移植における前処置の目的は2つあり，①大量化学療法や全身放射線照射により残存する腫瘍細胞を減少させること(抗腫瘍効果)と，②移植片の拒絶を防止するために患者の免疫を抑制すること(免疫抑制効果)である．

B 前処置の強度

- 移植前処置は強度に応じて myeloablative conditioning(MAC)と reduced-intensity conditioning(RIC)の2種類に分類される．
- MAC を用いた移植は「骨髄破壊的移植」あるいは「フル移植」と呼び，RIC を用いた移植は「骨髄非破壊的移植」あるいは「ミニ移植」と呼ぶ．近年，MAC と RIC の中間型の前処置もよく使われるようになってきている．
- MAC と RIC の定義はいくつかあるが，表1の Center for International Blood and Marrow Transplant Research(CIBMTR)の定義が最もよく用いられている[1]．MAC と RIC の中間程度のレジメンとして，FLU/BU4 と FLU/MEL140 があるが，この定義で判断すると前者は MAC，後者は RIC に分類される．

表1 RIC の定義

RIC の条件
TBI(分割照射):8 Gy 以下
BU(Ⅳ):7.2 mg/kg 未満
MEL:140 mg/m^2 以下

〔文献1)より〕

表2 原疾患と GVL 効果の期待度

GVL 効果の期待度	原疾患
高	低悪性度リンパ腫(FL など), ATL, PTCL, CML
中	AML, MDS
低	ALL, 高悪性度リンパ腫(DLBCL など)

C 前処置選択において考慮すべきこと

1 患者年齢

患者が高齢になるにつれ前処置への忍容性は低下するため, 50 歳以下は MAC, 60 歳以上は RIC を用いることが多く, 50〜60 歳の場合は個々の症例ごとに検討される. ただし, 全身状態が不良であったり, 臓器障害がある場合, 濃厚な化学療法歴がある場合, 2 回目以降の移植の場合には 50 歳以下でも RIC を用いることがある. 一方, 60 歳代の患者に FLU/BU4 などの MAC を用いる場合もある.

2 原疾患

原疾患の種類, 病期, 残存病変の部位, 前治療歴を検討する.

❶ 原疾患の種類

- 原疾患により移植片対白血病(GVL)効果の得られやすさは異なり, 一般的には進行の遅い腫瘍ほど GVL 効果の恩恵があると考えられている. 各疾患の GVL 効果の期待度を表2に示す. GVL 効果の高い疾患で MAC による毒性が懸念される場合は, 50 歳以下でも無理に MAC を用いず RIC を用いることがある(濾胞性リンパ腫など).
- 前処置薬ごとに抗腫瘍効果に特徴があり, BU は骨髄系腫瘍に対して，MELはリンパ系腫瘍に対してより有効と考えられている（各疾患における前処置の選択は☞56～138頁，セクション7～13を参照）．

- また原疾患により，移植後に安全に投与可能な分子標的薬があり，維持治療ないし先制攻撃治療を実施可能な場合には（☞492頁，セクション48を参照），前処置強度を無理に上げないことがある．

❷ 病期

- 原疾患のコントロールが悪い場合は，可能な限り強度を上げた前処置を用いる．非寛解の症例は寛解の症例より治療強度を上げた前処置を用いることが多い．

❸ 残存病変の部位

- 中枢神経（CNS）病変があるときは全身放射線照射（TBI）を含めた前処置を検討するが，全脳全脊髄照射を行う場合はTBIを含まない前処置も検討する．

❹ 前治療歴

- 前治療歴は，生着不全のリスクや臓器障害のリスクに多大な影響を及ぼす〔前処置開始前の末梢血中のリンパ球絶対数（ALC）を確認する〕．
- リンパ腫などでリンパ球抑制の強い前治療歴がある場合，生着不全のリスクが低下する．特にリンパ腫に対する自家移植後に同種移植を施行する場合は，すでにリンパ球が強く抑制されており，生着不全のリスクは低いが，ミニ移植であっても前処置に伴う臓器障害が予想以上に強くでる場合がある．
- 一方，未治療の骨髄異形成症候群（MDS）など前治療歴がない場合は，骨髄に残存する腫瘍やレシピエントのリンパ球が抑制されていない影響で，生着不全のリスクは高いため，免疫抑制効果の高い前処置を選択する．

3 ドナーソース

- 非血縁者間移植では，血縁者間移植より前処置による免疫抑制を強化する．
- ドナーソースごとに輸注細胞に含まれているリンパ球数が異なり，生着不全のリスクが異なる．骨髄移植では，末梢血幹細胞移植より前処置による免疫抑制を強化する．臍帯血移植は最も生着

表 3　障害臓器ごとの前処置時の注意事項

障害臓器	前処置時の注意事項
肝臓	BU，ETP（VP-16）の投与を避ける．
心臓	大量 CY の投与を避ける．
肺	高線量 TBI 照射やラニムスチン（MCNU）の投与を避ける．
腎臓	薬剤の減量を検討する*． 放射線腎症の可能性を考慮する．
中枢神経（白質脳症など）	大量 Ara-C の投与を避ける．

*腎障害時の薬剤の減量については，ガイドライン[2)]を参照．

不全のリスクが高いため，免疫抑制の強い前処置を選択する．

4 HLA 適合度

HLA 不適合ドナーからの移植では，適合ドナーからの移植よりも生着不全のリスクが高いため，前処置による免疫抑制を強化する．

5 併存合併症

併存合併症によっては使用できる薬剤が制限され，MAC の施行が困難な場合がある．その場合には，若年者であっても RIC を選択する．また各障害臓器と前処置時に注意すべき薬剤，放射線の例を表 3 に挙げる．

D 前処置で用いる抗がん剤，放射線

移植前処置に用いられる抗がん剤や放射線について，その副作用と対処方法に精通しておく．

1 全身放射線照射（TBI）

レシピエントへの免疫抑制効果が強く，中枢神経系および性腺領域に対しても抗腫瘍効果がある．また，化学療法抵抗性の腫瘍に対しても効果が期待できる場合がある．

MAC において 12 Gy 照射を行う場合，分割照射が多く用いられている．1 回あたりの分割照射量は 2～3 Gy と各施設で異なっている．当院では 12 Gy 照射の場合，2 Gy×2 回×3 日間に分割し照射している．また，肺合併症のリスクを避けるため 12 Gy 照射を行う場合は肺遮蔽を行っている（鉛ブロックを用い，肺に対する最大許

容照射量は8 Gyとしている)．施設によっては妊孕性保護のため卵巣遮蔽を行うこともある．RICにおいて，生着不全のリスクを下げるため2〜4 Gyの照射を行うことも多い．

TBI後の急性期合併症として，悪心・嘔吐，唾液腺炎(高アミラーゼ血症をきたす)，口腔や消化管の粘膜障害，皮膚障害がある．また，生着後の合併症として，間質性肺炎，腎障害，肝中心静脈閉塞症(VOD/SOS)，不妊，白内障，甲状腺機能異常，二次がんなどがある．

❶ 悪心・嘔吐予防(1日2回照射の場合)

午前の照射前に下記を用いる

①デキサメタゾン　3.3 mg＋ヒドロキシジン(アタラックス®-P)　25 mg＋グラニセトロン　3 mg　15分で点滴静注

午後の照射前に下記を用いる．

②ヒドロキシジン(アタラックス®-P)　25 mg＋グラニセトロン　3 mg　15分で点滴静注

※1日1回照射の場合は照射前に①を投与する．

❷ 皮膚保護

親水軟膏　照射後に全身に塗布

2 シクロホスファミド(CY)

MACの前処置として古くから用いられており，通常CY 60 mg/kgを2日間投与される．近年，ハプロ移植時のGVHD予防として移植直後にCY 40〜50 mg/kgを2日間投与する方法もよく用いられる．CY大量投与時は出血性膀胱炎や心毒性を合併することがよく知られており，まれに致死的なCY心筋症を起こす(☞ 307頁，セクション33)．CY心筋症の明らかなリスク因子は同定されておらず，予測は困難である．出血性膀胱炎を予防するために大量輸液(心機能に問題なければ2〜3 L/m^2/日)とウロミテキサン® 投与を行う．大量CY投与時の尿のアルカリ化は(腫瘍崩壊症候群を懸念してか)古い時代から慣習的に行われてきた．しかし，尿のpHが上昇することにより，アクロラインなどのCY代謝産物による尿管・膀胱上皮障害へ悪影響を与えるという報告がある[3)]．本マニュアル第1版ではCY投与時にメイロンを混注する処方例を提示していたが，最近はメイロン® 混注や尿pHチェックは行っておらず，今回の改訂時に削除した．

抗利尿ホルモン分泌異常症(SIADH)を起こすことがあるため，輸液中のNa濃度に注意する．当院では輸液1LあたりNa 100 mEq以上をあらかじめ入れているが，1日2回採血モニタリングを行いNa投与量の調整をしている．

また，CYの代謝産物が肝毒性を有し，VOD/SOSの発症に関与している．BU/CYを用いた前処置では，BUがCYの代謝に影響するため，BU終了後24時間以上の間隔を空けてCYを投与すると，CYの毒性が軽減される．また，CYをBUよりも前に投与する方法も試みられている．抗真菌薬(イトラコナゾール，ボリコナゾール，ポサコナゾール)はCYの代謝に影響して，肝臓などの臓器毒性が増強するため併用を避ける．当院では，CY投与日および前後2日は，一時的に他剤(ミカファンギンなど)に変更して対応しているが，移植後CYの場合は抗真菌薬のスイッチによりカルシニューリン阻害薬の血中濃度が影響を受けるため注意を要する．

❶ 当院におけるCY投与時の指示(CY投与日〜投与終了翌日まで)

- 心電図モニター装着(24時間)
- 体重測定：1日2回．前処置開始前の体重から+2 kg以上のとき，フロセミド(ラシックス®)20 mg静注
- 尿量指示：6時間あたりの尿量が1,000 mL以下のとき，フロセミド(ラシックス®)20 mg静注
- 尿潜血チェック：尿潜血が陽転化したときは，輸液量を増やす．
- 電解質：血液検査を1日2回行う．特にNa濃度に注意し，低Na血症(<130 mEq/L)をきたさないように，Na投与量を増量する．
- トロポニンI，CK-MB，BNP：CY投与翌日および投与1週間後に測定する．

❷ 悪心・嘔吐予防

移植前処置の中でもCY投与時は，悪心・嘔吐の出現頻度が高い．当院では，グラニセトロンやデキサメタゾンに加えて，アプレピタント(イメンド®)も併用している(☞265頁，セクション28)．CY投与の初日にアプレピタント125 mg，CY投与の2日目および3日目に80 mgを内服している．

3 フルダラビン(FLU)

RIC レジメンの基本薬剤として FLU 25〜30 mg/m^2/日を 5〜6 日間投与する．アルキル化剤と相乗効果があるため BU や MEL と併用されることが多い．腎排泄のため腎障害を有する患者では用量の調節が必要とされるが，移植前処置では臨床上問題となることは少なく，当院では基本的に減量は行っていない．嘔気・嘔吐の出現率は低く，制吐剤の予防投与は行っていない．

4 ブスルファン(BU)

特に骨髄系腫瘍に対して抗腫瘍効果があるとされるが，当院ではリンパ系腫瘍に対する前処置に使用することもある．静注製剤の開発により，体内薬物動態が安定化し，多くの症例で血中濃度が有効安全域に保たれるようになった．中等度の催吐性を有し，投与終了後も遷延性の嘔気・嘔吐を認めることがある．また，重篤な有害事象として肝中心静脈閉塞症(VOD/SOS)などの肝障害を起こす．痙攣は予防しなければ約 10% に発症するため，予防投与が重要である．近年，カルバペネム系抗菌薬や BU との薬物相互作用が少ないレベチラセタム(イーケプラ®)が開発され，当院では主に用いている．バルプロ酸(n＝45)とレベチラセタム(n＝46)を比較した当院の後方視的解析では，痙攣発症例は両群でおらず，抗痙攣薬による副作用として薬疹はバルプロ酸使用群で多かった(20% vs. 0%，P＝0.001)[4]．

レベチラセタム〔イーケプラ® 錠(500 mg)〕 1 日 2 錠 分 2 BU 開始 2 日前〜BU 終了 2 日後まで内服

または

バルプロ酸ナトリウム〔デパケン® R(200 mg)〕 1 日 4 錠 分 2 BU 開始 2 日前〜BU 終了 2 日後まで内服

バルプロ酸投与中は相互作用の観点から原則としてカルバペネムの投与をしない．

5 メルファラン(MEL)

MEL 大量投与時には消化管の粘膜障害(特に口腔粘膜障害)が高頻度に発生する．口腔粘膜障害の予防に口腔ケアによる保清が重要である．氷片を用いた口腔内冷却療法(クライオセラピー)が有効であるとする報告が多く，当院でもクライオセラピーを行っている(☞ 272 頁，セクション 29)．

MEL 投与 15 分前から終了後 30 分まで口腔内に氷片を含有

※クライオセラピーで粘膜障害が軽減できるのは口腔内だけであり，消化管全体に対する軽減効果はないことに注意する．

6 シタラビン(Ara-C, CA)

TBI/CY などの MAC の前処置強度を上げるため，レジメンに追加して用いることが多い．ALL における単施設の 55 例の検討では，TBI/CY に Ara-C(2 g/m^2×4 回)を追加することの有効性が報告されている[5]．また AML/MDS に対する臍帯血移植において TBI/CY に Ara-C を追加することにより，NRM に影響を与えず，再発死亡や全死亡が軽減していた[6]．追加する Ara-C の量に関する解析では，3 g/m^2×4 回(3 g/m^2 は国内での適応は小児のみであり，成人では適用外となる)のほうが 2 g/m^2×4 回よりも OS が良好であった．TBI/CY に Ara-C を追加する効果は，成人 ALL に対する臍帯血移植でも同様に認めたが[7]，成人 AML/MDS[8]や成人 ALL[9]に対する BMT/PBSCT では認めなかった．

当院では AML や ALL の患者に対して CY/TBI に Ara-C を加えた Ara-C/CY/TBI や，FLU/BU4 に Ara-C を加えた Ara-C/FLU/BU4 を行うこともある．Ara-C は 2 g/m^2×2/日を 2 日間投与している．骨髄系腫瘍に対する抗腫瘍効果を増強させるために，G-CSF を併用する施設もある．大量 Ara-C 投与時は角膜炎，発熱，皮疹，心膜炎，中枢神経毒性(特に小脳失調)に注意する．予防策としては当院ではステロイドの全身投与および点眼を行っている．

ヒドロコルチゾン(ソル・コーテフ®) 100 mg Ara-C 投与前に静注

- 点眼指示：大量 Ara-C 開始日～投与終了日まで(眼症状がある場合は症状消失までステロイド点眼を行う)．

フルメトロン® 点眼液 0.1% 1 日 6 回点眼(Ara-C 投与開始時，投与終了時，投与終了 3 時間後)

7 エトポシド(ETP, VP-16)

自家移植の前処置としてよく用いられているが，同種移植ではリンパ系腫瘍に対する前処置強度を上げるため，レジメンに追加することがある．特に小児 ALL 患者においては，VP-16/CY/TBI レジメンの優れた成績が国内レジストリデータで示されている[10]．小児では大量 VP-16(60 mg/kg)を用いられることが多いが[10]，成人においては中等量 VP-16(30 mg/kg)を TBI/CY と併用されることが多い[11]．ALL に対する BMT/PBSCT の全国調査においても，TBI/CY に中等量 VP-16(30～40 mg/kg)を加えることにより，有意な再発の減少と無白血病生存率の改善が示されている[12]．当院では，ALL の患者に対して，CY/TBI に VP-16(15 mg/kg/日を 2 日間)を加えた VP-16/CY/TBI を行うことがある．VP-16 濃度が高いとバッグ内で薬剤が析出する可能性があるため，VP-16 100 mg あたり 250 mL 以上の生理食塩水で溶解し，調剤後は早めに投与する．また，希釈なしで原液をシリンジポンプを用いて投与する場合は，ルートの破損に注意する．当院では，ポリ塩化ビニル(PVC)フリーのサフィード延長チューブ®(内径 1.1 mm，長さ 100 cm 容量 1.0 mL)を用い，三方活栓を要するルート連結部分を少なくし，連結部分以降はメインの輸液で濃度を薄めることで対応している．また高用量で投与する場合は，粘膜障害や不整脈の出現に注意する．

8 抗ヒト胸腺細胞免疫グロブリン(ATG)

レシピエント T 細胞を抑制して生着を担保する移植前処置としての役割と，ドナー T 細胞を抑制する GVHD 予防薬としての役割がある．投与量や投与タイミングによってドナー T 細胞の抑制効果の程度は大きく異なる．高用量または投与タイミングが移植日に近いほど，ドナー T 細胞の抑制効果が高く GVHD 予防効果は高まるが，ドナー T 細胞を抑制し過ぎると，生着不全や感染症のリスクが増大する．移植前処置における ATG の至適な投与方法は確立していないため，使いこなすには経験が必要である．

ATG 投与量などの詳細については GVHD 予防のセクション 23 (☞ 220 頁)に記載する．

9 ラニムスチン(MCNU)

ニトロソウレア系のアルキル化剤であり，リンパ腫の自家移植レジメンである MEAM 療法や MCEC 療法に用いられる．副作用として間質性肺炎が知られており，特に移植前に肺障害を有する患者では注意を要する．

10 チオテパ(TT)

エチレンイミン系のアルキル化剤であり，血液脳関門を通過しCNS移行性が高いという特徴をもつ．小児悪性固形腫瘍(神経芽腫，髄芽腫，網膜芽細胞腫，ユーイング肉腫など)に対してMELとの併用で，またCNSリンパ腫に対してBUとの併用で，自家移植レジメンに用いられる(他の抗がん剤との組み合わせは保険適用外となる)．中枢神経系原発悪性リンパ腫に対する自家移植成績についての国内レジストリデータ解析(n＝108)では，TTを含む移植前処置施行例(n＝18)において疾患制御が良好であったと報告された[13]．BU/TTを用いてリンパ腫に対する自家移植を行った51例のexpanded-access clinical studyでは，短期的な安全性は問題なかった[14]．当院では，BU/TTを用いた自家移植後にVOD/SOSを合併した症例を経験して以降は，高齢者や肝機能障害合併者ではBUの減量を検討することもある．

TTは汗へ排泄され皮膚障害(色素沈着や表皮剝離など)をきたすことが知られており，特に大量投与を要する自家移植レジメンや持続投与を行うことの多い小児レジメンでは皮膚障害予防が重要である．当院では，皮膚障害予防のために，下記の点に注意している．

- シャワー浴(1日1〜2回，リサイオ® 投与後6時間以降)，水分を擦らずに押さえるように拭き取る．
- 皮膚外用薬の中断(投与開始から最終投与後36時間まで)
- シーツ交換(1日1回，投与開始日から4日間)
- CVドレッシング材交換(1日1回，投与開始日から4日間)

E 当院における移植前処置の実際

1 MAC

❶ CY/TBI 12 Gy

MACの基本レジメンであり，若年ALL患者や一部のAML患者によく用いられている．TBIのスケジュールを放射線治療部と平日に調整することを優先して，幹細胞輸注やCY投与のタイミング(TBI→CY，またはCY→TBI)を合わせることが多い．TBI終了日の夕方以降に造血幹細胞輸注を行うこともある．またTBIの後にCY投与を行うスケジュールもよく使われており，その場合は

CY 投与日を day −3, −2 に設定する.

- TBI は朝, 夕に 2 Gy ずつ, 計 3 日間, 6 分割で照射している.

day	−5	−4	−3	−2	−1	0
CY 60 mg/kg	↓	↓				
TBI 2 Gy×2			↓	↓	↓	

- 処方例 day −5〜−3 を下記に示す.

	薬品名・規格	投与量	点滴時間	−5	−4	−3
ルート①	生理食塩水	500 mL	8 時間	10:00	10:00	10:00
	ソルデム® 3A	500 mL		18:00	18:00	18:00
				26:00	26:00	26:00
ルート②	グラニセトロンバッグ	3 mg/50 mL	15 分	10:45	10:45	
	デキサメタゾン注	3.3 mg				
	エンドキサン® 注	60 mg/kg	3 時間	11:00	11:00	
	生理食塩水	500 mL				
	生理食塩水(流し用)	50 mL	15 分	14:00	14:00	
ルート③	ウロミテキサン® 注	24 mg/kg	30 分	11:00	11:00	
	生理食塩水	100 mL		15:00	15:00	
				19:00	19:00	
	グラニセトロンバッグ	3 mg/50 mL	15 分	21:00	21:00	

❷ BU/CY

MAC の基本レジメンであり, 若年の AML, MDS 患者でよく用いられていた. TBI/CY と比較すると, 肺障害が少ないが, VOD/SOS のリスクは高くなる. また, BU のリンパ球抑制効果が限定的であることから, HLA 不一致非血縁 BMT などでは, 生着不全や混合キメラのリスクが TBI/CY よりも少し高い.

day	−8	−7	−6	−5	−4	−3	−2	−1	0
BU 3.2 mg/kg	↓	↓	↓	↓					
CY 60 mg/kg						↓	↓		

- 処方例 day −8〜−4 を次に示す. 当院では, BU は 1 日 1 回点滴投与をしている.

	薬品名・規格	投与量	点滴時間	−8	−7	−6	−5	−4
ルート①	ソルデム® 3A	500 mL	12 時間	10:00	10:00	10:00	10:00	10:00
	ソルデム® 1	500 mL		22:00	22:00	22:00	22:00	22:00
ルート②	グラニセトロンバッグ	3 mg/50 mL	15 分	10:45	10:45	10:45	10:45	
	ブスルフェクス®	3.2 mg/kg	3 時間	11:00	11:00	11:00	11:00	
	生理食塩水(希釈用)	11 倍希釈						
	生理食塩水(流し用)	50 mL	15 分	14:00	14:00	14:00	14:00	
	グラニセトロンバッグ	3 mg/50 mL	15 分	21:45	21:45	21:45	21:45	

※嘔吐リスクが高い症例では，10:45 のグラニセトロンバッグにデキサメタゾン注 3.3 mg を追加する．

- 処方例 day −3〜−1 を下記に示す．

	薬品名・規格	投与量	点滴時間	−3	−2	−1
ルート①	生理食塩水	500 mL	8 時間	10:00 18:00 26:00	10:00 18:00 26:00	10:00 18:00 26:00
	ソルデム® 3A	500 mL				
ルート②	グラニセトロンバッグ	3 mg/50 mL	15 分	10:45	10:45	
	デキサメタゾン注	3.3 mg				
	エンドキサン® 注	60 mg/kg	3 時間	11:00	11:00	
	生理食塩水	500 mL				
	生理食塩水(流し用)	50 mL	15 分	14:00	14:00	
ルート③	ウロミテキサン® 注	24 mg/kg	30 分	11:00 15:00 19:00	11:00 15:00 19:00	
	生理食塩水	100 mL				
	グラニセトロンバッグ	3 mg/50 mL	15 分	21:00	21:00	

❸ エトポシド(VP-16)/CY/TBI[11]

若年の ALL 患者に対して CY/TBI の抗腫瘍効果の増強のため，VP-16 を併用することがある．

day	−7	−6	−5	−4	−3	−2	−1	0
VP-16 15 mg/kg	↓	↓						
CY 60 mg/kg			↓	↓				
TBI 2 Gy×2					↓	↓	↓	

※小児の場合は，年齢によって VP-16 投与量が異なる．

❹ Ara-C/CY/TBI[5)]

先に Ara-C を投与して，CY 投与後に TBI を行う場合もある．

day	−8	−7	−6	−5	−4	−3	−2	−1	0
Ara-C 2 g/m²×2				↓	↓				
CY 60 mg/kg						↓	↓		
TBI 2 Gy×2	↓	↓	↓						

2 強度中間型の前処置

❶ FLU/BU4

FLU/BU4 は，BU/CY とのランダム化比較試験[15)]で原疾患の再発が多かったが，欧米では BU/CY から置き換わって広く用いられている．CIBMTR の定義上は[1)]MAC に分類されるが，毒性が少ないため，50 歳代〜60 歳代の患者で使用されることも多い．BU のリンパ球抑制効果が限定的であることから，非血縁 BMT の場合は TBI 2 Gy を併用することもある．

day	−7	−6	−5	−4	−3	−2	−1	0
FLU 25〜30 mg/m²	↓	↓	↓	↓	↓	↓		
BU 3.2 mg/kg		↓	↓	↓	↓			

❷ FLU/MEL140

FLU/BU4 と同じく広く用いられている強度中間型のレジメンで，レシピエントのリンパ球抑制効果が高い．CIBMTR の定義上は RIC に分類されるが，特に前治療歴の長いリンパ腫などの患者では FLU/BU4 よりも毒性が強いこともある．

day	−7	−6	−5	−4	−3	−2	−1	0
FLU 25〜30 mg/m²	↓	↓	↓	↓	↓	↓		
MEL 70 mg/m²					↓	↓		

❸ FLU/BU4/MEL80

FLU/BU4における抗腫瘍効果を高め，生着不全リスクを低減させるために，MEL80を追加したレジメンであり，特にCBTにおいて日常診療で汎用されているレジメンである．非寛解期骨髄系腫瘍に対するFLU/BU4/MEL80レジメンを用いたCBTの成績についての国内単施設の後方視的解析(n=51)では，移植後2年時点での再発率は19.6%，非再発死亡率は25.5%，OSは54.9%であった[16]．また非寛解期AMLのレジストリ解析では，FLU/BU4/MEL 80レジメン使用例のほうが従来型のMACレジメンよりも移植後再発が少なくOSが有意に良好であった[17]．

day	−7	−6	−5	−4	−3	−2	−1	0
FLU 30 mg/m^2	↓	↓	↓	↓	↓	↓		
BU 3.2 mg/kg	↓	↓	↓	↓				
MEL 40 mg/m^2					↓	↓		

3 RIC

❶ FLU/BU2

安全性の高いRICレジメンである．BUのリンパ球抑制効果が限定的であることから，移植後1か月の時点では，T細胞キメリズムが混合キメラのことも多い．非血縁BMTでは，生着を担保するためTBI 2 Gyを併用することが多い．

day	−7	−6	−5	−4	−3	−2	−1	0
FLU 25〜30 mg/m^2	↓	↓	↓	↓	↓	↓		
BU 3.2 mg/kg			↓	↓				

❷ FLU/MEL80

FLU/BU2と比較すると，レシピエントのリンパ球抑制効果が強く，CBTでは優先して用いられる．CBTではTBI 4 Gyを併用することが多かったが，近年TBIの代わりにBU 2〜4日間投与を併用することもある．また原疾患の状態に応じてMELを100 mg/m^{2}へ増量することもある．

day	−7	−6	−5	−4	−3	−2	−1	0
FLU 25〜30 mg/m^2	↓	↓	↓	↓	↓	↓		
MEL 40 mg/m^2					↓	↓		

Memo

RICにおける少量TBI(2〜4 Gy)の使い方

主に非血縁者間移植においてレシピエントの免疫細胞を抑制し，生着不全のリスクを減らすために用いる．MELを併用する場合は，投与量が多いとリンパ球抑制効果は十分と考えてTBIを省くこともあり，MEL140だとほぼ不要と考えられる．非血縁BMTの大多数ではTBI 2 Gyを用いるが，CBTではTBI 4 Gyを用いることが多い．ただし，再生不良性貧血，(特に未治療の)MDS，原発性骨髄線維症などの疾患では，生着不全リスクが高いため，BMTでもTBI 4 Gy追加を検討するケースもある．

4 再生不良性貧血

❶ FLU/CY/ATG[18)]

再生不良性貧血に対する前処置として，以前はCY/ATGがよく用いられていたが，近年，FLUを併用することが増えてきた．当院では，患者背景やHLA不一致を考慮して，生着担保のためTBI 2〜4 Gyを追加し，ATGはサイモグロブリン®の総投与量として2.5〜5 mg/kgを用いている(☞136頁，セクション13)．

day	−6	−5	−4	−3	−2	−1	0
FLU 30 mg/m^2	↓	↓	↓	↓			
CY 25 mg/kg	↓	↓	↓	↓			
ATG 1.25〜2.5 mg/kg			↓	↓			

5 自家移植

❶ MEAM

- リンパ腫に対する自家移植レジメンとして欧米で汎用されているBEAM療法のBCNUをMCNU(サイメリン®)に置き換えたレジメンであり，当院において最も使用頻度が高い．
- MCECやLEEDと異なり，大量CYを含まないため，心筋傷害(出血性心筋炎)のリスク低減を図ることができる．国内で自家移植を受けた再発・難治性DLBCL 2,280例において移植前処置を比較した解析では，MEAM療法がMCEC療法やLEED療法と比較して有意に移植後再発が少なく，PFS が良好であった[19)].

day		−6	−5	−4	−3	−2	−1	0
MCNU	300 mg/m^2	↓						
Ara-C	200 mg/m^2×2 回*1		↓	↓	↓	↓		
VP-16	200 mg/m^2		↓	↓	↓	↓		
MEL	140 mg/m^2*2						↓	

*1 Ara-C は 2 時間で点滴静注(1 日 2 回×4 日間).
*2 MEL 投与後に 1 日インターバルを入れる場合もある.

❷ MCEC[20)]

- リンパ腫に対する自家移植の基本レジメンの 1 つであり，60 歳以下の全身状態がよい患者を対象とすることが多い.
- CD20 陽性 B 細胞リンパ腫に対しては前処置開始前にリツキシマブを併用することがある[20)].

day		−8	−7	−6	−5	−4	−3	−2	−1	0
MCNU	200 mg/m^2	↓								
CBDCA	300 mg/m^2		↓	↓	↓	↓				
VP-16	500 mg/m^2			↓	↓	↓				
CY	50 mg/kg						↓	↓		

❸ LEED

- リンパ腫に対する自家移植の基本レジメンの 1 つであり，MCEC よりも安全性が高いとされるが，当院の解析では OS は不良である.

day		−4	−3	−2	−1	0
MEL	130 mg/m^2				↓	
VP-16	500 mg/m^2	↓	↓	↓		
CY	60 mg/kg	↓	↓			
DEX	40 mg	↓	↓	↓	↓	

❹ MEL200

- 骨髄腫に対する基本レジメンである．

day	−3	−2	−1	0
MEL 100 mg/m^2	↓	↓		

❺ BU/TT[13, 14)]

- 血液脳関門を通過し中枢神経への移行性の高いチオテパ(TT：リサイオ®)が，2020年3月に悪性リンパ腫に対する自家移植の前治療薬として承認された．成人ではBUとの併用のみが認められており，中枢神経系悪性リンパ腫に対する前処置レジメンとして期待されている．

day	−8	−7	−6	−5	−4	−3	−2	−1	0
BU 3.2 mg/kg	↓	↓	↓	↓					
TT 5 mg/kg*					↓	↓			

*文献14)より，添付文書の用量へ変更．

- 処方例day −8〜−5を下記に示す．

	薬剤名・規格	投与量	点滴時間	−8	−7	−6	−5
ルート①	ソルデム®1	500 mL	12時間	10:00	10:00	10:00	10:00
	ソルデム®3A	500 mL		22:00	22:00	22:00	22:00
ルート②	グラニセトロンバッグ	3 mg/50 mL	15分	10:45	10:45	10:45	10:45
	ブスルフェクス®	3.2 mg/kg	3時間	11:00	11:00	11:00	11:00
	生理食塩水(希釈用)	11倍希釈					
	生理食塩水(流し用)	50 mL	15分	14:00	14:00	14:00	14:00
	グラニセトロンバッグ	3 mg/50 mL	15分	21:45	21:45	21:45	21:45

※嘔吐リスクの高い症例では，10:45のグラニセトロンバッグにデキサメタゾン注3.3 mgを追加する．

• 処方例 day－4～－1 を下記に示す.

	薬剤名・規格	投与量	点滴時間	－4	－3	－2	－1
ルート①	ソルデム®1	500 mL	12 時間	10:00	10:00	10:00	10:00
	ソルデム®3A	500 mL		22:00	22:00	22:00	22:00
ルート②	グラニセトロンバッグ	3 mg/50 mL	15 分	10:45	10:45		
	生理食塩水(流し用)	50 mL	15 分	11:00	11:00		
	リサイオ®	5 mg/kg	2 時間	11:15	11:15		
	生理食塩水(希釈用)	250 mL					
	生理食塩水(流し用)	50 mL	15 分	13:15	13:15		
	グラニセトロンバッグ	3 mg/50 mL	15 分	21:45	21:45		

※嘔吐リスクの高い症例では, 10:45 のグラニセトロンバッグにデキサメタゾン注 3.3 mg を追加する.

文献

1) Giralt S, et al: Reduced-intensity conditioning regimen workshop: defining the dose spectrum. Report of a workshop convened by the center for international blood and marrow transplant research. Biol Blood Marrow Transplant 15: 367-369, 2009
2) 日本造血・免疫細胞療法学会 HP：造血細胞移植ガイドライン 移植前処置第 2 版, 2020.
https://www.jstct.or.jp/uploads/files/guideline/02_01_zenshochi.pdf
3) Wakahashi K, et al: Influence of diuretics on urinary general base catalytic activity and cyclophosphamide-induced bladder toxicity. Cancer Treat Rep 66: 1889-1900, 1982
4) Nakashima T, et al: Comparison of valproate and levetiracetam for the prevention of busulfan-induced seizures in hematopoietic stem cell transplantation. Int J Hematol 109: 694-699, 2019
5) Mori T, et al: Safety and efficacy of total body irradiation, cyclophosphamide, and cytarabine as a conditioning regimen for allogeneic hematopoietic stem cell transplantation in patients with acute lymphoblastic leukemia. Am J Hematol 87: 349-353, 2012
6) Arai Y, et al: Efficiency of high-dose cytarabine added to CY/TBI in cord blood transplantation for myeloid malignancy. Blood 126: 415-422, 2015
7) Arai Y, et al: High-dose cytarabine added to CY/TBI improves the prognosis of cord blood transplantation for acute lymphoblastic leukemia in adults: a retrospective cohort study. Bone Marrow Transplant 51: 1636-1639, 2016
8) Arai Y, et al: Clinical significance of high-dose cytarabine added to cyclophosphamide/total-body irradiation in bone marrow or peripheral blood stem cell transplantation for myeloid malignancy. J Hematol Oncol 28: 102, 2015
9) Arai Y, et al: Increased non-relapse mortality due to high-dose cytarabine plus CY/TBI in BMT/PBSCT for acute lymphoblastic leukaemia in adults. Br J Haematol 178: 106-111, 2017
10) Kato M, et al: Comparison of chemotherapeutic agents as a myeloablative conditioning with total body irradiation for pediatric acute lymphoblastic leukemia: a study from the pediatric ALL working group of the Japan Society for Hematopoietic Cell

Transplantation. Pediatr Blood Cancer 62: 1844-1850, 2015
11) Shigematsu A, et al: Excellent outcome of allogeneic hematopoietic stem cell transplantation using a conditioning regimen with medium-dose VP-16, cyclophosphamide and total-body irradiation for adult patients with acute lymphoblastic leukemia. Biol Blood Marrow Transplant 14: 568-575, 2008
12) Arai Y, et al: Improved prognosis with additional medium-dose VP16 to CY/TBI in allogeneic transplantation for high risk ALL in adults. Am J Hematol 93: 47-57, 2018
13) Kondo E, et al; Adult Lymphoma Working Group of the Japan Society for Hematopoietic Cell Transplantation: High-dose chemotherapy with autologous stem cell transplantation in primary central nervous system lymphoma: data from the Japan Society for Hematopoietic Cell Transplantation Registry. Biol Blood Marrow Transplant 25: 899-905, 2019
14) Nishikori M, et al: An expanded-access clinical study of thiotepa(DSP-1958) high-dose chemotherapy before autologous hematopoietic stem cell transplantation in patients with malignant lymphoma. Int J Hematol 115: 391-398, 2022
15) Lee JH, et al: Randomized trial of myeloablative conditioning regimens: busulfan plus cyclophosphamide versus busulfan plus fludarabine. J Clin Oncol 31: 701-709, 2013
16) Yamamoto H, et al: A novel reduced-toxicity myeloablative conditioning regimen using full-dose busulfan, fludarabine, and melphalan for single cord blood transplantation provides durable engraftment and remission in nonremission myeloid malignancies. Biol Blood Marrow Transplant 22: 1844-1850, 2016
17) Shimomura Y, et al: Comparison of fludarabine, a myeloablative dose of busulfan, and melphalan vs conventional myeloablative conditioning regimen in patients with relapse and refractory acute myeloid leukemia in non-remission status. Bone Marrow Transplant 56: 2302-2304, 2021
18) Ashizawa M, et al: A combination of fludarabine, half-dose cyclophosphamide, and anti-thymocyte globulin is an effective conditioning regimen before allogeneic stem cell transplantation for aplastic anemia. Int J Hematol 99: 311-317, 2014
19) Koresawa-Shimizu R, et al: Comparison of MEAM, MCEC and LEED high-dose chemotherapy followed by autologous stem cell transplantation in relapsed/refractory diffuse large B-cell lymphoma: data from the Japan Society for Hematopoietic and Cellular Therapy Registry. Bone Marrow Transplant 2023 Oct 7. Online ahead of print
20) Murayama T, et al: Efficacy of upfront high-dose chemotherapy plus rituximab followed by autologous peripheral blood stem cell transplantation for untreated high-intermediate-, and high-risk diffuse large B-cell lymphoma: a multicenter prospective phase II study(JSCT-NHL04). Int J Hematol 103: 676-685, 2016

23 GVHD 予防

移植片対宿主病(GVHD)は造血細胞移植における治療関連合併症で重要な位置を占めており，そのコントロールは治療関連死亡に大きく影響する．現時点での標準的なGVHD予防方法は，カルシニューリン阻害薬(CNI)とメトトレキサート(MTX)の2剤併用療法であるが，移植前処置やドナーソースの多様化に伴い，さまざまな予防方法が行われるようになってきている．

本項では各免疫抑制剤の基本事項の確認と，当院におけるGVHD予防の考え方および注意点について紹介する．詳細に関しては，日本造血・免疫細胞療法学会のガイドライン[1)]を参照されたい．

A 免疫抑制剤

1 CNI

CNIはT細胞の転写過程を阻害することにより，サイトカイン産生を抑制し，T細胞の増殖と活性を阻害する．有効血中濃度域と，腎障害や高血糖などの副作用が出現する危険濃度域との差が狭く，血中濃度のモニタリング(therapeutic drug monitoring：TDM)を必要とする．CNIは主にCYP3Aで代謝されるため，ボリコナゾール(VRCZ)/イトラコナゾール(ITCZ)/ポサコナゾール(PSCZ)などとの相互作用による血中濃度の変動には注意が必要である．

❶ シクロスポリン(CSP)(サンディミュン®，ネオーラル®)

CSP(サンディミュン®)　3 mg/kgをトータル48 mLになるように生理食塩水で希釈し2 mL/時で24時間持続点滴　day−1より開始

GVHD発症リスクが低いHLA一致血縁者間移植では，CSPを使用している施設が多い．当院でCSP予防を行う際には，24時間持続点滴を用いており，血中濃度は300～400 ng/mLと低めで管理している(最近はHLA一致血縁者間PBSCTではTACを用いている)．持続点滴でもCSPの血中濃度を高めに保つ方法や，1日2回分割投与により，HLA 一致血縁者間移植以外でも GVHD 予防ができるという国内からの報告がある[2)]．内服への移行時は静注投与量の 2 倍量を経口投与量とし，2 分割して 12 時間ごとに内服とする．内服時はトラフ濃度 150〜250 ng/mL を目標としているが，GVHD 症状と原疾患再発や感染症のリスクに応じて調整している．

副作用として，腎障害，高血圧，浮腫，肝障害，低 Mg 血症，多毛，歯肉腫脹，中枢神経毒性を認めることがある[1, 2)]．

❷ タクロリムス(TAC)(プログラフ®)

TAC(プログラフ®) 0.03 mg/kg をトータル 48 mL になるように生理食塩水で希釈し 2 mL/時で 24 時間持続点滴．day −1 より開始．(VRCZ や PSCZ を投与している場合は相互作用を考慮し 0.015 mg/kg または 0.02 mg/kg で開始)

血中濃度を 10〜15 ng/mL を目標に管理する〔15 ng/mL 以上では腎障害，高血圧性脳症，血栓性微小血管症(TMA)などの合併症に注意する必要がある〕．内服への移行時は静注投与量の 4〜5 倍量を経口投与量とし，2 分割して 12 時間ごとに内服とする．VRCZ や PSCZ 併用時は TAC を内服へ移行後に血中濃度が予想以上に高くなることが多く，静注投与量の 3 倍量にしている．内服時はトラフ濃度 5〜10 ng/mL を目標としているが，GVHD 症状と原疾患再発や感染症のリスクに応じて調整している．

また内服移行後に血中濃度が安定しない場合や，コンプライアンスに問題がある場合など，1 日 1 回投与のタクロリムス製剤であるグラセプター® を用いることもある．

副作用は CSP と同様であるが，高 K 血症や高血糖を多く認める[1, 2)]．

2 葉酸代謝拮抗薬

MTX は葉酸代謝に関する酵素や，葉酸代謝産物を補酵素とするプリン・ピリミジン合成に関する酵素を阻害することにより，細胞の核酸合成を阻害する免疫抑制剤である．副作用として粘膜障害があり，投与時期が前処置に伴う粘膜障害のピークと重複するため，投与量と投与回数に関しては検討を要する．また腎障害や体液貯留を認める際には MTX 血中濃度が高値となり，腎障害，粘膜障害の増悪や生着不全の原因となりうるので注意を要する．国内では，原法である 15 mg/m^2/日(day 1)・10 mg/m^2/日(day 3, 6, 11)より

表1 Day 11のMTX投与を検討する際に考慮する因子

day 11 MTX	考慮する因子
投与中止を検討	高度の粘膜障害，体液貯留，腎機能障害，肝機能障害，無顆粒球症の状態で重症感染症合併例，前処置中のATG投与例
可能な限り投与	HLA不一致などGVHD高リスク例，早期に血球が回復傾向かつPIR/ES合併例，急性GVHD合併例，ATG非投与例

減量したレジメン10 mg/m^2/日(day 1)・7 mg/m^2/日(day 3，6，11)が広く用いられており，当院も同様である．

MTX　10 mg/m^2/日(day 1)＋生理食塩水50 mL　15分で点滴静注
MTX　7 mg/m^2/日(day 3，6，11)＋生理食塩水50 mL　15分で点滴静注

※day 1～day 6のMTXは重要であり予定通り投与するが，day 11のMTXに関しては表1の要素を考慮して投与を中止あるいは延期することがある．特に血球回復が遅れていて，感染症への対応が困難な場合はday 11の投与に固執せず，中止あるいは血球回復の徴候が得られたところで投与している．

粘膜障害，臓器障害を合併しているにもかかわらず，day 11のMTX投与が必要な場合は，ロイコボリン® レスキュー(保険適用外)も検討している．

レボホリナートカルシウム(ロイコボリン®)　12 mg　静注(保険適用外)　MTX投与24，30，36，42時間後

3 核酸合成阻害薬

ミコフェノール酸モフェチル(MMF)はミコフェノール酸(MPA)のプロドラッグであり，プリン合成経路を阻害することにより，リンパ球の細胞増殖や活性化を選択的に阻害する．国内で臓器移植後の免疫抑制剤として長期間用いられていたが，2019年より造血細胞移植でも保険が適用されることになり，2021年には添付文書に「造血幹細胞移植における移植片対宿主病の抑制」が追加された．MTXを用いたGVHD予防と比較して，血球の回復が早く，口内炎が少ない．GVHD予防効果は同等というメタ解析の報告がある[3]．MMF投与後の血中MPA濃度は個人差が非常に大きいことが知られており[4]，血中のMPA濃度が低いと重症GVHDが増加する可能性もある．国内で行われた前方視的研究ではTAC＋MMF

3,000 mg/日により非血縁BMT後のGVHD抑制効果は十分であったが，CSP+MMF 1,500 mg/日ではHLA一致血縁者間移植後のGVHDはやや多く，MMFの増量(2,000 mg/日など)が必要と考えられた[5]．MMFによる重篤な副作用は少ないが，嘔気・嘔吐，下痢などの消化器症状を認めることがある．また生着後のG-CSF非投与時には，MMF投与により血球減少を認めることがあるため，骨髄抑制をきたす薬剤(ST合剤，ガンシクロビルなど)の併用時は特に注意を要する．

MMF(セルセプト®)
臍帯血移植，血縁末梢血幹細胞移植[5,6]：1日2,000 mg(または1日30 mg/kg) 分2 12時間ごとに内服
非血縁骨髄移植[5]：1日3,000 mg 分3 8時間ごとに内服

※国内にはMMFの静注製剤がないため，セルセプト®カプセル250を内服できない場合は，セルセプト®懸濁用散31.8%への変更を検討する(経鼻胃管からの投与も可能)．

4 抗ヒト胸腺細胞ウサギ免疫グロブリン(ATG)

T細胞表面抗原に対するポリクローナル抗体(ウサギ血清)であり，T細胞に対して抗体依存性・補体依存性細胞障害活性により抑制するといわれている．ATGは「急性GVHDや慢性GVHDのリスクを低下させる」という無作為化比較試験の報告がある[7,8]．一方，無作為化比較試験では有意差はないものの，原疾患の再発を増やすリスクも懸念されるため，非寛解期の移植の場合にはATG併用を行うかどうか慎重に検討する．

現在，国内で承認されているサイモグロブリン®は，添付文書の用法・用量として2.5 mg/kgを4日間投与(計10 mg/kg)と記載されているが，日本人には過剰な投与量である．当院では0.5〜1.5 mg/kg/日を1日間(day −2に投与)または2日間(day −3，−2に投与)投与することが多い．1日の最大投与量は1.5 mg/kg/日までとし，総投与量が2 mg/kg/日以上になる場合は2日(day −3，−2)に分割している(例：2 mg/kgを投与する場合はday −3，−2に1 mg/kgをそれぞれ投与，2.5 mg/kgを投与する場合はday −3，−2に1.25 mg/kgをそれぞれ投与)．

ATGを投与する場合，ATGの投与量だけでなく，投与日にも注意する必要がある．day 0から離れたタイミング(day −8あるいは

−7 など)に投与すると ATG がレシピエントの T リンパ球で消費されてしまい day 0 の時点でほとんど血中に残っておらず，輸注されるドナーリンパ球への抑制効果が減弱する．そのため GVHD リスクが高くなるが，生着不全のリスクは低くなる．反対に day −2 あるいは −1 など移植日に近いタイミングでは前処置によりレシピエントの T リンパ球が減少しており，リンパ球で消費される ATG は少ない．そのため day 0 の時点で ATG が血中に多く残存しており，輸注されるドナー T リンパ球への効果は維持される．その結果，GVHD のリスクは低下するが生着不全のリスクは高くなる．

国内レジストリの二次調査研究で，非血縁末梢血幹細胞移植(PBSCT)を行った 287 例の報告がある[9]．ATG 使用群(n＝97)は，ATG 非使用群と比較して中等症以上の慢性 GVHD が少なく(移植後 2 年，22.1% vs. 36.3%；P＝0.025)，免疫抑制剤の終了割合が高かったが(移植後 2 年，46.4% vs. 25.2%；P＜0.001)，再発，NRM，OS は差がなかった．ATG 投与前のリンパ球絶対数(ALC)を 3 群(＜30/μL，30〜154/μL，＞154/μL)に分けた解析では，ALC が多いほど中等度以上の慢性 GVHD が多く，移植後再発が少なかった．ATG の投与量や投与日はセットで検討する必要があり，使用に習熟するまでは施設内で投与量や投与日を変更することは避けたほうがよい．

当院では非血縁者間末梢血幹細胞移植(HLA 一致移植も含めて)あるいは HLA 1〜2 アレル不適合非血縁骨髄移植を行う場合に少量 ATG を用いている．ATG を用いることにより非血縁者間骨髄移植では Grade Ⅲ〜Ⅳの急性 GVHD や慢性 GVHD は著明に抑制されていた[10]．

また当院で 2012 年 1 月〜2022 年 4 月に非血縁 PBSCT を行った 146 例の解析では，約 8 割の患者で ATG を使用していた．ATG 使用群では，ATG 非使用群と比較して中等度以上の慢性 GVHD が少なく(移植後 2 年，17% vs. 44%；P＝0.008)，免疫抑制剤の終了割合が高かったが(移植後 2 年，38% vs. 8%；P＝0.004)，再発，NRM，OS は差がなかった．少量 ATG を併用した非血縁 PBSCT 施行例(n＝119)のうち，半数近くで HLA7/8 一致ドナーを用いていたが，HLA8/8 一致ドナーに劣らない移植成績であった．当院での ATG 総投与量の中央値は 1.0 mg/kg(0.5〜3.0 mg/kg)と少ない

表2 当院におけるドナー・幹細胞ごとのATG総投与量の目安

ドナー	HLA一致度・幹細胞	ATG総投与量の目安(mg/kg)*
血縁	HLA一致BMT/PBSCT	なし
	HLA1抗原不一致(5/6一致)BMT/PBSCT	1.0〜2.5
	HLA半合致PBSCT(PTCYありの場合)	なし
	HLA半合致PBSCT(PTCYなしの場合)	2.5〜3.0
非血縁	HLA一致BMT	なし
	HLA1座不一致(7/8一致)BMT	0.5〜1.0
	HLA2座不一致(6/8一致)BMT	1.0〜1.5
	HLA一致PBSCT	0.5〜1.0(1.0が最多)
	HLA1座不一致(7/8一致)PBSCT	1.0〜2.5(1.5が最多)
	HLA2座不一致(6/8一致)PBSCT	1.5〜2.5
	臍帯血移植(HLA一致〜HLA4/6一致)	なし

*ここからさらに原疾患の再発リスクや全身状態などに応じて0.5 mg/kg単位で増減している.

が，リンパ腫やATLに対する移植が3〜4割を占めており，ATG投与前のALC中央値は20/μLと低値であったため，注意が必要である(ATG投与タイミングが早い場合や，骨髄系腫瘍などでALCが多く残っている場合は，より多めのATG投与が必要となるかもしれない).

当院におけるドナー・幹細胞ごとのATG投与量の目安を表2にまとめた.

ウサギ血清は異種蛋白であることから，infusion reactionや血清病に注意が必要である．また，ATG投与量に応じて細胞性免疫が抑制されるため，移植後のウイルス感染症や移植後リンパ増殖性疾患(PTLD)のリスクが上昇する可能性がある．特に高用量ATGを使用する場合は，EBVも含めた網羅的ウイルスPCRによるモニタリングが推奨されている．しかし当院で使用するATGは，海外の報告と比較してきわめて少量であり，臨床的に問題となるPTLDの発症頻度は低い.

抗ヒト胸腺細胞ウマ免疫グロブリン(アトガム®)は，再生不良性貧血に対する免疫抑制療法として2023年3月に国内で承認された.

海外で古くから移植前処置(GVHD 予防)として用いられていたが，国内では造血細胞移植での適応はない．

抗ヒト胸腺細胞ウサギ免疫グロブリン(サイモグロブリン®)　0.5～1.5 mg/kg＋生理食塩水　500 mL　12 時間かけて点滴静注　1 回投与時は day－2，2 回投与時(総投与量が 2～3 mg/kg)は day－3，－2 に行う．

Memo

ATG を安全に投与するための注意点

※アレルギーおよび infusion reaction 予防としてメチルプレドニゾロン(mPSL)：40 mg(または 0.5 mg/kg)/回を投与日の 3 時，9 時，15 時，21 時，翌日 3 時，9 時に投与する．また発熱することも多いため発熱予防としてアセトアミノフェン(カロナール®)400 mg/回を 1 日 4 回(朝，昼，夕，眠前)投与日～投与翌日まで内服している．

※ATG は午前 10 時より 12 時間かけて投与するが，開始後 1 時間は心電図モニタリングを行いながら試験投与量をごく少量ずつ投与し，アナフィラキシーや infusion reaction などの発症に注意する．アナフィラキシーは試験投与開始直後に発症することが多く，数分で心停止に至る症例もある．試験投与開始後は特に注意しながら観察し，アナフィラキシーと判断した場合は投与を中止し迅速に対応する(アナフィラキシーの対応については☞ 246 頁，セクション 25 参照)．アナフィラキシーを発症した症例は ATG が投与できないため GVHD 予防を変更する．ステロイドや MMF の追加，PTCY への変更などを症例ごとに検討する．

※Infusion reaction の典型例は投与数時間後から悪寒や 39℃ 前後の発熱を認める．重症例では低酸素血症や血圧低下を伴う．このような場合はまず投与を一旦中止し追加でヒドロコルチゾンやクロルフェラミンマレイン酸塩，アセトアミノフェンを追加投与する．症状が改善するまで観察し，改善後に再開する．症状の改善が乏しい場合はメチルプレドニゾロン(mPSL)1～2 mg/kg を追加し改善を待つ．症例によってはステロイドパルスに近い投与量が必要になることもある．再開時は infusion reaction 発症時の投与速度の 1/4～1/2(10 mL/時あるいは 20 mL/時)で再開する．再開後も症状の再燃がなければ速度を漸増するが，当院では投与速度は最大 25 mL/時程度までとし，時間をかけて投与していることが多い．

5 PTCY(post-transplant cyclophosphamide)

HLA 半合致血縁者間移植では移植後 CY(PTCY)を用いた免疫抑制を行っている．大量 CY は，ドナー細胞が患者の不一致 HLA 抗原を認識して増殖する際に反応性 T リンパ球を抑制するが，造血幹細胞や反応性 T リンパ球以外のリンパ球への影響は少ないと考えられている．PTCY 法を用いた HLA 半合致移植は，急性・慢性 GVHD のリスクが低く，世界中で急速に施行件数が増加している[11]．国内でも PTCY を用いた HLA 半合致血縁者間移植の多施設共同臨床試験が行われ，その有効性・安全性が確認された[12,13]．移植後に用いる CY は保険適用外であったが，2019 年より血縁者間 HLA 半合致ドナーからの骨髄移植または末梢血幹細胞移植における PTCY は保険適用となった(2023 年 11 月現在，添付文書の改訂は行われていない)．

大量 CY 投与時は，前処置として用いる場合と同様に 2,000～3,000 mL/m^2/日を目標に補液を行う．また低ナトリウム血症のリスクが高く，最低でも 1 日 2 回は採血を行い確認する．CY による心筋症は投与数日後から 2 週間以内に発症することが多く，頻度はきわめて低いが致死的な合併症であり注意を要する(☞ 307 頁，セクション 33)．

血縁ハプロ移植から CY 投与までの間に，反応性リンパ球による発熱等の cytokine release syndrome(CRS)を発症することがある〔以前は haplo-immune syndrome(HIS)と呼ぶこと多かった〕が，PTCY の効果を保つためにこの期間中のステロイド使用は極力避ける．このため移植前に CY 投与を行うときには制吐剤として用いているデキサメタゾンも使用しない．

CY の投与量については本邦の多施設共同研究の結果，CY を 40 mg/kg/日まで減量しても 50 mg/kg/日と変わらない成績が期待できる[14]．また day 3 に 50 mg/kg，day 4 に 25 mg/kg(合計 75 mg/kg)でも重症の GVHD は増加しないことが報告されている[15]．

当院でも複数回移植症例や 66 歳以上の高齢者など大量 CY による臓器障害が懸念される症例は 40 mg/kg/日に減量している．ただし，移植後に発症した心合併症のため CY を予定通り投与できなかった症例で，重症 GVHD を認めた経験があり安易な減量は行わないことにしている．

国内レジストリデータを用いて，HLA 半合致血縁者間移植における PTCY 総投与量として 100 mg/kg と 80 mg/kg を比較した結果が報告された[16]．両群の患者背景・リスクが大きく異なったため propensity score matching を用いて比較したところ，OS，NRM，急性および慢性 GVHD に有意差は認めなかった．

CYの投与日についてはday 3，4とday 3，5とでは移植成績に違いはないと考えられている．まれではあるがday 3のCY投与後より胸痛や心電図変化(ST上昇あるいはT波の陰転化)，PSVTなどの不整脈を発症する症例がある．その場合はday 4のCYを1日延期し，day 5に症状が改善していれば予定通り50 mg/kgを投与するか25 mg/kgに減量して投与することにしている．

過去の研究でBMTを用いた血縁ハプロ移植でday 3に50 mg/kgのみ投与した場合，重症の急性GVHDは増加しないが慢性GVHDが増加することが報告されている[11]．しかし，PBSCTを用いた血縁ハプロ移植でのday 3に50 mg/kgのみのデータは乏しく，総投与量を75 mg/kgよりもさらに減量できるかどうかは現時点では不明である．またCY減量により心合併症が減るかどうかは今後の研究課題である．なお，海外では移植前にATGを併用した減量PTCYによるGVHD予防も試みられている．中国のグループはATG 2.5 mg/kg/日(day－5〜day－2)＋PTCY 14.5 mg/kg/日(day 3，4)でGVHD予防を行い，Grade Ⅱ〜Ⅳ，Ⅲ〜Ⅳ急性GVHDの発症割合は26%，5%であったと報告している[17]．

CY(エンドキサン®) 1日40〜50 mg/kg＋生理食塩水 500 mL 3時間で点滴静注 day 3，4，またはday 3，5

海外では，血縁ハプロ移植以外にもPTCYを用いたGVHD予防が行われることも多くなってきている．HLA6/6一致血縁ドナーまたはHLA 7〜8/8一致非血縁ドナーからのRICを用いたPBSCT患者を対象としたランダム化比較試験(BMT-CTN 1703試験)の結果が報告された[18]．PTCYを用いたGVHD予防は，TAC＋MTX群と比較してGrade Ⅲ〜Ⅳ急性GVHD(6.3% vs. 10.2%)と慢性GVHD(21.9% vs. 35.1%)が少なく，有意にGRFSが高かった(移植後1年，52.7% vs. 34.9%)．国内でもJSCT研究会でハプロ移植ではない血縁PBSCTおよび非血縁PBSCTでPTCYを用いた臨床研究が行われている．

B 当院におけるGVHD予防レジメン

当院ではドナーの種類，幹細胞ソース，HLA不一致，原疾患の再発リスクに状況に応じて，以下のように免疫抑制剤の投与を行っている．ATG 投与量については表 2（☞ 222 頁）を参照されたい．

1 HLA 一致血縁者間移植：当院では基本的に PBSCT

TAC　0.03 mg/kg/日　24 時間持続点滴　day－1 より開始
（症例によっては TAC ではなく CSP を使用する
CSP　3 mg/kg/日　24 時間持続点滴　day－1 より開始）
MTX　10 mg/m^2/日　day 1
MTX　7 mg/m^2/日　day 3，6
（day 11 の MTX 投与は通常行わない）

※ミニ移植の開発当初に用いられていた CNI 単独の GVHD 予防は，現在は行っていない．

2 HLA 一致非血縁者間移植：当院では PBSCT 9 割，BMT 1 割

TAC　0.03 mg/kg/日　24 時間持続点滴　day－1 より開始
MTX　10 mg/m^2/日　day 1
MTX　7 mg/m^2/日　day 3，6，11
ATG 0.5～1.5 mg/kg/日　day－2

※BMT では ATG は投与しないことが多い．一方，PBSCT の場合や再発リスクが低い BMT 患者は，全例 ATG の併用を検討することが多い．

3 HLA 血清 1 座不一致（血清 5/6 一致）血縁者間移植：当院では基本的に PBSCT

TAC　0.03 mg/kg/日　24 時間持続点滴　day－1 より開始
MTX　10 mg/m^2/日　day 1
MTX　7 mg/m^2/日　day 3，6，11
ATG 1.0～2.5 mg/kg　day－2，または day－3，－2
（最近は遺伝子型で HLA 8 座を評価して投与量を決定している）

※HLA アレル不一致が多い場合，HLA-B 座が不一致の場合，腎機能が低下しており TAC や MTX が十分投与できない可能性がある場合，寛解期で安全に移植を行いたい場合，ATG は上記範囲の中で多めに投与する．HLA-B 座不一致を含めてアレル不適合が多い場合は PTCY を用いる場合もある．

4 HLA アレル 1～2 座不一致非血縁者間移植（HLA 7/8，6/8 一致）

TAC　0.03 mg/kg/日　24 時間持続点滴　day－1 より開始
MTX　10 mg/m^2/日　day 1
MTX　7 mg/m^2/日　day 3，6，11
ATG　day－2 または day－3，－2

上記に ATG を併用する．総投与量は以下の通りである．

HLA1 座不一致非血縁者間 BMT：ATG 0.5～1 mg/kg(1 mg/kg を投与することが多い)
HLA2 座不一致非血縁者間 BMT：ATG 1～1.5 mg/kg(1.5 mg/kg を投与することが多い)
HLA1 座不一致非血縁者間 PBSCT：ATG 1～2.5 mg/kg(当院では 1.5 mg/kg の症例が最多)
HLA2 座不一致非血縁者間 PBSCT：ATG 1.5～2.5 mg/kg(当院では 2.5 mg/kg の症例が最多)

※HLA アレル不一致の非血縁者間 BMT あるいは PBSCT では，TAC や MTX が十分投与できない可能性がある場合や寛解期で安全に移植を行いたい場合は，基本的に ATG の併用を行っている．特に非血縁 PBSCT では慢性 GVHD のリスクが高いため，ほぼ全例で ATG を併用しており投与量も BMT より PBSCT のほうが多い．

5 臍帯血

❶ 骨髄破壊的移植

TAC　0.03 mg/kg/日　24 時間持続点滴　day－1 より開始
MTX　10 mg/m^2/日　day 1
MTX　7 mg/m^2/日　day 3，6
(day 11 の MTX 投与は通常行わない)

❷ 骨髄非破壊的移植

TAC　0.03 mg/kg/日　24 時間持続点滴　day－1 より開始
MMF　1 日 2,000 mg(または 30 mg/kg/day)　day 0 より経口投与

または

TAC　0.03 mg/kg/日　24 時間持続点滴　day－1 より開始
MTX　5 mg/m^2/日　day 1，3，6

※臍帯血ミニ移植では，ほとんどの症例で MMF を用いているが，腎機能障害があり移植後のホスカルネットを使用しにくい場合など，減量した MTX を用いた GVHD 予防法[19]に切り替えている．

6 HLA 半合致血縁者間末梢血幹細胞移植(ハプロ移植)

当院で行う HLA 半合致血縁者間移植は基本的に GVHD 予防として PTCY 法を，ドナーソースとして PBSC を用いている．BM と比較して GVHD のリスクが高まる可能性が指摘されているが，本邦の報告から重症 GVHD のリスクは低いと考えられる[12～15]．以前は前処置開始前日に ATG 少量投与を行う場合もあったが，移植後再発を多く認めたため現在は行っていない．

当院では，PTCY ハプロ移植の場合も day－1 から TAC 投与を行っている．これは CSP を day 0 から開始しているイタリアのグループの方法を参考にしたものである[20]．当院で施行した PTCY ハプロ移植 77 例の後方視的検討では移植直後の CRS の頻度は 70% 程度と，PTCY 後に TAC を開始する JSCT 研究会からの報告(90% 以上)[14]と比べて低く，ステロイド介入が必要な重症例は認めなかった．また，Grade Ⅱ～Ⅳ，Ⅲ～Ⅳ急性 GVHD の発症割合は 36%，2.6%，中等症以上の慢性 GVHD の発症割合は移植後 2 年時点で 11% と，GVHD の頻度や重症度については TAC を PTCY 投与後の day 5 から開始する方法と大きな違いは認めなかった．一方で，CNI を PTCY の前から開始すると慢性 GVHD が増加する可能性がイタリアのグループから指摘されている[20]．

本邦で施行された ATL ハプロ移植試験[21]でも day－1 から TAC を開始していたが，慢性 GVHD がやや多い傾向があった．一方で移植後の ATL 再発が少なく GVL 効果を温存できる可能性が示唆された．

また国内から day－1 から CSP と MMF を投与し，day 3，5 に PTCY を投与した血縁ハプロ移植試験(34 例中 11 例が BMT)の結果が報告されている[22]．CRS が 20% と少なかったが，GVHD 抑制効果は従来の PTCY 後に CNI を開始する方法と同等であった．

TAC　0.03 mg/kg/日　24 時間持続点滴　day－1 より開始
CY　40～50 mg/kg/日　day 3 and day 4，または day 3 and day 5
MMF　1 日 2,000 mg(50 kg 未満の場合 1,500 mg/日)，CY 終了の翌日より開始

C 当院における免疫抑制剤の投与量調節法

免疫抑制剤(CNI)の投与量調節は施設ごとに大きく異なるが，当院のほとんどの移植症例で用いている TAC についての考え方を示す．

当院では PK/PD の概念にしたがって，薬剤師と投与量の設定を行っている．血中濃度測定結果を当日の TAC 投与量に反映させるため，TAC 点滴は毎日 14 時に切り替えている．

1 Day 0 の調節方法(図 1)

TAC は定常状態になるまでに投与開始から 90 時間程度を要する．したがって day 0 の値はその後の血中濃度の上昇を考慮する必要がある．

当院では TAC を day −1 の 14 時より開始し，day 0 の午前 8 時頃(投与開始 18 時間後)に血中濃度採血を行っている(中心静脈ラインより TAC を投与中のため原則，末梢より採血)．day 0 の血中濃度は定常状態へ移行する途中であるため，採血時間(Ct_1)と投与量を変更する時間(Ct_1')の差を認識する必要がある．原則として，表 3 の方針で投与量を設定しているが，TAC の毒性や GVHD 発症リスクに応じて調整する必要がある．

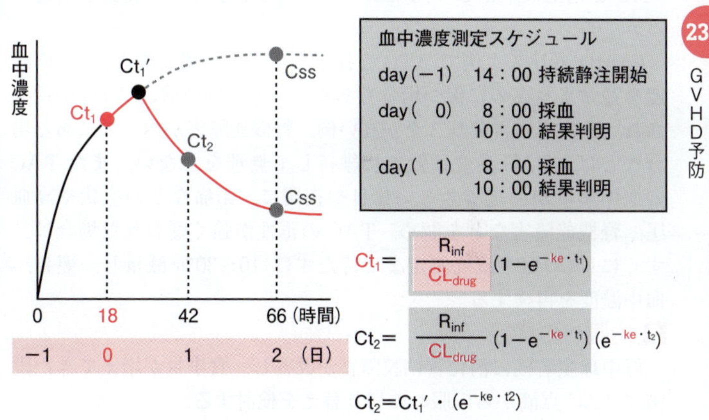

図 1　TAC の血中濃度推移と day 0 における投与量調整

表 3　Day 0 の TAC 血中濃度に応じた TAC 投与量設定

Day 0 血中濃度	TAC 投与量設定
<8 ng/mL	(GVHD リスクが高い場合は)増量も検討し，翌日も血中濃度測定
8〜12 ng/mL	原則として同量で続行
12〜15 ng/mL	投与中止は行わず，10〜30% 減量
>15 ng/mL	検査結果が出た時点で投与をいったん中止．同日 16 時に血中濃度を再検し減量幅を決定し，翌日も血中濃度を測定

2 Day 1 以降の調節方法

当院ではTAC血中濃度を原則10〜15 ng/mLを目標にコントロールしている．Day 1〜2以降の時点では，定常状態における血中濃度の誤差範囲内に入ってくるため，定常値として扱っている．原則として，血中濃度の目標値/現在値の比率を測定時点のTAC投与量に掛けた値を推奨するTAC投与量としている．入院中は通常，月水金に血中濃度を測定し投与量を調節している．ただし，TAC濃度は検査誤差も多いため，頻繁に投与量を上げ下げするよりも，許容範囲であれば同じ投与量で続行し，翌日に再検する．

腎機能障害などのTACの毒性が出現した場合は，TAC投与量を減量しステロイドを追加するが，それでも改善しない場合はTACを完全に中止して高用量のステロイド予防への変更も検討する．

GVHD高リスク例でATGを投与していない場合など，TAC濃度を通常より高めに保つ場合もある．一方，移植前にATGが投与され，原疾患の再発リスクが高い例，腎機能障害がベースにある場合などは，TAC濃度は低めに維持して無理をしない．またTACの血中濃度が測定できない休日や夜間に，頭痛などの症状や高血圧，腎機能障害などを認め，TACの毒性が強く疑われた場合は，すぐに(次の血中濃度測定まで待たずに)10〜30% 減量し，翌日，血中濃度を再検する．

3 内服への移行

好中球生着後に消化管粘膜障害が改善し，食事量が増えてきた段階でTAC点滴から内服への切り替えを検討する．

原則として，持続点滴量に対してTACは4倍，CSPは2倍を目安に1日内服投与量を設定する(投与量は端数を切り上げるようにする)．TACのクリアランスが高い場合(1日あたりのTAC点滴投与量が多い場合)は，点滴投与量の5倍の内服量とすることもある．一方，VRCZ併用中などでクリアランスが低い場合，3倍の内服量とすることもある．

内服へ切り替えたタイミングでTAC血中濃度が急速に低下し，重症GVHDを発症することがあるため，特にGVHD症状の有無に注意しながらフォローする必要がある．

またGVHD症状がなければ移植後1〜2か月時点からTACの漸

減を開始する．TAC 中止のタイミングは，（GVHD がない場合）原疾患の再発リスクやドナー・幹細胞・HLA 一致度などに応じて約 2～6 か月後のことが多い．

4 その他の注意点

- TAC の血中濃度の測定は全血で行っている．輸血による赤血球数の増加は TAC 血中濃度を増加させる可能性があるが，薬剤として活性があるのは血漿中の成分であり，高値になった際に安易な減量をしないように十分考慮する必要がある．
- 発熱時は，TAC 血中濃度が低下しやすい傾向があり，注意する必要がある．特に生着症候群などによる発熱が続き，TAC 濃度低下に応じて TAC 投与量を増量した後に，ステロイド投与を開始して解熱後，TAC 濃度が急増することがある．
- 毒性のために別の CNI への切り替え（TAC→CSP など）を行うことはまれだが，TAC 投与終了後 5～7 日の間隔を空けて，一方の薬剤が血中から消失してから行うようにする．その間はステロイドを用いて GVHD の増悪に注意をする．
- CNI 投与中に，抗真菌薬を VRCZ/PSCZ へ変更する場合は，CNI 血中濃度が上昇するリスクが高い．VRCZ/PSCZ 投与開始後 4～5 日間は連日，CNI 血中濃度を測定し，CNI による毒性の発現に十分注意する．VRCZ 投与開始後，翌日から TAC 血中濃度が急増する場合もあるが，1～2 週間後には TAC 濃度がピークよりも減少する場合もあるため，十分注意してフォローする．また移植前より VRCZ/PSCZ が投与されている場合，TAC 投与開始量を 0.015～0.02 mg/kg へ減量する場合もある．逆に VRCZ/PSCZ から MCFG/L-AMB などへ変更する場合は CNI 濃度が低下する．
- クラリスロマイシンは CYP3A4 と結合し，完全に失活させてしまい，CNI の血中濃度上昇を引き起こす可能性がある（VRCZ と比較すると上昇の程度は軽い）．またリファンピシンは TAC の血中濃度を低下させる方向に，グレープフルーツは上昇させる方向に作用するため，原則併用禁忌である．
- CNI が臓器障害などで使用できず減量する場合，CNI の目標血中濃度を下げ（TAC の場合は 7～8 ng/mL 程度），mPSL 0.5 mg/kg/日 分 2 を追加している．当院では TAC（静注）の血中濃度 3～

5 ng/mL あたり mPSL 0.5 mg/kg という大体のイメージで置換している．また，完全に CNI を中止する場合は，HLA 一致血縁者間移植・臍帯血移植では mPSL 1 mg/kg/日 分 2，非血縁者間移植の場合では mPSL 1〜2 mg/kg/日 分 2 を目安にステロイドへ切り替えている．これはあくまで大体のイメージであり置換した後に必ず症例ごとに微調整を行う必要がある．CNI をステロイドに置換することにより，CNI による腎臓への負担や内皮障害が軽減するだけでなく，ステロイドによる抗炎症作用も得られ，循環動態が安定し短期的には管理が楽になる．しかし，CNI を毒性により中止した場合のステロイド投与量や漸減方法については確立したエビデンスがないため，中・長期的には GVHD 管理が非常に難しくなる．過剰な免疫抑制状態となっていることも多く，GVHD などの臨床所見や末梢血中のリンパ球数(サブセット)の推移などを細かくフォローしていく必要がある．全身状態が安定し CNI の毒性が改善した場合は，できるだけ早期に CNI を再開するようにしている．この場合は TAC 0.1〜0.2 mg/日など少量から再開している．

Memo

アバタセプト

T 細胞選択的共刺激調節薬のアバタセプト(Abatacept, CTLA4-Ig)は，本邦では抗リウマチ薬として使用されているが，海外では近年 GVHD 予防にも使用されている．従来の標準的な GVHD 予防法である CNI＋MTX にアバタセプトの上乗せ効果を検証する「ABA2 試験：HLA 一致非血縁者間移植コホートにおける無作為化プラセボ対照二重盲検比較」では，移植後 day 100 までの Grade II〜IV急性 GVHD 発症割合を有意に減少させた(アバタセプト＋CNI＋MTX 群 43％ vs. CNI＋MTX 群 62％)[23]．また，HLA 不一致非血縁者間移植コホートでは，アバタセプト＋CNI＋MTX 群は historical コントロール(CNI＋MTX)群よりも有意に Grade III〜IV急性 GVHD が少なく，NRM，OS も良好であった．これらの結果からアバタセプトは 2021 年 12 月に米国 FDA で非血縁者間移植における GVHD 予防薬として承認された．

文献

1) 日本造血・免疫細胞療法学会 HP：造血細胞移植ガイドライン GVHD 第 5 版，2022. https://www.jstct.or.jp/uploads/files/guideline/01_02_gvhd_ver05.1.pdf
2) Kanda Y, et al: A randomized controlled trial of cyclosporine and tacrolimus with strict control of blood concentrations after unrelated bone marrow transplantation. Bone Marrow Transplant 51: 103-109, 2016

3) Kharfan-Dabaja M, et al: Mycophenolate mofetil versus methotrexate for prevention of graft-versus-host disease in people receiving allogeneic hematopoietic stem cell transplantation. Cochrane Database Syst Rev 7: CD010280, 2014
4) Wakahashi K, et al: Pharmacokinetics-based optimal dose prediction of donor source-dependent response to mycophenolate mofetil in unrelated hematopoietic cell transplantation. Int J Hematol 94: 193-202, 2011
5) Nakane T, et al: Use of mycophenolate mofetil and a calcineurin inhibitor in allogeneic hematopoietic stem-cell transplantation from HLA-matched siblings or unrelated volunteer donors: Japanese multicenter phase II trials. Int J Hematol 105: 485-496, 2017
6) Uchida N, et al: Mycophenolate and tacrolimus for graft-versus-host disease prophylaxis for elderly after cord blood transplantation: a matched pair comparison with tacrolimus alone. Transplantation 92: 366-371, 2011
7) Finke J, et al: Standard graft-versus-host disease prophylaxis with or without anti-T-cell globulin in haematopoietic cell transplantation from matched unrelated donors: a randomised, open-label, multicentre phase 3 trial. Lancet Oncol 10: 855-864, 2009
8) Bacigalupo A, et al: Thymoglobulin prevents chronic graft-versus-host disease, chronic lung dysfunction, and late transplant-related mortality: long-term follow-up of a randomized trial in patients undergoing unrelated donor transplantation. Biol Blood Marrow Transplant 12: 560-565, 2006
9) Shiratori S, et al: High lymphocyte counts before antithymocyte globulin administration predict acute graft-versus-host disease. Ann Hematol 100: 1321-1328, 2021
10) Kuriyama K, et al: Impact of low-dose rabbit anti-thymocyte globulin in unrelated hematopoietic stem cell transplantation. Int J Hematol 103: 453-460, 2016
11) Luznik L, et al: HLA-haploidentical bone marrow transplantation for hematologic malignancies using nonmyeloablative conditioning and high-dose, posttransplantation cyclophosphamide. Biol Blood Marrow Transplant 14: 641-650, 2008
12) Sugita J, et al: HLA-haploidentical peripheral blood stem cell transplantation with post-transplant cyclophosphamide after busulfan-containing reduced-intensity conditioning. Biol Blood Marrow Transplant 21: 1646-1652, 2015
13) Sugita J, et al: Myeloablative and reduced-intensity conditioning in HLA-haploidentical peripheral blood stem cell transplantation using post-transplant cyclophosphamide. Bone Marrow Transplantation 54: 432-441, 2019
14) Sugita J, et al: Reduced dose of posttransplant cyclophosphamide in HLA-haploidentical peripheral blood stem cell transplantation. Bone Marrow Transplant 56: 596-604, 2021
15) Nakamae H, et al: A prospective study of an HLA-haploidentical peripheral blood stem cell transplantation regimen based on modification of the dose of posttransplant cyclophosphamide for poor prognosis or refractory hematological malignancies. Cell Transplant 31: 09636897221112098, 2022
16) Fuji S, et al: Comparison of clinical outcome between low-dose and standard-dose posttransplant cyclophosphamide as GVHD prophylaxis for haploidentical hematopoietic cell transplantation. Br J Haematol In press
17) Wang, Y, et al: Low-dose post-transplant cyclophosphamide and anti-thymocyte globulin as an effective strategy for GVHD prevention in haploidentical patients. J Hematol Oncol 12: 88, 2019
18) Bolaños-Meade J, et al: Post-transplantation cyclophosphamide-based graft-versus-host disease prophylaxis. N Engl J Med 388: 2338-2348, 2023
19) Shiratori S, et al: Reduced dose of MTX for GVHD prophylaxis promotes engraftment and decreases non-relapse mortality in umbilical cord blood transplantation. Ann Hematol 99: 591-598, 2020
20) Bacigalupo A, et al: Graft versus host disease in unmanipulated haploidentical marrow transplantation with a modified post-transplant cyclophosphamide(PT-CY) regimen: an update on 425 patients. Bone Marrow Transplantation 54: 708-712,

2019
21) Tanaka T, et al: A phase I/II multicenter trial of HLA-haploidentical PBSCT with PTCy for aggressive adult T cell leukemia/lymphoma. Transplant Cell Ther 27: 928. e1-928. e7, 2021
22) Kurita N, et al: Early administration of cyclosporine may reduce the incidence of cytokine release syndrome after HLA-haploidentical hematopoietic stem-cell transplantation with post-transplant cyclophosphamide. Ann Hematol 100: 1295-1301, 2021
23) Watkins B, et al: Phase II trial of costimulation blockade with abatacept for prevention of acute GVHD. J Clin Oncol 39: 1865-1877, 2021

24 造血細胞輸注

ドナーから提供された造血細胞を滞りなく患者に移植できるよう，造血細胞の輸注に伴うトラブルとその対処方法について熟知し，準備しておくことが大切である．

A 骨髄移植

1 輸注の準備

- 骨髄輸注前に血小板数が2万/μL以上になるように輸血の予定を立てる．特に骨髄液を処理せずに輸注する場合，約10,000単位のヘパリンが一緒に入るため，当院では血小板数が最低でも3万/μL以上(できるだけ5万/μL以上)になるように輸血している．
- 輸血の副作用が輸注前に起こると，骨髄輸注がスムーズに行えないため，可能であれば輸血は前日に済ませ，血小板数を上げておくことが望ましい．また骨髄液を処理せずに輸注する場合，赤血球が多く含まれていることを考慮して赤血球輸血の判断を行う．

2 骨髄液の処理

- ドナーと患者のABO血液型が不適合の場合，骨髄液の処理が必要となる．major mismatchの場合は赤血球除去(単核球分離)，minor mismatchの場合は血漿除去を行う．
- ABO血液型が一致していても，骨髄液量が多い場合や総ヘパリン量が多い場合は，血漿除去を行うことがある．また患者・ドナーの不規則抗体が陽性の場合は，処理を検討する．

❶ ABO主不適合(major mismatch)の場合

骨髄液中に含まれる赤血球を除去するために，単核球分離を行う[1)]．当院では，Spectra Optia® の骨髄濃縮(BMP)モードを用いている．ACD-A液を骨髄液総量に対して約1：10の割合で加える．処理サイクル数が多くなると，回収率は高くなるが，赤血球の混入が増えてくる．当院では回収率を優先して，原則6サイクルで終了としている．

❷ ABO副不適合(minor mismatch)の場合

骨髄液中に含まれる抗A抗体・抗B抗体を除去するために，血漿除去を行う必要があり[1]，一例として当院の方法を記載する．採取された骨髄液バッグから，無菌接合機(SCD)を用いて600 mL用分離バッグへ1バッグあたり200〜300 mLを目安として移す．各バッグあたり総量が400〜450 mLとなるよう10% ACD-A加生理食塩水を加える．大容量遠心機で，450 Gで20分間遠心し(500 rpm以下に減速後は約2分30秒以内で停止)，血漿を除去後に10% ACD-A加生理食塩水で再浮遊する．以前は2回遠心処理を行っていたが，現在は1回のみ行っている．

3 輸注の流れ

- 輸注開始時間を確認後，輸注開始の30分前からヒドロコルチゾンの点滴を開始し，輸注前には必ず終了する．

ヒドロコルチゾン(ソル・コーテフ®) 200 mg＋生理食塩水 50 mL
15分で点滴静注

- 当院ではハプトグロビンの前投薬は行っていない．
- 患者に心電図モニターと非観血的酸素モニターが装着されていて，バイタルサインに異常がないことを確認する．
- 骨髄液バッグを輸液セットに接続する前にルートの確認を行う．
- 輸血用のルートであること，白血球除去フィルターがないこと，CVカテーテルの最も太いルーメンに生理食塩水500 mLでキープされていること，患者側に近い部位に三方活栓が接続されていることを確認する．
- 本人確認が終了したら，プラスチック穿刺針を生理食塩水から骨髄液バッグに刺し替える．この際，バッグを台の上に静置し，穿刺針を水平方向に穿刺する(バッグに穿刺針を挿入する際，バッグを破損した事例が骨髄バンクに報告されている)．
- 輸注開始後5分間はゆっくり(60 mL/時程度)投与し，開始5分後のバイタル測定で問題なく，症状(呼吸苦，咽頭違和感など)がなければ，目安として200〜250 mL/時で投与(心機能低下例では減速する)．
- バイタル測定は輸注開始5，20，30分後に測定．その後は状態に変化がなければ30分ごとに測定する．
- ヘパリンの総投与量が10,000単位を超える場合は，半分ほど投与したところでAPTTを測定する．当院ではAPTTが2倍以上に延長している場合は，プロタミンの投与を検討している．APTTが3倍以上延長している場合は，プロタミンを投与し，骨髄輸注終了後に再度APTTを測定し，APTTが2倍以上に延長している場合はプロタミンの追加投与を検討する．

プロタミン　50 mg＋生理食塩水または5% ブドウ糖　100 mL　15〜30分で点滴静注

- 最後のバッグが空になったら，プラスチック穿刺針を生理食塩水に再度刺し替える．生理食塩水を50〜100 mLほど流し，ルート内が透明になったら終了とする．
- 輸注終了後，バイタルサインを確認し，第一尿で尿潜血を調べる．尿潜血が陽性化しABO不適合による溶血の可能性があれば，血液検査を追加し，輸液の追加を行うが，ハプトグロビン投与を追加することはまれである．

B 末梢血幹細胞移植

1 輸注の準備

- 基本的に骨髄移植の場合と同様に行うが，赤血球やヘパリンの含有量は少ない．
- ドナーから採取された末梢血幹細胞のヘマトクリット値はSpectra Optia® を用いた場合は通常2〜3% 前後である．一方，Fresenius社の機器を用いて採取した場合，ヘマトクリット値が高くなる可能性がある．ABO型が適合の場合は通常問題ないが，major mismatchの場合は注意が必要である．当院では輸注する末梢血幹細胞のヘマトクリット値から含まれている赤血球量を計算し，赤血球製剤(ヘマトクリット値50〜55%)に換算して50 mLを超えている場合は赤血球を除去するようにしている．その場合，末梢血幹細胞も減少してしまうため注意が必要である．
- 凍結された幹細胞を輸注する場合，ジメチルスルホキシド(DMSO)の量を確認する．DMSOの総量が患者体重あたり1 gを超える場合は，DMSOによる毒性を減らすため輸注を午前・午後あるいは2日に分けることもある．
- 輸注が開始されるとニンニクのような臭いが発生する．不快に感じる患者や家族もいるため，あらかじめ臭いが発生することを説明しておく(臭いの原因はDMSOの代謝産物).

- 解凍作業を行う前にモニター装着の確認，バイタルサインの確認，ルートの確認を行う(内容は骨髄移植と同様).

2 末梢血幹細胞バッグの解凍(凍結されている場合)

- 凍結されたバッグをフリーザーから取り出す.
- 患者氏名を2人以上で確認する.
- バッグに破損がないことを確認し，バッグを滅菌ビニールに入れ，37℃の恒温槽で急速解凍する.
- 解凍はバッグを破損しないよう，不潔にしないよう慎重に行う.
- シャーベット状になったら(大きな塊がなくなったら)，恒温槽から取り出す.

3 輸注の流れ

- 基本的に骨髄移植の場合と同様に行い，ステロイドの前投薬を用いる.
- 凍結した末梢血幹細胞を輸注する場合，DMSOの毒性に注意する必要がある．DMSOは凍害防止剤として古くから使われているが，室温では細胞毒性があるため，解凍後はなるべく早く患者に投与する．またDMSOはヒスタミン遊離作用があるため，紅潮，嘔気・嘔吐，下痢，頭痛，発熱，呼吸困難，低血圧，アナフィラキシーなどを引き起こす可能性がある.
- 施設によっては400〜500 mL/時で投与することもあるが，当院では凍結バッグ中のDMSOの濃度が10%と高いことが多いため(CP-1®を用いていない場合)，速度を上げ過ぎないようにしている.
- バイタル測定については骨髄移植と同様に行う.

C 臍帯血移植

1 輸注の準備

- 基本的に末梢血幹細胞移植の場合と同様に行う.

2 臍帯血バッグの解凍

- 基本的に末梢血幹細胞移植の場合と同様に行う.

3 輸注の流れ

- 輸注はルートの根元の三方活栓から行う.
- 10〜20 mL/分程度で静注する.
- 少しの細胞も残さないよう, 3 回はシリンジ内を洗浄する.

D リンパ球輸注(DLI, CAR-T)

1 輸注の準備・解凍(凍結されている場合)

基本的に末梢血幹細胞移植の場合と同様に行う.

2 輸注の流れ

基本的に, 幹細胞移植の場合と異なり, クロルフェニラミンマレイン酸塩の前投薬のみを用い, ステロイドは用いていない. CAR-T 細胞を輸注する際はアセトアミノフェン投与も併用している. 凍結なしでシリンジを用いる場合は, 根元に近い三方活栓から 10〜20 mL/分程度で静注する. 凍結されている場合は, 末梢血幹細胞移植の場合と同様に行う.

E 輸注時の副作用

輸注に伴う副作用が発生したときは輸注をいったん止め, 経験豊富な医師に相談することが重要である. 解凍後の幹細胞であっても, トラブル発生時は無理に急いで輸注せず, 患者の安全を優先する.

1 バッグの破損

- 解凍前, あるいは解凍時にバッグの破損を確認した場合, 緊急事態であると認識する. 幹細胞が汚染されているかどうか検討し, そのまま輸注するか, 中止するか判断しなければいけない.
- 1 つのバッグが破損していても, ある程度の細胞が確保できるように, 採取時に複数のバッグに分けて保存しておくことが望ましい.

2 血圧上昇

- 骨髄輸注時に血圧上昇をきたすことはまれではない. 血圧上昇を放置すると, PRES(posterior reversible encephalopathy syndrome)や脳出血を発症することがあるため, 迅速に対応する.

- 血圧上昇(目安としては140/90 mmHg以上またはベースラインから40 mmHg以上)を認めた場合は，輸注速度を落とす.
- カルシニューリン阻害薬を同時投与している場合は，いったん中止する.
- 降圧薬や利尿剤の投与を検討する.

ニカルジピン(ペルジピン®)注　0.5～1 mg　静注

または

フロセミド(ラシックス®)注　10～20 mg　静注

- 血圧上昇が持続する場合はニカルジピンの持続投与を検討する.

ニカルジピン(ペルジピン®)注(10 mg/10 mL)　5 A(50 mL)　原液のままシリンジポンプで1 mL/時で開始．血圧に応じて増減して持続投与

3 アレルギー(咽頭違和感，皮疹など)

最も多く経験する有害事象であるが，適切に対処すれば問題ないことが多い．凍結幹細胞の場合はDMSOによるヒスタミン遊離作用が原因のこともある.

- 輸注を止める，または速度を落とす.
- 抗ヒスタミン薬とステロイドを投与する.

クロルフェニラミンマレイン酸塩(ネオレスタール®)　(10 mg/1 mL)　1 A　静注
および
ヒドロコルチゾン(ソル・コーテフ®)注　100 mg　静注

- 症状改善後，輸注をゆっくり再開する.
- アナフィラキシーを起こすこともあるため，アナフィラキシー時の対応を確認しておく(☞246頁，セクション25の「アナフィラキシー」).
- アナフィラキシーに近い強いアレルギー反応を認めた場合，輸注をいったん中止する．再開するかどうかについては個別に判断する．当院では，再開する場合は血漿除去を行ったうえで，状態が回復してから，十分な量のメチルプレドニゾロン125～500 mgなどによる前投薬の後，輸注を再開するようにしている.
- ショック状態となるようなアナフィラキシーを発症した場合，主治医は残りの幹細胞を輸注するかどうかについて，非常に難しい

判断を迫られる．移植に必要な細胞数が輸注されていると判断すれば輸注を終了する．細胞数が足りないと判断した場合に，緊急で臍帯血移植に切り替えたほうがよいか(臍帯血輸注で発症した場合は別ユニットへの変更)か，再度アナフィラキシーが起こる可能性を覚悟して輸注を再開したほうがよいかについては明らかになっていない．このような状況に遭遇した場合は経験のある施設への相談を躊躇してはいけない．

4 低酸素血症

凍結幹細胞を輸注する際に多く経験する．アレルギー，心不全，細胞凝集塊による塞栓など原因はさまざまである．

- 輸注を止める，または輸注速度を落とす．
- 酸素投与を行う．
- 抗ヒスタミン薬とステロイドを投与する．

クロルフェニラミンマレイン酸塩(ネオレスタール®) (10 mg/1 mL) 1 A 静注
および
ヒドロコルチゾン(ソル・コーテフ®)注 100 mg 静注

- 心不全の可能性があれば利尿剤を投与する．

フロセミド(ラシックス®)注 10〜20 mg 静注

- 症状改善後，輸注をゆっくり再開する．

5 激しい頭痛

- PRESや脳出血の可能性があるため，十分注意して対応する．
- 輸注はいったん中止し，カルシニューリン阻害薬も中止する．
- 血圧が上昇していれば降圧薬を投与する．
- 上記で改善しない場合は，積極的に頭部CT(または頭部MRI)を確認する．
- 症状が改善し，CT画像でも異常がないことを確認してからゆっくり輸注を再開する．この際，カルシニューリン阻害薬は輸注が終了するまで中止しておく．

文献

1) 日本輸血・細胞治療学会HP：造血幹細胞移植の細胞取り扱いに関するテキスト(初版)，2015.
http://yuketsu.jstmct.or.jp/medical/medicine_and_medical_information/reference/

25 移植患者における輸血

造血細胞移植では，移植後の輸血療法が必須である．原則的には輸血療法の実施に関する指針〔「輸血療法の実施に関する指針（改定版）」[1]〕および「血液製剤の使用指針」[2]に従うが，同種免疫反応の影響や血液型不適合，感染症など，移植治療特有の留意点も多い．

A 輸血の実際

1 輸血の開始基準

❶ 血小板輸血

血小板 2 万/μL 未満

※「科学的根拠に基づいた血小板製剤の使用ガイドライン」[3]では，血小板輸血トリガー値（下回れば輸血）は 1 万/μL とされているが，同種移植後は発熱や粘膜障害などの合併症が多いため，当院では血小板輸血のトリガー値を高めに設定している．

※ただし，消化管，呼吸器や尿路などに出血傾向を認める場合や観血的処置を行う際は，血小板 5 万/μL 以上を維持するように輸血する．脳出血時は 10 万/μL 以上を維持するようにする．なお，移植前処置開始前や，移植後病状が安定した後は，輸血トリガー値を 1 万/μL 程度まで引き下げることも検討する．

❷ 赤血球輸血

ヘモグロビン 8 g/dL 未満

※心機能が低下している場合や貧血による症状が強い場合などには，ヘモグロビン 9 g/dL を目標に輸血をすることもある．

❸ 新鮮凍結血漿

凝固異常を認める場合は，その原因となる病態（感染症や肝機能障害など）を治療しつつ，必要に応じて新鮮凍結血漿による凝固因子補充を行う．播種性血管内凝固症候群に対し新鮮凍結血漿を使用する際は，フィブリノーゲン 150 mg/dL 未満を目安とすることが多い．同種移植に特有の病態としては，移植関連血栓性微小血管症（TMA）や肝中心静脈閉塞症/類洞閉塞症候群（VOD/SOS）における使用が挙げられる．

2 輸血関連検査

❶ 血液型検査

血液型主不適合移植の場合，移植後にレシピエント型血球の消失やドナーの赤血球抗原に対する抗体消失のモニタリングが必要である．

❷ 不規則抗体

不規則抗体とは，同種抗体のうちABO以外の血液型に対する抗体であり，輸血や妊娠によって感作されて生じるため，血液疾患患者では陽性のことがある．移植前に不規則抗体のスクリーニング検査をレシピエントとドナーの両者に対して行う．レシピエントが不規則抗体陽性の場合は，輸血に際しては該当抗原陰性の赤血球製剤を準備する(赤血球製剤は保存可能な期間が長いため，あらかじめ準備をしておけば，問題になりにくい)．移植後は，週1回程度不規則抗体の有無をモニタリングする．

❸ 抗血小板抗体

不規則抗体と同様に，輸血や妊娠で感作され，抗血小板同種抗体が出現する．一般的には，抗血小板特異抗体よりも抗ヒト白血球抗原(HLA)抗体であることが多い．抗HLA抗体を認めた場合，該当抗原陰性の血小板製剤が供給できるように，計画する必要がある．ただし，HLA適合血小板の供給には時間がかかり，保存期間も短いため，確保が困難な際には，ランダムの製剤を使用することもやむをえない．また，HLA適合血小板製剤の使用時は，ABO型が不適合の製剤を用いる場合もある．

❹ サイトメガロウイルス(CMV)抗体

レシピエントとドナーの両方において，CMV-IgGの有無を確認する(☞251頁，C CMV抗体陰性患者)．

3 輸血方法

いずれの輸血製剤の場合も，製剤受け渡し時，輸血準備時，輸血実施時それぞれに，患者氏名・血液型・製剤名・製剤番号・有効期限・交差適合試験の結果について，カルテと製剤本体を用いて照合することが推奨されている．特に血液型不適合の同種移植の場合には，使用する製剤の血液型が異なるため，血液型確認表を用いてダブルチェックを行う(☞248頁，B ABO，Rh血液型不適合移植)．

輸血開始に際しては，バイタルサインを測定し，輸血開始後5分間は急性反応確認のため，ベッドサイドで患者を観察する．輸血後15分時点でも，バイタルサインを含め患者の状態を確認する．

また，新鮮凍結血漿を除くすべての輸血製剤に対して，輸血によるGVHDを予防するために15 Gy以上の放射線照射が実施される．

4 血小板輸血の実際

❶ 投与方法

照射濃厚血小板-LR「日赤」 10単位(約200 mL) 1時間かけて点滴静注

※原則として，1回輸血量は10単位とするが，輸血依存度や製剤供給状況によっては15単位製剤も使用する．1日20単位以上の血小板輸血を行う場合は，分割投与を検討する．

❷ 前投薬

クロルフェニラミンマレイン酸塩(ネオレスタール®) 10 mg 輸血直前に静注

※当院では，血小板輸血の際に，副作用予防の目的で抗ヒスタミン薬を前投与している．眠気を助長することがあるため，併用薬剤や全身状態を考慮して投与を検討し，転倒に注意が必要である．

❸ 輸血不応時

血小板輸血後は，出血傾向の推移や輸血後10分から1時間および翌日の血小板数の増加を確認し，補正血小板増加数(CCI)による評価を行う．CCIは，下記の計算式を用いて行うが，輸血直後のCCIは少なくとも7,500/μL以上，翌日のCCIは通常4,500/μL以上である[2)]．

$$\mathrm{CCI}(/\mu\mathrm{L}) = \frac{\text{輸血血小板増加数}(/\mu\mathrm{L}) \times \text{体表面積}(\mathrm{m}^2)}{\text{輸血血小板総数}(\times 10^{11})}$$

予測よりも増加しない場合，抗血小板抗体の検索を行うほか，肝中心静脈閉塞症/類洞閉塞症候群(VOD/SOS)，血栓性微小血管症(TMA)，播種性血管内凝固症候群(DIC)，重症感染症，出血(特に消化管粘膜からのoozing)などの合併を疑う．

5 赤血球輸血の実際

移植後は，血液型・交差適合試験・不規則抗体について週1回検査を行う．

❶ 投与方法

照射赤血球液-LR「日赤」 2単位(約280 mL) 2時間かけて点滴静注

※輸液負荷が懸念される場合は減速して投与する．

また，放射線照射赤血球製剤を大量に輸血する場合，保存に伴い上清中のカリウム濃度が増加する(2単位製剤1袋あたりに含まれる上清中の総カリウム量は7日目で4.5 mEq, 14日目で6.4 mEq, 21日目で7.4 mEq，28日目で平均8.0 mEq)．腎機能障害のある患者では高K血症のリスクも考慮して，保存期間が長い(期限が近い)製剤の使用は慎重に判断すべきである．

❷ 前投薬

基本的に，赤血球輸血では前投薬は不要であるが，副作用の既往がある場合は，抗ヒスタミン薬の使用を検討する．

6 輸血の副作用とその対策

溶血に関連した副作用については，Rh血液型不適合移植の項で後述する．赤十字血液センターからの報告によると，輸血による副作用のうち非溶血性副作用の占める割合は90%を超えており，このうち約半数が重篤と判断されている．重篤な副作用としては，アナフィラキシー(表1)[4]，呼吸困難，輸血関連急性肺障害，輸血関連循環過負荷に注意する．非溶血性副作用の発現時間は，輸血開始直後のほか輸血中や輸血終了後でも報告されている．

❶ 輸血関連急性肺障害(TRALI)

輸血バッグ中の白血球抗体(抗HLA抗体，抗顆粒球抗体)と患者白血球の抗原抗体反応で補体が活性化し，好中球が肺毛細血管を傷害することが原因とされている．臨床的には，輸血後6時間以内に急性呼吸不全を生じ，集中治療管理を要することがある．

❷ 輸血関連循環過負荷(TACO)

輸血による循環負荷に起因する心不全の状態であり，輸血後6時間以内の発症が多い．急性呼吸不全，頻脈，血圧上昇，胸部X線上の肺水腫などが特徴で，BNP上昇を伴う．

❸ 輸血後鉄過剰症

頻回輸血に関連した鉄過剰症であり，血清フェリチン値>1,000 ng/mLと定義される．臓器障害の有無は定義には関与しないが，心臓や肝臓の臓器障害，糖尿病発症が問題となる．経口鉄キレート剤デフェラシロクス(ジャドニュ®)による治療が推奨されるが，腎機能障害をきたすこともあり，移植患者では使用が難しいことも多い．

表1 アナフィラキシー初期対応の手順

1 バイタルサインを確認する
循環，気道，呼吸，意識状態，皮膚を評価する.
2 助けを呼び，救急カートを準備する
3 アドレナリンを筋肉注射する
0.01 mg/kg(最大量：成人 0.5 mg，小児 0.3 mg)を大腿部の中央の前外側に筋肉注射する．投与時刻を記録し必要に応じて5〜15分ごとに再投与する.
4 患者を仰臥位にする
仰向けにして30 cm程度足を高くする．呼吸が苦しいときは少し上体を起こす．嘔吐しているときは顔を横向きにする．突然立ち上がったり座ったりした場合，数秒で急変することがある.
5 酸素を投与する
必要な場合，フェイスマスクで高流量(6〜8 L/分)の酸素投与を行う.
呼吸が促迫している場合，低酸素血症がなくても投与する.
6 静脈ルートを確保し大量の輸液を急速投与する
太めの針(可能なら14〜16 G)でルートを確保し，必要に応じて等張晶質液(生理食塩水など)を初期輸液として(およそ1時間で)1〜2 L/bodyをボーラス投与する(例：成人なら5〜10分で5〜10 mL/kg)
7 心肺蘇生を開始する
必要に応じて胸部圧迫法で心肺蘇生を行う.
8 定期的にバイタルを測定する
頻回かつ定期的に患者の血圧，脈拍，呼吸状態，酸素化を評価する.

〔文献4)を参考に作成〕

❹ アレルギー反応

輸血中または輸血直後にアレルギー反応を生じることがあり，特に血小板製剤で頻度が高い．軽症の場合は皮膚症状のみであるが，重症の場合はアナフィラキシーを起こすこともある.

軽症例の場合，下記を用いる.

ヒドロコルチゾン(ソル・コーテフ®) 100 mg 静注
および/または
クロルフェニラミンマレイン酸塩(ネオレスタール®) 10 mg 静注

❺ アナフィラキシー[4)]

アナフィラキシーは重篤な全身性の過敏反応であり，通常は急速に発現し，死に至ることもある．重症アナフィラキシーは致死的になりうる気道・呼吸・循環器症状により特徴づけられるが，典型的な皮膚症状や循環器ショックを伴わない場合もある．特に皮膚症状は10〜20％の症例で認めないことが報告されており，アナフィラキシーの認識の遅れにつながっている．誘因としては食物(68％)や医薬品(12%)が多い．輸血における重症アレルギー反応は血小板製剤 5,100 例に 1 例，赤血球製剤 35,000 例に 1 例，血漿製剤 9,000 例に 1 例と報告されている．アナフィラキシーによる致死例における呼吸停止または心停止までの中央値は，薬物 5 分，食物 30 分との報告があり迅速な対応が必要である．表 1 に初期対応の手順を示す．

1 アナフィラキシーの診断基準

以下の 2 つの基準のいずれかを満たす場合，アナフィラキシーである可能性が高い．

1. 皮膚，粘膜，またはその両方の症状(全身性の蕁麻疹，瘙痒または紅潮，口唇・舌・口蓋垂の腫脹など)が急速に(数分～数時間で)発症し，さらに少なくとも次の 1 つを伴う．
   - A. 気道/呼吸：重度の呼吸器症状(呼吸困難，呼気性喘鳴・気管支攣縮，吸気性喘鳴，ピークフロー低下，低酸素血症など)
   - B. 循環器：血圧低下または臓器不全に伴う症状(筋緊張低下，失神，失禁など)
   - C. その他：重度の消化器症状(重度の痙攣性腹痛，反復性嘔吐など[特に食物以外のアレルゲンへの曝露後に消化器症状を認める場合には注意])
2. 典型的な皮膚症状を伴わなくても，当該患者にとって既知のアレルゲンまたはアレルゲンの可能性がきわめて高いものに曝露された後，低血圧(成人では収縮期血圧が 90 mmHg 未満，または本人のベースライン値に比べて 30% を超える低下)または気管支攣縮または喉頭症状(吸気性喘鳴，変声，嚥下痛)が急速に(数分～数時間で)出現する．

2 アナフィラキシーの治療

治療の第一選択はアドレナリンであり，抗ヒスタミン薬や β_2 アドレナリン受容体刺激薬，グルココルチコイドは第二選択薬である．アナフィラキシーと診断した場合または強く疑われる場合は，大腿部中央の前外側に 0.1% アドレナリン 0.01 mg/kg(最大量：成人 0.5 mg，小児 0.3 mg)を直ちに筋肉注射する．

アナフィラキシー症状は二相性反応(一度治まった症状がアレルゲンに曝露されていないにもかかわらず数時間後に再燃する)を示

すことがある．二相性反応の約半数は最初の反応後6〜12時間以内に出現し，アドレナリン投与が遅れた場合(発症から30分以上)は二相性反応の出現に関連する．

❻ 洗浄血小板輸血

洗浄血小板の適応は以下の通りである．

① 血小板輸血による輸血副作用が2回以上観察された場合．ただし，アナフィラキシーなどの重篤な副反応の場合には1回でも観察された場合は適応となる．

② ABO型が異型のHLA適合血小板を輸血する場合．当該製剤の抗A，抗B抗体価が低値の場合は洗浄する利点は少ないが，抗体価が128倍以上の場合，または患者が低年齢の小児の場合には可能な限り洗浄血小板を考慮することが望ましい．

日赤の洗浄血小板製剤は事前に予約しなければいけないため，輸血の計画を立てる際には注意が必要である．また，緊急で洗浄血小板が必要な場合は院内で洗浄することとなるが，処理には1時間以上を要する．洗浄血小板を輸血する場合も抗ヒスタミン薬を前投与している．

クロルフェニラミンマレイン酸塩(ネオレスタール®) 10 mg 輸血直前に静注

夜間あるいは緊急で血小板が洗浄できない場合や洗浄の時間が待てない場合は上記の抗ヒスタミン薬に加えて，ステロイドも前投与した上で慎重に輸血を行っている．

ヒドロコルチゾン(ソル・コーテフ®) 100 mg 輸血直前に静注

B ABO，Rh血液型不適合移植

同種造血幹細胞移植を行う際は，HLAの適合度を重要視するため，レシピエントとドナーの血液型が異なることも多い．骨髄移植の場合には，赤血球を多く含むため，ABO不適合ドナーから移植を行う前に処理が必要である(☞235頁，セクション24)．一方，末梢血幹細胞や臍帯血移植の場合は，赤血球混入の量が少ないため，溶血性副作用に注意しながら，処理せずに輸注をすることが多い．

ドナーから採取された末梢血幹細胞プロダクトのヘマトクリット

は Spectra Optia® を使用時は通常 2〜3% 前後である．しかし Fresenius 社の機器を用いた場合，赤血球が多量に含まれていることがある．ABO 型が適合の場合は問題ないが，major mismatch の場合は注意が必要である．当院では採取産物のヘマトクリット値から含まれている赤血球量を計算し，赤血球製剤(ヘマトクリット値50〜55%)に換算して 50 mL を超えている場合は赤血球を除去するようにしている．その場合，輸注される末梢血幹細胞数も減少してしまうため注意が必要である．

1 不適合の種類

❶ 主不適合(major mismatch)

レシピエントがドナー血液型抗原に対する抗体を保有することを意味する．たとえば，A または B 型ドナーと O 型レシピエント，AB 型ドナーと A，B または O 型レシピエントの組み合わせである．骨髄移植の際には，単核球分離を行う．

❷ 副不適合(minor mismatch)

ドナーがレシピエント血液型抗原に対する抗体をもつ場合をいう．O 型ドナーと A，B または AB 型のレシピエント，A または B 型ドナーと AB 型レシピエントの組み合わせが該当する．骨髄移植の際には，血漿除去を行う．

❸ 主/副不適合(major and minor mismatch)

レシピエントとドナーが互いの血液型抗原に対する抗体を保有することをいい，骨髄移植では単核球分離を行う．

2 血液型不適合移植後の輸血製剤の選択

❶ ABO 型不適合

移植日以降は表 2 のような輸血製剤の選択を行う．主不適合の場合，血小板と新鮮凍結血漿はドナー型，赤血球はレシピエント型を用いる．副不適合では，血小板と新鮮凍結血漿はレシピエント型，赤血球はドナー型を使用する．また，主/副不適合では，血小板と新鮮凍結血漿は AB 型，赤血球は O 型を用いる．

❷ Rh 血液型不適合

Rh 血液型には，C，c，D，E，e があるが，移植の際に重要となるのは D(Rho)因子である．日本人の表現型では，D 因子陰性は 0.5% 程度と少ない．骨髄処理の考え方は，基本的に ABO 型と同様である．輸血製剤の選択については，海外ではドナーあるいはレ

表2 血液型不適合移植後の輸血

	患者A型	患者B型	患者O型	患者AB型
ドナーA型	PC, FFP A型 RBC A型	PC, FFP AB型 RBC O型	PC, FFP A型 RBC O型	PC, FFP AB型 RBC A型
ドナーB型	PC, FFP AB型 RBC O型	PC, FFP B型 RBC B型	PC, FFP B型 RBC O型	PC, FFP AB型 RBC B型
ドナーO型	PC, FFP A型 RBC O型	PC, FFP B型 RBC O型	PC, FFP O型 RBC O型	PC, FFP AB型 RBC O型
ドナーAB型	PC, FFP AB型 RBC A型	PC, FFP AB型 RBC B型	PC, FFP AB型 RBC O型	PC, FFP AB型 RBC AB型

シピエントのどちらか一方でもD因子陰性の場合は赤血球，血小板ともD因子陰性血を輸血することが推奨されている[5)]．しかし，本邦においてはD因子陰性の血小板を入手することは困難であり，多くの症例でD因子陽性の血小板輸血が行われている．

❸ 不規則抗体陽性の場合

レシピエントが不規則抗体陽性でありドナーが該当抗原陽性の場合は，主不適合時の対応に準じる．また，ドナーが患者抗原に対する不規則抗体陽性の場合は，副不適合時と同様に対処する．

3 血液型不適合移植後の問題

❶ 輸注時の急性溶血反応

レシピエントが保有する抗原または抗体と，輸注する造血幹細胞に混入する赤血球や血漿成分による免疫反応により，血液型不適合ドナーから輸注時は溶血反応のリスクがある．その対策として，単核球除去や血漿除去の処理を行うが完全には予防できないため，輸注後の初尿で潜血反応を確認する．尿潜血陽性であった場合は，補液の増量やハプトグロビン製剤の使用を検討することもある．

❷ 赤芽球癆，赤血球産生遅延

血液型主不適合移植では，ドナー型赤血球に対するレシピエント由来の抗体産生が残存すると，長期間，赤芽球系造血が著明に減少し輸血依存が続くことがある．白血球と血小板の産生は影響を受けない．このため移植後1か月時点の骨髄検査では，赤芽球系細胞にも注目して観察する必要がある．残存するレシピエント由来のリンパ球による抗体産生を抑制する目的で，副腎皮質ホルモン，免疫抑制剤，リツキシマブなどの使用も検討されるが，赤血球輸血のみで対応するほうが望ましいという国内からの報告がある[6]．

❸ パッセンジャーリンパ球症候群

血液型副不適合移植では，輸注時に混入したドナーのメモリーB細胞が患者のABO型抗原に活性化され，移植後7〜14日後に重篤な溶血反応と黄疸を生じることがある[7]．溶血が起きたときには直接クームス試験が陽性になる．末梢血幹細胞移植やミコフェノール酸モフェチルを用いたGVHD予防がリスク因子とされている．自然回復することが多いが，重症化すると腎不全や生着不全を起こし，血漿交換が必要な場合もある．

C CMV抗体陰性患者

現在，CMV抗原血症/PCRのモニタリングと先制治療やレテルモデル予防により，CMV感染症の発症者は減っている．しかし，依然としてレシピエントとドナーのCMV抗体の有無はCMV感染症の重要なリスク因子である．レシピエントがCMV抗体陽性の場合には，ドナーCMV抗体の有無の影響に関する一定の見解は得られていない．

レシピエントとドナーともにCMV抗体陰性の場合はCMV感染症低リスクであり，全生存割合が1割近く高くなることが報告されている[8]．近年は若年者においてCMV抗体陰性者の割合が増えてきており，血液疾患の診断時よりCMV-IgG(ELISA法)の有無を確認することが重要である．近年は白血球の大部分を除去したLR製剤が供給されているため，輸血によるCMV感染のリスクはかなり低下している．本邦では現在もCMV陰性患者ではCMV陰性でかつ白血球が除去された濃厚血小板(LR製剤)を輸血することが多い．国内のレジストリデータ解析では，白血球除去血小板製剤を用いたCMV抗体陰性患者において，CMV陰性ドナーからの輸血のほうが移植後のCMV感染が少なかったが，CMV diseaseには差がなかった．海外では本邦と同じような対応を行っている国と，LR製剤を用いるかCMV陰性血を用いるかのどちらか一方のみを行っている国が半々である[5]．

文献

1) 厚生労働省医薬食品局血液対策課：輸血療法の実施に関する指針(改定版)，平成 17 年 9 月(令和 2 年 3 月一部改正)
2) 厚生労働省医薬食品局血液対策課：血液製剤の使用指針，平成 31 年 3 月
3) 日本輸血・細胞治療学会：科学的根拠に基づいた血小板製剤の使用ガイドライン，2019 年改訂版.
http://yuketsu.jstmt.or.jp/guidelines
4) 日本アレルギー学会(編)：アナフィラキシーガイドライン 2022.
https://www.jsaweb.jp/uploads/files/Web_AnaGL_2023_0301.pdf
5) Schrezenmeier E, et al: Section 23, Transfusion support. The EBMT handbook: Hematopoietic Stem Cell Transplantation and Cellular Therapies. 7th ed, 2019.
https://www.ebmt.org/education/ebmt-handbook
6) Hirokawa M, et al: Efficacy and long-term outcome of treatment for pure red cell aplasia after allogeneic stem cell transplantation from major ABO-incompatible donors. Biol Blood Marrow Transplant 19: 1026-1032, 2013
7) Bolan CD, et al: Massive immune haemolysis after allogeneic peripheral blood stem cell transplantation with minor ABO incompatibility. Br J Haematol 112: 787-795, 2001
8) Boeckh M, et al: The impact of cytomegalovirus serostatus of donor and recipient before hematopoietic stem cell transplantation in the era of antiviral prophylaxis and preemptive therapy. Blood 103: 2003-2008, 2004

26 移植患者の栄養管理

A 栄養管理の目的

造血細胞移植患者は，消化管粘膜障害などによる経口摂取量の減少や栄養成分の吸収不良を起こすため，容易に低栄養(栄養不良)となる．低栄養では，日常生活動作(ADL)やパフォーマンス・ステータス(PS)が悪化し，傷害された組織の修復が進まず，免疫機能低下による感染症リスクも増大する．このため，栄養状態を維持・向上させることは重要であり，移植前の栄養状態にかかわらず，すべての移植患者に対して栄養サポートチーム(NST)の介入のもと栄養管理を行う必要がある．

造血細胞移植患者に対する栄養管理の詳細は国内[1)]および海外[2, 3)]のレビューを参照されたい．

B 栄養状態のアセスメント

1 移植前および移植後の栄養状態の評価方法

栄養状態は，身長，体重，BMIなどの身体計測値と生化学検査値を用いて評価する．必要に応じて生体電気インピーダンス分析法による体構成成分測定(筋肉量，体脂肪量，体水分量など)も併用して評価する．また骨格筋量の指標として，CTを用いた評価法についても報告されている．当院の解析では，第3腰椎レベルの骨格筋面積を身長の2乗で割った値を骨格筋指数(SMI；cm^2/m^2)とし，日本人における男女別の中央値(男性34.4，女性23.4)をカットオフとした場合，SMI低値は多変量解析において移植後非再発死亡(HR＝7.94；P＝0.048)および全生存率(HR＝5.35；P＝0.004)に対する有意な予後不良因子であった[4)]．

移植前は，直近6か月間の体重減少・増加の有無を併せて検討する．また移植後の外来では，5%以上の体重減少をきたした場合，管理栄養士に栄養評価を含む栄養学的介入を依頼することがある．同種移植後は全例で二重エネルギーX線吸収測定(DXA)を定期的

表1 目標投与栄養量

エネルギー(kcal)	基礎エネルギー消費量(BEE*)×1.0〜1.3 〔低体重(BMI<18.5)の場合は理想体重を，肥満(BMI≧25)の場合はBMI 25となる体重を用いる〕
蛋白質(g)	体重(kg)×1.0〜1.5 g
脂質(g)	総エネルギー消費量の20〜30%
水分(mL)	体表面積(m^2)×1,500 mL
ビタミン・ミネラル	日本人の食事摂取基準(厚生労働省)に準じた量

*BEEの計算(Harris-Benedictの式)
男性：BEE(kcal/日)＝66.5＋13.75×体重(kg)＋5.00×身長(cm)−6.78×年齢(歳)
女性：BEE(kcal/日)＝655.1＋9.56×体重(kg)＋1.85×身長(cm)−4.68×年齢(歳)

に実施し，続発性骨粗鬆症の早期診断・骨折予防に努めている．

2 目標投与栄養量

造血細胞移植患者で目標とする栄養量を表1にまとめる．栄養摂取経路は問わず，食事，経口栄養補助食(ONS)，経静脈栄養，経腸栄養(経管栄養)から摂取した栄養量の総和である．

当院の解析では，前処置開始からday 56もしくは退院時までの平均総投与カロリーが1.0×基礎エネルギー消費量(BEE)未満の患者は，前処置開始時と比べ同種移植後2か月までに体重・骨格筋量ともに約10%減少していた[5]．また1.0×BEE未満の患者は有意に在院日数が長く，入院費用が高額であった．アジア諸国との共同研究では，同種移植後3か月の時点で前処置開始時より10%以上の体重減少を認めた患者において，非再発死亡が有意に増加していた[6]．

前処置開始後は，嘔気・嘔吐・食欲不振や口腔粘膜・消化管粘膜の障害のため，経口摂取量が減少することが多い．入院中は食事による摂取栄養量の推移を毎日把握し，表1の目標値に不足する分は，経静脈栄養や経鼻胃管を用いた経腸栄養で補うことが重要である．

C 経静脈栄養

1 投与エネルギー

BEEとは，呼吸，鉄輸送，酵素の正常なターンオーバーのような基礎的な代謝機能を発揮させるために必要なエネルギーである．経口摂取ができていても，目標エネルギー量である1.0～1.3×BEEに満たない場合には，中心静脈栄養輸液製剤などを積極的に用いて目標に到達するように努める．

2 蛋白質・アミノ酸

アミノ酸の1日投与量は，通常，体重×1.0～1.5 g程度が目標となる．近年，BUNの上昇がない範囲でアミノ酸投与量を増やし，体重×1.5 g程度に保つことが好まれている．欧州のレビューでは，重度の移植後合併症を伴う低栄養患者に対し，体重×1.8～2.5 gを目標にしていると記載されており[7]，総合アミノ酸製剤(アミパレン® 輸液など)を積極的に併用する(体重×1.5 gを多少超えても問題となることはほぼない)．腎不全時には，体重×0.6～1.0 g程度を目標として，腎不全用総合アミノ酸注射液(ネオアミユー® 輸液など)を用いるが，アミノ酸含有量が非常に少ないので，長期使用の際は各種のアミノ酸欠乏症に注意が必要である．

3 脂肪

経静脈栄養施行時は，必須脂肪酸欠乏防止のため，脂肪乳剤を投与する[8](重篤な肝障害や凝固障害がある場合は禁忌)．投与エネルギー量の20～30%を目安とするが，投与速度やルートの兼ね合いで実際の投与量は少ないケースが多い．特に糖質過多に伴う問題(高血糖，脂肪肝)がある場合には，血糖値を下げ，肝臓での脂肪合成を抑制するために，糖質の投与量を減らし，脂肪の投与量を増やす(糖質の投与量は一般的に<5 g/kg/日に抑えるのが望ましい)．

脂肪乳剤の静脈内投与速度は0.1 g/kg/時以下を厳守する．体重60 kgであれば，イントラリポス® 輸液20%の100 mLを4時間で投与すれば問題ない．投与速度が速いと，人工脂肪粒子の代謝速度の限界を超えるため，血中脂質の上昇，脂肪利用率の低下，免疫能の低下(網内系機能の抑制)をきたす．当院では，輸血や抗菌薬などの点滴が比較的少ない夜間から午前10時までの時間帯に脂肪乳剤を投与することが多い．同種移植患者に対し，脂肪乳剤を適切に投与すれば，感染症は増加しないことを国内多施設臨床試験で確認した[9]．

一部の患者では脂肪乳剤の代謝が悪いことがあるため，定期的な血中中性脂肪(トリグリセライド)値のモニタリングが勧められる．

中性脂肪値が350～500 mg/dLまで上昇してきた場合には，脂肪乳剤の投与速度をさらに遅くしたり，投与量を減らして対応する．中性脂肪高値に対して，イコサペント酸エチル(エパデール®)やベザフィブラート(ベザトール®)などの薬剤を投与する(スタチン系薬剤は中性脂肪値のコントロールには不向きである)．

4 ビタミン・電解質・微量元素

経静脈栄養を実施している場合，ビタミン(ビタジェクト®注キットなど)，微量元素(ミネラミック®注など)を経静脈的に投与する．総合ビタミンを含む高カロリー輸液製剤であるエルネオパ®NF輸液やフルカリック®輸液の1,000 mLには半日分のビタミンと微量元素しか含まれていない点に注意が必要である(1,000 mLを使用する場合，1日2バッグを投与することが前提となっている)．

糖質を経静脈的に投与する場合にはビタミンB_1が含まれているか確認が必要である(1日3 mg以上が推奨されている[8])．ブドウ糖注射液，フィジオ®輸液，ハイカリック®RF輸液などにはビタミンが含まれていない．特にもともと栄養状態が悪い患者に，ビタミン剤の混注なく高濃度のブドウ糖注射液を投与すると致死的となる可能性があり，注意が必要である．

移植後はさまざまな原因により電解質異常をきたすため，頻繁に電解質をチェックすべきである．入院中は血清Na，K，Cl，Mg，IP，Caは少なくとも週3回は測定する．特にホスカルネット投与時には高度の電解質異常をきたすことが多く，注意が必要である．またフロセミド持続投与時やリポソーマルアムホテリシンB投与時の低K血症も補充での対応が必要である(☞610頁，セクション62)．

D 経鼻胃管を用いた経腸栄養

欧米のガイドラインでは，消化管機能自体に問題がない，食欲不振，悪心，嘔吐などの消化器症状を伴う移植患者に対する第一選択の栄養サポートとして，経腸栄養を推奨している．経腸栄養は腸管を生理的に機能させ，腸管粘膜上皮の状態を維持させる．経静脈栄養単独のほうが感染症の合併が多いとされ，その理由として腸管バリア機能の破綻，腸管粘膜に対する刺激の欠如による粘膜修復の遅延などによって，bacterial translocationが容易に生じるためと考えられている．RCTではないが経腸栄養群において，感染症合併の減少，有熱期間の短縮，腸管GVHDの減少，腸内細菌叢の多様性の維持，非再発死亡の減少，集中治療室管理の減少，入院期間の短縮などが報告されている[10]．

当院の一部の同種移植患者において，前処置開始前日に経鼻胃管(8 Frまたは10 Fr)を留置し，食事提供は継続し，day 0から半消化態栄養剤の間欠的経管投与を開始し，経静脈栄養も従来通り併用する方針を試みている．

E 血糖コントロール

移植後に高血糖は高頻度に認められ，好中球減少期あるいはday 0〜7の空腹時血糖の高値は感染症合併や非再発死亡のリスクとなる[11, 12]．移植後は血管内皮障害を合併することが多く，高血糖により血管内皮障害がさらに増悪する．特に高カロリー輸液使用時には高血糖がよく認められ，注意が必要である．

高カロリー輸液中の血糖コントロールは，一般的に「投与されているブドウ糖10 gあたり速効型インスリン1単位投与」にて行う．当院では，高カロリー輸液のバッグ内に速効型インスリン(ヒューマリン® R注)を混注している(集中治療室のようにシリンジポンプで投与することは行っていない)．この投与法であれば，インスリンによる重篤な低血糖症状の出現はまれである．血糖コントロールが不良の場合，スライディングスケール法も併用する．

目標の血糖値は一般的には空腹時血糖＜140〜150 mg/dL，随時血糖＜180 mg/dLが推奨されている．ただし，低血糖のリスクがある場合や，重篤な低血糖(＜40 mg/dL)の既往がある場合には，その限りではない．

当院では移植前処置開始後は毎朝の採血時に血糖値を必ず確認し，その結果に応じてインスリンの投与量を調整している．もともと糖尿病がない患者でも，移植後にはブドウ糖7 gあたり1単位程度のヒューマリン® Rを使用することもある．特にステロイド使用時にはブドウ糖5 gあたり1単位でも足りないこともあり，経静脈栄養使用中に血糖コントロールが困難な場合には，ブドウ糖の投与量を減らし，脂肪乳剤の投与量を増やして対応したほうがよい．

ステロイド投与時には食後の高血糖が問題となる．空腹時血糖のみをフォローしているとステロイド糖尿病を見落とす．一般的に推奨されている通り，食後血糖で 180 mg/dL 未満を維持するように，食事直前に超速効型インスリン(インスリンアスパルト BS 注など)を皮下注して対応する．食後血糖を 180 mg/dL 未満に維持しようとすると，食前血糖が高いときのみではなく，食前血糖が多少低くてもインスリンを皮下注するような対応が必要となる．ステロイド投与時に朝食前の血糖値が上がってきたときには，食後の血糖値が治療適応となるほど上がっていないか，昼食後・夕食後などに確認しておくのがよい．

血糖管理に慣れていない場合には糖尿病専門医にコンサルトすべきである．

F 経静脈栄養の処方例

当院における経静脈栄養の処方例を，1 日投与エネルギー別に示す．これらを基本として，速効型インスリンや電解質補給製剤を適宜加えた輸液を用いている．

1 投与エネルギー　1,500 kcal

エネルギー 1,580 kcal　ブドウ糖 295 g　アミノ酸 50 g　脂肪 20 g

エルネオパ® NF1 号輸液　1,000 mL＋エルネオパ® NF2 号輸液　1,000 mL
イントラリポス® 輸液 20％　100 mL

※ヒューマリン®R はエルネオパ® NF 1 号輸液には 12 単位，2 号輸液には 18 単位を混注．

※アミノ酸の投与量を増やしたい場合は，アミパレン® 輸液を追加する(200～300 mL を混注)．

2 投与エネルギー　1,850 kcal

エネルギー 1,840 kcal　ブドウ糖 350 g　アミノ酸 60 g　脂肪 20 g

エルネオパ® NF2 号輸液　1,000 mL × 2 袋
イントラリポス® 輸液 20％　100 mL

※ヒューマリン®R はエルネオパ®NF 2 号輸液 1,000 mL に 18 単位ずつ混注．

3 輸液水分量や Na・K・IP 投与量を減らしたい場合：投与エネルギー 1,350 kcal

エネルギー 1,360 kcal　ブドウ糖 250 g　アミノ酸 40 g　脂肪 20 g

50% ブドウ糖液 500 mL＋アミパレン® 輸液　400 mL＋ミネラミック® 注 1A＋ビタジェクト® 注キット　1 キット＋電解質補給製剤（適宜）
イントラリポス® 輸液 20%　100 mL

※ヒューマリン®R は 50% ブドウ糖液 500 mL に 26 単位を混注.

文献

1）金成元：造血幹細胞移植患者に対する栄養管理．栄養-Trends of Nutrition-37：25-36，2022
2）Baumgartner A, et al: Revisiting nutritional support for allogeneic hematologic stem cell transplantation-a systematic review. Bone Marrow Transplant 52: 506-513, 2017
3）McMillen KK, et al: Optimization of nutrition support practices early after hematopoietic cell transplantation. Bone Marrow Transplant 56: 314-326, 2021
4）Sakatoku K, et al: Prognostic significance of low pre-transplant skeletal muscle mass on survival outcomes in patients undergoing hematopoietic stem cell transplantation. Int J Hematol 111: 267-277, 2020
5）神谷しげみ，他：同種造血幹細胞移植後早期の至適エネルギー投与量に関する研究．静脈経腸栄養 26：737-745，2011
6）Fuji S, et al: Severe weight loss in 3 months after allogeneic hematopoietic SCT was associated with an increased risk of subsequent non-relapse mortality. Bone Marrow Transplant 50: 100-105, 2015
7）Martin-Salces M, et al: Nutritional recommendations in hematopoietic stem cell transplantation. Nutrition 24: 769-775, 2008
8）日本静脈経腸栄養学会（編集）：静脈経腸栄養ガイドライン第 3 版．照林社，2013. https://minds.jcqhc.or.jp/docs/minds/PEN/Parenteral_and_Enteral_Nutrition.pdf
9）Fuji S, et al: A multi-center prospective study randomizing the use of fat emulsion in intensive glucose control after allogeneic hematopoietic stem cell transplantation using a myeloablative conditioning regimen. Clin Nutr 37: 1534-1540, 2018
10）Seguy D, et al: Better outcome of patients undergoing enteral tube feeding after myeloablative conditioning for allogeneic stem cell transplantation. Transplantation 94: 287-294, 2012
11）Fuji S, et al: Hyperglycemia during the neutropenic period is associated with a poor outcome in patients undergoing myeloablative allogeneic hematopoietic stem cell transplantation. Transplantation 84: 814-820, 2007
12）Kawajiri A, et al: Clinical impact of hyperglycemia on days 0-7 after allogeneic stem cell transplantation. Bone Marrow Transplant 52: 1156-1163, 2017

27 移植患者の食事

A 移植患者の食事で注意すること

1 どんな感染症に注意が必要か

移植患者における食事は，栄養管理を行ううえでの基本である．移植患者は長期間，免疫不全状態にあるため，食品を介した感染症に注意する必要がある．日本造血・免疫細胞療法学会のガイドライン[1)]を参考にして，食品を介した感染症を起こす細菌・ウイルスと主な原因食品・予防法を表1にまとめた．黄色ブドウ球菌，ボツリヌス菌などが毒素型食中毒の原因と知られており，その他は少量の菌でも発症する感染型食中毒の原因となる．

2 食品を介した感染症を防ぐための原則

入院中は，「大量調理施設衛生管理マニュアル」(厚生労働省)に従った食品が提供されている．外来時，自宅での調理方法などについても患者・家族へしっかりと教育しておく必要がある[1)]．

- 手に傷口がある人や，下痢・嘔吐などの消化器症状がある人は，できるだけ調理をしない．
- 調理前に石鹸流水で手洗いを行う．生の肉・卵，魚介類に触れた後も石鹸流水でしっかり手洗いを行う．
- 生の肉・卵，魚介類は他の食品と異なるまな板や包丁で取り扱う．
- 調理器具は洗浄後，十分に乾燥させる．
- 食品ごとに加熱時間と温度に留意する(表1)．
- 調理後2時間以内に摂食し，2時間以上常温保管されたものは破棄する．
- 賞味期限・消費期限の切れた食品は食べない．
- ペットボトルの飲料は直接口を付けず，開封後は冷蔵庫で保管し24時間以内に処分する．
- 外食や調理済み食品は，調理製造過程と保管状態の安全性が確認できるものを選択する．

表1 食品を介した感染症を起こす細菌・ウイルスと主な原因食品・予防法

細菌・ウイルス	主な原因食品	予防法
腸炎ビブリオ 塩分3%前後で発育	魚介類	真水でよく洗い，短時間でも冷蔵庫に保存し増殖を抑える．6〜9月の夏季に多い．75℃，1分間以上，加熱する．
サルモネラ菌 自然界や動物の体内に存在	肉・卵・乳	中心温度75℃，1分間以上，加熱する．
カンピロバクター 動物の体内に存在	肉・乳・飲料水	肉と他の食品の接触を避ける．65℃，1分間以上，加熱する．
病原性大腸菌 O-157などは少ない菌でも感染	あらゆる食品	手指洗浄の徹底，中心温度75℃，1分間以上，加熱する．
黄色ブドウ球菌 人や動物の皮膚に存在	おにぎり・弁当・和菓子(素手で調理したもの)	手指洗浄の徹底．傷口がある場合は調理をしない．産生されたエンテロトキシンは100℃，30分の加熱でも無毒化されない．
ボツリヌス菌 自然界に広く存在．無酸素で増殖し，熱に強い芽胞を形成する	缶詰・真空パック食品(からしれんこん)，蜂蜜	容器が膨張している缶詰・真空パックは食べない．神経毒の無毒化には80℃，20分間以上の加熱を要する．
ウェルシュ菌 自然界に広く存在．無酸素で増殖し，熱に強い芽胞を形成する	動物蛋白食品を用いた煮込み料理(カレー，シチューなど)	不十分な加熱後に増殖し芽胞を形成する(20〜50℃で発育)．60℃，10分間加熱後，速やかに食べるか，速やかに冷却する(10℃以下)．
ノロウイルス 秋〜冬にかけて流行	牡蠣などの二枚貝	手指洗浄の徹底，中心温度85〜90℃，90秒以上，加熱する．
ロタウイルス 1〜4月にかけて流行	人から人へ(乳幼児の排泄物など)	手指洗浄の徹底

B 免疫抑制剤投与中の移植患者が注意すべき食品

免疫抑制剤やステロイドを投与中の患者で，どの食品が摂取禁止か摂食可能かを判断するのは非常に難しい．上記の感染症を防ぐための原則を理解し判断することが基本である．当院で患者・家族を指導する際に用いている大まかな基準を表2にまとめた[1,2]．ただ

表2 免疫抑制剤投与中の食品の基準

食品	摂取禁止	摂取可
食肉	生肉，生ハム	中心まで75℃，≧1分加熱
魚介類	生魚，魚卵(いくら，数の子など)，スモークサーモン，二枚貝	中心まで75℃，≧1分加熱，ただし二枚貝は摂取不可
卵	生卵，半熟卵	中心までしっかり加熱してあるもの 中心まで75℃，≧1分加熱
大豆製品	充填豆腐以外は加熱が必要(85℃，≧1分加熱)	納豆，充填豆腐
乳製品	自家製のヨーグルト	牛乳(超高温殺菌済み)，密封されたヨーグルト，バター，クリームなど
チーズ	ナチュラルチーズ，カビタイプのチーズ(ブルーチーズ，カマンベールチーズ)，モッツァレラチーズ	プロセスチーズ(スライスチーズ，6Pチーズなど)
野菜	新芽(貝割れなど)	市販のカット野菜，流水洗浄した野菜
果物	ラズベリーのような表面の粗い生の果物，市販のカット果物，グレープフルーツ，はっさく，スウィーティー	流水洗浄した果物(傷などがないことを確認)
惣菜	スーパー，弁当屋，デパート地下など	コンビニ
漬物・梅干・調味料	生味噌，自家製漬物，生キムチ，ぬか漬け，べったら漬け，塩麹，調理工程の衛生管理が確認できないもの	完全密封の市販品，個別パック調味料
缶詰・レトルト	傷・漏れがあるもの	カップめん，缶詰は開封前に蓋を洗浄する
菓子	陳列された和菓子やケーキ等	密封された市販品
アイス・シャーベット・ゼリー	自家製，専門店	個別密封された市販品，内フィルムの付いている市販品
水・氷・飲み物	井戸水，水道水(共同)，ルイボスティー	ペットボトル，缶，ブリックパック，≧1分沸騰した湯を用いた飲み物

〔文献1,2)より改変〕

し，すべての患者で共通するルールではないため，免疫抑制状態やコンプライアンスなどに応じて，各施設で検討する必要がある．またタクロリムスなどの免疫抑制剤の内服中は，薬物相互作用のためグレープフルーツやはっさくなどは禁止としている．

C 移植後の時期に応じた対応

1 移植日～好中球生着まで

移植日から好中球生着までは，白血球数が著明に低下しており，口腔粘膜や消化管粘膜のバリア機能が崩壊している．このため，食品を介した感染症のリスクがきわめて高く，「移植食(いわゆる低菌食)」を用いている．表2で示した原則に加えて，下記の対応を追加している．

- 落下細菌の混入防止のために，食器・箸・スプーンなどにラップまたは蓋をする．
- 調理後2時間以内に摂取する(配膳時の電子レンジを用いた再加熱は不要である)．
- 納豆は，芽胞を形成して100℃以上の熱にも耐えるため，病原性は低いといわれているが，好中球生着までは摂取禁止とする．
- 手作りの惣菜，市販の惣菜の持ち込みは禁止．
- 生の野菜(サラダ，酢の物)，果物は原則禁止．ただし微細水蒸気加熱調理器を用いて加熱調理したものは提供可能である．

> **Memo** **微細水蒸気加熱調理器**
>
> 当院では，微細水蒸気加熱調理器(アクアガス® オーブン)を導入しているため，「移植食」はすべての食種に対応可能である．
>
> 調理器内で高温の微細水滴(120℃)を食品に噴霧するため，従来の加熱水蒸気よりも熱伝導効率が向上する．短時間(30秒)で処理するため，果物や野菜などが生に近い食感で提供が可能となり，ビタミンの損失が少ない．

食欲の低下や，口腔粘膜障害などからくる経口摂取量の低下に対して嗜好調査を行い，可能な範囲で患者の好みに対応する．牛乳，ヨーグルトは下痢が出現したら中止を検討する．

消化器症状が増悪し，消化管の安静を図る必要があると判断されたときには易消化食へ変更し，改善がなければ食止めとする．停食後に食事を再開する場合は，流動食(水分)→五分粥食→全粥食→常食と消化器症状をみながら段階的に上げていく．

2 好中球生着後～外来フォロー時

生着後は「移植食」の解除を行うと同時に，表2に準じた食事に切り替える．病院食の対応としては，刺身禁，生卵/半熟卵禁は継続し，ラップ・蓋がなくなり，生野菜や納豆が摂取可となる．また衛生管理状態を把握できる院内レストランやコンビニエンスストアは利用可能となる．加熱調理後2時間以内の物であれば，電子レンジで再加熱後に摂取可としている(家庭で調理したものの差し入れ時には食中毒に十分気をつけるように指導する)．ただし生着後であっても，消化器症状が続いている場合は，食事制限を変更せずに厳重な管理を行う．

退院後の食事・栄養管理は，患者の状況(免疫抑制剤使用量やステロイドの使用，GVHD発症，消化器症状など)に応じて適宜医師への確認を行い，迅速かつ柔軟な対応が必要である．

文献

1) 日本造血・免疫細胞療法学会HP：造血細胞移植ガイドライン 造血細胞移植後の感染管理第4版，2017.
https://www.jstct.or.jp/uploads/files/guideline/01_01_kansenkanri_ver04.pdf
2) 国立がん研究センター中央病院・造血幹細胞移植科HP：同種造血幹細胞移植療法を受けられる方へ.
https://www.ncc.go.jp/jp/ncch/clinic/stem_cell_transplantation/Allo.pdf

28 嘔気・嘔吐

移植時の嘔気・嘔吐のコントロールは栄養障害や脱水の予防だけでなく，患者の心理的な負担軽減のためにも重要である．詳細は国内外のガイドライン[1,2]を参照.

A 移植前の注意点

- 嘔吐に対する不安の有無
- 化学療法歴(骨髄異形成症候群などでは化学療法を施行されていない症例がある)
- 過去の嘔吐歴(どのような化学療法で嘔吐したか)

〈高リスク症例〉

・不安感が強い
・化学療法歴がない症例
・過去の嘔吐症状がGrade 2※以上の症例

※24時間に3～5エピソードの嘔吐

B 前処置中の嘔気・嘔吐

① 催吐性　高リスクレジメン：BU/CY，CY/TBI
② 催吐性　中リスクレジメン：FLU/MEL/TBI，FLU/BU/TBI，FLU/BU/MEL

※BUは投与終了後1週間程度，遷延性の嘔気・嘔吐が出現することがある.

1 前投薬基本レジメン

移植患者における基本的な制吐薬として，ニューロキニン1(NK1)受容体拮抗薬，5-HT_3受容体拮抗薬，デキサメタゾンの3剤以外にもさまざまな薬剤を用いており，患者ごとのリスクと各前処置薬の催吐性リスクによって使い分けていく.

①抗がん剤投与時
グラニセトロン　3 mg＋生理食塩水　50 mL　化学療法開始30分前に30分で点滴静注

※BU投与後は遷延性の嘔気・嘔吐があるため投与日の夕方以降にも投与することが多い(1日2回投与).

②TBI時
デキサメタゾン(デカドロン® 注) 3.3 mg＋ヒドロキシジン(アタラックス®-P注) 25 mg＋グラニセトロン(カイトリル® 注) 3 mg＋生理食塩水 50 mL TBI出棟30分前に30分で点滴静注
※同日に2回目のTBI照射があるとき
ヒドロキシジン(アタラックス®-P注) 25 mg＋グラニセトロン(カイトリル® 注) 3 mg＋生理食塩水 50 mL 2回目照射30分前に30分で点滴静注

2 大量CYなどの高リスク例に対するレジメン

大量CY投与を行う高リスク例に対しては，基本レジメンのグラニセトロン3 mgに加えて，デキサメタゾン3.3 mgとアプレピタントを併用している．デキサメタゾン投与量はガイドライン[1,2]と比較して少ないが，この量でコントロールできることが多い．またHLA半合致血縁者間移植後のCY(PTCY)投与時は，輸注からCY投与までにステロイドを投与するとPTCYによるGVHD予防効果が低下する可能性があるため，デキサメタゾン使用を避ける．当院の36例の経験では，PTCY投与時にデキサメタゾン投与なしの場合，急性期の嘔気・嘔吐が有意に増加していたため[3]，近年はオランザピンの追加を積極的に検討している．

デキサメタゾン(デカドロン® 注)3.3 mg＋グラニセトロン(カイトリル® 注)3 mg＋生理食塩水50 mL CY開始30分前に30分で点滴静注
および
アプレピタント(イメンド® カプセル) 初日125 mg 化学療法開始1時間半前に内服 2日目以降80 mg 朝食後内服(通常は3日間投与するが，嘔気が遷延すれば最大5日間内服可能)

※アプレピタントはCYP3A4により代謝される薬剤であるため，使用する際はCYP3A4により代謝を受ける薬剤との相互作用に注意する．
※5-HT_3受容体拮抗薬であるパロノセトロン(アロキシ®)は海外のガイドラインで推奨されているが[2]，当院ではあまり使用していない．
※化学療法による著しい嘔気・嘔吐の既往のある症例の前処置時や，HLA半合致移植後のCY投与時については上記の薬剤に加えてオランザピン(ジプレキサ®)5〜10 mgの内服を追加することがある．また，不安が強く予期嘔吐のリスクの高い症例はアルプラゾラム(ソラナックス®)の内服を積極的に追加している．

3 嘔気出現時の頓用対処

①プロクロルペラジン(ノバミン® 注) 5 mg＋生理食塩水 50 mL
30 分で点滴静注(4 時間空けて 1 日 3 回まで)

または

②ヒドロキシジン(アタラックス®-P 注)25 mg＋生理食塩水 50 mL
30 分で点滴静注(4 時間空けて 1 日 3 回まで)

または

③メトクロプラミド(プリンペラン® 注)10 mg 静注 4 時間空けて 1 日 3 回まで

※基本的に経静脈投与としている.
※嘔吐中枢の刺激に起因する嘔気にはノバミン® を第一選択としている.
※消化管起因性の嘔気に対してはプリンペラン® を使用する.
※予期性嘔気に対してはアタラックス®-P など抗不安・鎮静作用のある薬剤を選択する.

内服可能な軽度の嘔気の場合は内服薬で対応することもある.

①プロクロルペラジン(ノバミン® 錠)5 mg 1 回 1 錠内服 4 時間空けて 1 日 3 回まで

または

②アルプラゾラム(ソラナックス® 錠)0.4 mg 1 回 0.5〜1 錠内服 4 時間空けて 1 日 3 回まで

または

③ドンペリドン(ナウゼリン® OD 錠)10 mg 1 回 1 錠内服 4 時間空けて 1 日 3 回まで

または

④メトクロプラミド(プリンペラン® 錠)5 mg 1 回 1 錠内服 4 時間空けて 1 日 3 回まで

※制吐薬を併用時や，頻回使用時に錐体外路症状(パーキンソニズム，ジスキネジア，ミオクローヌスなど)を起こす場合があるので注意が必要.

4 錐体外路症状が起こった場合

- 原因薬剤の中止
- 症状が強ければ抗コリン薬投与

ビペリデン(アキネトン® 錠)1 mg 1 日 2 回内服から開始．その後漸増し 1 日 3〜6 mg 内服

C 前処置終了後〜生着後の嘔気・嘔吐

前処置終了後から生着後にも嘔気や嘔吐が再出現することがある．まずは鑑別診断を行うことが重要である．

- 中枢性：ウイルス性脳炎，頭蓋内出血
- 消化管：胃潰瘍，上部消化管 GVHD，腸閉塞，便秘，ウイルス性胃腸炎
- 内分泌代謝：電解質異常（特に低 Na 血症，高 Ca 血症）
- 薬剤性：麻薬，ミコフェノール酸モフェチル，ホスカルネット，レテルモビル，ST 合剤

特にはっきりした原因のわからないまま嘔気，食思不振が続く遷延性嘔吐に対しては上部消化管 GVHD やサイトメガロウイルス感染症の可能性を考えて検査を進める．

- 上部消化管 GVHD やウイルス感染症の診断のためには上部消化管内視鏡検査が必須である．明らかな粘膜所見がなくとも病理学的に診断されることがあるので，可能な限り胃粘膜の生検を行う．
- 治療：原因疾患の治療（☞ 458 頁，セクション 46）
- 嘔気・嘔吐がある場合は水分摂取量が減少し，脱水となるケースが多いため体重の推移を確認し輸液量の調整も重要である．またステロイド投与やストレスによる胃潰瘍の発症を予防するため予防的にプロトンポンプ阻害薬（PPI）投与を行う．

①ラベプラゾール（パリエット® 錠） 10 mg 1 日 1 回 朝食後内服

または

②エソメプラゾール（ネキシウム® カプセル）20 mg 1 日 1 回 朝食後内服

または

③ランソプラゾール（タケプロン® OD 錠）30 mg 1 日 1 回 朝食後内服

文献

1）日本癌治療学会（編）：制吐薬適正使用ガイドライン第 3 版．金原出版，2023
2）Hesketh PJ, et al: Antiemetics: ASCO Guideline Update. J Clin Oncol 38: 2782-2797, 2020
3）Nakashima T, et al: Nausea and vomiting during post-transplantation cyclophosphamide administration. Int J Hematol 112: 577-583, 2020

29 口内炎

前処置に伴い移植後早期に出現する口内炎は，全身放射線照射(TBI)を含む骨髄破壊的前処置で生じやすく，約8割の症例で発症するという報告もある．口内炎は疼痛症状により患者のQOLが低下するだけでなく，食事摂取や内服が困難となり，誤嚥のリスクも上昇する．また，粘膜のバリア機能破綻により感染リスクが増加するため，移植前からの評価とマネジメントが重要である．

2022年に日本造血・免疫細胞療法学会と日本がん口腔支持療法学会が合同で作成した「造血細胞移植患者の口腔内管理に関する指針(第1版)」が公表されたので参照されたい[1)]．

1 好発時期

骨髄破壊的前処置を用いた同種移植後の5〜10日後に出現し，多くは移植2〜3週後には回復する．

2 好発部位

舌の両わき・頬の内側・口唇の裏などに多くみられる〔歯肉や上あご，舌背(舌の中央付近)に起こることは少ない〕．咽頭や食道の粘膜にも同様の所見があることを想定して対処する必要がある．

3 リスク因子

TBIを含む骨髄破壊的前処置で生じやすく，ブスルファン(BU)，エトポシド(VP-16)，メルファラン(MEL)，メトトレキサート(MTX)はリスクとなる．

4 原因

前処置毒性がほとんどであるが，感染症は口内炎の増悪因子となる．細菌だけでなく，単純ヘルペスウイルス(HSV)，水痘・帯状疱疹ウイルス(VZV)などのウイルス，カンジダなどの真菌感染症にも注意する．

A 移植前の注意点

口の中は細菌が非常に多い場所であり，その種類も500〜700種類ともいわれている．歯の表面などに付着している歯垢(プラーク)

は細菌の塊であり，歯垢1 mgには1～10億程度の細菌がいるといわれている．これは大腸の中と同程度の細菌数である．これら歯垢の細菌は，消毒薬やうがいだけでは減らすことができず，歯みがきなどによって，こすり落とす必要がある．そのため，移植前に歯科受診を行い，予測される口のトラブルを予防したり，症状を軽くして副作用が出にくい口の環境をつくることが重要である．当院では移植前処置が始まる1か月以上前までに歯科医の診察を受けるようにしている．

1 歯科で評価してもらうこと

- 口腔内の感染フォーカスの有無：齲歯や歯周炎などの評価．治療が必要な場合は抜歯などの対応を行う(当院では，感染リスクとQOLの両者のバランスを考えて不必要な抜歯とならないよう最大限留意している)．
- 口腔内の掃除：歯石やプラークの除去
- セルフケア指導：正しい歯みがきの指導

B 口内炎の予防

1 うがい

食物残渣，口腔内の細菌の洗浄，および口腔粘膜の乾燥予防と粘膜保護を目的とする．目的に応じていくつかのうがい薬を使用する．

❶ 生理食塩水うがい

最もしみないうがい薬である．口内炎による痛みが強く，他のうがいがしみて使えないときに使用する．

❷ アズレンうがい

粘膜の炎症をおさえ，粘膜の回復を促進するうがい薬である．20～30秒間うがい薬を口の中に含んでおくと，より効果的である．潤いの促進のため，グリセリンを混ぜて使うこともある．

❸ 重曹うがい

粘膜の汚れを取る作用があり，口腔内をさっぱりさせる効果がある．

❹ リドカイン(キシロカイン®)うがい

リドカイン(キシロカイン®)(表面麻酔薬)を混ぜて使用する．痛みを麻痺させて口内炎の症状を和らげる．

Memo

当院でのうがいの指導方法[2)]

- 水またはぬるま湯で口の中でブクブク・のどの奥でガラガラと5回ほどうがいを行う．ただし粘膜炎で痛みが強くなってきた場合は，水圧をかけないように静かにクチュクチュうがいを行う．
- うがいの回数を多くすることは，口の中を清潔に保つ効果がある．その目安は，約2時間ごと．
- 食前，食後，寝る前，夜中目が覚めたとき，トイレのときなど，1日につき最低7～8回うがいをする．
- メントールやアルコールを含んだ市販のうがい薬(イソジン® ガーグルなど)は，刺激が強く，また口の乾燥を促進してしまうため，使用は避ける．
- うがいをした後は，乾燥を予防するため口唇にリップクリームをつける．症状に応じてワセリンなどを使用する．

2 ブラッシング(歯磨き)の方法[2)]

❶ 歯ブラシの選び方

- ヘッドの部分はなるべく小さく，柄の部分はまっすぐのものがよい．
- 毛先はナイロン製がよい(豚毛など動物毛の歯ブラシは避ける)．
- 移植前には，歯ブラシを新しいものに取り替える．

❷ ブラッシングのコツ

- 歯垢が付着して汚れやすい場所は歯間，歯と歯肉の境目である．
- 歯と歯肉の境目にブラシの毛先を当て，歯間や歯周ポケットに毛先が入るよう，小刻みに動かす．強い力を入れる必要はないが，1本1本丁寧に磨く．
- 舌のブラッシングも行い舌の汚れも落とす．
- 歯ブラシは使用後キャップをつけず，毛先をよく乾燥させてから保存する．
- 毎食後，寝る前の1日4回磨く．
- 食事をしていなくても，可能であれば1日1回はブラッシングを行う．
- 歯みがき粉を使用する場合は，刺激の少ないものにする(歯みがき粉がしみるときは，無理に使用する必要はない)．
- 歯肉を傷つけることは感染や出血の原因となるため，出血や口内炎がひどいときは，歯ブラシを柔らかいものに変更する．
- 歯間ブラシやワンタフトブラシ(1本歯ブラシ)などの清掃補助用

具も活用する．
- デンタルフロス（糸ようじ）は，使い方を誤ると歯肉を傷つけたり，出血の原因となるため，使用には留意する．
- 粘膜の汚れ，ぬるぬるした唾液の除去にはスポンジブラシが有効である（ただし粘膜炎がある場合は，粘膜への刺激は避ける）．

3 義歯（入れ歯）の清潔保持

- 口内炎ができた場合，義歯の刺激で悪化することがあるので，状況に応じて義歯を外すことも検討する．
- 毎食後，義歯は外して義歯用ブラシを使ってきれいに洗浄する．
- 義歯を長時間外すときは，義歯用の洗浄液につけて保管する．

4 MEL 投与時のクライオセラピー

大量 MEL 投与後は 60〜80% の頻度で口内炎を合併し，しばしば重篤化することがある．当院では，口腔内を冷やして血管収縮させることにより，MEL が口腔粘膜へ到達する量を減少させるクライオセラピーを行っている[3)]．氷を入れておく容器を準備し，図 1 のような方法で行っている．

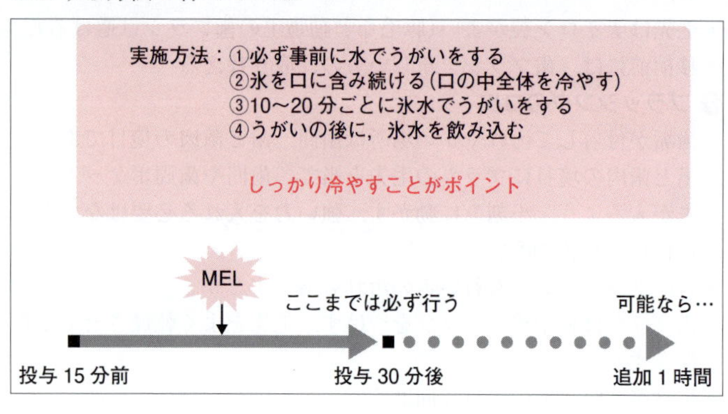

図 1　MEL 投与時のクライオセラピーの一例

MASCC/ISOO の「がん治療に伴う粘膜障害に対するエビデンスに基づいた臨床診療ガイドライン」2019-2020 改訂版の基となる systematic review[4)]が発表され，自家移植例での RCT を基にクライオセラピーが Recommendation レベルに格上げされた．

C 口内炎出現時の管理

1 口内を清潔に保つ

- できる範囲で口腔ケアを行い，口内の清潔を保つ(患者自身で行うのが困難な場合や重症例では，歯科医や歯科衛生士へ早めに相談する).

2 口の乾燥を予防する

- うがい，水で口を湿らす，マスクをする，口唇にはリップクリームなどをつける.

3 感染管理

- 感染を合併すると粘膜障害がさらに悪化するため早めに対応する[5]．熱感や腫脹，強い疼痛を伴う場合，感染の合併を疑う.
- 細菌感染を疑う場合はバンコマイシン(VCM)やテイコプラニン(TEIC)，ダプトマイシン(DAP)などの抗菌薬点滴を行う.
- カンジダ感染を疑う場合はミカファンギン(MCFG)などの抗真菌薬点滴を行う.
- HSV の感染を疑う場合はアシクロビル(ACV)などの点滴を行う(ほとんどの例で ACV 予防を行っている).

4 疼痛管理

- 疼痛が強いときは積極的にオピオイド系鎮痛薬を使用する.
- 患者自身が症状に応じて追加投与できる PCA ポンプの使用が望ましい.
- 詳細は疼痛管理の項(☞ 501 頁，セクション 50)を参照.

> フェンタニル　3,000 μg(60 mL)＋生理食塩水 40 mL(総量 100 mL)
> (フェンタニル濃度 30 μg/mL)
> ベースライン：0.3 mL/時(216 μg/日)
> レスキュー：0.3 mL/回(15 分おき　4 回/時まで)
> 麻薬使用時は副作用対策をしっかり行う.

- 鎮痛補助薬としてアセトアミノフェンを併用する場合もある.

> アセリオ® 注　1 回 500～1,000 mg　15 分で点滴静注(1 回量は適宜増減し 4～6 時間ごとに投与．ただし，1 日総量 4,000 mg まで)

- 口腔粘膜保護剤も有用である．潰瘍部など疼痛のある粘膜の表面に物理的な保護膜を形成することにより，食事や会話の際の疼痛を緩和する．本邦ではエピシル® 口腔用液が歯科の保険適用を受けている．医療機器の扱いのため処方箋では提供できず，使用する場合は歯科受診が必要である．

エピシル® 口腔用液　1回あたりポンプを1～3回プッシュ　1日2～3回(患部に内容液を滴下塗布し，適宜舌で患部に塗り広げる)

文献

1) 日本造血・免疫細胞療法学会，日本がん口腔支持療法学会(編)：造血細胞移植患者の口腔内管理に関する指針第1版．永末書店，2022
2) 国立がん研究センター中央病院・造血幹細胞移植科 HP：同種造血幹細胞移植を受けられる方へ．
https://www.ncc.go.jp/jp/ncch/clinic/stem_cell_transplantation/Allo.pdf
3) Mori T, et al: Cryotherapy for the prevention of high-dose melphalan-induced oral mucositis. Bone Marrow Transplant 38: 637-638, 2006
4) Correa MEP, et al: Systematic review of oral cryotherapy for the management of oral mucositis in cancer patients and clinical practice guidelines. Support Care Cancer 28: 2449-2456, 2020
5) Sonis ST: The pathobiology of mucositis. Nat Rev Cancer 4: 277-284, 2004

30 下痢

前処置に伴い移植後早期に出現する下痢は，約半数の症例で認めるとされ，最も多い前処置毒性の1つである．下痢は腸管粘膜障害の結果として現れる症状であり，粘膜のバリア機能が破綻していることを示している．下部消化管には多数の細菌が存在しており，粘膜バリアの破綻時は重症感染症がいつでも起こりうる．特に前処置後は血球減少と腸管粘膜バリア破綻の時期が重なるため，腸炎(局所の炎症)から敗血症(全身の炎症)へと容易に増悪する．これらの炎症によるサイトカインにより，移植片対宿主病(GVHD)が発症・悪化することも多い．下痢を認めた場合は，迅速な原因検索および対応が必要である．

A 移植前の注意点

- 排便の状況(排便回数，性状，周期)
- 既往歴の確認：腹部手術歴，化学療法施行歴
- 腸管粘膜障害のリスクの評価
  高リスク因子：全身放射線照射(TBI)，メルファラン(MEL)，エトポシド(VP-16)，ブスルファン(BU)
- 感染リスクの評価
  ① 既往歴：細菌性腸炎，憩室炎，サイトメガロウイルス(CMV)腸炎の既往
  ② 便培養：腸管内の細菌の確認は重要であり，特に耐性菌であるESBL(extended-spectrum β-lactamase)産生菌，カルバペネム耐性腸内細菌目細菌(CRE：carbapenem-resistant *Enterobacteriaceae*)，多剤耐性緑膿菌(MDRP：multiple-drug-resistant *Pseudomonas aeruginosa*)，バンコマイシン耐性腸球菌(VRE：vancomycin-resistant *Enterococci*)，メチシリン耐性黄色ブドウ球菌(MRSA：methicillin-resistant *Staphylococcus aureus*)などの有無は発熱性好中球減少症(FN)発症時の抗菌薬選択にかかわる．また，*Stenotrophomonas maltophilia* な

どの抗菌薬が効きにくい細菌が検出された場合も注意が必要である．当院ではCDトキシンが検出された場合はメトロニダゾールあるいはバンコマイシンの内服を開始し，移植までに陰性化の確認を行っている．

③ CTによる腸管構造の把握(特に回腸末端，虫垂，横行結腸の位置と走行は必ず確認する☞196頁，セクション21 Memo)

④ 急性GVHD発症リスクの評価(HLA不一致，ATG投与など)

B 前処置後の下痢(原因：治療関連毒性，感染症)

1 下痢出現時の注意点

- 腹痛の有無，血便の有無，便回数，便の性状，1回量に注意する．
- 腹痛が軽く，1回量が多い場合は小腸の炎症がメインであることが多い．
- 腹痛が強く，1回量は少ないが便回数が頻回の場合は大腸の炎症がメインであることが多い．血便を認めることもある．
- 腹部膨満の有無，聴診所見や局所の圧痛の有無，肛門の状態などを評価する．
- 回盲部に最初の変化が出やすいので，右下腹部の圧痛は特に注意して診察する．

2 検査

- 便培養
- CD(*Clostridioides difficile*)トキシン
- 腹部超音波検査：腸管を観察するのにきわめて有用である．小腸や大腸を観察し，壁肥厚を認めた場合はプローブで圧迫し，圧痛の有無を確認する．有意な壁肥厚を認めた場合や圧痛を認めた場合は，発熱がなくても局所での炎症が起きていると考え，嫌気性菌のカバーを積極的に行う．
- CT検査
- 下部消化管内視鏡：生着前に下部消化管内視鏡を行う場合，感染や出血など合併症のリスクが高いため，適応は慎重に判断する．

3 治療

原因に応じた治療を行う．感染により前処置による粘膜障害がさらに悪化することを防止することが重要である．

❶ 細菌

特に嫌気性菌のカバー〔タゾバクタム/ピペラシリン(TAZ/PIPC)，カルバペネム系抗菌薬〕と腸球菌のカバー〔バンコマイシン(VCM)，テイコプラニン(TEIC)，ダプトマイシン(DAP)など〕を行うことが重要である．発熱がなくても，腹痛や局所の炎症所見を認めた場合は，早めに抗菌薬の変更を行う．便から耐性菌が検出されている場合はそのカバーを検討する．当院で同種移植を施行した183例中28例で移植前の便培養で耐性菌(26例がESBL産生菌)を認めた．またCD腸炎の場合は，メトロニダゾールやVCMの内服を行う(☞434頁，セクション43)．

❷ 真菌

カンジダ，アスペルギルスが問題となるが粘膜障害時はカンジダのカバーが特に重要である．

❸ ウイルス

この時期のウイルス感染による腸炎は少ない．また，季節によってはノロウイルスにも注意が必要である．

❹ 対症療法

内服が可能であれば整腸剤の投与を行っている．感染がなければロペラミド投与も行っている．

ビフィズス菌製剤(ビオフェルミン®R)　1日3錠　分3　毎食後

または

ロペラミド　1回1錠　状態によって適宜増量(感染がなければ)

❺ 肛門のアセスメント

アズノール® 軟膏，キシロカイン® ゼリーをそれぞれ1日1～2回肛門部に塗布(排便回数が多いときは排便ごとに塗布)，肛門洗浄(ウォシュレットの使用)．局所の炎症所見や痛みが強い場合は，ネリザ® 軟膏を用いることがある．

❻ 脱水予防

十分な補液を行うことも重要．

C 生着後の下痢（原因：GVHD，CMV 腸炎などの感染症）

生着後の下痢は腸管 GVHD の可能性があり，対処が遅れると全腸管の粘膜が障害され重症化することも多い．早期の発見と対応が特に重要である．

1 下痢出現時の注意点

- 通常，前処置に伴う粘膜障害は血球の回復（生着）とともに改善する．しかし，好中球生着とともに下痢が悪化する場合や，いったん改善していた下痢が再増悪する場合は生着症候群や GVHD などを強く疑う．
- 診察のポイントは前処置後の下痢と同様である．

2 検査

❶ 腹部超音波検査，CT 検査

- 病変を早期発見するために超音波検査と CT 検査を活用することが重要である．確定診断には使えないが，スクリーニングや経過観察には十分使える．超音波検査は毎日腸管の状態を評価でき患者の負担も少ないが，全腸管を観察することは困難である．一方，CT 検査は全消化管が評価できるが，連日は施行できない．それぞれを上手に使い分けて評価する（☞ 452 頁，セクション 45）．
- 超音波検査，CT 検査で観察するポイント（☞ 453 頁，Memo）
  ① 壁肥厚の有無（特に回盲部）
  ② 壁肥厚の範囲（小腸 or 大腸 or 両方）
  ③ 下痢量の推定（腸管内容物の状態，拡張の程度・範囲）
  ④ 血管内の volume 評価

❷ 下部消化管内視鏡，小腸カプセル内視鏡

生着後は GVHD と感染症との鑑別が重要となるため，積極的に内視鏡検査を行う．下部消化管内視鏡検査は侵襲が上部消化管内視鏡検査に比べ大きいが，重要な情報を得ることができるためバイタルサインが崩れていなければ内視鏡検査を積極的に施行している．特に回腸末端は最初に GVHD の変化が現れるため，最も重要であり，回腸末端まで観察するよう内視鏡医に依頼する．また，肉眼では明らかな異常がなくても生検を行う．CMV 腸炎を診断するには複数の部位からの生検を行うことが重要である．当院では内視鏡医

の負担を軽減するため，内視鏡検査時に必ず当科の担当医あるいは副担当医が検査に付き添い，患者の状態を確認しながら観察範囲や生検部位などをその場で内視鏡医と相談しながら決定している．CMV と GVHD の内視鏡肉眼像での鑑別は急性 GVHD の診断の項（☞ 451 頁，Memo）を参照．

❸ 便培養，CD トキシン

3 治療

原因に応じた治療を行うが，この時期は複合的な要因による下痢も多く，GVHD と感染症の両方の治療が必要となることも多い（GVHD の治療については☞ 458 頁，セクション 46 を参照，CMV 腸炎の治療については☞ 427 頁，セクション 43 を参照）．

❶ 感染症

基本的には生着前と同様であるが，ウイルス感染症が問題となる可能性がより高くなる．ウイルスでは CMV だけでなく単純ヘルペスウイルス（HSV），水痘・帯状疱疹ウイルス（VZV），アデノウイルス（ADV）にも注意が必要である．

❷ 対症療法

内服が可能であれば整腸剤の投与を行っている．

ビオフェルミン®R　1 日 3 錠　分 3　毎食後

この時期のロペラミドの使用については注意が必要である．GVHD で下痢が増加しつつある患者にロペラミドを使用すると下痢が腸管内に留まり，見かけ上，下痢が改善したようにみえることがある．しかし，実際は腸管内に留まっているだけであり，悪化すると嘔吐や腹部膨満を認め，イレウスになる．GVHD で下痢量が多い患者にはロペラミドは使用しない．

また肛門のアセスメントや脱水予防も行う．

31 腎機能障害

造血細胞移植後に急性腎障害(AKI)を発症する症例は多く，その原因はさまざまである．本項では薬剤性の AKI の予防および対処方法を中心に記載する〔慢性腎障害(CKD)については☞ 563 頁，セクション 56 参照〕．

A Acute Kidney Injury(AKI)

AKI の定義および腎代替療法についてはセクション 37(☞ 357 頁)を参照されたい．

1 発症頻度・時期

AKI の発症頻度は，報告によって患者背景や AKI の定義が異なるためさまざまである．自家移植(10% 程度まで)と比較して同種移植を受けた患者では発症率が高く，移植前処置の強度が強いほどリスクが高くなる(骨髄非破壊的前処置で 50% 程度まで，骨髄破壊的前処置で 70% 程度まで)．発症時期の中央値は移植後 33〜38 日である[1)]．

2 造血細胞移植後の AKI の原因

AKI の主な原因はカルシニューリン阻害薬(CNI)などの薬剤，肝中心静脈閉塞症(VOD/SOS)，敗血症，アデノウイルスや BK ウイルスによる尿路感染症，血栓性微小血管症(TMA)，腫瘍崩壊症候群(TLS)，GVHD，ABO ミスマッチ移植による溶血などがある．

3 予後

腎代替療法が必要となる患者は少ないが，腎代替療法が必要となった患者の死亡率は 55〜100% と高い[1)]．

B 薬剤性の腎障害

- 造血細胞移植患者は腎毒性のある薬剤を複数使用することも多く，腎障害を起こすリスクが高い．腎機能が低下すると十分な薬剤投与が不可能となり，その後の管理が難しくなるため，腎機能

表1 各薬剤が腎障害を起こす機序

薬剤	腎輸入細動脈収縮(腎前性)	尿細管障害(腎性)	結晶析出(腎後性)
シスプラチン	—	○	—
CNI	○	○	—
アシクロビル	—	○	○
ホスカルネット	—	○	○
アムホテリシンB	○	○	—
ST合剤	—	○	○
アミノグリコシド	—	○	—
グリコペプチド	—	○	—
ヨード造影剤	○	○	○
グロブリン製剤	—	○	—

〔文献2)より〕

を保つことは移植において最重要課題の1つである.

- 移植後の患者において腎障害を起こす薬剤として,抗がん剤,免疫抑制剤,抗菌薬,抗ウイルス薬,造影剤,グロブリン製剤などがある.各薬剤が腎障害を起こす機序を理解していると,どのように予防すればよいかも理解しやすい[2)](表1).
- 薬剤性の腎障害の機序は大きく分けて3つあり,それぞれの病態に応じた対応が必要である.

① **輸入細動脈の収縮(腎前性)**

輸液やカルペリチド(ハンプ®)などによる輸入細動脈の拡張を行う.

② **尿細管細胞への直接障害(腎性)**

薬剤投与量の調節が重要である.輸液が有効な場合がある.

③ **薬剤の結晶が尿細管に析出する(腎後性)**

輸液±利尿剤で尿量を確保する.

1 ホスカルネット

腎障害の正確な頻度は不明であるが,移植後に使用する場合は,より高頻度になりやすい.CMV感染症の予防試験では用量依存性に腎障害が増加し50%の症例で血清Creが増加した[3)].また,本邦で行われたHHV-6感染症の予防試験において,50 mg/kgを10

日間投与した場合，血清 Cre 上昇(G2) は 4.5%[4]，90 mg/kg を 21 日間投与した場合は，血清 Cre 上昇(G3) は 8.8% であった[5]．投与期間も重要で，27 日間以上の投与が AKI 発症のリスク因子であった[6]．近年の研究でホスカルネットの長期間投与は腎機能障害をきたすことが報告されており[7]，不可逆的な腎障害を起こす可能性があることに注意する必要がある．

典型的には投与開始 6〜15 日後に血清 Cre の上昇を認める．腎毒性のある他の薬剤を併用すると腎障害のリスクが上昇する．また腎性尿崩症や塩類喪失性腎症をきたすことがある．

❶ 機序

腎臓の尿細管細胞への直接障害と遠位尿細管腔におけるホスカルネットの結晶析出により腎障害を起こすと考えられている．

❷ 予防

- 腎障害予防には輸液が重要である．
- ホスカルネット投与前に 2.5 L の生理食塩水を負荷することにより腎障害が減少したという報告があり，細胞外液負荷を行う[8]．

生理食塩水またはラクテック® 500 mL ホスカビル® 投与前後に 3 時間ずつかけて点滴静注

※高カロリー輸液中でもともとの輸液量が多く輸液負荷を減らしたい場合は，1 回 250 mL に減量することもある．可能な限り投与量は維持し，負荷もあわせて 2〜3 L/日の輸液を行っている．また輸血を代わりに用いる場合もある．

- 必要に応じて生理食塩水に K や Mg，Ca を追加する．
- 低 Ca 血症，低 Mg 血症，低 P 血症をほとんどの症例に認めるため，細やかな電解質補正も腎保護に重要であり，Na，K，Cl，Ca に加えて，IP や Mg も連日測定する(☞ 610 頁，セクション 62)．
- 尿中ではホスカルネットが濃縮されているため陰部潰瘍を発症することがある．尿路の衛生管理が重要である．

2 ST 合剤

予防投与量ではあまり問題となることは少ないが，トキソプラズマ，マルトフィリアやニューモシスチス感染症の治療目的に大量投与する場合に問題となる．

❶ 機序

ST 合剤に含まれているスルファメトキサゾールを 50〜100 mg/

kg/日以上投与すると結晶析出による腎障害をきたす．ST合剤1錠あたりスルファメトキサゾールは400 mg含まれている．

❷ 予防

尿をアルカリ化するとスルファメトキサゾールの溶解度が上昇する（pH>7.15以上にすると溶解度が20倍増加する）．腎障害予防には輸液負荷と尿のアルカリ化が重要である．

生理食塩水 500 mL＋炭酸水素ナトリウム（メイロン® 7％） 20〜40 mL

または

重炭酸リンゲル液（ビカーボン®）500 mL 60〜125 mL/時（2〜3 L/日）で投与

3 アムホテリシンB（リポソーマルアムホテリシンBを含む）

アムホテリシンBはGFRの低下，低K血症，低Mg血症，代謝性アシドーシス（type 1 RTA），腎性尿崩症による多尿などを起こすことが知られている．

❶ 機序

アムホテリシンBによる腎毒性の機序は完全には解明されていないが，以下のような機序によると考えられている．

① アムホテリシンBにより直接きたす血管収縮作用
② 傍糸球体細胞へのNaの流入作用を介した尿細管糸球体フィードバック（TGF）システムによる腎血管収縮作用
③ 尿細管障害

アムホテリシンBによる腎障害のリスクは1日あたりの投与量が多ければ多いほど高くなる．また腎毒性のある他の薬剤を併用するとリスクが高くなる．

❷ 予防

- 腎毒性のある薬剤（アミノグリコシドやグリコペプチド系抗菌薬）の併用を避ける．
- リポソーム化された製剤の使用
- 他の抗真菌薬への変更
- 輸液負荷：TGFシステムがアムホテリシンBの腎毒性に大きくかかわっており，生理食塩水の負荷によりアムホテリシンBによるGFRの低下を軽減できる．過去の報告ではアムホテリシン

Bを投与する前に生理食塩水1Lを1時間で負荷することにより腎障害が減少することが示されている[9]．

生理食塩水またはラクテック® 500 mL リポソーマルアムホテリシンB投与前後に3時間ずつかけて点滴静注

※低K血症や低Mg血症を認めた場合は，これらの生理食塩水にKやMgを適宜追加する．

4 カルシニューリン阻害薬(CNI)

❶ 機序

- CNIは糸球体の輸入および輸出細動脈を収縮させ，腎血流やGFRの低下を引き起こす．血管収縮の詳細なメカニズムはまだ明らかになっていないが，血管内皮障害による血管拡張物質の産生低下と血管収縮物質の放出増強の関与が示唆されている．
- 血管抵抗の上昇は臨床的には血清Creの上昇と高血圧となって現れる．
- CNIによる急性の腎障害は通常可逆性である．
- 高K血症：尿中へのK排出低下により血清Kが上昇する．これはシクロスポリン(CSP)やタクロリムス(TAC)がレニン・アンギオテンシン・アルドステロン系の活動を低下させることや尿細管のアルドステロンへの反応を低下させることに起因すると考えられている．
- 低P血症，高尿酸血症，低Mg血症を認める．
- 代謝性アシドーシス：CSPやTACによる尿細管障害により酸の排出も阻害される．アニオンギャップ正常の代謝性アシドーシスとなる(高Cl血症を伴う)．

❷ 予防

確立された予防法はないが，当院では以下の方法を用いている．

① 輸液(1.5 L/m^2/日)

② カルペリチド(ハンプ®)による輸入細動脈の拡張(一部のハイリスク例のみに使用)

③ アムロジピン(腎輸入細動脈を拡張させる作用がある)

※アムロジピンはCNIによる腎障害を軽減する可能性が報告されている[10]．

5 アミノグリコシド

❶ 機序

尿中に排泄されたアミノグリコシドは，近位尿細管細胞内に取り込まれ，尿細管細胞壊死を起こすことがある．尿細管障害により再吸収能が低下しているため，乏尿になることが少ないと考えられている．

❷ 予防

- アミノグリコシド系薬剤の選択：ゲンタマイシンが最も腎毒性が強く，以降トブラマイシン，アミカシン，ストレプトマイシンと続く．
- 脱水の患者には投与を避け，アミノグリコシド投与までに血管内ボリュームを最適化する．
- アミノグリコシドを投与する前に低K血症，低Mg血症を補正しておく．
- 投与期間を7～10日以内として，長期投与を避ける．
- 他の腎毒性のある薬剤の併用を避ける．
- PKモニタリングを行い，1日1回投与法を行う．

6 バンコマイシン(VCM)，テイコプラニン(TEIC)

❶ 機序

VCM，TEICなどのグリコペプチド系抗菌薬はアミノグリコシドと同様，近位尿細管細胞内に取り込まれ，蓄積されることにより，尿細管壊死を起こすと考えられている．近年のトピックとしてVCMとピペラシリン/タゾバクタム(PIPC/TAZ)を併用すると腎障害のリスクが上昇することが報告されている[11]．機序は未だ明らかになっていない．TEICについても報告は少ないがPIPC/TAZと併用すると腎障害のリスクが上昇することが報告されている[12]．TEIC+PIPC/TAZとVCM+PIPC/TAZを比較するとTEIC+PIPC/TAZのほうが腎障害のリスクは低いという報告がある[13]．当院ではPIPC/TAZ投与時にはできるだけグリコペプチドを併用しないようにしている．また，併用が必要な場合はTEICを選択するようにしている．

❷ 予防

現時点では確立した方法はなく，PKモニタリングによる血中濃度を適切にコントロールすることが重要である(☞383頁，セクション 40)．TEIC は，VCM と同等の治療効果があり，腎障害の発症頻度が VCM と比較して有意に低いことが報告されている[14]．また，腎毒性のある薬剤との併用を避け，脱水状態での投与を避ける．

7 ヨード造影剤

❶ 機序

血管内に投与されたヨード系造影剤は約 99% が尿中へ排泄されるため，投与方法や投与量にかかわらず，腎臓に何らかの負荷がかかる．造影剤による腎障害は，直接的な尿細管上皮細胞への毒性と腎髄質虚血の相互作用の結果として起こる．既存の腎疾患を有する患者，腎機能障害，糖尿病，重症心不全，多発性骨髄腫，腎毒性薬剤の併用，高齢者などがリスク因子となる．

❷ 予防

- 血栓，塞栓症，膿瘍，出血などの鑑別診断目的で造影が必要な場合を除き，不要な造影 CT 検査は行わない．
- 用量依存的に急性腎不全の発症頻度が上昇し，最も高いリスク因子は既存の腎機能低下であるため，造影剤使用前には必ず腎機能評価を行う．
- 造影剤投与前後の十分な補液が有意に AKI 発症を抑制するため推奨される．生理食塩水を 1 mL/kg/時の速度で前後 12 時間持続投与する方法が一般的である[15]．予防効果は，低張性輸液 0.45% 食塩水よりは等張性輸液である 0.9% 食塩水（生理食塩水）のほうが優れる．

C 腎障害を早期に発見する取り組み

これまでは血清 Cre 値を参考に腎機能の評価を行っていたが，近年，新たな尿細管障害のバイオマーカーの測定が可能となった．尿細管障害は糸球体障害よりも腎機能とよく相関するといわれており，尿細管障害を早期に認識することで早期治療による腎保護が期待できる．また，薬剤による腎毒性のモニタリングにも有用である．

1 尿細管障害の特徴

急性もしくは慢性の腎機能の低下をきたすが，糸球体障害と比較して，以下の特徴がある.

① 尿蛋白は陰性，あっても軽度
② 血尿よりも膿尿がみられる.
③ 多尿や夜間多尿などの尿濃縮障害を疑わせる症状が存在
④ 尿細管アシドーシス，腎性糖尿を認める.

2 尿細管障害のマーカー

❶ 尿中尿細管酵素：N-アセチル-β-D グルコサミニダーゼ(NAG)

細胞内のリソソーム内に含まれる糖蛋白質分解酵素の一種で，尿細管が障害を受けると尿細管上皮細胞のリソソームから逸脱する.尿細管障害の早期発見に有用である．ただし，糸球体障害でも上昇するため解釈に注意が必要である.

❷ 尿中低分子量蛋白：β_2 ミクログロブリン(β_2 MG)

低分子量蛋白であるため，糸球体を自由に通過し，正常では99.8%が近位尿細管で再吸収されるため，尿中には微量しか検出されない．しかし，近位尿細管細胞が障害されると再吸収できなくなるため，尿中排泄が増加する.

❸ 新規バイオマーカー

近年は，下記の新たなバイオマーカーが注目されている．当院では尿中 NGAL を測定している.

① 尿中L型脂肪酸結合蛋白(liver-type fatty acid binding protein：L-FABP)

肝臓，小腸，腎臓に発現する脂肪酸結合蛋白質で，腎臓では近位尿細管上皮細胞の細胞質に発現しており，近位尿細管が虚血や酸化ストレスを受けると発現が増え，尿中への排泄も増加する．本邦のAKI 診療ガイドライン[16]においても L-FABP を測定することが提案されている.

② 尿中好中球ゼラチナーゼ結合性リポカリン(neutrophil gelatinase-associated lipocalin：NGAL)

好中球やマクロファージなどに発現し免疫にかかわる蛋白質で，腎臓では近位尿細管上皮細胞に発現する．AKI 発症後数時間で血中および尿中に検出される．尿路感染症や泌尿器科疾患の場合にも尿中に検出されるため，解釈に注意を要する．本邦の AKI 診療ガイドライン[16]においても NGAL を測定することが提案されている.

Memo FE_{Na} と FE_{Urea}

AKI が発生した場合，当院では超音波検査で IVC や腎臓を確認し，血管内ボリュームの評価や水腎症の有無などの確認を行っている．それに加えて，FE_{Na} と FE_{Urea} も AKI の原因の鑑別のために測定している．

$$FE_{Na}(\%) = \frac{尿Na \times 血清Cre}{血清Na \times 尿Cre} \times 100$$

FE_{Na} が 1％未満の場合は腎前性，2％を超える場合は腎性の可能性が高い．ただし，利尿剤を使用している場合は解釈が難しくなるため，FE_{Urea} を参考にする．

$$FE_{Urea}(\%) = \frac{尿Urea \times 血清Cre}{血清Urea \times 尿Cre} \times 100$$

FE_{Urea} が 35％未満の場合は腎前性，50％を超える場合は腎性の可能性が高い．

D 腎機能低下時の薬剤投与量の変更

移植患者は腎機能障害を合併する頻度が高く，さまざまな薬剤の投与量を調節する必要がある．詳細は「薬剤性腎障害診療ガイドライン 2016」[2]の付表 2 を参照されたい．

文献

1) Hingorani S: Renal Complications of Hematopoietic-Cell Transplantation. N Engl J Med 374: 2256-2267, 2016
2) 成田一衛，他：薬剤性腎障害診療ガイドライン 2016．日腎会誌 58：477-555，2016. https://cdn.jsn.or.jp/academicinfo/report/CKD-guideline2016.pdf
3) Bregante S, et al: Foscarnet prophylaxis of cytomegalovirus infections in patients undergoing allogeneic bone marrow transplantation (BMT): a dose-finding study. Biol Blood Marrow Transplant 26: 23-29, 2000
4) Ogata M, et al: Foscarnet against human herpesvirus (HHV)-6 reactivation after allo-SCT: breakthrough HHV-6 encephalitis following antiviral prophylaxis Biol Blood Marrow Transplant 48: 257-264, 2013
5) Ogata M, et al: Effects of prophylactic foscarnet on human herpesvirus-6 reactivation and encephalitis in cord blood transplant recipients: a prospective multicenter trial with an historical control group. Biol Blood Marrow Transplant 24: 1264-1273, 2018
6) Inose R, et al: Long-term use of foscarnet is associated with an increased incidence of acute kidney injury in hematopoietic stem cell transplant patients: a retrospective observational study. Transpl Infect Dis 24: e13804, 2022
7) Foster GG, et al: Treatment with foscarnet after allogeneic hematopoietic cell transplant (Allo-HCT) is associated with long-term loss of renal function. Biol Blood Marrow Transplant 26: 1597-1606, 2020
8) Deray G, et al: Foscarnet nephrotoxicity: mechanism, incidence and prevention. Am J Nephrol 9: 316-321, 1989
9) Llanos A, et al: Effect of salt supplementation on amphotericin B nephrotoxicity.

Kidney Int 40: 302-308, 1991
10) Jensen RR, et al: Amlodipine and calcineurin inhibitor-induced nephrotoxicity following allogeneic hematopoietic stem cell transplant. Clin Transplant 33: e13633, 2019
11) Blair M, et al: Nephrotoxicity from Vancomycin Combined with Piperacillin-Tazobactam: A Comprehensive Review. Am J Nephrol 52: 85-97, 2021
12) Workum JD, et al: Nephrotoxicity of concomitant piperacillin/tazobactam and teicoplanin compared with monotherapy. J Antimicrob Chemother 76: 212-219, 2021
13) Sazanami K, et al: Incidence of acute kidney injury after teicoplanin- or vancomycin- and piperacillin/tazobactam combination therapy: a comparative study using propensity score matching analysis. J Infect Chemother 27: 1723-1728, 2021
14) Svetitsky S, et al: Comparative efficacy and safety of vancomycin versus teicoplanin: systematic review and meta-analysis. Antimicrob Agents Chemother 53: 4069-4079, 2009
15) Mueller C, et al: Prevention of contrast media-associated nephropathy: randomized comparison of 2 hydration regimens in 1620 patients undergoing coronary angioplasty. Arch Intern Med 162: 329-336, 2002
16) AKI(急性腎障害)診療ガイドライン作成委員会(編)：AKI(急性腎障害)診療ガイドライン 2016.
https://cdn.jsn.or.jp/guideline/pdf/419-533.pdf

32 肝機能障害(VOD/SOS を中心に)

造血細胞移植患者の肝機能障害について，詳細なレビューがあり，参照されたい[1]．

A 移植前の評価

1 慢性肝炎

慢性肝炎や肝硬変のある患者は移植後の合併症死亡率が上昇する．Child-Pugh B または C の肝硬変合併患者は，骨髄破壊的前処置(MAC)を避ける．また，移植適応自体も十分な検討が必要である．Child-Pugh A の患者は移植前処置を骨髄非破壊的前処置(RIC)へ弱めても，移植後に非代償性の肝硬変に進行する可能性がある．

B 型肝炎の患者は移植後の経過中に劇症肝炎を起こすリスクがある．HBc 抗体陽性の患者において，10～48% の患者が再活性化を認め，移植片対宿主病(GVHD)の合併によりそのリスクは増加する[2]．HBs 抗原陽性患者や HBV-DNA 陽性の患者は，抗ウイルス薬の予防投与により多くの症例で劇症肝炎を予防できる．HBc 抗体陽性，または HBs 抗体陽性で HBV-DNA 陰性の患者は血中 DNA をモニタリングし，ウイルス血症を認めた場合は，pre-emptive に治療を開始する．

日本肝臓学会の「B 型肝炎治療ガイドライン」[3]の中に「免疫抑制・化学療法により発症する B 型肝炎対策ガイドライン」が公表されており(図 1)，HBs 抗原，HBs 抗体，HBc 抗体，HBV-DNA 定量検査を基にした予防・モニタリング法が詳細に記載されている．造血細胞移植患者では，移植後より長期間のモニタリングが必要である．

2 肝臓の真菌感染症

肝腫大，発熱，肝酵素異常のある患者は，カンジダ感染による肝膿瘍を考慮して腹部超音波，high-resolution CT，MRI，血清マーカーなどを用いた精査を行う．

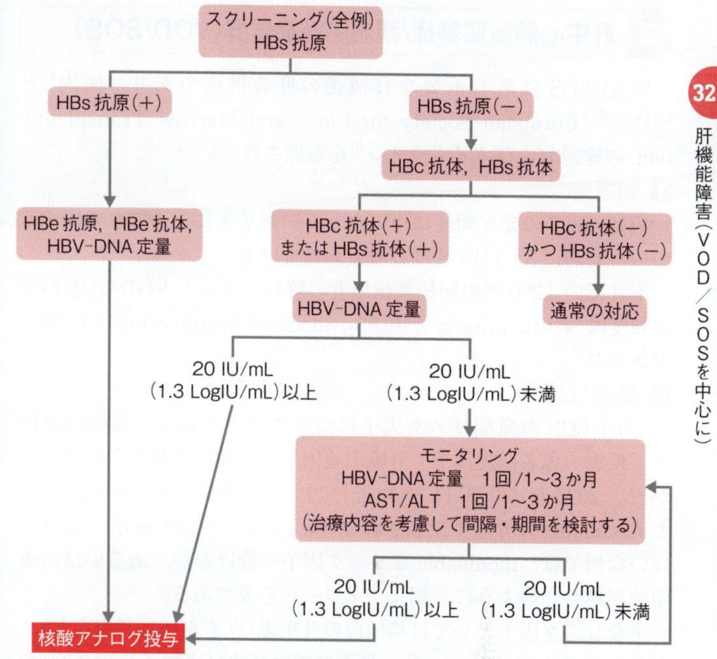

図 1　免疫抑制・化学療法により発症する B 型肝炎対策ガイドライン
〔日本肝臓学会（編）：B 型肝炎治療ガイドライン第 4 版，2022. https://www.jsh.or.jp/lib/files/medical/guidlines/jsh_guidlines/B_v4.pdf より改変〕

3 胆石，胆管結石

偶然みつかった胆石は手術で摘出する必要はない．症状のある胆石や総胆管結石は移植前に治療を行うかどうか検討する．

4 鉄過剰

輸血歴の長い再生不良性貧血や骨髄異形成症候群などの患者では，肝臓に鉄が過剰に蓄積している可能性があり，鉄過剰を疑った場合は，血清フェリチン値の測定や MRI で評価を行う．鉄過剰は移植後の肝障害と関連しており，キレート剤投与を検討する場合もあるが，腎障害に注意が必要である．

B 肝中心静脈閉塞症/類洞閉塞症候群(VOD/SOS)

VOD/SOSは最も重要な移植後の肝合併症であり，国内[4]とEBMT[5](European Society for Blood and Marrow Transplantation)の総説およびガイドライン[6]を参照されたい．

1 頻度

VOD/SOSの発症頻度は用いられる診断基準によっても変化するが，一般的に8〜14%程度と考えられている．

本邦での4,290例の同種移植患者の解析によるとVOD/SOSの発症頻度はSeattle criteriaで10.8%，modified Seattle criteriaで9.3%であった[7]．

2 発症リスク

VOD/SOSの発症リスク因子については，これまで移植関連因子，疾患・患者関連因子，肝臓関連因子に分類して報告されていたが[5,8]，2023年のEBMTの報告[9]ではリスク因子をunmodifiableとmodifiableに分けて記載されている(表1)．VOD/SOSリスクが高い症例では，modifiableなリスク因子を避けるか，あるいは治療開始が遅れないように詳細なフォローが必要である．

主なリスク因子としては移植前の肝疾患(ウイルス性肝炎など)，トランスアミナーゼの上昇，ゲムツズマブオゾガマイシン(GO)やイノツズマブオゾガマイシン(InO)の使用歴，移植前のビリルビン上昇，同種移植歴，シロリムスを含むGVHD予防などである．

本邦での全国調査では，複数回移植(2回以上)，高齢者および小児，PS 2以上，C型肝炎ウイルス感染，進行病期，MACがリスク因子であった[7]．

近年EASIX(Endothelial Activation and Stress Index)が血管内皮障害の指標として使用されているが，移植日(day 0)のEASIXがVOD/SOSの発症予測に有用とする報告もある[10]．

3 検査・診断

❶ CT検査

肝腫大や腹水の検出に有用．

❷ 腹部超音波検査

EBMTの診断基準[8,9]では特に重要視されている．しかし，超音波所見による診断基準は確立していない．北海道大学の西田らは

表1 成人におけるVOD/SOSの発症リスク因子

Unmodifiable risk factors (◎の因子は特にリスクが高い)
・2回目の移植 ・原疾患の進行期(第2再発以降，非寛解)・原発性免疫不全症 ・遺伝学的因子(*GSTM1*遺伝子多型，C282Yアレル，MTHFR677CC/1298CCハプロタイプ) ◎高齢者 ・トランスアミナーゼ上昇(>2.5×ULN) ・Karnofskyスコア<90% ・メタボリックシンドローム ◎ノルエチステロン服用中の女性 ◎ゲムツズマブオゾガマイシン(GO)投与歴ないしイノツズマブオゾガマイシン(InO)投与歴 ・肝毒性薬物 ・鉄過剰(>1,000 ng/mL) ◎血清ビリルビン上昇(>1.5×ULN)，血清トランスアミナーゼ上昇(>2.5×ULN) ・肝疾患の合併：肝線維化，肝硬変，活動性ウイルス性肝炎 ・腹部または肝臓への放射線照射
Modifiable risk factors
・前処置：骨髄破壊的前処置，高用量の全身放射線照射，高用量のブスルファン，高用量のトレオスルファン ・ドナー：非血縁ドナー，HLA不一致ドナー ・GVHD予防：シロリムスを含むGVHD予防，メトトレキサート+CNI ・T細胞を除去していない移植 ・経静脈栄養

〔文献9)より〕

2018年に超音波検査(US)10項目をスコア化したHokUS-10によるVOD/SOS診断における有用性を報告した(表2)[11]．その後，HokUS-10を簡便化したHokUS-6の有用性を報告している[12]．またHokUS-10/6がlate-onset SOSの診断にも有用であることも報告している[13]．HokUS-10/6は世界的に認知されてきており，当院でも検査部の協力のもとHokUS-10/6による評価を行っている．体液管理を厳重に行うとSOS初期には腹水を認めない(あるいは少量の)ため超音波検査で見逃す可能性があることから，当院ではHokUS-10を優先している．

一部の患者ではビリルビンの上昇よりも先に超音波検査で異常を認める(anicteric VOD/SOS)ことがあり，超音波検査はVOD/SOSの早期発見に有用である．現在，HokUS-10/6の有用性を検証する

表2 HokUS-10の評価方法

計測項目	加点基準	点数
肝左葉前後径(大動脈前面)	≧70 mm	1
肝右葉前後(右腎前面)	≧110 mm	1
胆嚢(GB)壁厚	≧6 mm	1
門脈本幹(PV)径	≧12 mm	1
傍臍静脈(PUV)径	**≧2 mm**	**2**
腹水量	少量	1
	中等量以上	**2**
PV 平均血流速度 (time-averaged flow velocity：TAV)	<10 cm/秒	1
PV 血流方向	遠肝性またはうっ滞	1
PUV 血流信号	**あり(遠肝性またはうっ滞)**	**2**
(固有)肝動脈抵抗係数(RI)	≧ 0.75	1

点数を加点し5点以上をVOD/SOSとする.
〔文献11)より〕

多施設共同前向き観察研究が進行中である.

❸ 肝生検

最も確実な診断法であるが，VOD/SOSを疑う症例は血小板数が低く，血小板輸血にも不応性になっていることが多いため，経皮的肝生検は困難であることが多い．また，近年，内頸静脈からアプローチする経静脈的肝生検の報告も増えてきており，門脈圧の指標として肝静脈圧較差(hepatic venous pressure gradient：HVPG)の測定も可能である．

4 VOD/SOSの臨床診断基準

※いずれもこれらの症状をきたす他の原因がないこと．

❶ Seattle Criteria

移植後30日以内に少なくとも2項目を満たす．

① 黄疸
② 右上腹部痛と肝腫大
③ 腹水あるいは原因不明の体重増加

❷ Modified Seattle Criteria(McDonaldらの基準)

移植後20日以内に少なくとも2項目を満たす．

① T-Bil>2 mg/dL

② 肝腫大または肝由来の右季肋部痛
③ ベースラインから 2% を超える体重増加

❸ Baltimore Criteria(Jones らの基準)

移植後 21 日以内に出現する黄疸(T-Bil≧2 mg/dL)に加え，少なくとも 2 項目を満たす．

① (有痛性)肝腫大
② 腹水
③ ベースラインから 5% 以上の体重増加

❹ EBMT Criteria

移植後 30 日を超えて発症する遅発性 VOD/SOS の認識が広まり，2016 年に EBMT から成人の VOD/SOS の診断基準が発表された[8]．Late onset VOD/SOS が新たに定義され，超音波検査による血行動態の異常が診断基準の 1 つとして盛り込まれた．しかし，この基準では移植後 21 日以内の症例についてはビリルビンが 2 mg/dL 以上であることが必須となっており，ビリルビンが上昇しない VOD/SOS(anicteric VOD/SOS)など一部の症例で診断・治療が遅れている可能性が指摘された．EBMT で多臓器不全で死亡した 202 例を後方視的に検討したところ，70 例(35%)において VOD/SOS が多臓器不全のトリガーあるいは主因と考えられたが，そのうち 48 例(69%)は生前に診断されておらず，underdiagnosis になっている可能性が指摘された[14]．

そこで 2023 年に EBMT 診断基準の改訂(表 3)が行われ，VOD/SOS を Probable，Clinical，Proven の 3 つに分類することになった[9]．Probable VOD/SOS はビリルビンが 2 mg/dL 以上でなくても診断可能となっており，超音波(HokUS-10 など)だけでなくエラストグラフィの所見も重視され診断基準に盛り込まれている．その他の変更点として，2016 年の診断基準では移植後 21 日以内に発症した場合(classical VOD/SOS)と 21 日を超えて発症した場合(late onset VOD/SOS)で診断基準が異なっていたが，2023 年版では同じ診断基準を用いるようになっている．

当院では超音波所見を重視しており，体重増加や血小板輸血不応を認めるようになった症例はビリルビン値の上昇がなくても積極的に超音波検査(HokUS-10)を施行している．HokUS-10 でスコアが 5 点以上の場合は，ビリルビン値上昇がなく day 21 以内の症例で

表3 EBMTによる成人VOD/SOS診断基準

Probable	Clinical	Proven
以下のうち2項目を満たす ・ビリルビン値≧2 mg/dL ・有痛性肝腫大 ・体重増加＞5% ・腹水 ・超音波検査および/またはエラストグラフィでVOD/SOSを示唆する所見を認める	ビリルビン値≧2 mg/dL かつ 以下のうち2項目を満たす ・有痛性肝腫大 ・体重増加＞5% ・腹水	組織学的または血行動態的〔肝静脈圧較差（HVPG） ≧10 mmHg〕に証明されたVOD/SOS
発症日による分類		
・移植後21日までに発症：classical VOD/SOS ・移植後21日を超えて発症：late onset VOD/SOS		

〔文献9）より〕

あってもVOD/SOS（anicteric VOD/SOSあるいは新EBMT基準のprobable VOD/SOS）と診断している．海外の施設でもビリルビン値上昇がなくday 21以内であっても超音波所見でanicteric VOD/SOSと診断し，治療を開始していることが報告されている[15]．

5 バイオマーカー

VOD/SOSに特異的なバイオマーカーは同定されていない．Total PAI-1が病勢と相関する可能性があり，しばしば測定されている．

6 重症度判定

2016年に発表されたEBMT基準では，診断時のVOD/SOSの重症度評価で「進行の速さ（ビリルビンの増加速度）」も加えられており，有用であることが確認された[16]．2023年版EBMT基準における重症度判定（表4）では体重増加と腎障害の基準が少し変更された．また多臓器不全（multiple organ dysfunction：MOD）の評価はSOFA（Sequential Organ Failure Assessment）スコアで行うこととなった．SOFAスコアは敗血症の診断にも用いられており，集中治療領域では頻用されているスコアであるが，移植医も内容について確認しておく必要がある．

7 予防

VOD/SOSの発症を予防するには，発症リスク因子を可能な限り

表 4 成人 VOD/SOS の重症度判定のための新 EBMT 基準

	Mild	Moderate	Severe	Very severe MOD/MOF
初発症状出現から確定診断までの日数	>7 日	5〜7 日	≦4 日	—
ビリルビン値(mg/dL)	2 以上 3 未満	3 以上 5 未満	5 以上 8 未満	8 以上
ビリルビン値の動態	—	—	48 時間以内に倍増する	—
トランスアミナーゼ	正常上限値の 2 倍以下	正常上限値の 2 倍を超え 5 倍以下	正常上限値の 5 倍を超え 8 倍以下	正常上限値の 8 倍を超える
体重増加*	—	—	5% 以上 10% 未満	10% 以上
腎障害血清(Cre 値上昇)*	ベースライン値	1.5 倍未満	1.5 倍以上，2 倍未満	2 倍以上または MOD

*移植前ベースライン値との比較で評価する．
・6 項目中 2 項目以上が該当する場合，その重症度と判定する．
・2 つ以上の重症度に該当する場合は最も重症度の高いものとする．
・Mild，Moderate では，VOD/SOS のリスク因子が 2 つ以上ある場合には重症度を 1 つ上げる．
・MOD（多臓器不全）がある場合は最重症とする．SOFA スコアでスコアが 2 以上，またはもともと障害のある臓器において 2 スコア以上の増加を認める臓器が 2 臓器以上ある場合に MOD と診断する．

避けることが重要となる[9]．移植前に肝機能障害を認める場合には，BU を用いない前処置や，強度を落とした RIC を考慮する場合もある．

2015 年に発表された Cochrane レビュー[17]で VOD/SOS の予防薬として有効性が示されたのはウルソデオキシコール酸のみであった．デフィブロチドは近年エビデンスが蓄積されてきており，予防薬としても期待されていた．しかし，デフィブロチド予防と best supportive care（BSC）を比較する多施設共同非盲検ランダム化第Ⅲ相試験（HARMONY 試験）が行われ，day 30 の無 SOS 生存割合はデフィブロチド予防群 67%，BSC 群 73% とデフィブロチド予防のメリットは認められなかった[18]．

❶ ウルソデオキシコール酸(UDCA)

当院では北欧のランダム化比較試験[19]を基にUDCAの投与を全例に行っている．UDCAは凝固系に影響せず，副作用が少ないため使用しやすい．UDCA投与によりVOD/SOSの発症を減少させた報告があるが，有効でないとする報告もあり，胆汁うっ滞による高ビリルビン血症を減らしているだけの可能性もある．

ウルソデオキシコール酸錠　1日600〜900 mg　分3　内服　移植の3〜4週間前から早期に開始

通常，移植2〜3か月後まで投与するが，肝機能障害を認めるときは投与を継続する．

❷ デフィブロチド

VOD/SOS発症リスクを有する小児移植患者におけるランダム化比較試験の結果が報告され，デフィブロチド投与群では，移植後30日までのModified Seattle Criteriaを満たすVOD/SOS発症率が有意に低下し(12% vs. 20%)，両群で出血リスクに差を認めなかった[20]．一方，成人における予防投与のメリットは認めなかったが[18]今後のサブ解析結果が待たれる．本邦では2019年にVOD/SOSに対する治療薬として国内で承認されたが予防投与については保険適用がない．

❸ その他の予防方法

- ヘパリン：有効性に関する評価は定まっていない．
- 低分子ヘパリン：エノキサパリンやダルテパリンについての報告があるが，いずれも少数例でありエビデンスは乏しい．
- プロスタグランジン：近年あまり推奨されなくなっている．
- 新鮮凍結血漿(FFP)：国内でVOD/SOSの発症高リスク患者に対して，移植前治療開始から移植後28日まで週2回FFPを投与する試験が行われ，FFPの投与が予防に有効であった[21]．
- スタチン：血管内皮保護作用が注目されているスタチンはVOD/SOSに対する予防効果も期待されている．後方視的な研究であるが，ドイツのグループはプラバスタチンとウルソデオキシコール酸の併用でVOD/SOSの発症が減少したことを報告している[10]．

8 治療

❶ 治療薬

デフィブロチド以外の薬剤はエビデンスが乏しく有効性は確立していない．当院ではデフィブロチドに加えてFFPの投与を行うことがある．リコンビナントトロンボモジュリンについては近年使用する機会が減少している．

1 デフィブロチド(デファイテリオ®)

VOD/SOS の治療薬として最もエビデンスがあり，海外および本邦で VOD/SOS の治療薬として承認されている唯一の薬剤である．デフィブロチド 6.25 mg/kg/回，1 日 4 回投与(計 25 mg/kg/日)を投与した多臓器不全(MOD)を有する Baltimore Criteria の重症 VOD/SOS 102 例と，同じ条件のヒストリカルコントロール 32 例を比較した第Ⅲ相試験の結果，移植後 100 日における VOD/SOS の寛解率(26% vs. 12.5%)や生存率(38% vs. 25%)はデフィブロチド群が有意に高かった[22)]．また，その後行われた 1,000 例を超えるオープンラベルの拡大アクセス試験においても良好な結果が報告された[23)]．また VOD/SOS 診断後 2 日以内のデフィブロチド投与開始により，予後が改善していた[23)]．

2 リコンビナントトロンボモジュリン(リコモジュリン®)

国内では，DIC に対して承認されているが，VOD/SOS に対する保険適用はない．国内からトロンボモジュリンの有効性を示す報告[24)]があり，本邦では治療薬として用いられることがあったが，デフィブロチドが保険適用となってからは使用する機会は減少している．国内のアンケート調査で VOD/SOS に対するトロンボモジュリン投与 41 例とデフィブロチド投与 24 例を比較したところ，VOD/SOS の寛解率や生存率はほぼ同等で，出血などの副作用はトロンボモジュリン投与例で多い傾向がみられた[25)]．両群とも VOD/SOS 発症後 2 日以内の早期治療開始群の成績が良好であった．トロンボモジュリンの至適な投与量はまだ不明であるが，出血などの副作用に注意しながら投与する．

3 新鮮凍結血漿(FFP)

国内で行われた予防試験で有効性が示されており，治療においても FFP の投与が積極的に検討されることが多い．当院では VOD/SOS により肝機能が低下し，凝固異常が著明な場合は 2~4 単位/

日を投与している．

④ ステロイド

VOD/SOS 発症時は肝機能の低下によりカルシニューリン阻害薬(CNI)の代謝が低下するため，予想外に血中濃度高値が遷延し，さらなる内皮障害を引き起こすことがある．当院では VOD/SOS の急性期はいったん CNI を中止し，メチルプレドニゾロン(1〜2 mg/kg)への変更を積極的に行っている．なお，メチルプレドニゾロンは少数例の報告ではあるが，VOD/SOS に対して有効であることが報告されている．

❷ VOD/SOS 患者における支持療法

VOD/SOS 患者では血管内は脱水であるが，輸液を増量すると腹水や胸水が増加するため，血管内ボリュームを維持しながら，輸液と Na 投与量を必要最小限にする必要がある．

① 高カロリー輸液(TPN)製剤の変更

例)エルネオパ®1 号(1,000 mL)×2 本投与中の患者の場合

→50% ブドウ糖＋アミパレン®＋ビタジェクト®＋エレメンミック®＋KCL などで total 1,000 mL 程度の製剤を作製する．

これにより輸液量は約 1,000 mL 減少し，Na 投与量も減少する．

② 抗菌薬投与のために使用している溶解液の変更

例)生理食塩水 100 mL→5% ブドウ糖 50 mL

③ 血管内ボリュームと腎血流維持

超音波で下大静脈径(☞ 397 頁，セクション 41 Memo)や左室拡張末期径，左室収縮末期径，左房径，三尖弁圧較差(TRPG)などを測定し，血管内ボリュームが足りないと判断した場合は，細胞外液を追加投与する．その際，アルブミンや赤血球濃厚液，FFP などの輸血も積極的に投与する．また血管内ボリュームの変動が小さくなるように，利尿剤は持続投与に変更する．当院では低用量のカルペリチド(ハンプ®)＋フロセミド(ラシックス®)の持続投与を行うことが多い．この 2 剤でもコントロールに難渋する場合はトルバプタン(サムスカ®)の内服も併用している(☞ 613 頁，セクション 62)．

④ 低 Na 血症への対応

輸血中には Na が多量に含まれており，低 Na をきたすことは少ないが，低 Na 血症を認める場合は，5% ブドウ糖を生理食塩水に変更するなどして対応する．

5 腹水や胸水

利尿剤のみで対応しようすると血管内脱水を助長し，腎不全を招くことが多いため，病状緩和が必要なときは穿刺ドレナージで対応する．

6 鎮痛

必要な場合は，麻薬投与も考慮する．

7 腎代替療法，人工呼吸管理

必要に応じて行う(☞ 357 頁，セクション 37)．

8 腹腔内圧(intra-abdominal pressure，IAP)の測定および腹腔内圧管理

急激な腹水の増加によりIAPが上昇し，腹部コンパートメント症候群(abdominal compartment syndrome：ACS)をきたすことがある．腹部膨満が著明で触診で腹部が緊満している場合は，IAPが上昇している可能性が高く，IAPと相関する膀胱内圧を測定する．IAPの上昇は肺コンプライアンスや心拍出量の低下，全身血管抵抗を上昇させ臓器血流の低下を生じ，呼吸，循環，腎，中枢神経系を障害する．ACSはIAP＞20 mmHgで臓器障害を合併する症候群と定義されている．IAP＞20 mmHgの症例あるいはIAP＞15 mmHgで臓器障害を伴う症例は減圧術の適応となる．当院でも最重症のVOD/SOS症例において腹腔内圧管理が有効であった症例を経験している[26)]．重症VOD/SOSにおいて多臓器不全に至るメカニズムは明らかになっていないが，IAPの上昇が関与している可能性がある．

C その他の肝障害

1 Cholangitis lenta

Cholangitis lentaは「cholestasis of sepsis」ともいわれる．好中球減少期に発熱，腸管粘膜障害を認める患者では，高ビリルビン血症は珍しくない．これは肝細胞からのグルクロン酸抱合されたビリルビンの放出がエンドトキシンやIL-6，TNF-αなどによって阻害されることによる．治療は原因となる感染症の治療を行う．

2 急性GVHD・移植関連血栓性微小血管症(TA-TMA)

急性GVHDや移植関連血栓性微小血管症(TA-TMA)も肝障害

の原因となる．鑑別診断は非常に難しく，両方の可能性を考慮しながら慎重に治療を行っていく必要がある(☞ 341 頁，447 頁，458 頁，セクション 36, 45, 46 を参照)．

3 薬剤性肝障害

多くの薬剤が肝障害に関係している．CNI は血管内皮障害による血栓性微小血管症(TMA)を引きおこし，肝障害をきたすことがある(☞ 341 頁，セクション 36)．

4 真菌感染症による肝障害

移植後は真菌感染予防が行われるため，真菌性肝膿瘍の発症頻度は低い．真菌性肝膿瘍を発症した場合は，フルコナゾール(FLCZ)耐性のカンジダか糸状菌が原因である可能性が高い．

5 ウイルス感染症による肝障害

抗ウイルス薬の進歩によりウイルスによる肝障害は減少している．単純ヘルペスウイルス(HSV)，水痘・帯状疱疹ウイルス(VZV)，アデノウイルス(ADV)，HBV による急性肝炎は劇症化することがある．また，Epstein-Barr ウイルス(EBV)によるリンパ球増殖症も急激に増悪する．HCV やサイトメガロウイルス(CMV)による肝炎は重症化することは少ない．

原因不明の急激な ALT 上昇を認めた場合，VZV，ADV，HBV の血中 DNA の測定を検討する．

6 胆嚢・胆道疾患

移植後は，ビリルビンカルシウムとカルシニューリン阻害薬の結晶からなる胆泥を認めることはまれではない．一過性の心窩部痛や嘔気，肝酵素の上昇を起こすことがある．胆泥は非結石性の胆嚢炎や急性膵炎，細菌性胆管炎を起こすことがある．

Memo

Idiopathic portal hypertension-related refractory ascites (IRA)

2020 年に MD Anderson Cancer Center のグループは，同種造血幹細胞移植後に肝内門脈圧上昇に伴う難治性腹水を認めるが，VOD/SOS の診断基準に該当しないため IRA と診断した 40 例について報告している[27]．頻度は 0.9％(40/4,660)と低く，IRA の発症日の中央値は移植後 80 日(範囲 16〜576 日)であった．肝生検は 24 例で施行されており，いずれも VOD/SOS や肝硬変とは異なる病理像であった．IRA 発症後の生存期間の中央値は 7 か月と予後不良であり今後病態の解明が望まれる．本邦から 1 例報告ではあるがIRAにイブルチニブが有効であったことが報告されている[28].

文献

1) McDonald GB: Hepatobiliary complications of hematopoietic cell transplantation, 40 years on. Hepatology 51: 1450-1460, 2010
2) 日本造血・免疫細胞療法学会HP：造血細胞移植ガイドライン ウイルス感染症の予防と治療・肝炎, 2018. https://www.jstct.or.jp/uploads/files/guideline/01_03_06_hepatitis.pdf
3) 日本肝臓学会(編)：B型肝炎治療ガイドライン第4版, 2022. https://www.jsh.or.jp/lib/files/medical/guidelines/jsh_guidlines/B_v4. pdf
4) 菊田敦, 他：造血細胞移植後における肝中心静脈閉塞症(SOS/VOD)の診断と治療. 日本造血細胞移植学会雑誌 5：124-137, 2016
5) Mohty M, et al: Sinusoidal obstruction syndrome/veno-occlusive disease: current situation and perspectives-a position statement from the European Society for Blood and Marrow Transplantation(EBMT). Bone Marrow Transplant 50: 781-789, 2015
6) 日本造血・免疫細胞療法学会HP：造血細胞移植ガイドライン SOS/TA-TMA 第2版, 2022. https://www.jstct.or.jp/uploads/files/guideline/01_06_06_sos_ta-tma02n.pdf
7) Yakushijin K, et al: Sinusoidal obstruction syndrome after allogeneic hematopoietic stem cell transplantation: Incidence, risk factors and outcomes. Bone Marrow Transplant 51: 403-409, 2016
8) Mohty M, et al: Revised diagnosis and severity criteria for sinusoidal obstruction syndrome/veno-occlusive disease in adult patients: a new classification from the European Society for Blood and Marrow Transplantation. Bone Marrow Transplant 51: 906-912, 2016
9) Mohty M, et al: Diagnosis and severity criteria for sinusoidal obstruction syndrome/veno-occlusive disease in adult patients: a refined classification from the European society for blood and marrow transplantation(EBMT). Bone Marrow Transplant 58: 749-754, 2023
10) Jiang S, et al: Predicting sinusoidal obstruction syndrome after allogeneic stem cell transplantation with the EASIX biomarker panel. Bone Marrow Transplant 56: 2326-2335, 2021
11) Nishida M, et al: Novel ultrasonographic scoring system of sinusoidal obstruction syndrome after hematopoietic stem cell transplantation. Biol Blood Marrow Transplant 24: 1896-1900, 2018
12) Nishida M, et al: Refined ultrasonographic criteria for sinusoidal obstruction syndrome after hematopoietic stem cell transplantation. Int J Hematol 114: 94-101, 2021
13) Nishida M, et al: Ultrasonographic scoring system of late-onset sinusoidal obstruction syndrome/veno-occlusive disease after hematopoietic stem cell transplantation. Bone Marrow Transplant 57: 1338-1340, 2022
14) Bazarbachi AH, et al: Underdiagnosed veno-occlusive disease/sinusoidal obstruction syndrome(VOD/SOS) as a major cause of multi-organ failure in acute leukemia transplant patients: an analysis from the EBMT Acute Leukemia Working Party. Bone Marrow Transplant 56: 917-927, 2021
15) Nauffal M, et al: Defibrotide: real-world management of veno-occlusive disease/sinusoidal obstructive syndrome after stem cell transplant. Blood Adv 6: 181-188, 2022
16) Yoon JH, et al: Validation of treatment outcomes according to revised severity criteria from European Society for Blood and Marrow Transplantation(EBMT) for sinusoidal obstruction syndrome/veno-occlusive disease(SOS/VOD). Bone Marrow Transplant 54: 1361-1368. 2019
17) Cheuk DK, et al: Interventions for prophylaxis of hepatic veno-occlusive disease in

people undergoing haematopoietic stem cell transplantation. Cochrane Database Syst Rev: CD009311, 2015
18) Grupp SA, et al: Defibrotide plus best standard of care compared with best standard of care alone for the prevention of sinusoidal obstruction syndrome (HARMONY): a randomised, multicentre, phase 3 trial. Lancet Haematol 10: e333-e345, 2023
19) Ruutu T, et al: Ursodeoxycholic acid for the prevention of hepatic complications in allogeneic stem cell transplantation. Blood 100: 1977-1983, 2002
20) Corbacioglu S, et al: Defibrotide for prophylaxis of hepatic veno-occlusive disease in paediatric haemopoietic stem-cell transplantation: an open-label, phase 3, randomised controlled trial. Lancet 379: 1301-1309, 2012
21) Matsumoto M, et al: Prophylactic fresh frozen plasma may prevent development of hepatic VOD after stem cell transplantation via ADAMTS13-mediated restoration of von Willebrand factor plasma levels. Bone Marrow Transplant 40: 251-259, 2007
22) Richardson PG, et al: Phase 3 trial of defibrotide for the treatment of severe veno-occlusive disease and multi-organ failure. Blood 127: 1656-1665, 2016
23) Kernan NA, et al: Final results from a defibrotide treatment-IND study for patients with hepatic veno-occlusive disease/sinusoidal obstruction syndrome. Br J Haematol 181: 816-827, 2018
24) Ikezoe T, et al: Successful treatment of sinusoidal obstructive syndrome after hematopoietic stem cell transplantation with recombinant human soluble thrombomodulin. Bone Marrow Transplant 45: 783-785, 2010
25) Yakushijin K, et al: Clinical effects of recombinant thrombomodulin and defibrotide on sinusoidal obstruction syndrome after allogeneic hematopoietic stem cell transplantation. Bone Marrow Transplant 54: 674-680, 2019
26) Hirakawa T, et al: Successful treatment of very severe late-onset sinusoidal obstruction syndrome with recombinant human soluble thrombomodulin, steroids, and control of intra-abdominal pressure. Rinsho Ketsueki 61: 734-739, 2020
27) Varma A, et al: Idiopathic refractory ascites after allogeneic stem cell transplantation: a previously unrecognized entity. Blood Adv 4: 1296-1306, 2020
28) Tazoe K, et al: Ibrutinib induces a dramatic improvement for idiopathic refractory ascites following allogeneic hematopoietic cell transplantation. Intern Med 62: 2737-2741, 2023

33 心機能障害

造血細胞移植に伴う心機能障害で特に問題となるのが，大量シクロホスファミド(エンドキサン®，CY)による心毒性である．近年，GVHD予防として移植後に大量CYを投与する(PTCY)症例が増えており，CYによる心毒性が再び注目されてきている．CY心筋症はまれにしか経験しないが致死率の高い重篤な合併症であり，移植医は必ず理解しておく必要がある．

また，アントラサイクリン総投与量が多い患者に発症する心筋症も問題となる．アントラサイクリンによる心毒性については血液がんだけでなく固形がんも含めた研究により評価方法や治療法が変化しており最新のESCガイドライン[1)]を確認する．最近のガイドラインでは心臓超音波検査でLVEFだけでなくGlobal Longitudinal Strain(GLS)や血液検査で心筋トロポニンやBNPを測定し早期に対応することが推奨されている．また対応が遅れると心機能が回復する可能性が低下するため対応が後手に回らないよう注意する．アントラサイクリン投与時の注意点についてはセクション14(☞143頁)参照．本項では主に大量CYによる心毒性について記載する．

A シクロホスファミド(CY)による心機能障害

1 機序

CYの心機能障害の機序はまだ完全には解明されていない．CYの代謝産物が血管内皮障害を起こし，蛋白や赤血球，毒性代謝物が血管外に漏出する．その結果，心筋細胞や毛細血管が傷害され，間質の出血，浮腫，微小血栓の形成を生じると考えられており，直接の心筋障害ではない．臨床的にも発症初期には血管内皮障害による心筋壁の肥厚，心囊水貯留を認める一方で心筋障害マーカーの上昇は乏しく，少し遅れて心筋障害マーカーが上昇してくる．また，重症例を除いて間質の浮腫が改善すれば心筋自体は保たれているため心機能は改善する(可逆的である)．

2 リスク因子

❶ CY 投与量

CY の積算量ではなく1回あたりの投与量と投与スケジュールが関係しており，用量依存性である．投与量が 1.55 g/m^2/日を超えると心機能障害のリスクが増加すると報告されている[2)]．また，本邦の単施設の検討で CY による致死的な心不全の発症割合は CY 総投与量が 200 mg/kg で 8.5%，120 mg/kg で 1.2%，100 mg/kg で 0 % と投与量が多いほど頻度が高く，200 mg/kg 以上の投与は有意なリスク因子であった[3)]．この報告では 100 mg/kg で致死的となった症例は認めなかったが，過去には 1,500 mg/m^2/日を2日間(total 93 mg/kg)投与後に致死的な心筋症を発症した症例[4)]や PTCY 後(total 100 mg/kg)に致死的な心筋症を発症した報告[5)]があり，安全な投与量は確立していない．

❷ 患者背景

高齢，アントラサイクリン投与歴，縦隔照射，移植前の左室機能低下例がリスクになる可能性が指摘されている[6, 7)]．また，本邦から心電図における QT dispersion(QT 間隔のばらつき)が予測に役立つことが報告されている[8)]．しかし，レジメンや患者背景が異なる研究が多く，コンセンサスが得られたリスク因子は同定されていない．特にアントラサイクリンについては累積投与量が 450 mg/m^2 以上の投与歴のある症例で発症が多かったという少数例の報告があったが，現在も明確なカットオフ値は定まっていない．今後は新たな指標を検討する必要がある．

❸ 薬物相互作用

シトクロム P450 が CY の代謝に影響するため，CY 投与時は，薬物相互作用に注意が必要である．大量 CY 投与時にイトラコナゾールを併用すると，CY 代謝産物が増加し臓器障害をきたすことが報告されている[9)]．大量 CY 投与時はアゾールの併用を避けることが望ましく，当院も原則アゾールの併用は行っていない．

3 発症時期

初回 CY 投与直後から2週間以内に発症することが報告されているが多くは1週間以内である．

4 症状

CY による心機能障害は，無症候性の心嚢液貯留から致死的な心膜心筋炎まで症状の程度には大きな幅がある．急性あるいは亜急性に発症する肺水腫や体重増加，乏尿を伴ううっ血性心不全，徐脈，頻脈，房室ブロック，心嚢液貯留，心膜炎，心筋炎，心タンポナーデ，血圧低下などをきたす．多くは一過性であるが，まれに重症化し致死的となる．

❶ 不整脈

心房性期外収縮(PAC)，心室性期外収縮(PVC)，洞性頻脈，洞性徐脈はよく認められる．完全房室ブロックに至る症例はまれであるが，CY 投与数時間後に完全房室ブロックから痙攣，意識消失をきたした症例も報告されている．

❷ 心膜炎，心嚢液貯留

比較的多い合併症で，無症候性の心嚢液貯留を含めると約 4 割の症例に発症する[10]．

❸ 心不全，心筋症

心不全・心筋症の発症頻度は報告によってさまざまで，最大で 30% の症例に発症するが[7]，軽症～中等症例は数日～数週間で改善する．重症あるいは致死的な症例は重篤な心筋症を発症しており，1970～80 年代の報告では 5～27% に発症していた[2, 11～13]．しかし，1990 年代以降は減少し，2016 年の本邦の単施設からの報告(対象：1996 年～2013 年の症例)では発症割合は 1.5%(12/811 例)であった．また，同じ施設からの 2022 年の報告(対象：2013 年～2019 年の症例)では発症割合は 1.4%(4/294 例)で 2 例は PTCY 施行例であった．当院で施行した PTCY ハプロ移植 100 例の後方視的検討では CY 心筋症の発症割合は 2.0%(2/100 例)であった．大量 CY に伴う心不全や心筋症が減少した理由としては，CY 投与量の減量，分割投与への変更，点滴時間の延長などが要因であると考えられている．

重症心不全や心筋症の発症は CY 投与後 1 週間以内が多く，いったん発症すると数日以内にほとんどの症例で集中治療が必要となる．当院の少数例の経験では CY 開始から 4，5 日後(投与終了から 2，3 日後)に急速に心不全が進行していた．2016 年の本邦からの報告でも 12 例の発症までの中央値は CY 開始から 4 日(範囲 2～8 日)で，11 例が CY 開始から中央値 7 日(範囲 5～30 日)で死亡していた[3]．また 2022 年の報告では 4 例の発症までの中央値は CY 開始から6.5日(範囲3～13日)で，2例がCY開始から6日，118日にそれぞれ死亡していた〔118日に死亡した症例の死因は体外式膜型人工肺(ECMO)施行中の脳出血〕[5]．CY心筋症の多くは可逆的と考えられており，急性期を集中治療で乗り切ることが重要である．近年ECMOの普及や集中治療の進歩により救命できる症例も出てきているが，最重症例は出血性心膜心筋炎の状態となり不可逆的な心機能低下をきたし救命は未だ困難である．

B CY投与中のモニタリング

1 心電図モニター

早期発見が重要でありCY投与中からのスクリーニングが重要である．投与開始～投与終了24時間後まで心電図モニタリングを継続する．心電図モニターの観察ポイントは不整脈，QRS voltageの変化，ST変化の有無である．不整脈はモニターのアラームにより気づくが，QRS voltageやST変化は注意して観察しないと気づかないことも多い．心電図異常や症状を認める場合は，症状が改善するまでモニタリングを継続する．

2 心臓超音波検査

CYによる心毒性は心臓の毛細血管障害，間質の浮腫が主病態である．心筋の状態をリアルタイムで確認できる超音波検査は心毒性の早期発見に最も有用な検査である．収縮能，拡張能，心筋壁の厚さ，心嚢水の有無，心膜・心筋の輝度を確認する．特に重症例では心筋壁の肥厚，拡張能低下が著明となる．心筋症と診断する明確なカットオフ値や基準は定まっていないため移植前の状態と比較することが重要である．事前の情報がないと肥大型心筋症と誤解されてしまうことがあり，循環器医や集中治療医と情報を共有することが重要である．左室駆出率(EF)低下も認めることが多いが，症例によって認めないこともあり，EFだけで評価しているとCY心筋症を認識できず対応が遅れてしまうことがある．必ず心筋壁の状態や拡張能にも注意して検査・評価を行う．

3 血液マーカー(BNP，トロポニンI)

CYによる心機能障害は血管内皮障害が主体であり，心筋への傷害は遅れて生じる．軽症例や早期の症例ではトロポニンIが上昇しない可能性がある．BNPは拡張障害を早期に検出できるため早期発見に役立つ可能性がある．重症例では短期間にBNPが著増するためCY心筋症が疑わしい症例では連日測定することもある．

4 胸部X線写真

CTR拡大や肺うっ血像を認める．CTRの拡大を認めた場合は，うっ血だけでなく心嚢液貯留の可能性を疑い，必ず超音波を施行し所見を確認する．

5 体重増加

大量補液が行われている時期であり，in-outバランスの把握や体重増加の推移も参考にする．

6 Cardiac MRI

心筋の浮腫などを早期に検出できるが，施行できる施設は限られる．

C CYによる心機能障害の予防

確立された予防法はない．CYの心毒性を避ける最も確実な方法は，CYの投与を避けて他の前処置薬へ変更することである．CYの減量や分割投与を検討してもよいが，確実に安全な投与量や投与方法は確立していない．近年本邦でPTCYの投与量を40 mg/kg/日を2日間(total 80 mg/kg)に減量する試験[14]あるいはday 3に50 mg/kg，day 4に25 mg/kg(total 75 mg/kg)に減量する試験[15]が行われ，重症GVHDは増加しないことが報告されている．CY総投与量をどこまで減量すれば心機能障害を回避できるかは明らかになっていないが，心毒性が懸念される症例はCY減量を検討する．

CY投与初日にCYによる心毒性や検査異常を認めた場合は，以降の投与を中止することも検討する．しかし，前処置のCYを減量すると，抗腫瘍効果の低下や，生着不全リスクが高くなるため，十分な検討が必要である．またPTCYハプロ移植でCYを減量するとGVHD重症化のリスクが高くなる可能性がある．当院では前処置中にCYによる心毒性を認めた場合はMELへの変更を検討している．また，PTCYハプロ移植においてday 3のCY投与後より胸痛や心電図変化(ST上昇あるいはT波の陰転化)，PSVTなどの不整脈を発症する症例がある．その場合はday 4のCYを1日延期し，day 5に予定通り50 mg/kgを投与，あるいは25 mg/kgに減量して投与することを検討している．当院の少ない経験ではあるが 50 mg/kg(day 3) + 25 mg/kg(day 5) (total 75 mg/kg)に減量しても重症 GVHD は認めていない．しかし，30 mg/kg(day 3)のみ，50 mg/kg(day 3)のみ，25 mg/kg/日を2日間(day 3, 5)に減量した症例はいずれも重症 GVHD を発症しており，安易に CY 投与量を減量しないようにしている．

D 治療

CY による心機能障害は急激に症状が進行する可能性があるため，循環器医とともに治療することが望ましい．

1 不整脈

心房細動や発作性上室頻拍(PSVT)についてはベラパミル(ワソラン®)やジルチアゼム(ヘルベッサー®)などの Ca 拮抗薬およびビソプロロール(メインテート®)などの β ブロッカーの投与を検討する．

2 心膜炎

移植患者は血小板が減少していることが多く，NSAIDs ではなくステロイドを使用する．ヒドロコルチゾンが著効することが多い．

ヒドロコルチゾン(ソル・コーテフ®)注　100 mg　静注　症状に応じて適宜追加投与

3 心不全・心筋症

CY による心不全に対する特異的な治療はなく，一般的な心不全治療として，利尿剤，ACE 阻害薬，β ブロッカーなどの投与を行う．当院では GVHD 予防として TAC を投与している場合は，TAC による更なる血管内皮障害を軽減する目的で，TAC を中止しステロイド(mPSL 1〜2 mg/kg)への置換を行っている．心筋症が重症化すると重度の心不全や心タンポナーデ，心原性ショックに至る．重症例では心筋の急激な浮腫が左室だけなく右室にも生じるため，両心室の機能が低下し心不全が急速に進行する．また心タンポナーデの治療は心嚢穿刺が一般的であるが，CY 心筋症では心嚢液による圧迫よりも心筋の急激な浮腫が拡張能の低下に大きく関与しているため，心嚢穿刺を行っても循環動態が改善しないことも多い．このため重症例の多くは薬物投与だけでは対応できないことが多く，大動脈バルーンパンピング術(IABP)やECMOなどの機械的サポートが必要となる．重症化のスピードが非常に速いため，CY心筋症を認めた場合は直ちにECMOが可能なICUあるいはCCUで管理することが望ましい．重症化してしまうと転院自体が困難となるため，自施設での治療が困難な場合は専門施設への転院を躊躇してはいけない．

文献

1) Lyon AR, et al: 2022 ESC Guidelines on cardio-oncology developed in collaboration with the European Hematology Association (EHA), the European Society for Therapeutic Radiology and Oncology (ESTRO) and the International Cardio-Oncology Society (IC-OS). Eur Heart J 43: 4229-4361, 2022
2) Goldberg MA, et al: Cyclophosphamide cardiotoxicity: an analysis of dosing as a risk factor. Blood 68: 1114-1118, 1986
3) Ishida S, et al: The clinical features of fatal cyclophosphamide-induced cardiotoxicity in a conditioning regimen for allogeneic hematopoietic stem cell transplantation (allo-HSCT). Ann Hematol 95: 1145-1150, 2016
4) Katayama M, et al: Fulminant fatal cardiotoxicity following cyclophosphamide therapy. J Cardiol 54: 330-334, 2009
5) Marumo A, et al: Cyclophosphamide-induced cardiotoxicity at conditioning for allogeneic hematopoietic stem cell transplantation would occur among the patients treated with 120 mg/kg or less. Asia Pac J Clin Oncol 14: e13674, 2022
6) Nieto Y, et al: Cardiac toxicity following high-dose cyclophosphamide, cisplatin, and BCNU for breast cancer. Biol Blood Marrow Transplant 6: 198-203, 2000
7) Brockstein BE, et al: Cardiac and pulmonary toxicity in patients undergoing high-dose chemotherapy for lymphoma and breast cancer: prognostic factors. Bone Marrow Transplant 25: 885-894, 2000
8) Nakamae H, et al: QT dispersion as a predictor of acute heart failure after high-dose cyclophosphamide. Lancet 355: 805-806, 2000
9) Marr KA, et al: Cyclophosphamide metabolism is affected by azole antifungals. Blood 103: 1557-1559, 2004
10) Steinherz LJ, et al: Cardiac changes with cyclophosphamide. Med Pediatr Oncol 9: 417-422, 1981
11) Cazin B, et al: Cardiac complications after bone marrow transplantation. A report on a series of 63 consecutive transplantations. Cancer 57: 2061-2069, 1986
12) Appelbaum F, et al: Acute lethal carditis caused by high-dose combination chemotherapy. A unique clinical and pathological entity. Lancet 307: 58-62, 1976
13) Gottdiener JS, et al: Cardiotoxicity associated with high-dose cyclophosphamide therapy. Arch Intern Med 141: 758-763, 1981
14) Sugita J, et al: Reduced dose of posttransplant cyclophosphamide in HLA-haploidentical peripheral blood stem cell transplantation. Bone Marrow Transplant 56: 596-604, 2021
15) Nakamae H, et al: A prospective study of an HLA-haploidentical peripheral blood stem cell transplantation regimen based on modification of the dose of posttransplant cyclophosphamide for poor prognosis or refractory hematological malignancies. Cell Transplant 31: 09636897221112098, 2022

34 呼吸機能障害

造血細胞移植に伴う肺合併症は約 30～60% の患者に認め，肺合併症の原因は，①感染性と②非感染性に大きく分けられる．本項では非感染性の肺合併症について述べる(☞感染性肺合併症については 403 頁，セクション 42 を参照)．21,574 例を対象とした CIBMTR からの報告では非感染性肺合併症の発症割合は移植後 1 年で 8.1% であった[1]．また，本邦のレジストリデータを用いた 13,573 例を対象とした報告では 535 例(3.9%)に非感染性肺合併症を認めた[2]．どちらの報告においても非感染性肺合併症を発症した症例は予後が有意に悪化していた．造血細胞移植後の非感染性肺合併症については総説[3, 4]も参照されたい．

A 移植前の評価

- 呼吸機能検査(図 1)：呼吸機能検査は最も基本的な検査である．スパイロメトリーの手技には 2 種類あり，緩徐な換気で測定した場合の SVC(slow VC)手技と，努力換気で測定した場合の FVC (forced VC，努力肺活量)手技に分けられる．SVC 手技では肺活量(vital capacity：VC)を測定する．FVC 手技では，最大吸気位から最大呼気努力によって一気に息を呼出させる．FVC 手技で測定したときの VC に相当する値を FVC と呼ぶ．健常者であれば FVC は VC とほぼ同じ値になる．しかし，BOS の症例では，呼気努力で末梢気道が虚脱し，air trapping が起こるため，FVC が小さくなり FVC と VC の差が大きくなることが多い．FVC 手技では FVC 以外にも FEV_1(forced expiratory volume in one second，1 秒量)やフローボリューム曲線が得られる．FEV_1 は，FVC 手技において呼出開始から最初の 1 秒間に呼出される量を指し，移植患者において最も重要な指標の 1 つである．この FEV_1 を用いて 1 秒率と %FEV_1(FEV_1 の実測値を FEV_1 の予測値で割った%，% 1 秒量)を算出する．1 秒率には，FEV_1/VC (Tiffeneau の 1 秒率)と FEV_1/FVC(Gaensler の 1 秒率)がある．

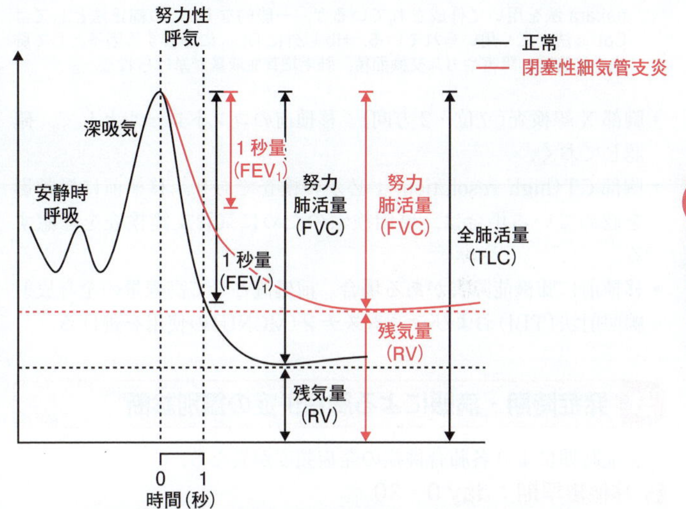

図 1　正常と閉塞性細気管支炎の呼吸機能検査における各指標

FEV_1：forced expiratory volume in the first second of expiration
FVC：forced vital capacity
RV：residual volume
TLC：total lung capacity
〔文献 5)より〕

通常，FEV_1/FVC が用いられるが，診断基準にどちらが用いられているか確認する．BOS の診断は VC と FVC のうち，より大きなほうを分母とすることになっている．一般的に 1 秒率＜70% で閉塞性換気障害と判定するが，BOS の診断や重症度判定，HCT-CI の呼吸機能障害は %FEV_1(% 1 秒量)を用いる(1 秒率で判定してしまうことがないように注意する)．呼吸機能検査では可能であれば一酸化炭素肺拡散能力(DL_{CO})まで測定する．血液疾患患者では Hb 以下を認める場合が多く，DL_{CO} を補正する必要がある．補正式には以下の 2 つの方法がよく用いられる

① Dinakara 法：補正 $DL_{CO} = DL_{CO}/(0.06955 \times Hb)$
② Cotes 法：男性患者は Hb 補正 $DL_{CO} = DL_{CO}(10.22 + Hb)/(1.7\ Hb)$，女性患者は Hb 補正 $DL_{CO} = DL_{CO}(9.38 + Hb)/(1.7\ Hb)$.

※補正法により補正後の値に大きな差が生じるため注意する．HCT-CI は Dinakara法を用いて作成されているが，一般的なDL_{CO}の補正法としてはCotes法が広く用いられている．Hb以外にDL_{CO}に影響する因子として肺胞毛細管膜の障害やガス交換面積，肺毛細管血液量が挙げられる．

- 胸部X線検査(立位・2方向)：移植前のコントロールとして，確認しておく．
- 胸部CT(high resolution)：必須の検査であり，移植前に異常影を認めている場合は，原因検索のために気管支鏡検査を考慮する．
- 移植前に肺機能障害がある場合，前処置として高線量の全身放射線照射法(TBI)およびラニムスチン(MCNU)の使用を避ける．

B 発症時期・病態による肺合併症の鑑別診断[6)]

発症時期により各肺合併症の発症頻度が異なる．

1 移植後早期：day 0〜30

- 特発性肺炎症候群(IPS)
- びまん性肺胞出血(DAH)
- 毛細血管漏出症候群(CLS)
- PERDS(peri-engraftment respiratory distress syndrome)

移植後の30日間は骨髄機能が十分に回復していないため，患者は好中球減少状態にある．この期間の肺合併症は，感染性と非感染性の頻度はほぼ同等である．IPSは移植後早期の非感染性肺障害の総称であり，病態はさまざまである．その他の非感染性肺障害としては非心原性肺水腫，DAH，PERDSがあり，血管内皮障害が原因である．

2 移植後中期：day 31〜100

- IPS
- Acute radiation pneumonitis
- PCT(Pulmonary cytolytic thrombi)

好中球生着後もIPSの好発時期であり，注意を要する．この時期の肺合併症として，縦隔照射歴のある患者に発症するAcute radiation pneumonitisや，PCTが鑑別に挙がるが，発症はきわめてまれである．

3 移植後後期：＞day 100

- 閉塞性細気管支炎(BO/BOS)
- 特発性器質化肺炎(COP)/閉塞性細気管支炎器質化肺炎(BOOP)
- Pleuroparenchymal fibroelastosis(PPFE)
- Air-leak syndrome
- 移植後リンパ増殖症(PTLD)
- 肺静脈閉塞症(PVOD)
- 肺胞蛋白症(PAP)

移植後後期(100日以降)に起こるCOP/BOOPやBO/BOSは，気道上皮の障害が原因であり，その好発時期からLONIPC(late-onset non-infectious pulmonary complication)と呼ばれることがある．

近年，同種移植後のびまん性肺疾患として，PPFEが注目されている．上葉中心に胸膜から肺実質の線維化をきたし，拘束性変化が徐々に進行し，気胸の合併率も高い．

C IPS：特発性肺炎症候群

IPSは臨床診断名であり，病理学的にinterstitial pneumoniaまたはdiffuse alveolar damageを示すheterogeneousな疾患の集合体である．なお，広義のIPSには狭義のIPS，DPTS(delayed pulmonary toxicity syndrome)，PERDS，CLS(capillary leak syndrome)，DAH，COP，BOSなども含まれる．

1 疫学[1, 3, 4, 7]

骨髄破壊的前処置(MAC)による前処置を受けた患者により多く，3〜15%に認めると報告されている．近年CIBMTRから21,574例を対象とした後方視的研究の結果が報告され，1年の累積発症割合は4.9%であった[1]．IPSが発症するまでの中央値は，以前は移植後6，7週(範囲14〜90日)程度と報告されていたが，近年の報告はより早期に発症しており，中央値19日(範囲4〜106日)である[3]．報告により発症時期が異なるのは，対象患者が異なり，IPSの定義がさまざまであるためと考えられる．

2 病態

IPSの病態は明らかになっていないが，前処置に伴う肺の内皮障害に続き，肺のマクロファージやTリンパ球の活性化が関与していると考えられている．近年，TNF-α/LPS dependent pathwayとIL-6/IL-17 dependent pathwayの2つの経路が重要であることが報告されている．また不顕性感染症の可能性もある．

3 リスク因子

IPSのリスク因子としてはTBIを含むMACレジメン，急性GVHD，高齢の患者などである．

4 症状

呼吸困難，乾性咳嗽，低酸素血症など．急速に悪化するのが特徴である．

5 画像所見

特異的な所見はなく，両側性にびまん性の陰影を認める．

6 組織像

diffuse alveolar damage.

7 診断

American Thoracic Society（米国胸部疾患学会）より移植後IPSの定義が定められており[3]，可能な限りこれに従い診断する．

診断の要点は，①広範囲の肺胞障害を認める，②感染症の除外，③心臓，腎臓，医原性の要因の除外である．定義の詳細を表1に示す．

実際の臨床の現場では保険適用などの問題もあり感染症を完全に否定することは困難である．1997～2001年にIPSと診断された69例[7]のBALなどの保存検体を，定量PCRなどを用いて再検査を行った結果，HHV-6，アスペルギルス，CMVなどが検出された[8]．これらの病原体が検出された患者の予後は有意に不良であったことを報告しており，IPSと診断されている症例の一部は感染症（あるいはIPSと感染症の合併）である可能性がある．

8 治療

確立した治療法はなく，高用量のステロイドを投与することが多い．

❶ ステロイド

IPSを疑った場合はステロイドの投与開始を躊躇せず，早めに高用量を投与している．

表1 American Thoracic Society による移植後 IPS の定義

1. 広範囲の肺胞障害の所見
   A. X 線や CT で多発性の浸潤影を認める
   B. 肺炎の症状や身体所見を認める(咳，呼吸苦，頻呼吸，ラ音)
   C. 呼吸生理学的検査の異常を認める
      ①肺胞-動脈血酸素較差の拡大
      ②拘束性肺障害の新たな出現あるいは既存の障害の悪化
2. 下気道の活動性の感染症がない
   A. BALで抗酸菌，ノカルジア，レジオネラなどを含む細菌性の病原体が陰性
   B. BALで非細菌性の微生物が陰性
      ①ウイルスや真菌の培養
      ②シェルバイアル法による CMV，RSV
      ③細胞診による CMV 封入体，真菌，*Pneumocystis jirovecii*
      ④直接蛍光抗体染色で CMV，RSV，HSV，VZV，influenza virus，parainfluenza virus，adenovirus など
   C. その他の病原体同定のための検査
      ①human metapneumovirus，rhinovirus，coronavirus，HHV-6 の PCR
      ②*Chlamydia*，*Mycoplasma*，*Aspergillus* 属の PCR
      ③*Aspergillus* 属の血清ガラクトマンナン抗原(ELISA 法)
   D. 患者の状態が許せば経気管支生検
3. 肺障害の原因として心不全，急性腎不全，医原性の水分貯留がない

〔文献 3)より〕

メチルプレドニゾロン 1 mg/kg 1 日 2 回 点滴静注

※進行が急速な場合や重症感がある場合，ステロイドパルス療法を行うこともある.

メチルプレドニゾロン 250～500 mg 1 日 2 回 点滴静注

❷ エタネルセプト(抗 TNF 薬)(保険適用外)

2008 年に IPS に対してエタネルセプトが有効であることが海外から報告され[9]，その後 BMT-CTN(Blood and Marrow Transplant Clinical Trials Network)において二重盲検プラセボ比較試験が行われた．エタネルセプト群で良好な傾向がみられたが，有意差は認めなかった．一方，IPS を発症した 28 例の小児(17 例が人工呼吸管理)に対して，2 mg/kg/日のステロイドに加えてエタネルセプト 0.4 mg/kg/回を週 2 回(合計 8 回)投与した試験では，71% の症例で CR が得られた[10]．特に人工呼吸管理を行っていない患者では効果が 100% であり，早期の使用がよい可能性がある．また，移植後 100 日以降に発症した IPS(late-onset IPS)に対してもエタネルセプト＋ステロイドの有効性が報告されている[11]．エタネルセプト

は国内では保険適用外である．

❸ ルキソリチニブ(保険適用外)

同種移植後のIPSに対して，ステロイド投与にルキソリチニブ20 mgを併用することでコントロールできたという国内からの症例報告がある[12]．

❹ その他(いずれも保険適用外)

- 抗IL-6レセプター抗体(トシリズマブ：アクテムラ®)
- 抗IL-17レセプター抗体(ブロダルマブ：ルミセフ®)
- 間葉系幹細胞

❺ 支持療法

必要に応じて以下を検討する．

① 酸素投与，人工呼吸管理，ECMO(集中治療医と個別に相談)
② 広域抗菌薬の投与．培養結果に応じて変更する．
③ 適切なin-out管理
④ CVVH(continuous veno-venous hemofiltration)

9 予後

IPS発症後の致死率は60～80%と高く，診断後早期(2週間以内)に死亡する症例が多い．特に人工呼吸器管理が必要になった症例の致死率は96%である[7]．また治療がいったん奏効した場合も，IPSの再燃や重症感染症の合併のため予後不良である．

D DAH：びまん性肺胞出血[13, 14]

1 疫学

同種移植後の発症時期の中央値は19日(範囲5～34日)，自家移植では中央値12日(範囲0～40日)である．造血幹細胞移植の5～12%に発症し，致死率は60～100%と高い．診断から3週間以内に多臓器不全で死亡することが多い．

2 病態

明らかにはなっていないが，全身放射線や大量化学療法により障害された肺胞上皮に骨髄回復期の炎症細胞が大量に流入し，サイトカインが放出され毛細血管が破綻すると考えられている．

3 リスク因子

高齢，TBI，MAC，同種移植，重症のGVHD．

4 症状

発熱，咳嗽・呼吸困難などが多く，血痰・喀血は少ない．気管支肺胞洗浄(BAL)が徐々に血性になることやBAL中にヘモジデリン貪食マクロファージを20%以上認めることが診断に有用である．また血痰や血性のBAL液を認めた場合マルトフィリア感染症に伴う肺出血を除外する必要がある．

5 画像所見

初期はさまざまな程度のすりガラス影や浸潤影を認める．時間が経過し，肺胞出血が改善すると，小葉内，小葉間の肥厚が進行し，crazy-pavingパターンを呈する．病変の分布は肺水腫に似るが，胸水を認めることは少ない．

6 組織像

肺胞腔内にヘモジデリン貪食マクロファージの集積と出血を伴うびまん性肺障害．

7 治療

確立した治療法はなく，ステロイド投与を行うことが多いが，効果は一定ではない．海外からのステロイド投与量とアミノカプロン酸の追加効果について検討した報告では，アミノカプロン酸は効果を認めなかった[15]．また，ステロイド投与量についてはlow-dose群(mPSL 250 mg/日未満)はmedium dose群(mPSL 250〜1,000 mg/日)，high-dose群(mPSL 1,000 mg/日以上)に比べてICU死亡率，院内死亡率が有意に低かった．活性型第Ⅶa因子製剤が有効であるという症例報告がある一方で，効果を認めなかったという報告もあり[4]，当院での使用経験はない．

メチルプレドニゾロン　1 mg/kg　1日2回　点滴静注

8 予後

予後は不良で100日以内に最大85%が死亡する[14]．

E PERDS(peri-engraftment respiratory distress syndrome)

非心原性の肺水腫による症状を認める．心原性の肺水腫との鑑別が重要であり，超音波検査で血管内ボリュームの評価を行う．

PERDS発症時は血管透過性の亢進により血管内は脱水状態になっていることが多い．自家移植後の報告[16]が多いが，同種移植後もよく経験する．

1 疫学

発症頻度は5%程度，発症時期は中央値で移植後11日である[4]．

2 病態

生着症候群(☞440頁，セクション44)の肺病変．肺の血管内皮細胞障害によって生じる．

3 リスク因子

同種移植，TBI，ブスルファンの投与，G-CSFの投与，シクロホスファミドの投与などである[4]．また近年，抗PD-1抗体投与歴のある悪性リンパ腫症例では自家移植後のPERDSが多いことが報告されている[17]．

4 症状

発熱，皮疹，体重増加，浮腫，低酸素血症など．

5 画像所見

小葉間隔壁の肥厚，両肺のすりガラス影，肺門周囲や気管支周囲の浸潤影，胸水など．

6 治療

基本的には生着症候群(ES)と同様の対応でよいが，PERDSを発症した症例は予後が悪化するという報告がある[18]．ステロイドが著効することが多く，重症化することは少ないが，人工呼吸管理が必要になった場合は予後不良である．

ヒドロコルチゾン　100 mg　1日1〜3回　静注

効果が不十分な場合や重篤感がある場合は下記を用いる．

メチルプレドニゾロン　0.5〜1 mg/kg　1日2回　点滴静注

F BO/BOS：閉塞性細気管支炎(表2)

移植後後期に発症する非感染性肺障害(LONIPC)として，BO/BOSとCOP/BOOPが代表的な疾患であり両者の比較を表2に示す[3, 19]．BOS患者の呼吸機能検査では，閉塞性換気障害のパターンを呈する．%1秒量(% FEV_1：性別・年齢・身長から予測される1

表2 BOSとCOPの比較

	BOS	COP
臨床背景	同種移植に伴う慢性GVHD	自家，同種ともに起こる 通常感染が契機となる
症状	初期は無症状．症状は緩徐に進行する．発熱なし • 喘鳴 • 呼吸苦 • 空咳 • 血液検査は正常	症状の進行は急速 • 発熱 • 空咳 • 血液検査で白血球上昇，CRP上昇
病因	慢性GVHD	特発性(感染あるいは薬剤が誘因)？
聴診所見	wheezing, hypoventilation	crackle/rales
呼吸機能検査	閉塞性障害 $FEV_1/FVC<70\%$，$\%FEV_1<75\%$，DL_{CO} 低下	拘束性障害 $FEV_1/FVC>80\%$，$TLC<80\%$，DL_{CO} 低下
胸部X線所見	正常あるいはair trapping	肺胞性陰影あるいは間質性陰影
CT所見	• 実質の浸潤影なし • 気管支壁肥厚 • 気管支拡張 • 呼気でair trapping • mosaic perfusion pattern	片側または両側の気管支の拡張を伴う • 斑状影 • すりガラス影 • 結節影
気管支肺胞洗浄液	好中球主体	リンパ球主体 CD4/CD8が低下
診断	臨床症状や呼吸機能検査，画像検査で診断	生検による組織診断が必要
治療	FAM療法 ステロイドやその他の免疫抑制剤 ECP 肺移植	ステロイド
ステロイドへの反応性	限定的	80%を超える
予後	ステロイドへの反応なければ予後不良	治療に反応することが多い

〔文献14, 19)より〕

秒量を分母とし，1秒量[FEV_1]を分子とした割合)が75%未満で2年以内に10%を超える低下があること，また1秒率(1秒量/肺活量)が70%未満を指標に評価する(図1)．DL_{CO}は修正基準からは除外されている．

1 疫学

白血病に対し同種移植を施行した6,275例を後方視的に検討したIBMTR(International Bone Marrow Transplant Registry Database)からの報告では，移植後2年における累積発症率は1.7%であった[20]．また国内からの報告によるとBOの5年累積発症率は2.8%で[21]，比較的まれな合併症と考えられてきた．しかしNIH診断基準を用いた後方視的解析では，BOSの発症率は5.5%，特に慢性GVHDを有する患者では14%であり[22]，近年では長期生存患者の10〜20%に発症すると考えられている．発症時期については移植後6〜12か月に好発するとされ，IBMTRからの報告では発症の中央値は移植後431日(範囲65〜2,444日)[20]，国内からの報告では移植後335日(範囲83〜907日)であった[21]．

2 病態

BOは慢性GVHDの肺の病変と考えられている．

3 リスク因子

末梢血幹細胞移植，ドナー・患者間の性別不一致，移植後早期の呼吸器ウイルス感染症など．

4 診断

BOの診断には，細気管支上皮の変性や細気管支腔の炎症性狭窄・閉塞・周囲の炎症や線維化といった病理学的な所見が以前は必要とされていた．しかし，肺生検はリスクがあり，これらの所見が得られることは少ないため，呼吸機能検査などでも診断できるようBOSという診断基準が作られた．以前のNIH診断基準ではBOの確定診断に肺生検が必須とされたが，肺生検のリスクや感度の低さ，早期の治療介入が必要であることなどが指摘され，2014年のNIH修正基準では肺機能検査のみでBOSの診断が可能となった(表3)[5,23]．BOSの初期は，胸部X線写真は正常で，通常のCT検査でも異常を指摘できないことがあるため，呼吸機能検査を定期的にフォローすることがきわめて重要である．BOSを疑う症状や閉塞性喚気障害を認めた場合は，吸気と呼気のCTをオーダーする

表 3 閉塞性細気管支炎(BOS)の診断基準[5, 23]

①1 秒率(1 秒量/肺活量)<70% *1
②%1 秒量(%FEV:1 秒量/予測 1 秒量)<75% で%1 秒量の 10% を超える低下 *2
③感染症が否定されている *3
④高分解能肺 CT にて aie trappind 像,末梢気道の壁肥厚,気管支拡張像を認める.または残気量の増加(予測残気量の 120% を超える)
①〜④を満たす場合,あるいは既に慢性 GVHD の診断がされていれば①〜③で BOS と診断

*1 分母の肺活量には,努力肺活量(FVC),または通常の肺活量(VC)のいずれか大きいほうを用いる.
*2 2 年以内の低下.
*3 画像検査のほか,気管支洗浄液・喀痰などを用いた培養検査が推奨される.

(呼気での air trapping や mosaic perfusion pattern を認める場合がある)[14].

> **Memo　ステージ 0(ゼロ)の BOS**
>
> 肺移植の領域では bronchiolitis obliterans syndrome(BOS) stage 0p という概念があり,今後 BOS に進行する可能性のある症例を早期に発見するために使用されている.これを同種造血幹細胞移植について検討した報告がある[24].BOS stage 0p の診断基準は①%FEV_1 が 10% 以上低下,または②% $FEF_{25\text{-}75}$ が 25% 以上低下し,③BOS の診断基準を満たさないことであった.BOS 0p を満たした症例は BOS の発症リスクが高かった.また,BOS 発症について高い陰性的中率(98%)を示した.

5 治療

BO/BOS の第一選択治療についてのランダム化試験は今までに存在しないが,臨床の現場では多くの場合 1 mg/kg/日のプレドニゾロン投与が行われる.しかし,その有効率は 8〜20% と低い.ステロイド以外にもさまざまな薬剤が使用され有効であったことが報告されているが,いずれも少数例の報告であり確立した治療法はない.

プレドニゾロン　1 mg/kg　分 1 または分 2　内服

※ステロイドの減量は慢性 GVHD の治療に準じて緩徐に行われることが推奨される.呼吸機能の悪化がないことをモニタリングしながら少なくとも 6 か月以上かけて減量を進める(☞ 543 頁,セクション 54).

BO/BOS と診断される前に,CNI が中止になっている場合には

CNIを再開する．また補助療法としてFAM療法が有効である．

❶ FAM療法

吸入ステロイド，アジスロマイシン，モンテルカストの併用治療．国内ではアジスロマイシンをクラリスロマイシンに置換して治療することが多い(FCM療法)．クラリスロマイシン開始時は相互作用によるTAC濃度の上昇に注意する．原法は以下の通り．

フルチカゾン(フルタイド®) 400 μg 1日2回 吸入
アジスロマイシン(ジスロマック®) 1日250 mg 分1 週3回内服
モンテルカスト(シングレア®)* 1日10 mg 分1 内服

当院では，クラリスロマイシン内服と，吸入ステロイド，気管支拡張剤を用いている．

クラリスロマイシン(クラリス®) 1日200〜400 mg 分1〜2 内服
スピリーバ®2.5 μgレスピマット® 1回2吸入(チオトロピウムとして5 μg) 1日1回吸入
アドエア®250ディスカス® 1回1吸入(サルメテロールとして50 μg，およびフルチカゾンプロピオン酸エステルとして250 μg) 1日2回吸入**
モンテルカスト(シングレア®)* 1日10 mg 分1 内服

*モンテルカストについては近年第II相試験が行われ，BOSの進行を止め安定化させる可能性が報告されている[25]．
**吸入ステロイドとβ刺激薬の合剤についてはブテソニド・ホルメテロールの吸入が有効という報告がある[26]．

❷ ECP

2020年12月にステロイド抵抗性または不耐容の慢性GVHD対し保険適用となった．海外から治療抵抗性のBOSにECPが有効であったという報告がある[27]．

❸ イマチニブ

マルチキナーゼ阻害薬で慢性GVHDにおいて線維化の進行にかかわるTGF-βとPDGF-Rを阻害する作用を有する(保険適用外)．39例のステロイド抵抗性の慢性GVHDに対しイマチニブを投与し肺への有効性は35%であった[28]．

❹ ルキソリチニブ

ルキソリチニブは，2023年8月に「造血幹細胞移植後の移植片対宿主病(ステロイド剤の投与で効果不十分な場合)」に対する治療薬として国内で承認された．ステロイド抵抗性慢性GVHDに対するRCTであるREACH3試験では，肺病変に対するルキソリチニブの効果は対照群と同程度であった[29]．一方，BOSに対するFirst line治療としてルキソリチニブを投与された7例(うち6例はステロイド併用)は全例が投与後2週間以内に症状の改善を認め，3か月後の評価では5例(71%)がCR，残り2例(29%)がPRで，安全性なども特に問題なかった[30]．

❺ その他の治療薬

ピルフェニドン[31]や間葉系幹細胞(MSC)[32]が有効であったとする報告がある．

❻ 肺移植

近年，国内から施行例の報告が増えており，特に若年者では適応を検討する場合もある．しかし国内では脳死移植件数が少なく，生体肺移植では2人のドナーを要するため負担は大きい．

❼ 気管支拡張剤や呼吸リハビリテーション

BO/BOSの症状緩和，進展防止に有用な場合もあり，積極的に併用している．

G COP/BOOP(特発性器質化肺炎)(表2)

1 疫学

発症の中央値は約100日とBO/BOSと比べて移植後早期に発症し，発症頻度は1～10%程度と報告されている．国内からの報告によるとCOP/BOOPの発症頻度は2%で[33]，近年のCIBMTRからの報告も発症割合は移植後1年で0.7%であった[1]．

2 病態

BOOPは特発性間質性肺炎の一種であり，器質化病変が呼吸細気管支に進展している病理像がBO様にみえるためBOOPと呼ばれてきた．しかし，病変の主体は器質化肺炎であるため，BOとの混同を避けるため，近年はBOOPではなくCOPが用いられる．

3 リスク因子

HLA不一致移植，女性ドナーから男性患者への移植，末梢血幹細胞移植がリスク因子として報告されている[33]．

4 診断

咳嗽や発熱などの症状を認め，胸部CTでは両側の末梢胸膜下に非区域性に分布する斑状の浸潤影を認める．症状や画像所見が感染症と似ており，組織診断が必要である．TBLBでは検体が小さく診断が困難なことも多く，その場合は経皮的針生検や胸腔鏡下肺生検を検討する場合もある．

5 治療

ステロイドが第一選択であり，ステロイドに対する反応性は良好である(約80%の症例で奏効)．しかし，一部はCOPが進行し致死的な経過を辿る症例もある．海外の報告では，COP合併症例の移植後1年OSは52%と非合併例の74%より有意に低かった[1]．国内からの報告ではCOP発症後の3年OSは61%であった[33]．免疫抑制剤を減量中の再燃に注意する必要があり，6か月～1年かけて漸減する．

プレドニゾロン　1 mg/kg/日　分1または分2　内服または点滴静注

急速に進行する症例ではステロイドパルス療法も検討する．

メチルプレドニゾロン　250～500 mg　1日2回　点滴静注

マクロライドが有効であるという報告があり，クラリスロマイシンなどの併用投与も検討する．

H Air-Leak Syndrome(ALS)

同種造血幹細胞移植後に続発する致死的な合併所であり，気胸，縦隔気腫，皮下気腫，肺気腫を起こす．慢性GVHDを認める患者やBOSを認める患者に多い．

1 頻度

ALSはまれで，正確な頻度は不明であるが，1～6%前後と考えられている．同種造血幹細胞移植症例1,515例を後方視的に検討した国内からの報告によると，18例(1.2%)にALSを認めた[34]．

2 リスク因子

国内からの報告では，年齢が38歳以上，男性，複数回移植[34]，海外からの報告ではGrade Ⅲ～Ⅳ acute GVHD，extensive慢性GVHD，侵襲性肺真菌感染症の既往などがリスク因子とされている[35]．多くの症例が閉塞性細気管支炎(BO)や特発性器質化肺炎(COP)などのLONIPCに伴って発症している．

3 診断

X線では診断できないことがあるため，胸痛や呼吸困難を認める場合はCT検査を行う．

4 治療

ALSに対する特異的な治療はなく，気胸を認めた場合は脱気が必要となる．ALSを認める患者は，認めない患者と比較して予後不良である[34, 35]．

I PPFE(pleuroparenchymal fibroelastosis)

PPFEはまれな特発性間質性肺炎の1つに分類されており，正式な和名はなく特発性上葉優位型肺線維症あるいは特発性上葉限局型肺線維症と呼ばれることがある．画像所見では両上葉の収縮とそれによる肺門位置の挙上，両側上葉優位の牽引性気管支拡張を伴う胸膜直下の浸潤影を特徴とする．同種造血幹細胞移植後の頻度は不明であるが，海外の15例の報告では発症頻度は0.5％であった[36]．移植から診断までの中央値は8.9年で薬物治療に反応せず予後は不良であった．現時点では確立した治療法はなく，進行した症例は肺移植が適応となることもある．肺移植の適応の詳細については日本移植学会のホームページを参照されたい．移植を検討している症例は早い段階で移植施設へ紹介することが望ましい．

文献

1) Patel SS, et al: Noninfectious pulmonary toxicity after allogeneic hematopoietic cell transplantation. Transplant Cell Ther 28: 310-320, 2022
2) Onizuka M, et al: Risk factors and prognosis of non-infectious pulmonary complications after allogeneic hematopoietic stem cell transplantation. Int J Hematol 115: 534-544, 2022
3) Panoskaltsis-Mortari A, et al: An official American Thoracic Society research statement: noninfectious lung injury after hematopoietic stem cell transplantation: idiopathic pneumonia syndrome. Am J Respir Crit Care Med 183: 1262-1279, 2011
4) Fraebel J, et al: Noninfectious pulmonary complications after hematopoietic stem cell transplantation. Transplant Cell Ther 29: 82-93, 2023
5) 日本造血・免疫細胞療法学会 HP：造血細胞移植ガイドライン 移植後長期フォローアップ，2017.
https://www.jstct.or.jp/uploads/files/guideline/04_01_ltfu.pdf
6) Peña E, et al: Noninfectious pulmonary complications after hematopoietic stem cell transplantation: practical approach to imaging diagnosis. Radiographics 34: 663-683, 2014
7) Fukuda T, et al: Risks and outcomes of idiopathic pneumonia syndrome after nonmyeloablative and conventional conditioning regimens for allogeneic hematopoietic

stem cell transplantation. Blood 102: 2777-2785, 2003
8) Seo S, et al: Idiopathic pneumonia syndrome after hematopoietic cell transplantation: evidence of occult infectious etiologies. Blood 125: 3789-3797, 2015
9) Yanik GA, et al: The impact of soluble tumor necrosis factor receptor etanercept on the treatment of idiopathic pneumonia syndrome after allogeneic hematopoietic stem cell transplantation. Blood 112: 3073-3081, 2008
10) Yanik GA, et al: TNF-receptor inhibitor therapy for the treatment of children with idiopathic pneumonia syndrome. A joint Pediatric Blood and Marrow Transplant Consortium and Children's Oncology Group Study (ASCT0521). Biol Blood Marrow Transplant 21: 67-73, 2015
11) Thompson J, et al: Etanercept and corticosteroid therapy for the treatment of late-onset idiopathic pneumonia syndrome. Biol Blood Marrow Transplant 23: 1955-1960, 2017
12) Tomomasa D, et al: Successful ruxolitinib administration for a patient with steroid-refractory idiopathic pneumonia syndrome following hematopoietic stem cell transplantation: A case report and literature review. Clin Case Rep 9: e05242, 2021
13) Afessa B, et al: Diffuse alveolar hemorrhage in hematopoietic stem cell transplant recipients. Am J Respir Crit Care Med 166: 641-645, 2002
14) Carreras E, et al: Section 52, Noninfectious Pulmonary Complications. The EBMT handbook: Hematopoietic Stem Cell Transplantation and Cellular Therapies. 7th ed, 2019.
https://www.ebmt.org/education/ebmt-handbook
15) Rathi NK, et al: Low-, medium- and high-dose steroids with or without aminocaproic acid in adult hematopoietic SCT patients with diffuse alveolar hemorrhage. Bone Marrow Transplant 50: 420-426, 2015
16) Capizzi SA, et al: Peri-engraftment respiratory distress syndrome during autologous hematopoietic stem cell transplantation. Bone Marrow Transplant 27: 1299-1303, 2001
17) Bai B, et al: Prior anti-PD-1 therapy as a risk factor for life-threatening peri-engraftment respiratory distress syndrome in patients undergoing autologous stem cell transplantation. Bone Marrow Transplant 56: 1151-1158, 2021
18) Wieruszewski PM, et al: Characteristics and outcome of periengraftment respiratory distress syndrome after autologous hematopoietic cell transplant. Ann Am Thorac Soc 18: 1013-1019, 2021
19) Afessa B, et al: Bronchiolitis obliterans and other late onset non-infectious pulmonary complications in hematopoietic stem cell transplantation, Bone Marrow Transplant 28: 425-434, 2001
20) Santo Tomas LH, et al: Risk factors for bronchiolitis obliterans in allogeneic hematopoietic stem-cell transplantation for leukemia. Chest 128: 153-161, 2005
21) Nakaseko C, et al: Incidence, risk factors and outcomes of bronchiolitis obliterans after allogeneic stem cell transplantation. Int J Hematol 93: 375-382, 2011
22) Au BK, et al: Bronchiolitis obliterans syndrome epidemiology after allogeneic hematopoietic cell transplantation. Biol Blood Marrow Transplant 17: 1072-1078, 2011
23) Jagasia MH, et al: National Institutes of Health Consensus Development Project on Criteria for Clinical Trials in Chronic Graft-versus-Host Disease: I. The 2014 Diagnosis and Staging Working Group report. Biol Blood Marrow Transplant 21: 389-394, 2015
24) Abedin S, et al: Predictive value of bronchiolitis obliterans syndrome stage 0p in chronic graft-versus-host disease of the lung. Biol Blood Marrow Transplant 21: 1127-1131, 2015
25) Williams KM, et al: Prospective phase II trial of montelukast to treat bronchiolitis obliterans syndrome after hematopoietic cell transplantation and investigation into bronchiolitis obliterans syndrome pathogenesis. Transplant Cell Ther 28: 264.e1-264.e9, 2022
26) Bergeron A, et al: Budesonide/Formoterol for bronchiolitis obliterans after hemato-

poietic stem cell transplantation. Am J Respir Crit Care Med 191: 1242-1249, 2015
27) Lucid CE, et al: Extracorporeal photopheresis in patients with refractory bronchiolitis obliterans developing after allo-SCT. Bone Marrow Transplant 46: 426-429, 2011
28) Olivieri A, et al: Long-term outcome and prospective validation of NIH response criteria in 39 patients receiving imatinib for steroid-refractory chronic GVHD. Blood 122: 4111-4118, 2013
29) Zeiser R, et al: Ruxolitinib for glucocorticoid-refractory chronic graft-versus-host disease. N Engl J Med 385: 228-238, 2021
30) Zhang X, et al: Ruxolitinib as an effective and steroid-sparing first-line treatment in newly diagnosed BOS patients after hematopoietic stem cell transplantation. Front Pharmacol 13: 916472, 2022
31) Matthaiou EI, et al: The safety and tolerability of pirfenidone for bronchiolitis obliterans syndrome after hematopoietic cell transplant (STOP-BOS) trial. Bone Marrow Transplant 57: 1319-1326, 2022
32) Chen S, et al: The efficacy of mesenchymal stem cells in bronchiolitis obliterans syndrome after allogeneic HSCT: a multicenter prospective cohort study. EBioMedicine 49: 213-222, 2019
33) Nakasone H, et al: Pre-transplant risk factors for cryptogenic organizing pneumonia/bronchiolitis obliterans organizing pneumonia after hematopoietic cell transplantation. Bone Marrow Transplant 48: 1317-1323, 2013
34) Sakai R, et al: Air-leak syndrome following allo-SCT in adult patients: report from the Kanto Study Group for Cell Therapy in Japan. Bone Marrow Transplant 46: 379-384, 2011
35) Liu YC, et al: Risk factors and clinical features for post-transplant thoracic air-leak syndrome in adult patients receiving allogeneic haematopoietic stem cell transplantation. Sci Rep 9: 11795, 2019
36) Bondeelle L, et al: Pleuroparenchymal fibroelastosis after allogeneic hematopoietic stem cell transplantation. Bone Marrow Transplant 55: 982-986, 2020

35 神経障害

移植後の神経合併症はまれなものが多く，診断が困難な症例も多い．神経内科，脳外科，放射線科と連携して，移植患者特有の合併症を考慮しながら，合同で治療にあたることが望ましい．

A 神経合併症の頻度・症状

同種造血幹細胞移植後の中枢神経障害の頻度は3～44%と報告によって大きく異なる[1]．神経合併症の原因は感染症，薬剤関連，免疫介在性などさまざまである．2,384例の成人を対象としたイタリアからの報告では93例(3.9%)に中枢神経合併症を認め，その内訳は感染症(29%)，免疫・炎症(26%)，薬剤関連(13%)，脳血管障害(5%)，代謝(3%)，中枢神経再発(12%)，悪性腫瘍(3%)，原因不明(9%)であった[2]．小児における報告ではカルシニューリン阻害薬(CNI)に関連した中枢神経障害が半数近くを占めていた[3]．それぞれの神経合併症ごとに好発時期は異なっており，鑑別診断を考えるうえで非常に重要となる(図1)[4,5]．

自覚症状はさまざまなものがみられるが，症状ごとに疑われる中

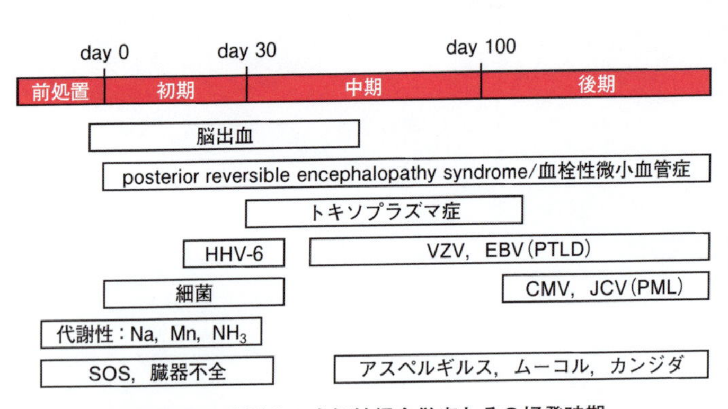

図1　同種造血幹細胞移植後の中枢神経合併症とその好発時期
〔文献4,5)より〕

表1 神経障害を疑う症状と鑑別疾患

症状	鑑別疾患
頭痛(特に血圧上昇を伴う場合)	非特異的(PRES や脳出血，髄膜炎・脳炎など)
視力低下・視野異常	視神経脊髄炎，PRES，ボリコナゾールによる副作用
意識障害	非特異的だが重大な疾患の可能性が高い
短期記憶障害，健忘症状，人格変化	ウイルス性脳炎，非ヘルペス性辺縁系脳炎
頻脈，異常な発汗などの自律神経症状	ウイルス性脳炎・脊髄炎，脱髄疾患
不随意運動，運動失調	Atypical PRES，脱髄疾患(急性散在性脳脊髄炎など)
下肢から上行するしびれ，筋力低下	薬剤性神経障害，脱髄疾患(ギラン・バレー症候群など)，ウイルス性脊髄炎

PRES：posterior reversible encephalopathy syndrome

枢神経障害を表1に示す．

Memo

上行性神経障害(ascending neuropathy)

下肢の感覚異常・脱力などで発症し，急性〜亜急性に神経障害が上行する上行性神経障害(ascending neuropathy)には特に注意が必要である．当院で2015年1月〜2020年8月に同種造血幹細胞移植を受けた443例のうち17例で上行性神経障害を認めた．発症日の中央値は移植後30日(20〜69日)で，累積発症割合は移植後100日で3.9％であった．神経障害発症にかかわる因子はリンパ系悪性腫瘍，ATGであった．治療として免疫グロブリン大量療法や全身ステロイドの投与が行われたが，16例(94％)が歩行困難となり，そのうち歩行動作を再獲得したのは1例のみと，神経予後はきわめて不良であった．また，神経障害を発症した症例の移植後1年の全生存割合は43％，非再発死亡割合は30％であり，予後は不良であった．

B 検査

1 頭部MRI・MRA(表2)

可能な限り造影検査を行う．原疾患の髄膜播種を疑う場合は造影FLAIRが有用である．

表2 MRI検査で認める異常部位と鑑別疾患

MRIで異常を認める部位	鑑別疾患
側頭葉底面，前頭葉眼窩面	ウイルス性脳炎（特にHSV）
海馬	ウイルス性脳炎（特にHHV-6）
後頭葉	PRES
大脳の白質・灰白質（多発）	脱髄疾患，CNIによる神経障害
脊髄	脱髄疾患，ウイルス性脊髄炎
脊髄神経根（造影効果＋）	ギラン・バレー症候群

2 全脊髄MRI（表2）

可能な限り造影検査を行う．症状が下肢であっても，腰髄よりも上のレベルで異常所見を認めることも多いため，全脊髄を検査する．発症後早期はMRIで所見を認めないことも多く，繰り返し検査を行うことが重要である．MRIで所見を認める場合は，ある程度神経障害が進行していると考える．また，典型的な画像所見を示さないことが多いのも移植患者の特徴である．

3 髄液検査

一般検査，細菌・真菌の塗抹・培養，結核菌の塗抹・培養・PCR，各種ウイルスPCR，トキソプラズマPCR，細胞診を行う．感染症を疑う場合は，髄液のフィルムアレイによる多項目検査（FilmArray® 髄膜炎・脳炎パネル：2022年10月に保険承認された）は中枢神経感染症をきたす14種類の病原微生物（CMV，HSV，HHV-6，VZV，クリプトコックス，インフルエンザ菌，肺炎球菌など）について迅速に結果が得られるため治療判断にきわめて有用である[6)]．中枢神経の脱髄疾患を疑う場合はmyelin basic protein（MBP）を測定する．

画像所見のみで感染性か非感染性かを鑑別することは困難であるため，禁忌でなければ必ず髄液検査を行う．

4 血液検査

必要に応じてビタミンB_{12}，葉酸，自己抗体（抗ガングリオシド抗体，抗アクアポリン4抗体など）を測定する．

5 脳波・筋電図や神経伝導速度検査

当院はあまり行えていないが，必要な場合は専門施設へ紹介している.

C 中枢神経系感染症

詳細は感染症の項を参照(☞ 411 頁, セクション 43).

同種移植後に最も多く経験するのは HHV-6 脳炎である. 国内のレジストリ二次調査報告では本邦の発症頻度は移植後 100 日で 2.3% であった[7]. ドナーソースとしては臍帯血移植(5.0%)が最も頻度が高く, 次いで HLA 不一致非血縁者間移植(3.3%)が多かった. 発症の好発時期は移植後 2〜6 週目であり, 最も多いのは 3 週目である. HHV-6 脳炎(☞ 429 頁, セクション 43)は辺縁系を主座とするため, 海馬・扁桃体などの障害により辺縁系症状と呼ばれる特徴的な症状が診断のポイントとなる[8]. 辺縁系が障害されると, ①精神症状(幻覚, 幻臭, 妄想, 異常行動, 異常言動), ②自律神経症状(中枢性低換気, 不整脈, 発汗障害), ③意識障害, 短期記憶障害, ④痙攣など多彩な症状を呈する.

これらの症状のうち, 記憶障害, 意識障害, 痙攣が三大症状と呼ばれ, 痙攣の発症頻度は 30〜70% である[9]. また, 痙攣を発症した症例の 28% は人工呼吸管理が必要となる. HHV-6 脳炎はホスカルネット(FCN)の予防投与を行っていても発症することがある. また, 予防投与を行っている場合は, 血中のウイルスコピー数が低値でも, 髄液中のコピー数は高値になることがあり, 血中のウイルス量が診断の参考にならない場合があることに注意する. また発症初期は MRI では所見が出ないことも多い(約 3 割で所見なし). HHV-6 脳炎の確定診断には髄液の PCR 検査が必須である.

Memo

HHV-6 脳炎・脊髄炎の症状

HHV-6 脳炎の症状として短期記憶障害, 痙攣が有名であるが, この症状よりも前に不眠(眠剤の量が増える), 足がムズムズする, 皮膚がピリピリする, 異常に汗が出ると訴える患者が多い. HHV-6 脳炎・脊髄炎は急速に進行し, 半日の治療の遅れが患者の予後に大きく影響するため, 当院ではこれらの症状が出た時点でホスカルネット(FCN)による治療を開始し, 髄液検査を行っている. その後, 髄液の HHV-6-DNA が陰性であれば, FCN 治療を中止している.

HHV-6 以外にもサイトメガロウイルス(CMV)や水痘・帯状疱疹ウイルス(VZV)による髄膜炎・脳炎もまれであるが経験することがある．どちらのウイルスも移植後後期(4〜5 か月)に高度の免疫不全をきたした例に発症することが多い．VZV 脳炎はアシクロビル(ACV)の予防投与を行っていても，発症することがある．VZV は大小の血管で血管炎を起こし脳梗塞や脳出血の原因となることがある[10]．

トキソプラズマ脳炎は海外では頻度が高い．本邦ではまれであるが，移植前の抗トキソプラズマ抗体陽性患者は注意する必要がある．トキソプラズマ脳炎はいったん発症すると予後は不良であり予防が重要である[11]．当院では day−3 まで ST 合剤を投与，day−2 からはアトバコンに変更し血球減少期もアトバコンを中止することなく投与を継続している．また，アトバコンはブレイクスルーの報告があるため血球回復後は速やかに ST 合剤に変更している．

同様にまれな感染症として，JC ウイルスによる進行性多巣性白質脳症(PML)がある．発症すると救命は困難であり，救命できたとしても後遺症が残ることが報告されている[12]．

Memo

進行性多巣性白質脳症(PML)[12]

JC ウイルスが脳のオリゴデンドロサイトに感染し，多巣性の脱髄病変を呈する感染性中枢神経脱髄疾患である．よくみられる症状は片麻痺，四肢麻痺，認知機能障害，失語，視覚異常である．

画像所見は脳室周囲白質，半卵円中心，皮質下白質などの白質病変が主体で，T1 強調像で低信号，T2 強調像および FLAIR 像で高信号を呈する．

脳脊髄液を用いた JCV-PCR 検査の特異度は高いが感度が 70〜80％ と報告されており，特に病初期は陰性のことが多い．

治療はメフロキンやミルタザピンの投与だが，エビデンスレベルは低く予後は厳しい．

D 薬剤関連神経毒性

前処置で投与されるブスルファン，イホスファミドは脳症を起こす可能性がある．特にブスルファンは痙攣予防を行わない場合，約 10％ の症例で痙攣を起こすことが報告されており必ず痙攣予防を行う(☞ 204 頁，セクション 22)．ビンクリスチン，シスプラチンによる末梢神経障害が移植後に増悪する症例も多い．ネララビンはギラン・バレー症候群様の神経障害(進行性，左右対称性の脱力，深部腱反射の消失)をきたすことがある．また，頻度は低いがネララビンは脊髄障害(nelarabine-induced myelopathy)を起こすことが報告されている．メトトレキサート(MTX)の髄注を繰り返した症例は，脳症や脊髄症に注意が必要である．CNI による神経毒性は，臨床現場で最も多く経験する薬剤関連神経毒性の1つである．

1 CNI 関連神経毒性(PRES)

CNI 関連神経毒性は同種造血幹細胞移植後の最も多い神経合併症の1つである．CNI による血管内皮障害のため，高血圧や autoregulation の消失を認め，後頭葉の循環障害が皮質下の浮腫を引き起こす．

❶ 症状

振戦は高頻度に認められ，進行すると PRES(posterior reversible encephalopathy syndrome)を発症し，意識障害，視覚障害，片麻痺，痙攣などを起こす．PRES の発症時期は移植後 30 日以内が多いが，移植後晩期に認めることもある．

❷ 画像所見

頭頂後頭葉優位の皮質～皮質下白質に異常を両側に認めることが多い．前頭葉，帯状回，視床枕などに分布することもある．T2 強調画像，FLAIR 像で高信号，拡散強調像で等～軽度高信号，ADC 値の上昇がみられる．これらの所見は PRES の主病態である血管原性浮腫を反映している．

❸ 予防

CNI 投与中は血圧コントロールが重要である．当院では，収縮期圧＞140 mmHg(もともと血圧が低い患者の場合はベースラインから 40 mmHg 以上上昇した場合)，拡張期圧＞90 mmHg で降圧薬を開始している．頭痛など PRES の初期症状を疑う症状がある場合は，降圧開始基準をより厳しくし，早期に降圧をはかる．低マグネシウム血症は PRES のリスクとなるため電解質の補正を行う．

❹ 治療

振戦や軽度の頭痛は CNI の減量で改善することが多いが，PRES を発症した症例は直ちに CNI を中止する必要がある．PRES は降圧および原因薬剤の中止などによって後遺症を残すことなく回復することが多い．ただしCNI中止後のGVHD増悪に注意が必要である．降圧にはニカルジピン静注を使用する．過度の降圧は脳梗塞や心筋梗塞を起こす可能性があり，最初の2～6時間は治療前から25%までの降圧とする．軽度の高血圧患者では平均動脈圧を10～25%程度の低下を目標とする．

2 MTXによる一過性脊髄症

MTXの髄注により起こる合併症の1つである．典型的には背部痛や下肢痛に続いて麻痺や感覚障害が生じる．発症は治療後30分～48時間のことが多いが，それ以降でも起こりうる．T2強調像で脊髄後索に異常を認めることが多い．多くの症例は自然に改善するが，改善の程度はさまざまである．

3 MTXによる白質脳症

白質脳症はMTXの髄注や大量投与の合併症の1つである．髄注では投与されたMTX積算量が140 mgを超えると多くなる．全脳放射線照射を受けた患者で発症しやすい．

画像所見の特徴は，比較的左右対称性で限局性の大脳白質性病変，特に半卵円中心や放線冠の病変である．拡散強調像では他の撮影法より広範囲かつ早期に高信号を呈し，ADC値の低下を認める．

標準的な治療法は存在しないため，MTX投与の中止を検討する．

4 ネララビンによる脊髄障害（nelarabine-induced myelopathy）

ネララビンのまれな合併症として脊髄障害がある．機序は不明であるがミトコンドリア障害が関与していると考えられている．ネララビン投与歴のある患者に同種移植を施行すると高率に脊髄障害を発症することが報告されている．当院でもこれまでに3例経験しており，3例とも一時的に歩行困難となり，1例は神経障害の進行により死亡した[13]．報告数は少ないが，移植後3週間前後から下肢から上行する感覚障害，運動障害を認めるようになり，そのまま歩行困難となっている症例が多い．MRIで広範囲の脊髄後索に扇型(fan shape)の異常所見を認めることが特徴であり，他疾患との鑑別に有用である．予防法や治療法は確立しておらず，当院の症例もステロイドパルス療法やIVIGを施行したが効果は認めなかった．致死的とならない場合でもADLの大幅な低下をきたすため，同種移植前にネララビンを投与する場合は注意が必要である．

5 その他注意すべき薬剤

セフェピム（脳症），カルバペネム（痙攣），アシクロビル（脳症），メトロニダゾール（小脳疾患，感覚運動末梢神経障害），キノロン（痙攣，脳症），ボリコナゾール（視覚異常）．

E 免疫介在性神経疾患群

同種造血幹細胞移植後の免疫介在性神経疾患群には脱髄性多発ニューロパチー（ギラン・バレー症候群など），筋炎，重症筋無力症，CRS（cytokine release syndrome），中枢神経GVHDが含まれる[14]．GVHDの症状の1つとして中枢神経症状を呈することが報告されているが，現時点ではcontroversialでNIHの診断基準にも含まれていない．これまでMHCクラスI抗原は脳の神経細胞とグリア細胞には発現しないと考えられてきたが，近年の研究で健常な脳細胞にも発現していることがわかっており，CNSがGVHDの標的になる可能性がある．国内からの報告では同種造血幹細胞移植を施行した485例中14例で急性辺縁系脳炎を認め，高齢，HLA不一致非血縁間移植，Grade II～IVの急性GVHDがリスクであった[15]．また，14例中5例は髄液HHV-6が陰性で，この5例のうち4例でステロイドパルス療法が有効であった．近年，中枢神経は急性GVHD[16]および慢性GVHD[17]の非典型的な標的臓器の1つとして考えられている．中枢神経GVHDは主に3つの病態（脱髄疾患，血管炎，免疫介在性脳炎）があると考えられている[17]．

同種移植後の免疫を介した脱髄疾患はまれであり，海外の報告では1,484例のうち，7例で免疫介在性の脱髄疾患を認めた〔3例は急性炎症性脱髄性多発神経根ニューロパチー（AIDP）で1例はautonomic neuropathy，3例はADEMであった〕[18]．IVIGやステロイド，リツキシマブの投与により7例中5例が改善した．

中枢神経感染症から二次的に免疫介在性の病態につながることが知られている．移植後も同様のことが起こる可能性があり，ウイルス性脳炎患者で治療によりウイルスが消失しても症状が進行する症例をしばしば経験する．

1 急性散在性脳脊髄炎(ADEM)

ADEMは主に脳と脊髄の白質に病変が出現し，単相性の経過をとる炎症性脱髄性疾患である[19]．同種移植後のADEMの報告は少なく症例報告が中心で，頻度も不明である．

発熱，頭痛，嘔気・嘔吐などの症状に引き続き，意識障害や視力障害など多彩な神経症状が出現する．

❶ 画像所見

典型的には非対称的な両側性病変で境界は不明瞭である．多発する病変を深部あるいは皮質下白質に認める．T2強調像およびFLAIR像で高信号を認める．

❷ 髄液所見

非特異的な所見が多い．MBPの上昇を認めることが多い．

❸ 脳波所見

特異的な所見はない．

2 ギラン・バレー症候群(GBS)

複数の末梢神経が障害されるポリニューロパチーで細胞性免疫の関与が示唆されているが，詳細は不明である．脱髄型も軸索障害型も含めてギラン・バレー症候群と呼ぶ[20]．

同種造血幹細胞移植後の患者においては，発症頻度は1%程度である．GBSは先行する通常発症の1〜4週間前に細菌やウイルスによる上気道や消化管の感染症を認めることが多い．

❶ 診断基準

GBSの診断は基本的に病歴・臨床症候に基づいて下される．既存の診断基準は参考となるが，個々の症例ごとに①臨床的評価，②他疾患の鑑別，③補助検査の所見を総合して診断する．

❷ 髄液検査

蛋白細胞解離を認める．

❸ 電気生理学的検査

GBSの早期診断においても高い感度を有する．

- 神経伝導検査(NCS)：初期診断における有用性は高く，発症後数日〜1週間以内の急性期においてもNCSで異常がみつかる頻度は高い．
- 複合筋活動電位(CMAP)の低振幅や誘導不能が予後予測に役立つ．

❹ **血液検査**

抗ガングリオシド抗体陽性(診断に必須ではないが特異度が高い).

❺ **画像所見**

MRI で脊髄神経根の造影効果を認める.

3 免疫介在性神経疾患群の治療

移植を行っていない患者と同様に，ガンマグロブリン大量投与，血漿交換，ステロイドパルス療法，リツキシマブの投与などの治療が行われている．移植後患者はいずれの治療も効果が乏しいことが多い．当院では，初回治療ではガンマグロブリン大量療法を選択することが多い.

F 中枢神経系の腫瘍性疾患

移植後 PTLD：全身の PTLD(☞ 566 頁，セクション 57)に伴って中枢神経に病変を認める場合と中枢神経系のみに PTLD を認める場合がある．中枢神経系のみの症例はかなりまれであり，診断も困難なことが多い．血中の EBV ウイルス測定や髄液中の EBV ウイルス測定が診断の参考になる.

文献

1) Maffini E, et al: Neurologic complications after allogeneic hematopoietic stem cell transplantation. Biol Blood Marrow Transplant 23: 388-397, 2017
2) Wieczorek M, et al: Neurological complications in adult allogeneic hematopoietic stem cell transplant patients: incidence, characteristics and long-term follow-up in a multicenter series. Bone Marrow Transplant 57: 1133-1141, 2022
3) Kang JM, et al: Neurologic complications after allogeneic hematopoietic stem cell transplantation in children: analysis of prognostic factors. Biol Blood Marrow Transplant 21: 1091-1098, 2015
4) Pruitt AA, et al: Neurological complications of transplantation: part I: hematopoietic cell transplantation. Neurohospitalist 3: 24-38, 2013
5) 緒方正男：中枢神経合併症(HHV6 脳炎を含む)．神田善伸(編)：みんなに役立つ造血幹細胞移植の基礎と臨床 改訂 3 版．医薬ジャーナル社，2016
6) Mori T, et al: Usefulness of the FilmArray Meningitis/Encephalitis Panel in diagnosis of central nervous system infection after allogeneic hematopoietic stem cell transplantation. Support Care Cancer 30: 5-8, 2022
7) Ogata M, et al: Clinical characteristics and outcome of human herpesvirus-6 encephalitis after allogeneic hematopoietic stem cell transplantation. Bone Marrow Transplant 52: 1563-1570, 2017
8) Ogata M, et al: Human herpesvirus-6 encephalitis after allogeneic hematopoietic cell transplantation: what we do and do not know. Bone Marrow Transplant 50: 1030-1036, 2015

9) 日本造血・免疫細胞療法学会 HP：造血細胞移植ガイドライン HHV-6 第2版，2022. https://www.jstct.or.jp/uploads/files/guideline/01_03_03_hhv6_02.pdf
10) Bonardi M, et al: Brain imaging findings and neurologic complications after allogenic hematopoietic stem cell transplantation in children. Radiographics 38: 1223-1238, 2018
11) Sumi M, et al: Acute exacerbation of Toxoplasma gondii infection after hematopoietic stem cell transplantation: five case reports among 279 recipients. Int J Hematol 98: 214-22, 2013
12) プリオン病及び遅発性ウイルス感染症に関する調査研究班：進行性多巣性白質脳症診療ガイドライン 2023 暫定版.
http://prion.umin.jp/guideline/pdf/guideline_PML_temp2013.pdf
13) Fukuta T, et al: Nelarabine-induced myelopathy in patients undergoing allogeneic hematopoietic cell transplantation: a report of three cases. Int J Hematol 117: 933-940, 2023
14) Carreras E, et al: Chapter 53. Neurologic complication. The EBMT handbook: Hematopoietic Stem Cell Transplantation and Cellular Therapies. 7th ed, 2019.
https://www.ebmt.org/education/ebmt-handbook
15) Tanizawa N et al: Risk factor and long-term outcome analyses for acute limbic encephalitis and calcineurin inhibitor-induced encephalopathy in adults following allogeneic hematopoietic cell transplantation. Transplant Cell Ther 27: 437.e1-437.e9, 2021
16) Zeiser R, et al: Nonclassical manifestations of acute GVHD. Blood 138: 2165-2172, 2021
17) Cuvelier GDE, et al: Toward a better understanding of the atypical features of chronic graft-versus-host disease: a report from the 2020 National Institutes of Health Consensus Project Task Force. Transplant Cell Ther 28: 426-445, 2022
18) Delios AM, et al: Central and peripheral nervous system immune mediated demyelinating disease after allogeneic hemopoietic stem cell transplantation for hematologic disease. J Neurooncol 110: 251-256, 2012
19) 日本神経学会 HP：多発性硬化症・視神経脊髄炎診療ガイドライン 2017. 第1章 中枢神経系炎症性脱髄疾患概念.
https://neurology-jp.org/guidelinem/koukasyo_onm_2017.html
20) 日本神経学会：ギラン・バレー症候群，フィッシャー症候群診療ガイドライン 2013. 南江堂，2013

36 血管内皮障害(TMA を中心に)

A 移植後血管内皮症候群

血管内皮はさまざまな機能を有しており，障害されると以下のような異常をきたす．

- 血管内腔バリアの破綻および透過性亢進
- 血管の緊張性調節の破綻
- 凝固異常
- 接着因子の増加
- トロンボモジュリンの減少

2011 年に Carreras らが移植後血管内皮症候群(Vascular endothelial syndromes after hematopoietic stem cell transplantation：VES after HSCT)という疾患概念を提唱し，以下①～⑥に分類された(表 1)[1]．

① 肝中心静脈閉塞症/類洞閉塞症候群(VOD/SOS)
② 毛細血管漏出症候群(CLS)
③ 生着症候群(ES)
④ びまん性肺胞出血(DAH)
⑤ 特発性肺炎症候群(IPS)
⑥ 移植関連血栓性微小血管症(TA-TMA)

2020 年に Carreras らが VES after HSCT について改訂を行った[2]．この改訂では①Vascular IPS という分類が新たに設けられた，②PRES が追加された，③血管内皮が GVHD の標的となることが明らかになりつつあることから provisional entity ではあるが acute GVHD が追加されたことが大きな変更のポイントである．なお，血管内皮障害は慢性 GVHD の atypical features の 1 つして NIH の working group でも認識されており[3]，GVHD と血管内皮障害は密接に関係しているということを認識する必要がある．この観点から近年，血管内皮を保護することにより GVHD も減少させることができるという考えが広まりさまざまな臨床試験が行われている．

表1　移植後血管内皮症候群の特徴

症状	VOD/SOS	CLS	ES	DAH	IPS	TA-TMA
発熱		●	●		●	●
黄疸	●					●
肝腫大	●					
体重増加	●	●	●			●
浮腫	●	●				●
腹水	●	●				
肺浸潤	●	●	●	●	●	●
呼吸困難	●	●	●	●	●	●
低酸素血症	●	●	●	●	●	●
下痢			●			●
腎障害	●	●	●			●
神経症状			●			●
多臓器不全	●	●	●		●	●

〔文献1）より改変〕

2020年のCarrerasらの改訂版ではVES after HSCTは以下のように分類されている[2)].

①類洞閉塞症候群(SOS)(☞292頁，セクション32)
②毛細血管漏出症候群(CLS)
③生着前症候群(PES)(☞440頁，セクション44)
④生着症候群(ES)(☞440頁，セクション44)
⑤移植関連血栓性微小血管症(TA-TMA)
⑥Vascular idiopathic pneumonia syndrome(Vascular IPS)：
- びまん性肺胞出血(DAH)
- 毛細血管漏出症候群(CLS)
- Peri-engraftment respiratory distress syndrome(PERDS)

⑦Posterior reversible encephalopathy syndrome(PRES)(☞335頁，セクション35)
⑧Acute-graft-versus-host disease(aGVHD)(provisional entity)

疾患によって発症時期や症状・所見が異なる．本項ではTA-TMAを中心に記載する．

移植後血管内皮症候群の共通点として以下のような特徴がある.
- 移植後早期に発症する.
- 臨床症状がオーバーラップしている.
- 病態が完全に解明されていない.
- 診断基準が曖昧である.
- 標準治療が確立していない.
- 不可逆的な多臓器不全に進行する可能性がある.

Memo
毛細血管漏出症候群(CLS)

サイトカインやVEGFなどにより全身の毛細血管の内皮が障害され，血管内の水分が間質に漏出(leak)する．正確な発症頻度は不明であるが5.4%という報告がある．リスク因子として，5日以上のG-CSFの使用が挙げられている．Lucchiniらが提唱した診断基準[4]として①移植後早期(10〜11日まで)の発症，②24時間以内に3%を超える急激な体重増加を認める，③1 mg/kg以上のフロセミド投与にもかかわらずin-outがプラスバランスとなる．全身の浮腫や胸腹水を認める一方，血管内は脱水状態となる．治療としてステロイドや利尿剤が使用されるが，無効なことが多い．G-CSFの中止やベバシズマブ(抗VEGF抗体)(保険適用外)が有効である可能性がある．多臓器不全に進行した場合の予後は不良である．

B 移植関連血栓性微小血管症(TA-TMA)

1 病態

前処置やカルシニューリン阻害薬(CNI)などの薬剤，同種免疫反応，感染などさまざまな原因により血管内皮障害が生じ，微小血管性溶血性貧血，血小板消費亢進，血栓症とフィブリンの沈着が腎臓，中枢神経などに生じる．

TA-TMAの発症に至るまでには3つの段階があるとする“three hit theory”が提唱されている．この考え方ではfirst hitは遺伝的な要因や，移植に至るまでの血管内皮障害を起こす薬剤(フルダラビンやプラチナを含む化学療法)への曝露，second hitは移植前処置，third(final) hitは薬剤(CNIなど)，感染症，GVHDなどとされている[5]．近年，TA-TMAの病態において補体の活性化が大きくかかわっていることが明らかになり，新しい診断基準にも補体経路の最終産物であるC5b-9(膜侵襲複合体)が含まれることになった[6]．

TA-TMAでは3つの補体経路(classical, lectin, alternative)すべてが関与していると考えられており，補体活性阻害薬を中心とした治療薬の開発と検証が待たれる.

2 発症頻度・時期

同種移植後のTA-TMAの発症頻度は診断基準によって変わるため正確な頻度は不明である．最近のsystematic reviewによると，3〜39%と報告によって大きく異なるが，全体としては12%であった[7)]．また発症日の中央値は移植後32〜40日と考えられており移植後100日以内の発症が9割以上を占める[8)]．上述のsystematic reviewでは発症日の中央値は移植後47日(24〜171日)であった[7)]．一方で，移植後4日などの早期発症から2年後などの遅発性の報告もある.

3 リスク因子

造血細胞移植の既往，非血縁者間移植，HLAミスマッチ移植，女性，骨髄破壊的前処置，CNIの投与，シロリムスを含むGVHD予防，急性GVHD，感染症，高齢などが報告されている[8)]．感染症ではアスペルギルス，CMV，ADV，パルボウイルスB19，HHV-6，BKVがリスクとなることが報告されている．前処置前のEndothelial Activation and Stress Index(EASIX)が移植後のTA-TMAのリスクとなることが報告されている[9)].

※EASIX＝LDH(U/L)×血清クレアチニン(mg/dL)/血小板数(10^9 cells/L)

4 臨床症状

全身の臓器に症状を認めるが，主に障害されやすいのは腎臓(腎機能低下，蛋白尿，高血圧)，中枢神経(意識障害，痙攣)，消化管(下痢，下血)，肺(呼吸困難，肺高血圧)，肝(黄疸)である．また，胸水や腹水の出現など漿膜炎を呈することもある.

5 TMAの診断基準

2005年にBMT-CTN[10)]から，2007年にIWG-EBMT[11)]からそれぞれ診断基準が提唱された．しかし，BMT-CTNの診断基準では腎機能障害や神経症状の項目，IWG-EBMT基準では破砕赤血球4%以上の項目を満たさない症例が多く問題となっていた．2010年にこれまでの診断基準を統合した新たな診断基準Overall-TMA(O-TMA)基準が提唱された[12)]．さらにJodeleらはTMAの診断基準を満たすよりも前に高血圧，LDH上昇，尿蛋白を認めることから，Refined TMA 基準を提唱した[13]．この基準ではこれまで同様の基準(LDH 上昇，血小板減少，貧血，破砕赤血球の出現)に加え，高血圧，尿蛋白≧30 mg/dL，補体経路最終産物の sC5b-9 の上昇が含まれている．7 項目中 5 項目以上を満たせば TA-TMA と診断するが，項目の 1 つである sC5b-9 が本邦では保険診療で検査することができず本基準は国内で浸透していなかった．

これまでの TA-TMA の診断基準は，表 2 に示すように定義される項目やその詳細が異なっており，このため診断基準によって発症頻度も異なることが問題となっていた．systematic review では

表 2　これまでの TMA 診断基準

	BMT-CTN[10]	IWG of the EBMT[11]	TMA by Cho et al[12]	TMA by Jodele et al[13]
破砕赤血球	強拡大* ≧2/視野	＞4％	強拡大* ≧2/視野	あり
LDH	上昇	急速に出現，遷延性の上昇	上昇	上昇
腎機能	血清 Cre 値の 2 倍上昇，または CCr が移植前より 50％ 低下	NA	NA	尿蛋白 30 mg/dL 以上もしくは尿蛋白/クレアチニン≧2 mg/mg
高血圧	NA	NA	NA	＞140/90 mmHg
血小板低下	NA	＜5 万/μL，または 50％以上の低下	＜5 万/μL，または 50％以上の低下	新たな血小板減少，または血小板輸血の増加
貧血	NA	Hb の低下，または赤血球輸血の増加	Hb の低下	新たな貧血，または赤血球輸血の増加
中枢神経障害	あり	NA	NA	NA
Coombs 試験	陰性	NA	陰性	NA
ハプトグロビン	NA	低下	低下	NA
DIC	NA	NA	なし	NA
補体活性化	NA	NA	NA	C5b-9 上昇

*強拡大(high-power field：HPF)とは顕微鏡の対物レンズを 40 倍にした視野のことである．IWG-EBMT 基準では破砕赤血球の割合は 4％ が基準となっているが，これは HPF 8 個と同等と考えられている(ただし元の論文にはこの記載はない)．これを参考に当院では HPF 2 個は破砕赤血球の割合 1％ と同等と考えている．

IWG-EBMT 基準で 7%，BMT-CTN 基準で 10%，O-TMA 基準で 13%，Refined TMA 基準で 17% であった[7]．そこで世界共通となる診断基準を作成するため，American Society for Transplantation and Cellular Therapy（ASTCT），Center for International Blood and Marrow Transplant Research（CIBMTR），Asia-Pacific Blood and Marrow Transplantation（APBMT），European Society for Blood and Marrow Transplantation（EBMT）が合同でデルファイ法を用いた harmonization を行い，2023 年に新たな診断基準（修正 Jodele 基準）が発表された[6]．修正 Jodele 基準（表 3）は以前の Jodele 基準[13] と似ているが，7 項目のうち 4 項目以上を 14 日以内に 2 回連続して満たすと定義が具体化された（ハプトグロビン減少，中枢神経症状，クームス陰性，「DIC なし」などは基準に含まれていない）．

表 3　国際標準化された新 TMA 診断基準（修正 Jodele 基準）

生検で診断（腎臓あるいは消化管）または	
Clinical criteria：以下の 7 項目のうち 4 項目以上を 14 日以内に 2 回連続して満たす	
貧血	以下のうち 1 つを満たす 1. 好中球が生着しているにもかかわらず赤血球輸血依存が続く 2. ヘモグロビンがベースラインから 1 g/dL 以上低下する 3. 赤血球輸血依存が新たに出現する AIHA や PRCA など貧血の原因となる他疾患を除外する
血小板減少	以下のうち 1 つを満たす 1. 血小板生着不全 2. 予想よりも多くの血小板輸血が必要となる 3. 血小板輸血抵抗性の血小板減少 4. 血小板生着後にベースラインから 50% 以上低下する
LDH 上昇	＞ULN for age
破砕赤血球	破砕赤血球を認める
高血圧	18 歳未満：年齢の 99 パーセンタイルを超える 18 歳以上：収縮期血圧≧140 mmHg または拡張期血圧≧90 mmHg
sC5b-9 上昇	≧ULN
蛋白尿	≧1 mg/mg rUPCR（random urine protein to creatinine ratio）

〔文献 6）より抜粋〕

また新基準では TA-TMA 合併後の非再発死亡リスクが高い群として，sC5b-9>ULN, rUPCR(≧1 mg/mg)，LDH 高値(≧ULN の 2 倍)に加えて，Grade Ⅱ～Ⅳの急性 GVHD の合併，感染症(ウイルスまたは細菌)の合併，臓器障害の合併を挙げている[6]．2023 年 11 月時点で，国内では sC5b-9 を測定することができないが，今後は修正 Jodele 基準が世界標準となっていく可能性が高い．

6 TA-TMA の病型

❶ CNI 関連 TMA

- タクロリムスやシクロスポリンが原因となる．
- CNI の中止で改善することが多く，比較的予後はよい．

❷ CNI 関連でない TMA

- 感染症や GVHD が原因となる．
- 治療抵抗性のことが多く予後不良である．

Memo 腸管 TMA[14]

多量の下痢や下血を認め，重症腸管 GVHD の疑いのある患者に対し内視鏡検査を施行すると，腸管粘膜上皮の脱落を認めることがある．この場合，上皮脱落の原因が GVHD か，TMA か，あるいは両方なのかが問題となる．TMA の診断のためには細動脈病変の有無を評価する必要があるが，内視鏡検査では細動脈が主に分布している粘膜下層組織を評価できる組織検体を得ることは困難なことも多い．そのため，内視鏡の生検検体では TMA の診断・評価に必要な細動脈を評価できず，腸管 TMA の病理診断[15]に関しては，病理医の中でもまだコンセンサスがない．当院では病理所見だけで TMA と診断されることはなく，内視鏡所見やその他の臨床情報を参考に総合的に判断している．

Memo 心臓 TMA(Cardiac TMA)は存在する？

TA-TMA は全身の疾患であり腎臓，中枢神経，腸管など各臓器に障害が生じる．では心臓 TMA(Cardiac TMA)は存在するのであろうか？　我々は心臓も TMA によって微小血管が障害されると考えている．TMA を起こした患者では心電図で陰性 T 波が出現し，心臓超音波検査で壁運動の異常は認めないが心筋の肥厚，心嚢液の出現をよく経験する．これはシクロホスファミドにより心臓の微小血管が障害された場合(CY 心筋症)の所見と一致する．今後，心臓 TMA について明らかにしていく必要がある．

7 TA-TMA に対する治療

確立した治療法はなく，原因の除去が最も重要である．

❶ CNI の減量・中止

CNI 関連 TMA など一部の TA-TMA では CNI が主因となっており，CNI を減量あるいはステロイドや MMF などに置換することで改善する．しかし，GVHD が TA-TMA の主因となっている場合(Vascular GVHD)は CNI を減量することで内皮障害がさらに悪化する．CNI の減量・中止の有効性については現在も controversial であり症例ごとに判断する必要がある．

❷ 血漿交換(PE)

TTP は ADAMTS13 が 5% 未満となることが 33～100% とされ，PE の有効率は 78～91% と報告されている．一方，TA-TMA では ADAMTS13 が 5% 未満となることは通常ないため，血漿交換の効果は乏しく有効率は 27～80% と報告されている[16]．これらの結果から BMT-CTN は 2005 年に TA-TMA に対する血漿交換について否定的な見解を発表していた．しかし，その後早期に血漿交換を開始することにより 50% 以上の効果を認めることが報告され，現在も治療法の 1 つとして考えられている[17]．近年，82 例中 43 例(53%)に PE が有効であったが，消化管出血を合併している症例では PE の効果が乏しく予後不良であったことが報告されている[18]．

❸ 新鮮凍結血漿

国内から，新鮮凍結血漿の投与が VOD/SOS の予防に有効であることが報告されている[19]．TA-TMA にも有効である可能性が示唆されており，当院でも投与することがある．

❹ リコンビナントトロンボモジュリン(rTM)

rTM は多様な生理活性を持ち，血管内皮を保護すると考えられている．本邦では DIC に対して原疾患への治療と併用して使用されている．本邦で開発された薬剤であり主に本邦で使用されているため報告は少ないが，TA-TMA に対する有効性が複数の症例で報告されている(保険適用外)．TA-TMA 16 例についての後方視的検討では，rTM 投与群では 9 例中 7 例が改善したが非投与群 7 例では改善例を認めなかった[20]．また同種移植後に rTM(380 U/kg, day 4～day 14)を投与した 131 例と投与しなかった 169 例の検討では，rTM 投与群で有意に TMA が少なかった[21]．

❺ デフィブロチド

VOD/SOS の治療薬であるが，血管内皮保護作用が注目され TA-TMA への効果も期待されている(保険適用外)．成人 17 例，小児 22 例を対象とした後方視的検討では有効率は 77% で，早期に診断し治療を開始した群で予後が良好であった[22]．さらにデフィブロチドは TA-TMA を予防する効果も期待されており，少数例のパイロット試験(タンデム自家移植 14 例，同種移植 11 例)では TA-TMA の発症率は 4% と低値であった[23]．

❻ エクリズマブ

TA-TMA の一部に補体が関与していることが明らかとなり aHUS の治療薬であるエクリズマブが注目されている(保険適用外)．エクリズマブ投与が，小児 18 例中 11 例(61%)[24]および成人患者 15 例中 13 例(93%)[25]に有効であったという報告がある．当院での使用経験は少ない．

❼ リツキシマブ

PE 直後にリツキシマブ(保険適用外)を投与することにより 15 例中 12 例で有効であったことが報告されている[8]．

❽ その他の TA-TMA への効果が期待されている薬剤

① スタチン

近年スタチンは免疫調整機能や酸化ストレスを減少させる効果が注目されており，TA-TMA や GVHD の予防・治療薬の候補として注目されている(保険適用外)．プラバスタチンは相互作用が比較的少なく，TA-TMA の予防に有効であったことが報告されている[9]．プラバスタチン以外ではアトルバスタチン(リピトール®)に関する報告があるが，アトルバスチンは抗真菌薬のポサコナゾールとの併用が禁忌となっている．また，ピタバスタチン(リバロ®)やロスバスタチン(クレストール®)はシクロスポリンとの併用が禁忌となっており注意が必要である．

② 硝酸イソソルビドテープ(フランドル® テープ)

血管内皮細胞で合成される一酸化窒素(NO)は平滑筋細胞を弛緩し血小板の活性化と凝集を阻害する．TA-TMA では NO の強力なスカベンジャーである遊離ヘモグロビンにより微小循環での NO 低下が起こる．2 例の報告ではあるが，NO 供与剤である硝酸イソソルビドテープ(保険適用外)が有効であったという報告がある[26]．

3 Narsoplimab(海外で臨床試験中)

MASP-2という補体のlectin経路に関連する分子を標的とした治療薬であり，単群オープンラベル験で解析対象群の奏効率は61%，100日生存率は68%であった[27]．

文献

1) Carreras E, et al: The role of the endothelium in the short-term complications of hematopoietic SCT. Bone Marrow Transplant 46: 1495-1502, 2011
2) Carreras E: Vascular endothelial syndromes after HCT: 2020 update. Bone Marrow Transplant 55: 1885-1887, 2020
3) Cuvelier GDE, et al: Toward a better understanding of the atypical features of chronic graft-versus-host disease: a report from the 2020 National Institutes of Health Consensus Project Task Force. Transplant Cell Ther 28: 426-445, 2022
4) Lucchini G, et al: Epidemiology, risk factors, and prognosis of capillary leak syndrome in pediatric recipients of stem cell transplants: a retrospective single-center cohort study. Pediatr Transplant 20: 1132-1136, 2016
5) Jodele S, et al: Reeling in complement in transplant-associated thrombotic microangiopathy: You're going to need a bigger boat. Am J Hematol 98 Suppl 4: S57-S73, 2023
6) Schoettler ML, et al: Harmonizing definitions for diagnostic criteria and prognostic assessment of transplantation-associated thrombotic microangiopathy: a report on behalf of the European Society for Blood and Marrow Transplantation, American Society for Transplantation and Cellular Therapy, Asia-Pacific Blood and Marrow Transplantation Group, and Center for International Blood and Marrow Transplant Research. Transplant Cell Ther 29: 151-163, 2023
7) Van Benschoten V, et al: Incidence and risk factors of transplantation-associated thrombotic microangiopathy: a systematic review and meta-analysis. Transplant Cell Ther 28: 266.e1-266.e8, 2022
8) Carreras E, et al: Section 42, Early Complications of Endothelial Origin. The EBMT handbook: Hematopoietic Stem Cell Transplantation and Cellular Therapies. 7th ed, 2019.
https://www.ebmt.org/education/ebmt-handbook
9) Luft T, et al: EASIX and mortality after allogeneic stem cell transplantation. Bone Marrow Transplant 55: 553-561, 2020
10) Ho VT, et al: Blood and Marrow Transplant Clinical Trials Network Toxicity Committee Consensus Summary: Thrombotic Microangiopathy after Hematopoietic Stem Cell Transplantation. Biol Blood Marrow Transplant 11: 571-575, 2005
11) Ruutu T, et al: Diagnostic Criteria For Hematopoietic Stem Cell Transplant-Associated Microangiopathy: Results Of A Consensus Process By An International Working Group. Haematologica 92: 95-100, 2007
12) Cho BS, et al: Validation of Recently Proposed Consensus Criteria for Thrombotic Microangiopathy After Allogeneic Hematopoietic Stem-Cell Transplantation. Transplantation 90: 918-926, 2010
13) Jodele S, et al: Complement blockade for TA-TMA: lessons learned from a large pediatric cohort treated with eculizumab. Blood 135: 1049-1057, 2020
14) Inamoto Y, et al: Clinicopathological manifestations and treatment of intestinal transplant-associated microangiopathy. Bone Marrow Transplant 44: 43-49, 2009
15) El-Bietar J, et al: Histologic features of intestinal thrombotic microangiopathy in pediatric and young adult patients after hematopoietic stem cell transplantation. Biol Blood Marrow Transplant 21: 1994-2001, 2015

16) Kim SS, et al: Hematopoietic stem cell transplant-associated thrombotic microangiopathy: review of pharmacologic treatment options. Transfusion 55: 452-458, 2015
17) Jodele S, et al: Does early initiation of therapeutic plasma exchange improve outcome in pediatric stem cell transplant-associated thrombotic microangiopathy? Transfusion 53: 661-667, 2013
18) Yang LP, et al: Treatment outcome and efficacy of therapeutic plasma exchange for transplant-associated thrombotic microangiopathy in a large real-world cohort study. Bone Marrow Transplant 57: 554-561, 2022
19) Matsumoto M, et al: Prophylactic fresh frozen plasma may prevent development of hepatic VOD after stem cell transplantation via ADAMTS13-mediated restoration of von Willebrand factor plasma levels. Bone Marrow Transplant 40: 251-259, 2007
20) Fujiwara H, et al: Treatment of thrombotic microangiopathy after hematopoietic stem cell transplantation with recombinant human soluble thrombomodulin. Transfusion 56: 886-892, 2016
21) Nomura S, et al: Effects of recombinant thrombomodulin on long-term prognosis after allogeneic hematopoietic stem cell transplantation. Transpl Immunol 57: 101247, 2019
22) Yeates L, et al: Use of defibrotide to treat transplant-associated thrombotic microangiopathy: a retrospective study of the Pediatric Diseases and Inborn Errors Working Parties of the European Society of Blood and Marrow Transplantation. Bone Marrow Transplant 52: 762-764, 2017
23) Higham DS, et al: A pilot trial of prophylactic defibrotide to prevent serious thrombotic microangiopathy in high-risk pediatric patients. Pediatr Blood Cance 69: e29641, 2022
24) Jodele S, et al: Variable eculizumab clearance requires pharmacodynamic monitoring to optimize therapy for thrombotic microangiopathy after hematopoietic stem cell transplantation. Biol Blood Marrow Transplant 22: 307-315, 2016
25) Bohl SR, et al: Thrombotic microangiopathy after allogeneic stem cell transplantation: a comparison of eculizumab therapy and conventional therapy. Biol Blood Marrow Transplant 23: 2172-2177, 2017
26) Hiroshima Y, et al: Rapid improvement in jaundice using transdermal isosorbide tape as a nitric oxide donor in two adult patients with transplantation-associated microangiopathy related to graft-versus-host disease. Intern Med 61: 1225-1230, 2022
27) Khaled SK, et al: Narsoplimab, a mannan-binding lectin-associated serine protease-2 inhibitor, for the treatment of adult hematopoietic stem-cell transplantation-associated thrombotic microangiopathy. J Clin Oncol 40: 2447-2457, 2022

37 造血細胞移植患者に対する集中治療

造血幹細胞移植後に集中治療室(ICU)へ入室する患者の割合は 9〜57% と報告によって大きく異なるが[1]，おおよそ 10〜30% である．当院でも年間約 10〜20 例の移植後患者が ICU に入室しており，主な原因は急性呼吸不全，敗血症性ショック，急性腎不全，肝不全，脳炎に伴う痙攣重積などである．近年，移植前の EASIX(Endothelial Activation and Stress Index)が移植後の ICU 入室リスクと関連することが報告されている[2]．ICU に入室する移植患者は複数の臓器障害を合併していることも多く，障害臓器数が多いほど予後が悪いことが報告されている[3]．移植後に ICU へ入室した患者の予後不良因子として表 1 のような項目が報告されている[1,4]．人工呼吸

表 1 造血幹細胞移植後に ICU へ入室した患者の予後不良因子

移植前の因子
• HCT-CI • 診断から造血幹細胞移植までの期間が長い
移植に関連する因子
• 造血幹細胞移植の種類(同種移植＞自家移植) • 前処置強度 • 移植片対宿主病(GVHD)
ICU 入室時の患者の状況
• 血清ビリルビン値 • 血清乳酸値 • 血清尿素窒素値および血清クレアチニン値 • APACHE II/III • SOFA • SAPS II • 感染症の種類(細菌以外の感染症) • 造血幹細胞移植から入室までの期間(30 日を超える) • ICU への入室理由が神経障害以外
ICU 入室後の因子
• 人工呼吸管理 • 昇圧剤の投与 • 腎代替療法

〔文献 1, 4)より〕

管理，昇圧剤使用，および腎代替療法の有無は特に重要な予後因子である．また，同種移植症例では活動性のGVHD，前処置強度やHCT-CIも予後に影響すると考えられている．

本項では集中治療医とのディスカッションを深めるために必要な知識をまとめる．

A 呼吸管理

ICUに入室した患者の28〜76％が人工呼吸管理を必要とし，これらの患者のICU死亡率は63〜85％と報告されており[1)]，人工呼吸管理は最も重要な予後因子と考えられている．

1 挿管人工呼吸

気管内挿管による人工呼吸は確実な換気補助，正確な濃度の酸素投与，喀痰吸引(信頼できる培養検体を採取できる)などのメリットが多いが，人工呼吸関連肺炎(VAP)，人工呼吸関連肺障害(VILI)などのデメリットも多い．

2 高流量鼻カニューレ酸素療法(HFNC)

近年，国内でも高流量鼻カニューレ酸素療法が導入され，臨床で広く使用されるようになっている．本法は，十分に酸素を加温加湿することで10〜60 L/分の高流量を流しても鼻腔を刺激しないため，患者は不快に感じないことが多く，非侵襲的補助換気(NPPV)として用いられることが多い．

❶ 理論的長所

口が閉じられていれば，呼気終末陽圧換気(PEEP)様の効果が期待できる．また，鼻咽頭に陽圧がかかることで，呼気洗い流しによる死腔の減少効果，および鼻咽頭抵抗減少による呼吸仕事量の減少効果が期待できる．また，QOLの維持という観点からは，鼻カニューレから酸素を吸入しながら経口摂取をすることができる．

❷ 限界

本装置では換気補助はできず，PEEPにより呼吸筋疲労が増悪する可能性がある．つまり，努力呼吸を行っている症例で換気補助を要する場合は，短期的には酸素化は改善されても，中長期的には呼吸不全を増悪する可能性が高い．

❸ 適応

通常の鼻カニューレや酸素マスクで低酸素血症が改善しない場合や，吸入酸素濃度を40%以上必要とする場合で，かつ換気補助は不要でPEEPによる換気改善が見込まれる場合にHFNC使用を検討する．本装置を使用することにより，換気補助可能なNPPV器具(フェイスマスク型など)あるいは挿管人工呼吸への移行が減ることが報告されている．

3 挿管のタイミング

免疫不全患者の急性呼吸不全に対するNPPVの使用は，挿管人工呼吸に移行する頻度を低下させることで感染症など合併症の発症率を低下させ，予後の改善が期待されている．当院では，可能であればNPPV(特にHFNC)で管理するようにしている．

一方で，NPPVから挿管人工呼吸へ移行した患者の予後が非常に厳しいことも知られており，不適切なNPPVの継続が要因の1つとして考えられている．一般的に酸素化など血液ガス分析の異常が出現する頃には，かなりの病勢悪化であることが多いため，NPPV中の呼吸様式や病状経過を含めた厳重な監視が必要で，必要時には挿管人工呼吸へ速やかに移行する．

当院では，症例ごとに集中治療医と議論して適切な挿管のタイミングを決定している．具体的には，病状が急速に進行している場合や，患者不快感などで相応量の鎮静下でなければNPPV継続が不可能な場合，NPPVでも呼吸苦が緩和できず呼吸困難が著しい場合などは挿管の適応と考えている．

4 体外式膜型人工肺(ECMO)

当院では行えていないが，人工呼吸管理を行っても酸素化の悪化が進行する場合のレスキュー療法の1つとして，ECMOがある．ECMOはextracorporeal life support(ECLS)やpercutaneous cardiopulmonary support(PCPS)とも呼ばれる．

B 循環管理

従来指摘されている血管内脱水だけでなく，過剰輸液も予後悪化に関与することが知られており，適切な輸液管理の重要性はさらに高まっている．しかし，血管内ボリュームに関するモニタリング法は確立されていない.

近年，動脈ラインの観血的動脈圧波形を解析して心拍出量(CO)，一回拍出量(SV)，一回拍出量変化量(SVV)などの循環指標を算出する機器が実用化されている(低侵襲血行動態モニタリング).

現状では，従来用いられていた血圧や心拍数，尿量，中心静脈圧(CVP)，肺動脈楔入圧などに加え，SVV など観血的動脈圧波形から得られる「動的な」循環指標を加味して管理することが多い.

Memo

Stroke Volume Variation(SVV)

大量出血や脱水により循環血液量が減少すると，一回拍出量も呼気・吸気により変動が生じる．その結果，血圧波形に揺らぎができる(血圧の呼吸性変動)．SVV はそれを数値化したものである．SVV が 13～15% を超える場合は輸液反応性が高いことを示唆しており，輸液負荷による心拍出量の増加が期待できる.

C ICU での鎮痛・鎮静について

ICU における鎮痛・鎮静に関しては，2018 年に The American College of Critical Care Medicine が発表したガイドライン[5)]があり，それに準じて評価・管理している.

例えば，適切な鎮静には適切な鎮痛が必須であり，鎮静を行う際にはまず疼痛の評価を行い，モルヒネやフェンタニルで十分な鎮痛を行うことが大切である．また，以前は患者の快適性や安全の確保のため，深い鎮静が行われていたが，近年，鎮静薬自体による有害事象(呼吸抑制，血圧低下，腸管麻痺)に加え，人工呼吸期間が延長し，VAP や VILI のリスクが上昇することが明らかになってきた．現在は，Richmond Agitation-Sedation Scale(RASS)などの鎮静スケール(表 2)を用いてあらかじめ患者ごとに鎮静プロトコールを作成し，できるだけ浅い鎮静レベルを維持するようにしている.

1 鎮静に使用される薬剤

❶ プロポフォール

長期間使用しても蓄積が少なく，持続投与だけでなく追加静注も可能であり，その調節性の高さから現在でもファーストラインの鎮静薬である．ただし，「プロポフォール注入症候群(代謝性アシドーシス，横紋筋融解，高 K 血症，急性心不全を伴う心筋症を認め

表2　RASSを用いた鎮静状態の評価方法

スコア	状態	臨床症状
+4	闘争的，好戦的	明らかに好戦的，暴力的，医療スタッフに対する差し迫った危険がある
+3	非常に興奮した過度の不穏状態	攻撃的，チューブ類またはカテーテル類を自己抜去する
+2	興奮した不穏状態	頻繁に非意図的な体動があり，人工呼吸器に抵抗性を示しファイティングが起こる
+1	落ち着きのない不安状態	不安で絶えずそわそわしている，しかし動きは攻撃的でも活発でもない
0	覚醒，静穏状態	意識清明で落ち着いている
−1	傾眠状態	完全に清明ではないが，呼びかけに10秒以上の開眼およびアイコンタクトで応答する
−2	軽い鎮静状態	呼びかけに開眼し10秒未満のアイコンタクトで応答する
−3	中等度鎮静状態	呼びかけに体動または開眼で応答するが，アイコンタクトなし
−4	深い鎮静状態	呼びかけに無反応，しかし身体刺激で体動または開眼する
−5	昏睡	呼びかけにも身体刺激にも無反応

る)」には十分な注意が必要である．このため，小児では人工呼吸管理中の鎮静目的でのプロポフォール投与は禁忌となっている．また，脂肪負荷によるトリグリセライド上昇に注意する．

❷ ミダゾラム

人工呼吸管理中の鎮静薬として以前は最も頻用されていたが，ベンゾジアゼピン系鎮静薬は長期精神障害発現のリスク因子である可能性が指摘されたため，使用は減少傾向にある．

❸ デクスメデトミジン

近年実用化されたαブロッカーで，鎮静作用のほかに鎮痛作用も期待できる．「呼吸抑制が弱く，呼びかければ容易に覚醒する」鎮静を達成しやすい特徴があり，エビデンスの蓄積は乏しいが使用頻度が増加している．ただし，導入時の初期負荷による血圧上昇・低下や徐脈・頻脈などの循環変動，持続投与時の血圧低下や徐脈に注意が必要である．また保険適用は「集中治療における人工呼吸中および離脱後の鎮静」または「局所麻酔下における非挿管での手術および処置時の鎮静」に限られている．

D 腎代替療法

1 急性腎不全(AKI)

Acute Kidney Injury(AKI)については RIFLE(Risk, Injury, Failure, Loss, End-Stage Kidney Disease)基準と AKIN(Acute Kidney Injury Network)基準をまとめた KDIGO(Kidney Disease: Improving Global Outcomes) Clinical Practice Guideline for AKI が 2012 年に発表された[6]．本邦の「AKI 診療ガイドライン」[7]でも KDIGO 基準を使用することが推奨されており，当院でも KDIGO ガイドラインを用いている．

❶ KDIGO ガイドラインでの AKI の定義

以下の①～③の 1 つを満たせば AKI と診断する．

① 48 時間以内に血清 Cre 値が≧0.3 mg/dL 上昇した場合
② 血清 Cre 値がそれ以前 7 日以内に測っていたか予想される基礎値より≧1.5 倍の増加があった場合
③ 尿量が 6 時間にわたって＜0.5 mL/kg/時に減少した場合

❷ 重症度分類

血清 Cre 基準と尿量基準による重症度の高いほうを採用する．

ステージ 1
血清 Cre：基礎値の 1.5～1.9 倍または≧0.3 mg/dL の増加
尿量：＜0.5 mL/kg/時(6～12 時間持続)
ステージ 2
血清 Cre：基礎値の 2.0～2.9 倍
尿量：＜0.5 mL/kg/時(12 時間以上持続)
ステージ 3
血清 Cre：基礎値の≧3 倍または≧4.0 mg/dL の増加または腎代替療法開始(18 歳未満の患者では，eGFR＜35 mL/分/1.73 m^2 の低下)
尿量：＜0.3 mL/kg/時(24 時間以上持続)または無尿(12 時間以上持続)

2 AKI に対する腎代替療法

❶ 開始のタイミング

AKI に対する腎代替療法(renal replacement therapy：RRT)をいつ開始するかという問題は以前から議論され，さまざまな研究が行われているが，現在でも結論は出ていない．

KDIGO重症度分類Stage 2，3であることのみでRRTを早期に開始することがアウトカム（生命予後，腎予後）を改善するというエビデンスはない：AKIKI（Initiation Strategies for Renal-Replacement Therapy in the Intensive Care Unit）試験[8]，IDEAL-ICU（Timing of Renal Replacement Therapy in Patients with Acute Kidney Injury and Sepsis）試験[9]，STARRT-AKI（Timing of Initiation of Renal Replacement Therapy in Acute Kidney Injury）試験[10]．一方で，KDIGO重症度分類Stage 3において緊急状態までRRT施行を遅らせることは有害との試験がある：AKIKI2（Comparison of two delayed strategies for renal replacement therapy initiation for severe acute kidney injury）試験[11]．現状は，腎障害の原因や経過など踏まえて集中治療医や腎臓内科医と協議して開始適応を判断する．

Memo

当院における緊急の腎代替療法（RRT）開始検討基準

当院は常勤の腎臓内科医が不在のため，集中治療医と相談のうえ当院独自の基準を設けており，以下の場合に緊急RRTを検討している．

- K > 6〜6.5 mEq/Lもしくは高K血症の関与が疑われる心電図異常
- pH < 7.2の代謝性アシドーシス
- eGFR < 20 mL/分/1.73 m^2 もしくは数日で1.5〜2 mg/dL以上の血清Cre上昇
- 内科的治療への反応が乏しい尿毒症症状（意識障害など）の出現
- 利尿剤に反応の乏しい溢水症状（肺水腫など）の出現
- ラスブリカーゼ投与や大量輸液などによる十分な予防を行っても出現した腫瘍崩壊症候群

❷ 設定

間欠的RRT（IRRT）と持続RRT（CRRT）の比較において，RRT遂行率や生命予後に有意差はない．しかし，移植後の重症患者の多くは有効循環血漿量が減少しているため，血液流量が多いIRRTでは血圧低下のため継続が困難となることが多い．そのため，当院ではCRRTを行っている．血液浄化量として20〜30 mL/kg/時の設定が現時点では最も有用性が高いことが知られており，当院でも開始時はその設定で行っている（ただし国内の保険適用では血液浄化量として10〜15 mL/kg/時という制約がある）．

❸ 離脱のタイミング

RRT 離脱のタイミングは，開始のタイミングよりもさらに知見が乏しい．RRT 開始のタイミングに関する試験において尿量 600 mL/日以上で考慮し，1,000 mL/日(利尿剤投与下で 2,000 mL/日)で推奨という基準があるが，エビデンスレベルは高くない．当院では尿量，血清 Cre や BUN を参考にしながら CRRT の時間を徐々に減少させて離脱を試みることが多い．

E 血漿交換

血漿交換は膜型血漿分離器により分離された血漿成分をすべて排液し，その排液と同等量の新鮮凍結血漿(FFP)またはアルブミン溶液にて置換する治療である．血液透析や血液濾過では除去できないコレステロールや免疫グロブリンやアルブミンなど，分子量の大きなものを除去することができる．移植後では主に血栓性微小血管症(TA-TMA)に対して行われることがある．

1 ヒトの血漿量(Vp)

- 目安はおおむね 35～40 mL/kg と予測されている．
- 血漿量推定式 ePV＝[0.065×体重(kg)]×(1－Ht)

例：60 kg で Ht 40% とすると，0.065×60×(1－0.4)＝2.34 L となる．

2 1 回あたりの血漿交換量

血漿交換量と血漿中物質除去率の関係は，指数関数的な関連性を示すため，1 回の血漿交換で患者血漿量の 1.5 倍以上の血漿を交換しても，除去率はそれほど増加しない．また，交換量を増やすと，血漿交換時間の延長や大量の置換液が必要などの問題があるため，1.0～1.5 倍の置換が妥当と考えられている．

F 集中治療の限界と多職種連携の重要性

近年，集中治療の発展により従来では救命不可能であった症例を救命できるようになってきているが，すべての患者を救命できるわけではない．また，集中治療が長期化することも増えている．集中治療領域における終末期の考え方も変遷しており，移植医にとっても終末期の判断は以前より難しくなっている．同時に移植医療の発展により，集中治療医にとって移植患者における終末期の判断は難しくなっている．そのため，集中治療の対象となった患者の集中治療における目標の設定や予後の認識(延命治療や通常の日常生活回復が期待しがたい状況での治療介入になっていないかなど)の共有はますます重要な課題となっている．これらの目標設定や予後の認識を，移植医と集中治療医との間はもちろんのこと，看護師をはじめとする医療チームとも共有できていないとチームとしてうまく機能しない．患者・家族の意思を尊重し，正確な情報を提供するためにも，集中治療に関する治療方針については多職種間で話し合いしながら決定していくことが移植医には求められている．

文献

1) Saillard C, et al: Critically ill allogeneic hematopoietic stem cell transplantation patients in the intensive care unit: reappraisal of actual prognosis. Bone Marrow Transplant 51: 1050-1061, 2016
2) Peña M, et al: Pretransplantation EASIX predicts intensive care unit admission in allogeneic hematopoietic cell transplantation. Blood Adv 5: 3418-3426, 2021
3) Benz R, et al: Risk factors for ICU admission and ICU survival after allogeneic hematopoietic SCT. Bone Marrow Transplant 49: 62-65, 2014
4) Bayraktar UD, et al: Intensive care outcomes in adult hematopoietic stem cell transplantation patients. World J Clin Oncol 7: 98-105, 2016
5) Devlin JW, et al: Clinical Practice Guidelines for the Prevention and Management of Pain, Agitation/Sedation, Delirium, Immobility, and Sleep Disruption in Adult Patients in the ICU. Crit Care Med 46: e825-e873, 2018
6) KDIGO Clinical Practice Guideline for Acute Kidney Injury. Kidney Int Suppl 2: 1-138, 2012
7) AKI(急性腎障害)診療ガイドライン作成委員会(編)：急性腎障害(AKI)診療ガイドライン 2016．東京医学社，2016
8) Gaudry S, et al: Initiation strategies for renal-replacement therapy in the intensive care unit. N Engl J Med 375: 122-33, 2016
9) Barbar SD, et al: Timing of renal-replacement therapy in patients with acute kidney injury and sepsis. N Engl J Med 379: 1431-1442, 2018
10) Bagshaw SM, et al: Timing of initiation of renal-replacement therapy in acute kidney injury. N Engl J Med 383: 240-251, 2020
11) Gaudry S, et al: Comparison of two delayed strategies for renal replacement therapy initiation for severe acute kidney injury(AKIKI 2): a multicentre, open-label, randomised, controlled trial. Lancet 397: 1293-1300, 2021

38 移植病室の防護環境

造血細胞移植患者は，好中球減少に加えて長期間免疫抑制剤を使用しており，環境に存在する病原体による重症感染症を発症するリスクは，通常の化学療法に比べて高い．特に環境由来(アスペルギルスなど)の真菌感染症を予防するために，適切な防護環境による管理が推奨されている．当院は日本造血・免疫細胞療法学会から発表されているガイドライン「造血細胞移植後の感染管理第 4 版」[1)]に準じて管理を行っており，本項では要点のみを記載する．

A 防護環境

造血細胞移植患者が入室する病室は，過去には「無菌室」「移植病室」と呼ばれていたが，米国疾病管理予防センター(CDC)では防護環境(protective environment)と呼ぶことを提唱している．

移植後 100 日までは特に防護環境が必要とされる時期であり，防護環境は表 1 に示す条件を満たすべきであるとされている．

1 空気の制御(必要性，粉塵の単位)

アスペルギルスなどの真菌は胞子として空気中を浮遊しているため，感染から患者を守るためには防護環境により粉塵をコントロールする必要がある．

防護環境の清浄度(無菌度)は，一般的に粉塵の量，すなわち「基準体積あたりの基準粒径以上の浮遊粒子数」によって規定され，ク

表 1　防護環境の必要条件

①流入する空気は HEPA フィルターで濾過する
②室内空気流は一方向性にする
③室内空気圧を廊下に比較して陽圧にする
④外部からの空気流を防ぐために病室を十分にシールする(壁，床，天井，窓，コンセントなどをシールする)
⑤換気回数は 1 時間に 12 回以上とする
⑥ほこりを最小にする努力をする
⑦ドライフラワーおよび新鮮な花や鉢植えを持ち込まない

〔文献 1)より〕

表2 ISO基準とFED. STD. 209D

規格	ISO	FED. STD. 209D
年度	2015	1988
基準粒径	0.1	0.5
単位	個/m^3	個/ft^3
クラス	1	
	2	
	3	1
	4	10
	5	100
	6	1,000
	7	10,000
	8	100,000
	9	

クラスの色の網掛け部分は当院における防護環境.

ラスの数字が小さいほど清浄度（無菌度）が高い．代表的な規格として「国際規格（2015年改訂，ISO14644-1）」「米国連邦規格（FED. STD. 209D）」の2つを示す（表2）．

Memo

無菌治療加算について

無菌治療室管理加算1：1日につき3,000点

①当該保険医療機関において自家発電装置を有していること．
②滅菌水の供給が常時可能であること．
③個室であること．
④室内の空気清浄度が，患者に対し無菌治療管理を行っている際に，常時ISOクラス6以上であること（ISOクラス6＝FED. STD. 209Dクラス1,000）．※ISOクラスは数字小さいほど清浄度が高いため，クラス5または6という意味．
⑤当該治療室の空調設備が垂直層流方式，水平層流方式またはその双方を併用した方式であること．

無菌治療室管理加算2：1日につき2,000点

①室内の空気清浄度が，患者に対し無菌治療管理を行っている際に，ISOクラス7以上であること（ISOクラス7＝FED. STD. 209Dクラス10,000）．
②当該保険医療機関において自家発電装置を有しており，かつ滅菌水の供給が常時可能であること．

2 防護環境の管理

❶ 環境の評価

- 防護環境が廊下に比較して陽圧となっていることを定期的に確認する.
- アスペルギルス感染症の発症数について routine surveillance を行う〔6か月で2倍以上のアスペルギルス感染症の発症(proven/probable 含む)があれば環境評価を行う〕.

❷ 当院での病棟のコロニーカウントのやり方

- JIS B9920-2002 および ISO14644-1 を参考に, 対象室内でサンプリングを行う.

❸ 環境表面の管理

- 移植病棟・病院施設内で工事やリノベーションが行われる場合は, air shielding などのほこりを拡散させない方法(Pre-Construction Risk Assessment に準拠した対策)を徹底する.

❹ 掃除の方法

- シーツ交換は, 週1回, 業者が行っている. シーツ交換時にはヘパフィルターを高速運転にする. 患者はマスクを着用し, 可能な限り室外で待機してもらう.
- 室内清掃は, 週6回(日曜・祭日以外), 看護助手が行っている. 高頻度接触表面(タッチパネル, ドアノブ, ベッド柵, 電灯のスイッチ, リモコンなど)を中心に清掃する. 床面は感染リスクに大きく影響しないため最低限の清掃とする. 清掃時はヘパフィルターを高速運転にする. 患者はマスクを着用する.
- ベッドサイドの環境整備は, 患者または看護師が環境清拭クロスで行う.

B 防護環境使用の実際

1 防護環境入室を勧める患者

防護環境を使用する症例はアスペルギルスなどによる侵襲性糸状菌感染症の発症リスクの高い症例を優先すべきである.

- 好中球回復前の患者.
- 好中球回復後も, GVHD の治療などで免疫抑制状態が遷延することが予想される患者.

- 自家移植患者は必ずしも防護環境に入室させる必要はないとされているが，当院ではクラス 10,000（ISO クラス 7）の大部屋で管理している．
- 当院は病棟全体が防護環境となっており，呼吸器ウイルス感染症など伝播リスクが高い感染症患者は他病棟への入院を考慮する．

2 防護環境での診療と面会

❶ 医療スタッフ

- 医療者は患者の感染源とならないよう，体調管理に留意し，体調不良時は無理をせずしっかりと休むことができる診療体制を構築する．また，手指衛生を中心とした標準予防策および経路別予防策を遵守する．
- 白衣は洗濯した清潔なものを着用する（非医療者も病棟へ入る際に清潔な白衣へ着替える）．
- 患者に接する前後には手指衛生（手洗いまたは手指消毒）を行う．
- 患者より風上にならないようにする．
- 医療者は以下の場合は防護環境に入室しない[1]．
  ① 上気道感染症に罹患している者
  ② インフルエンザ様症状を呈する者
  ③ 感染性疾患に最近曝露した可能性がある者
  ④ 帯状疱疹に罹患している者
  ⑤ 水痘生ワクチン接種後 6 週間以内に水痘様発疹が認められる者

❷ 面会者

- 感染予防を理解し，遵守できる者の面会を許可する（2023 年 11 月現在，面会は禁止している）．
- 手指衛生（手洗いまたは手指消毒）をしてから入室する．
- 前処置開始からは患者の風下に椅子を置いて面会する．
- 面会者は病棟内，移植病室内での飲食は禁止とする．
- 面会者が患者のベッドに座ることは禁止し，室内の設備や医療・看護用品に触れないように指導する．
- 病室へ入るのは 1 人ずつとし，複数名の面会時は防護環境外で待ってもらう．
- 原則 10 歳以下の子供の面会は禁止とする．

C 患者の行動範囲

- 前処置開始日から病棟内(クラス 10,000 以上)とする.
- 移植日から生着まではマスクを着用して病棟内(クラス 10,000 以上)を歩行してもよいが，多床室に行くなど他患者との接触は避けなければならない.
- 生着後の行動範囲は病院内とする．ただし，病室外ではマスクを着用し，人混みを避ける．病室内ではマスクは不要だが，診察・ケア・掃除・シーツ交換時等はマスクを着用する.

D 内服の環境整備

- 薬杯は水洗いし，乾燥させて病室で保管する.
- 看護師が脱カプセルする際は手指消毒後，手袋を着用し行う.

E 清潔ケアの環境整備

- 口腔ケアのために，うがいや歯磨きの指導を行う.
- 手を介しての感染症について教育し，正しい方法で手洗いができるように指導する(図 1)[2]．トイレの後，食事や内服の前，部屋に戻ったときには必ず手洗いを行うよう習慣づける.
- 入浴またはシャワーを毎日行う．できないときは清拭を行う.
- 清拭で使用するタオルはディスポーザブルのものを使用する.
- 衣類は洗濯したものをそのまま使用する．滅菌は不要.
- 自宅での洗濯は可とする.

F 持ち込み物品の考え方(生活用品，趣味物，おもちゃ含む)

- 診察用品や看護用品は患者専用のものを使用する.
- 私物は新しいものや清潔なものを室内に入れる.
- 本など拭けない物で汚染がひどいものは部屋に入れない.
- 床に落ちた物は破棄するか，洗浄またはアルコールで拭いて使用する.

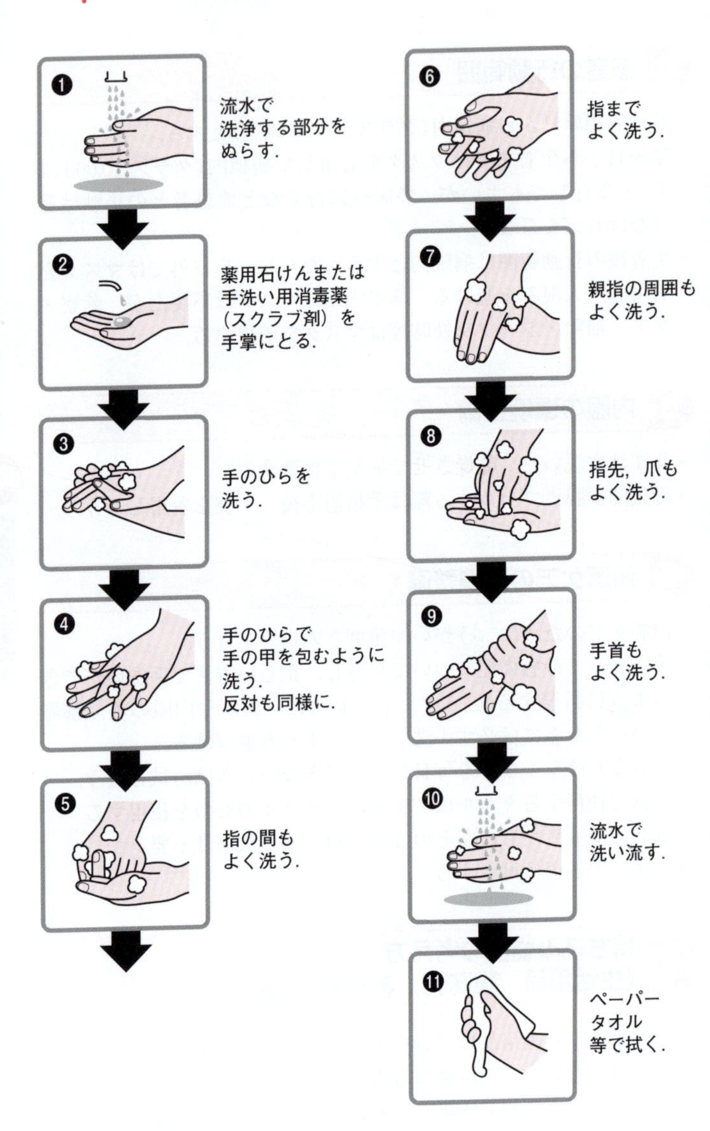

図1 手洗いの方法
〔文献2)より〕

G 新型コロナウイルスへの対応

新型コロナウイルスへの対応については，2022 年 8 月の ASTCT のガイドライン[3]を参考に行っている(2023 年 11 月現在).

- 周辺の感染状況に関係なく，医療環境に入る際にはすべての人がマスクを着用する．COVID-19 流行期にはアイシールドを併用すべきで，エアロゾル発生手技の際には N95 マスク装着が推奨される．
- 陽性者は陰圧個室に収容し，医療従事者は手袋，ガウン，N95 マスク，アイシールドを着用する．
- COVID-19 感染が疑われる場合は飛沫予防策対応とし，医療者はアイシールドを装着して対応する．
- COVID-19 感染者を移植患者と同一病棟で管理する場合はスタッフを分けることを考慮する．
- 周辺の COVID-19 感染拡大期には職員のフィジカルディスタンスを確保する．職員が食事をとる際にも換気に注意する．
- 造血細胞移植病棟に勤務する医療従事者に対する COVID-19 ワクチン接種を強く推奨する．

文献

1) 日本造血・免疫細胞療法学会 HP：造血細胞移植ガイドライン 造血細胞移植後の感染管理第 4 版，2017.
https://www.jstct.or.jp/uploads/files/guideline/01_01_kansenkanri_ver04.pdf
2) 国立がん研究センター中央病院・造血幹細胞移植科 HP：同種造血幹細胞移植療法を受けられる方へ.
https://www.ncc.go.jp/jp/ncch/clinic/stem_cell_transplantation/Allo.pdf
3) Dioverti V, et al: Revised Guidelines for Coronavirus Disease 19 Management in Hematopoietic Cell Transplantation and Cellular Therapy Recipients (August 2022). Transplant Cell Ther 28: 810-821, 2022

39 中心静脈カテーテル感染対策

当院では，移植患者全例でトリプルルーメンの中心静脈(CV)カテーテルを挿入している．CVカテーテルは，大量抗がん剤，免疫抑制剤，オピオイド，中心静脈栄養などの投与経路として重要であると同時に，薬物血中濃度や凝固系検査を除く採血をカテーテル経由で行うことにより患者の負担を減らせるメリットもある．末梢挿入型中心静脈カテーテル(PICC)やCVポートを挿入されている患者では，移植前処置前に従来のCVカテーテルへ入替えを行っている．PICCやポートの抜去は，時に感染トラブルのリスクを伴うため，前処置開始までに余裕をもったスケジュールで行うことが望ましい．本項では，CVカテーテルの感染対策について記載する．

A 挿入部位

当院では，挿入部位は鎖骨下静脈を基本としているが，挿入困難な症例は内頸静脈に挿入することもある．CVカテーテル挿入はX線透視が可能な部屋で，maximal barrier precautionを用いて放射線科医がエコーガイド下に穿刺・挿入している．穿刺部の消毒にはクロルヘキシジンを用いる．緊急時は内頸または大腿静脈に挿入するが，感染のリスクを考慮し，できるだけ早く鎖骨下静脈に入れ替えるようにしている．

B 刺入部の日常ケア(方法，頻度，感染評価)[1)]

カテーテル刺入部の消毒中は，医療者や患者自身の会話時の飛沫によって刺入部が汚染される可能性があるため，会話は控える．

1 方法

①サージカルマスクを着用し，手指消毒を行う．
②手袋を装着し，刺入部のフィルムドレッシング材を丁寧にはがす．
③刺入部の発赤，滲出液の有無，CVカテーテルの挿入の深さ，縫

合部の状態の確認を行う．

④ ディスポタオルを使用して刺入部周囲の皮膚を清拭する．

⑤ 消毒綿を使用してCVカテーテル刺入部から外側に向かって清拭する．この際，刺入部に触れないよう注意する．

⑥ 手袋を交換し，1%クロルヘキシジンで刺入部を中心から外側へ円を描くように，2回以上消毒する．

⑦ 1%クロルヘキシジンが完全に乾燥したあと，フィルムドレッシング材(テガダーム™ CHGドレッシング1657Rなど)を貼付する．クロルヘキシジン付きのフィルムは感染リスクを減らすことが示され，ガイドラインでは使用が推奨されている[2)]．テープ過敏症や皮膚GVHDのためフィルムドレッシング材が使用しにくい場合，アクリル系粘着剤を使用した低アレルギー性のドレッシング材(IV3000® など)を用いて固定する．出血を認める際は優肌パッド® を用いて固定する．

2 頻度

フィルムドレッシング材(テガダーム™ CHGドレッシング1657R，IV3000®)の場合は週に1回交換，優肌パッド® の場合は毎日消毒・刺入部観察・交換を行う．いずれの場合も汚染した場合や，はがれたりした場合は適宜交換する．

3 感染評価

刺入部の観察は毎日行う．刺入部に発赤，圧痛，膿などの滲出液がないかを確認する．移植病棟ではカテーテル関連血流感染症サーベイランスを実施している．

C ルート管理

1 ルート交換

- 輸液ラインのハブの消毒には消毒用アルコールを用いる．1枚目のアルコール綿でハブに付着した病原体を物理的に拭い去り，2枚目でアルコールによるハブの消毒を行う．
- 持続点滴の場合は1週間に1回ルート交換を行う．
- 輸血，脂肪製剤投与後はその都度，ルート交換を行う．

2 プラグ交換

- 根元に閉鎖式輸液システム(シュアプラグ®)を接続し，毎週1度交換する．
- シュアプラグ® を外すと開放状態となり，容易に血管内へ微生物が侵入する．また，空気塞栓が生じることもあるので，交換時は厳重な清潔操作を短時間で行う．

3 入浴時の保護

- フィルムドレッシング材で被覆したCVカテーテル刺入部の上にカテーテルをまとめ，テープで固定した後，未滅菌ガーゼで全体を覆う．
- 未滅菌ガーゼで覆われている上からフィルムドレッシング材(パーミロール® など)を貼付し，完全に密封する．この際，フィルムドレッシング材にヨレやたるみを作らないようにする．

4 ヘパリンロック

- 使用していないルーメンは，最低1日1回はヘパリン入り生理食塩水でルート内をフラッシュする．

D CVカテーテルに由来する感染症

- カテーテル由来血流感染症の起因菌として最も分離頻度の高いものはコアグラーゼ陰性ブドウ球菌である．次いで，黄色ブドウ球菌，腸球菌，グラム陰性桿菌，カンジダ属真菌などである．
- 発熱時に血液培養を採取する場合は，末梢1セットとCVカテーテルから2セット採取している(計3セット)．同程度の血液量を同時に採取した血液培養のうち，CVカテーテルから採取した血液培養が末梢から採取したものより2時間以上早く陽性化した場合には，より積極的にカテーテル関連血流感染症を疑う．敗血症などで抗菌薬の投与を急ぐ場合は，CVカテーテルのみから2セット採取し，抗菌薬の投与を優先する場合もある．
- 血液培養から細菌や真菌を検出した場合は，原則としてCVカテーテルの入れ替えを検討する．ただし，血液培養から分離された菌がコアグラーゼ陰性ブドウ球菌(*S. lugdunensis* を除く)で，病原性が低く，かつ感受性を有する抗菌薬の投与により臨床症状が安定している場合はCVカテーテルを温存することもある．また当院では抗菌薬ロック療法は行っていない．
- 血液培養が陰性であっても，刺入部の発赤や疼痛などCVカテーテル感染が疑われる場合はCVの抜去，入れ替えを積極的に検討する．ただし，血球減少時で入れ替えのリスクが高い場合は，抗菌薬投与による改善を期待し数日経過をみることもある．

- 発熱がコントロールできない場合，CVカテーテル感染症は常に発熱の原因として鑑別に挙がる．ただしCVカテーテル刺入部に異常がなく，血液培養(各ルーメンから血液培養を採取)も陰性で，グラム陽性球菌やカンジダに対する抗菌薬が既に投与されている場合，CVカテーテルを抜去しても発熱が改善しないことも多い．安易にCVカテーテルが原因であると決めつけて抜去するのではなく，発熱の原因について鑑別を進める．

E CVカテーテル閉塞時

- CVカテーテルが1ルーメンでも閉塞した場合は，閉塞したルーメンは感染源となるため，当院では直ちに入れ替えを行っている．CVカテーテル感染を疑う所見がなければ，ガイドワイヤーを使って入れ替えている．

F CVカテーテルの抜去，交換時期

- 当院では不要となったCVカテーテルは速やかに抜去しているが，感染の所見がなければ定期的な入れ替えは行っていない．
- 入れ替えが必要な場合，移植後の急性期を過ぎていて状態が落ち着いていればダブルルーメンを挿入する．
- 空気塞栓を予防するために，抜去は臥位で行い，抜去時に患者に息を止めてもらい，抜去後はしっかり圧迫し，密閉性の高いドレッシング材で覆う．

文献

1) 日本造血・免疫細胞療法学会 HP：造血細胞移植ガイドライン 造血細胞移植後の感染管理第4版，2017.
https://www.jstct.or.jp/uploads/files/guideline/01_01_kansenkanri_ver04.pdf
2) Buetti N, et al: Strategies to prevent central line-associated bloodstream infections in acute-care hospitals: 2022 Update. Infect Control Hosp Epidemiol 43: 553-569, 2022

40 移植後の感染症対策：総論（FN も含めて）

A 移植患者における免疫不全のリスク評価

同種移植後は，移植後の時期により，免疫不全のタイプが異なるため好発する感染症をある程度予測することができる（図 1）[1]．移植後早期（day 30 まで）は好中球減少や皮膚・粘膜のバリア障害に関連した細菌感染症が多い．移植後中期（day 30〜100）は急性 GVHD の好発時期であり，特に細胞性免疫低下が問題となることが多い．移植後後期（day 100 以降）は，特に慢性 GVHD 合併例において細胞性免疫や液性免疫が長期間低下することがある．

1 バリア障害

- 皮膚や粘膜は感染症の発症を防ぐバリアとして重要な働きをしており，これらの破綻により微生物が体内へ容易に侵入する（表 1）．

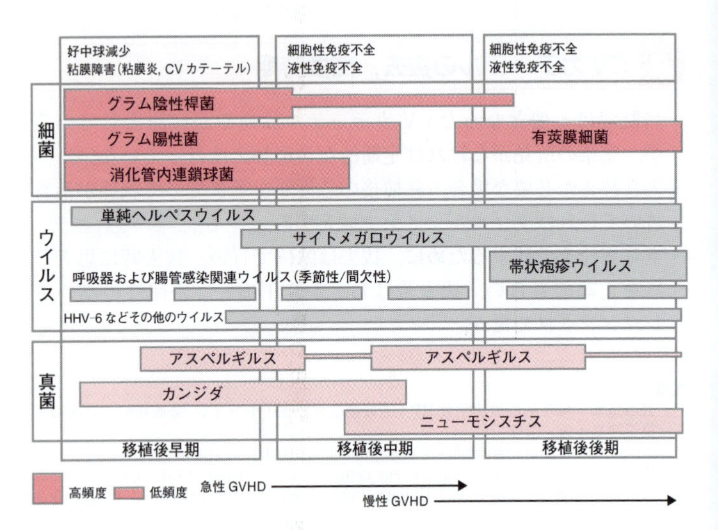

図 1 同種移植後の各時期の免疫不全のタイプと好発する感染症
〔文献 1）より改変〕

表1 バリア障害に関連する主な病原体

	主な病原体
皮膚バリア障害 GVHD，術創，潰瘍，褥瘡，中心/末梢静脈カテーテルなど	連鎖球菌 黄色ブドウ球菌 コアグラーゼ陰性ブドウ球菌 コリネバクテリウム グラム陰性桿菌
口腔・消化管粘膜バリア障害 移植前処置(化学療法，全身放射線照射)	嫌気性菌 カンジダ 連鎖球菌 腸球菌 腸内細菌目細菌

表2 好中球減少時に問題となる主な病原体

発熱の持続期間	主な病原体
5日未満の発熱 →主に細菌感染症を中心に考慮	緑膿菌 腸内細菌目細菌(大腸菌，クレブシエラ，エンテロバクター，シトロバクターなど) マルトフィリア 黄色ブドウ球菌 コアグラーゼ陰性ブドウ球菌 連鎖球菌 腸球菌
長期間の好中球減少＋5日以上の発熱 →上記の細菌感染症に加え真菌感染症も考慮	カンジダ アスペルギルス

移植前処置により高度の口腔・咽頭粘膜障害が起きているときは誤嚥を起こしやすいことにも留意する．

2 好中球減少

- 移植前処置による骨髄抑制，移植前の治療や原疾患による正常造血の抑制などが原因で好中球減少をきたし，さまざまな病原体による感染症をきたす(表2)．一般的に，5日未満の発熱では細菌感染症が多く，5日以上の場合，真菌感染症の頻度も高くなる．
- 骨髄異形成症候群(MDS)などの好中球機能異常を伴う血液悪性腫瘍患者では，好中球数が正常であっても好中球減少症に準じた対応を検討する．

- 好中球減少の深さと期間をもとに算出するD-INDEX〔(500－好中球数)×日数〕で計算した値が，5,800未満であれば，アスペルギルスなどによる糸状菌感染症の可能性は低い[2)]．好中球減少の深さも，期間と同様に糸状菌感染症のリスク因子として重要である．

3 細胞性免疫低下

- 急性リンパ性白血病，悪性リンパ腫といったリンパ性悪性腫瘍や，造血幹細胞移植，ステロイド，免疫抑制剤，化学療法(シクロホスファミド，フルダラビンなど)や抗胸腺グロブリンといったリンパ球を標的とした薬剤が原因となる．
- 問題となる主な病原体はウイルス，細菌，真菌，原虫など広範囲に及ぶ(表3)．
- 特にGVHD合併例やステロイド投与例においては，好中球数のみではなくリンパ球数(CD4陽性細胞数など)にも注意する．

4 液性免疫低下

主に肺炎球菌，インフルエンザ菌，髄膜炎菌など莢膜を有する細

表3 細胞性免疫低下時に問題となる主な病原体

	主な病原体
ウイルス	単純ヘルペスウイルス 水痘・帯状疱疹ウイルス EBウイルス サイトメガロウイルス アデノウイルス RSウイルスやパラインフルエンザウイルスなどの呼吸器ウイルス インフルエンザウイルス，新型コロナウイルス HHV-6
細菌	ノカルジア リステリア 結核菌 非結核性抗酸菌
真菌	カンジダ アスペルギルス クリプトコックス ムーコル ニューモシスチス・イロベチ
原虫	トキソプラズマ

菌による感染症が問題となる．IgG が 400〜500 mg/dL 以下の場合には免疫グロブリン補充も検討する．

B 移植患者の感染症への対応：総論

1 日々のバイタルチェック

- バイタルチェック 1 日 4 検：体温，脈拍，血圧，呼吸数，SpO_2
- バイタルチェック時以外でも発熱や悪寒・戦慄を感じた場合には報告するよう患者教育を行う．
- 当院では好中球減少期は発熱の定義を「腋窩温で 37.5℃ 以上」に設定している．ただし，ステロイドや解熱剤を定時投与中の場合は，発熱がなくても悪寒・戦慄，頻脈，頻呼吸は重症感染症のサインの可能性があり，注意を要する．
- 発熱時のバイタルチェックでは，体温，脈拍，血圧，呼吸数，SpO_2 に加えて意識レベルも確認する．

2 患者背景の確認

個々の患者ごとに，上述した免疫不全のリスク評価を行う(A，表 1〜3)．

❶ 疾患リスク

原疾患の種類により免疫不全の特徴が異なる．ATL の場合には移植前にすでに細胞性免疫不全があり，サイトメガロウイルス(CMV)の再活性化に注意が必要である．急性骨髄性白血病(AML)，骨髄異形成症候群(MDS)の場合には長期間の好中球減少により侵襲性アスペルギルス症を合併しやすい．

❷ 移植の種類

自家移植よりも，同種移植のほうが感染症のリスクが高い．同種移植患者では，ドナーソースや HLA 一致度，前処置，GVHD 予防法ごとに感染症リスクは異なる．

❸ 感染予防方法，現在使用中の抗微生物薬

抗菌薬，抗真菌薬，抗ウイルス薬の使用状況，ニューモシスチス肺炎予防法，移植後のワクチン接種歴を確認する．

❹ 各病原体の抗体価の確認

CMV(患者およびドナー)，単純ヘルペスウイルス(HSV)，VZV，HBV，HCV，Epstein-Barr ウイルス(EBV)，HIV，ヒト T

細胞白血病ウイルス(HTLV-1)，アデノウイルス(ADV 11型)，トキソプラズマなどに対する抗体価を移植前に確認する．

❺ 感染症の既往

特にアスペルギルスなどの糸状菌による肺炎の既往は重要である．

❻ 周辺環境

施設が老朽化しているか，改築中であるか否か，多剤耐性菌や侵襲性アスペルギルス症の罹患者が多い病棟か否かを確認する．

❼ 監視培養

当院では基質特異性拡張型β-ラクタマーゼ(ESBL)産生菌やマルトフィリア(*Stenotrophomonas maltophilia*)などの耐性菌保菌のスクリーニング目的に移植前に全例で便培養を提出している．当院の183例の検討では26例(14%)がESBL産生菌を，2例(1%)がMRSAを移植前に保菌していた．また，高用量ステロイド投与中の重症消化管GVHD患者などでは発熱がなくても監視目的に血液培養を週2回実施している．

❽ 現在の投薬内容

睡眠導入剤やオピオイド投薬量が多い場合などには誤嚥にも注意が必要である．

❾ 曝露歴

感染症発症者との接触(sick contact)やペット飼育，最近の観血的処置(特に歯科治療)，温泉などの曝露歴を確認しておく．

3 感染症を疑った場合の対応

- 移植患者では，最初は無症状もしくは軽微な症状であっても，時間単位で急激に増悪する感染症を経験する．このため日々の丁寧な診察を心がける．
- 患者の変化にいち早く対応できるような注意深い診察，経過観察が重要であり，軽微な所見も見逃さないことが必要である．また，必要な場合には早期の抗菌薬投与開始を心がける(指示を出すだけではなく，患者への投与まで早期に実施できているかを確認する)．

C 感染症を疑う症状・所見

感染症を疑う症状・所見を認めた場合は，全身の丁寧な診察を行い，必ずシステムレビューを行う．

- 副鼻腔，肺
  →軽微な咳嗽や胸部不快感などわずかな症状にも細心の注意を払う．
- 消化管(口，咽頭，食道，腸管，肛門)
  →口腔内は粘膜炎の他，齲歯・歯周炎の存在，口腔内の衛生状況にも注意を払う．
  →好中球減少性腸炎の精査のため，特に右下腹部(回盲部)の身体所見に注意し，圧痛や叩打痛があれば腹部超音波やCTによる早期の画像評価を考慮する．
  →肛門周囲も忘れず診察を行う(肛門周囲膿瘍など)．
- 尿路感染症の頻度は高く，特に膀胱カテーテルが入っている場合には常に注意する．
- 血管内カテーテル刺入部の所見は末梢静脈，中心静脈にかかわらず必ず毎日視診・触診で確認する．
- 精神症状(短期記憶障害や見当識障害，性格変化など)の有無
- 皮疹，皮下結節の有無
  →原因のはっきりしない皮疹は生検も検討する．特に圧痛や中心部の壊死を伴う皮下結節の場合，壊死性感染症を鑑別に挙げ積極的に生検を施行し，病理検査だけなく組織培養も実施する．

D 検査

1 一般検査

- 血球数(白血球分画も含む)，肝機能検査，BUN，Cre，電解質
- 胸部X線(正面/側面)，パルスオキシメーターでの SpO_2 測定
  →肺炎の有無を確認するほか，心負荷の評価もできる．
  →必要に応じて早期の胸部および副鼻腔の単純CT検査も考慮する(好中球減少期でも必要時には防護環境から出て積極的にCT撮影を行う)．

- 超音波検査
  →肝臓，胆道系，腸管，腎臓，心臓や血管内ボリュームの評価もできる．
- 尿検査
- 血液ガス検査，乳酸値(☞ 395 頁，セクション 41)
  →敗血症など重症感染症の可能性が疑われる場合には血液ガス検査を行い，乳酸値の測定も忘れない(静脈血でもよい)．
- 当院では週 1 回 CMV-PCR もしくは CMV 抗原血症(C7-HRP)および β-D グルカン，アスペルギルス(ガラクトマンナン)抗原などのスクリーニングを実施している．

2 微生物学的検査

❶ 血液培養

- 当院では初回発熱時には中心静脈カテーテルの異なるルーメンからそれぞれ 2 セット＋末梢から 1 セットずつ，嫌気ボトル・好気ボトル 2 本ずつの計 6 本を提出している．採取したら速やかに細菌検査室へ提出することを忘れない．
- 発熱が続く場合には 24 時間ごとに血液培養を繰り返し採取することを基本としているが，全身状態に変化がある場合には 24 時間以内であっても積極的に複数回採取する．
- 複数のルーメンがある場合には交互に採取する．

❷ 有症状部位の微生物学的検査

- 喀痰培養：呼吸器症状を認める場合は必ず喀痰の塗抹・培養検査を行う(☞ 405 頁，セクション 42)．また，必要に応じて呼吸器ウイルスやマイコプラズマなどの異形肺炎を対象とした multiplex PCR 検査(FilmArray® 呼吸器パネル 2.1)も検討する．
- 尿培養：膀胱刺激症状，膀胱カテーテル留置中，尿検査異常があるときなどに行う．
- 便培養：感染性腸炎を疑う場合，*Clostridioides difficile* 関連検査もあわせて確認する．
- 髄液培養：一般検査に加えて培養検査を提出する．ウイルス性の脳炎・髄膜炎・脊髄炎が疑われる場合は HHV-6 や単純ヘルペスウイルスの PCR に加え，multiplex PCR 検査(FilmArray® 髄膜炎・脳炎パネル)も積極的に活用する[3]．
- 皮膚：必要に応じて穿刺や皮膚生検(培養，組織診)も考慮する．

E 予防投与

1 細菌感染予防

造血細胞移植患者を対象とした大規模な予防試験は行われていないが，当院では移植前よりレボフロキサシンを全例に予防投与している．レボフロキサシンがアレルギーなどの理由で使用困難な場合には予防投与は行わず，発熱時の早めの対応を心がけている(無顆粒球症の時期はセフェピムなどを投与することもある)．本邦では大腸菌のレボフロキサシン耐性率は40% を超え，予防効果低下も懸念されるため，予防投与を過信しない．なお，耐性菌選択のリスクもあり予防投与の是非は議論がある．

レボフロキサシン　1 日 500 mg　分 1　内服　day－7 から好中球生着まで

※レボフロキサシン内服が困難な場合は，レボフロキサシン静注製剤へ切り替えるか，または発熱性好中球減少(FN)と同様の対応を行っている．

- レボフロキサシンを内服する際は，マグネシウム・アルミニウム製剤の服用時間をずらす(腸管からの吸収が妨げられるため)．
- 前処置前から治療目的に静注抗菌薬を使用している場合には，基本的に使用中の抗菌薬を継続するが，好中球減少期間は緑膿菌がカバーされている抗菌薬であることを確認する．

2 真菌感染予防

- フルコナゾールの予防投与量は，200～400 mg/日の施設が多いが，当院では100 mg/日としている．
- *Candida glabrata* などの感染症の既往がある場合は個別に検討する．

フルコナゾール　1 日 100 mg　分 1　内服　day－7 から免疫抑制剤中止まで

内服が困難な場合は，下記を用いる．

フルコナゾール　100 mg　1 時間で点滴静注　24 時間ごと

または

ミカファンギン　50～150 mg＋生理食塩水 100 mL　1 時間で点滴静注　24 時間ごと(予防投与時の承認用量は 50 mg だが，150 mg を投与する場合が多い)

- ただし，アスペルギルス感染症の既往がある場合は，二次予防としてボリコナゾールもしくはポサコナゾールを使用する．

※ボリコナゾール/ポサコナゾール予防内服下でシクロホスファミドを投与する場合は，その期間中はボリコナゾール/ポサコナゾールの予防内服を中止する（イトラコナゾール併用によりシクロホスファミドの代謝産物のCEPMが増え，腎・肝毒性が増強するという報告があるため[4]）．

3 ウイルス感染予防

単純ヘルペスウイルスと水痘・帯状疱疹ウイルスによる感染を予防するため，アシクロビルを予防投与する（アシクロビル内服のみ，移植時の単純ヘルペスウイルス予防として保険適用あり）．

アシクロビル（ゾビラックス®） 1日600 mg 分3 内服 day－7より開始 day 28より1日200 mg 分1 内服 最低1年は継続

内服が困難な場合は下記を用いる．

アシクロビル注 250 mg＋生理食塩水 100 mL 1時間で点滴静注 24時間ごと

※アシクロビル点滴は予防投与の保険適用は有していない点に注意が必要．

当院ではCMV感染リスクのある症例（レシピエントまたはドナーがCMV抗体陽性）についてはレテルモビルの投与を行っている．CMV再活性化を確認した際には中止し，ガンシクロビルやホスカルネットによる治療開始を検討する．日本造血・免疫細胞療法学会のガイドライン[5]では予防投与ありの場合はCMV-PCR（50～）150 IU/mL，予防投与なしの場合は50～150 IU/mL，C7-HRPは予防の有無にかかわらず2個以上が抗CMV薬投与の目安となっているが，その時の患者の病状に応じて症例ごとに判断している．免疫抑制剤やステロイドの減量で対応できる場合は，CMV-PCRで250～500 IU/mL, CMV抗原血症（C7-HRP）で5～10個まで様子をみる（レテルモビル継続）ことも多い（レテルモビルの予防投与下での先制治療の開始基準については今後の検討が必要）．

レテルモビルはCYP3Aの時間依存的な阻害作用，CYP2C9, CYP2C19を誘導する可能性があり，シクロスポリンやタクロリムスの血中濃度の変動に注意する（シクロスポリンと併用時にはレテルモビルは半量とする）．レテルモビルとボリコナゾールを併用時はボリコナゾール血中濃度が低下し治療効果が低下する可能性があることに注意する[6]．

レテルモビル(プレバイミス®) 1 日 480 mg 分 1 内服もしくは 1 時間で点滴静注 (移植当日から 28 日までの間に開始し，移植後 100 日目まで)

レテルモビル投与期間は移植後 100 日までとなっていたが，予防投与終了後の晩期 CMV 感染症が問題となっていた[7]．2023 年 8 月にレテルモビル投与期間の目安が，患者の CMV 感染症の発症リスクを考慮しながら移植後 200 日目へと変更された．予防投与期間は延長されたが，免疫不全が強い場合はレテルモビル中止後に CMV 感染症を発症する場合もあり，CMV-PCR 検査によるスクリーニングを強化して対応する必要がある．

4 ニューモシスチス肺炎予防

同種移植後にニューモシスチス肺炎予防を行わないと，5～10% で肺炎を合併するため必ず ST 合剤などの予防投与を行う．

ST 合剤は血球減少，腎機能障害，消化器症状などのリスクがある．ST 合剤の代替薬としてアトバコン内服やペンタミジン吸入を用いるが，ST 合剤と比較すると予防効果が劣る可能性がある．

移植後はさまざまな理由で血球回復が十分ではなく，GVHD による消化管吸収障害や腎機能障害が生じている場合も多い．そのような場合には，ST 合剤の投与量を 0.5 錠へ減量するか，ペンタミジンの吸入で代用する．ペンタミジンを用いる際には気管支攣縮の副作用があるため，使用前に気管支拡張薬の吸入を使用する．ペンタミジン使用の際にはトキソプラズマに対する予防効果がないことにも注意する．

ST 合剤(バクタ®：スルファメトキサゾール 400 mg＋トリメトプリム 80 mg) 1 日 0.5～1 錠 分 1 内服

または

アトバコン(サムチレール®) 1 日 1,500 mg 分 1 内服

※トキソプラズマも含めて予防する場合は 1 日 1,500 mg 分 2 内服としている．

または

ペンタミジン(ベナンバックス®) 300 mg＋注射用水 10 mL 吸入 3～4 週間ごと
※サルタノール® インヘラー 1 回 2 吸入(ベナンバックス® 吸入前に行う)

F 発熱性好中球減少(FN)に対する経験的治療

好中球減少期の発熱(FN)への対応については，さまざまなガイドラインが公表されているが[8,9]，移植患者に特化したものではない．移植患者では，好中球回復の時期をある程度予測できるが，無顆粒球症の時期に移植前処置により皮膚や粘膜のバリア障害も加わるため，急速に状態が変化して重症化するリスクが高い．このため，通常の化学療法の場合と比較すると，(重症化のリスクを評価しながら)早めに抗菌薬の追加・変更を行うことが多い．しかし，変更前の培養結果から追加した抗菌薬のカバーが不要と判断されれば，早めの de-escalation を検討する．

1 経験的治療

移植後のFNに対して，経験的治療を開始するときは，患者背景や症状・所見に加えて，これまでの培養検査結果も含めた検討が必要である．初回同種移植を受けた成人造血器腫瘍患者 11,098 例の解析によると，15.5% の患者が移植後 30 日までに血流感染症を発症し，約 7 割がグラム陽性菌，約 2 割がグラム陰性桿菌であった[10]．また各施設での抗菌薬への感受性の割合を示したアンチバイオグラムを確認しておくことも重要で，抗菌薬を選択する際に参考となる．

セフェピム　2 g＋生理食塩水　100 mL　1 時間で点滴静注　12 時間ごと

または

タゾバクタム・ピペラシリン　4.5 g＋生理食塩水　100 mL　1 時間で点滴静注　6〜8 時間ごと

または

メロペネム　1 g＋生理食塩水　100 mL　1 時間で点滴静注　8 時間ごと

- 発熱の原因が不明で，かつ血行動態が安定している場合にはセフェピムを使用することが多い(当院のアンチバイオグラムでは，緑膿菌に対するセフェピムの感受性はよい)．
- 肛門周囲の炎症や下痢・腹痛など消化器症状が強い場合には，嫌気性菌のカバーを追加する目的でタゾバクタム・ピペラシリンを選択する．

- これまでの培養検査にて ESBL 産生菌が腸管内に保菌されていることが確認されている場合や重症感がある場合，最初からメロペネム投与も検討する．ただし，カルバペネムは腸球菌に対する十分な効果を有していないことに注意が必要である．
- エンピリックに抗菌薬のカバーを広げるときは，de-escalation するための治療戦略を念頭に置いてから使うよう心がける（例：抗菌薬開始前に採取した血液培養でメロペネムが必要な細菌を検出しなければ de-escalation を検討するなど）．
- 緑膿菌肺炎の場合や過去に薬剤感受性が悪いグラム陰性桿菌が検出されている患者が重症の場合には，経験的治療として β ラクタム系抗菌薬 + α（アミノグリコシドなど）の併用を検討する．

2 抗 MRSA 薬の追加

抗メチシリン耐性黄色ブドウ球菌（MRSA）薬を併用するタイミングに関して，移植患者では，粘膜障害が強い場合，中心静脈カテーテル感染を疑う場合，重症感がある場合には，より早期に抗 MRSA 薬開始を検討することが多い．

移植患者では腎機能障害をきたす薬剤を投与することが多いため，当院では抗 MRSA 薬としてバンコマイシンではなく，テイコプラニンを第一選択としている．両薬剤を比較した RCT のメタ解析では死亡率や臨床改善率に差がみられず，腎機能障害はテイコプラニン群で有意に少なかった[11, 12]．

テイコプラニン　12 mg/kg（ローディングドーズ）　点滴静注
　初日と 2 日目は 12 mg/kg を 1 日 2 回（12 時間ごと），3 日目は 12 mg/kg を 1 日 1 回（合計 5 回）投与する．
　4 日目以降は維持投与量に変更し 6.7 mg/kg　1 日 1 回（24 時間ごと）
　4 日目のトラフ値で投与設計を行う（目標トラフ 20〜40 μg/mL）

※テイコプラニンは，重症感染症の場合ローディングドーズによって早期にトラフ濃度を 20 μg/mL 以上に保つ必要があるといわれている[13]．添付文書に記載されている初日に 400 mg を 2 回投与するのみでは不十分であることから，当院ではローディングドーズとして 600 mg を 12 時間ごとに 5 回投与し，開始 4 日目に院内で血中濃度を測定し，投与量を調節している．本方法を用いた 29 例の解析では約 9 割の患者でトラフ濃度 20 μg/mL 以上を達成できており，安全性には問題がなかった．

または

バンコマイシン　25 mg/kg＋生理食塩水　100 mL　1時間で点滴静注　12時間ごと（1 g以上の場合には2時間で点滴）　投与開始2日目からは15 mg/kgを12時間ごとに点滴静注

または

リネゾリド（ザイボックス®）　600 mg　2時間で点滴静注　12時間ごと

または

ダプトマイシン（キュビシン®）　6～12 mg/kg　30分で点滴静注　24時間ごと

- バンコマイシンの初回投与量はローディングする目的で25 mg/kg/doseを12時間ごとに投与し，2日目からは15 mg/kg/doseで12時間ごとに投与する．TDMは投与開始3日目（例：月曜日に始めたら水曜日の朝）に行う．
  →当院ではトラフ＋ピーク（投与終了1時間後）を測定している．
  →AUC/MIC 400～600を目標とする[13]．
  →初回TDMの後は状態が安定している場合は1週間に1回のTDMを行う．
- リネゾリドは血球減少のリスクがあるため，当院では血球減少期は長期間の使用を避ける場合もある．また，リネゾリドは600 mg/300 mLのバッグ製剤になっており，自由水の負荷になる点に注意が必要である．
- ダプトマイシンは肺のサーファクタントにより不活化されるため，肺炎には効果を期待できない点に注意が必要である．

3 抗真菌薬の変更

抗真菌薬を変更するタイミングについて，ガイドラインでは4～7日間解熱しない時とされているが[14]，移植患者においては予防薬の種類，CT検査所見，感染症の重症度や全身状態によって大きく異なる．

抗菌薬不応性のFNに対して抗真菌薬を変更する「経験的治療」と，アスペルギルス抗原などの血清マーカーやCT所見も加味して抗真菌薬を変更する「早期治療」のどちらが優れているかについて，結論は得られていない．国内ランダム化比較試験では，D-INDEX＞5,500またはCT所見や真菌マーカー陽性となった場合に，ミカファンギン150 mgを開始する「早期治療」という治療戦略で深在性真菌症を増やすことなく，抗真菌薬(ミカファンギン)の使用量を減量することができた[15]．また同種移植およびAML/MDS治療後のFN患者を対象としたランダム化比較試験では，画像所見やアスペルギルス抗原検査を基にした「早期治療」は「経験的治療」と比較してOSや真菌感染症の発症に差はなく，抗真菌薬(カスポファンギン)の使用量を減量することができた[16]．

経験的治療の際の抗真菌薬について多数の報告があるが，移植患者におけるカンジダ血症の原因として *Candida albicans* は13%であり[17]，non-albicansカンジダをカバーする必要性や，CNIとの相互作用や腎機能障害など毒性が少ない点を考慮すると，キャンディン系抗真菌薬を第一選択とすることが多い．当院では，フルコナゾール100 mg/日の予防投与を行っている患者ではFN発症時に早めにアスペルギルスのカバーも念頭にミカファンギン150 mgへ変更することが多い．

ミカファンギン(ファンガード®) 150 mg＋生理食塩水 100 mL 1時間で点滴静注 24時間ごと

または

カスポファンギン(カンサイダス®) 50 mg(初日のみ 70 mg)＋生理食塩水 100 mL 1時間で点滴静注 24時間ごと

当院では，FN治療開始後も発熱が3日以上続く場合や，呼吸器症状や SpO_2 低下など肺炎を疑う例，高熱や悪寒戦慄やバイタルサインの変化をきたす重症例では早めに，(胸部X線写真が正常であっても)単純CT検査(副鼻腔から骨盤まで)を行っている．

CT検査でアスペルギルスなどの真菌性肺炎を疑う場合，特に移植後の好中球減少期はキャンディン系抗真菌薬単独でのコントロールが困難なこともあるため，ボリコナゾールやポサコナゾール，イサブコナゾール，リポソーマルアムホテリシンBへの変更を行う．またアスペルギルス抗原や β-Dグルカンなどの血清マーカーが陽性化しただけで，抗真菌薬の変更は基本的には行っていないが，ブレイクスルーを疑う場合は変更している．

CT検査を行い肺炎を疑う所見を認める場合は下記を用いる．

ボリコナゾール(ブイフェンド®) 6 mg/kg 1日2回(12時間ごと)のローディングをした後，2日目以降 4 mg/kg 1日2回(12時間ごと) 点滴静注

または

ポサコナゾール(ノクサフィル®)300 mg　1 日 2 回(12 時間ごと)のローディングをした後，2 日目以降 300 mg　1 日 1 回(24 時間ごと)　中心静脈ラインから約 90 分かけて緩徐に点滴静注

または

イサブコナゾール(クレセンバ®)　200 mg　8 時間ごと 6 回のローディングをした後，12〜24 時間後以降 200 mg　1 日 1 回(24 時間ごと)　点滴静注

または

リポソーマルアムホテリシン B(アムビゾーム®)　2.5 mg/kg　1 日 1 回(24 時間ごと)　点滴静注

※ボリコナゾール/ポサコナゾールへ変更時は，TAC などの免疫抑制剤の血中濃度が上昇するため注意する.
※リポソーマルアムホテリシン B へ変更時は，特に腎機能障害の増悪に注意する(☞ 283 頁，セクション 31).
※特に副鼻腔炎合併例や血中や BAL 液中のアスペルギルス抗原陰性例では，(頻度は低いものの)ムーコル症を想定してリポソーマルアムホテリシン B への変更を検討する.
※重症例では，ボリコナゾールやポサコナゾール，イサブコナゾール，リポソーマルアムホテリシン B に加えてキャンディン系抗真菌薬の併用も検討する[18].

またアゾール系抗真菌薬の投与を行っていた場合は，経験的治療としてリポソーマルアムホテリシン B への変更を検討する.

Memo

ボリコナゾール・ポサコナゾール・イサブコナゾール使用時の注意点

ボリコナゾールは血中濃度が測定可能なため，投与開始後 5〜7 日ほど経過した時点でトラフ値の血中濃度を測定する(1〜4 μg/mL を目標とする). 海外のガイドラインではポサコナゾールも TDM が推奨されているが，日本では TDM ができない . 国内で発売されいてるポサコナゾール錠剤の bio-availability は 5 割前後で，海外のガイドラインでは TDM を行うことが推奨されている[19]. ポサコナゾールの内服・点滴を行った患者の約 2〜3 割で血中トラフ濃度が治療域より低かったという報告[20]もあるが，2023 年 11 月時点では日本で TDM ができない(イサブコナゾールの TDM については十分なデータがない).

タクロリムス使用中にボリコナゾールまたはポサコナゾールを開始する場合には，相互作用により数日以内にタクロリムス血中濃度が上昇する. このため，ボリコナゾール開始後は，連日タクロリムス血中濃度を確認して投与量を調節するか，あらかじめタクロリムスの投与量を約 2/3 程度まで減量

し，安定するまで連日タクロリムスの血中濃度を測定する．イサブコナゾールはタクロリスムへの影響が少ないといわれているが，当院でも使用経験が少なく，今後の検討が必要である．

ボリコナゾール注射剤およびポサコナゾール注射剤は，溶媒(ジクロデキストリン)の腎毒性があるため，腎機能障害時の長期投与は推奨されていない．しかし，他剤への変更が困難で抗アスペルギルス薬の投与継続が必要な場合は，2 週間以上の長期投与を行う場合もある．イサブコナゾール注射剤にはジクロデキストリンは含まれていない．またポサコナゾールは，ボリコナゾールやイサブコナゾールと比較して中枢神経移行性が低く，偽アルドステロン症などの副作用の出現には注意が必要である．

4 中枢神経系感染を疑う場合

意識レベルの変化などが見られた場合は，できるだけ髄液検査を行い，FilmArray® 髄膜炎・脳炎パネルなどで網羅的な病原体検索を行う．同時に HHV-6 感染症を念頭にホスカルネットによる経験的治療を開始する．検査結果で感染が否定的となった場合には投与を終了する．

ホスカルネット(ホスカビル®)　90 mg/kg　12 時間ごと　2 時間以上かけて点滴

※ホスカルネット投与時は腎障害の予防目的に生理食塩水による負荷を行う(☞ 281 頁，セクション 31)

またイブルチニブ投与中の侵襲性アスペルギルス症では中枢神経系に病変をきたす頻度が高いことが報告されており[21]，イブルチニブ投与中は必要に応じて頭蓋内の画像精査も検討する．

G 感染症治療がうまくいかないときの対応

1 治療開始後 3〜5 日で解熱しないとき

- 毎日の丁寧な身体診察を行い，全身状態を評価する．
- 生着前に発熱が続く場合には，血液検査・血液培養を連日行う．
- 感染を疑う部位に関連する培養検査や β-D グルカン，アスペルギルス(ガラクトマンナン)抗原などの血清マーカーを確認する．
- 中心静脈カテーテルの感染を疑う所見があった場合は，速やかにカテーテルを入れ替える(☞ 368 頁，セクション 39)．
- 好中球減少期に広域抗菌薬投与下でも発熱が 3 日以上持続する場合には，単純 CT(副鼻腔から骨盤まで)による全身スクリーニングを実施する．FN に対する経験的治療を開始後 3〜5 日しても解熱しないとき，必要な培養検査の提出後に抗菌薬の変更，抗 MRSA 薬の追加，糸状菌をターゲットとした抗真菌薬へ変更を検討する（☞ 383 頁，384 頁，F 2 抗 MRSA 薬の追加，3 抗真菌薬の変更）．

- 全身状態が落ち着いている場合に，発熱の持続期間だけを理由に盲目的な抗微生物薬の変更を行わない．ただし，重症化の徴候を見逃さないように，症状・所見の推移や感染巣同定の努力を怠らない．

2 発熱が持続する場合や全身状態が悪化する場合の対応

❶ 想定した感染症が異なっていた場合や新たな感染症の合併について検討する

現在，使用中の抗微生物薬のスペクトラムからブレイクスルー感染症の有無を確認する．移植後によくみられる抗微生物薬投与中のブレイクスルー感染症を表 4 にまとめた．

特に，無顆粒球症の状態で，メロペネムやテイコプラニンに対して抵抗性の場合や肺炎の合併を疑う場合，マルトフィリア感染症の鑑別が重要となる．当院では移植後 7 日目以降マルトフィリア感染のリスクが高い場合にはレボフロキサシン 500 mg 点滴静注を併用することもある（長期投与にならないように，好中球生着後は中止）．

投与中の抗微生物薬が不応と判断する場合には，感染部位の培養検査を再度実施すれば治療不応性の病原体が残存している可能性がある．このため，可能な限り再検査を行い薬物感受性検査の実施を検討する．

また臓器特異的な症状に乏しい感染症にも注意する（カテーテル関連血流感染症や胆管炎，*Clostridioides difficile* 関連腸炎など）．

表 4　移植時に見られるブレイクスルー感染症

投与中の抗微生物薬	ブレイクスルー感染症
メロペネム，テイコプラニンなど	マルトフィリアなど
ボリコナゾール	ムーコル
ミカファンギン	トリコスポロン，フサリウムなど

❷ 適切な治療下であっても改善に時間のかかる感染症や播種性病巣の有無を確認する

感染臓器や菌種ごとに適切な治療期間の目安を表 5 に示す．膿瘍，血管内感染，骨髄炎などは，適切な治療下であっても解熱までに時間がかかることが多い．高度の腸管粘膜障害部位から血流感染をきたし播種性病変となり，ソースコントロールができずに治療に難渋することを経験する．好中球回復期には適切な治療を行っていても一過性に局所症状が増悪することがある．ニューモシスチス肺炎などのように適切な治療を行っていても治療初期に一過性に症状が増悪することがある．また高度の免疫不全時にも改善に時間を要

表 5　感染臓器と菌種ごとの治療期間

臓器	治療期間*1
皮膚軟部組織感染症	5〜14 日
血流感染症*2 • グラム陰性菌 • グラム陽性菌 • 黄色ブドウ球菌 • カンジダ	 7〜14 日 7〜14 日 最初の血液培養陰性から 4 週間が一般的*2 最初の血液培養陰性から最低 2 週間
細菌性副鼻腔炎	7〜14 日
細菌性肺炎	5〜14 日*3
真菌感染症 • カンジダ • 糸状菌(アスペルギルスなど)	 • 最初の血液培養陰性から最低 2 週間 • 最低 12 週間
ウイルス感染症 • HSV/VZV • インフルエンザ	 7〜10 日間 5 日間　ただし免疫状態に応じて 10 日間などの長期間や症状改善までの投与も考慮

*1 治療期間は以下の条件も考慮したうえで決定する．①好中球の回復，②速やかな解熱，③感染臓器の判明，④病原微生物，⑤患者の基礎疾患・原疾患の種類，⑥今後の治療内容．

*2 あくまでも播種性感染症などの合併症がない状況下での治療期間．以下はカテーテルを抜去すべき：カンジダ，黄色ブドウ球菌，緑膿菌，*Corynebacterium jeikeium*，アシネトバクター，非結核性抗酸菌，酵母様真菌，糸状菌，バンコマイシン耐性腸球菌，マルトフィリア，その他の多剤耐性菌，感染性静脈炎，トンネル感染，ポートのポケット感染．

*3 黄色ブドウ球菌や緑膿菌，腸内細菌目細菌などによる肺炎は，より長期の投与期間が一般的には推奨されている．

〔文献 22)より一部改変〕

することがある．

❸ 外科的介入が必要な感染症の有無を評価する

壊死病巣，膿瘍，異物の存在など外科的介入が必要な感染症を確認する．

❹ 抗微生物薬の用法・用量が適切か再確認する

腎機能に応じた至適投与量かどうかを再確認する．また薬物血中濃度が測定可能な場合，至適範囲にあるか確認する．

❺ 非感染性の原因の有無を検討する

同種移植の場合には，ドナーの免疫反応による発熱の頻度も高く，感染症による発熱との鑑別に難渋する場合が多い．当院では，PIR や ES などドナーの免疫反応による発熱を疑う場合，ヒドロコルチゾン投与を行うことも多いが(☞ 442 頁，セクション 44)，感染症のカバーも同時に行っている．移植後の肺障害のうち約半数は非感染性であり，特に重症の非感染性肺障害ではステロイド治療開始が遅れないように注意する．

また薬剤熱(輸血も含む)，腫瘍熱，血栓症，繰り返す誤嚥，心不全なども考慮する．

文献

1) Tomblyn M, et al: Guidelines for preventing infectious complications among hematopoietic cell transplantation recipients: a global perspective. Biol Blood Marrow Transplant 15: 1143-1238, 2009
2) Portugal RD, et al: Index to predict invasive mold infection in high-risk neutropenic patients based on the area over the neutrophil curve. J Clin Oncol 27: 3849-3854, 2009
3) Mori T, et al: Usefulness of the FilmArray Meningitis/Encephalitis Panel in diagnosis of central nervous system infection after allogeneic hematopoietic stem cell transplantation. Support Care Cancer 30: 5-8, 2022
4) Marr KA, et al: Cyclophosphamide metabolism is affected by azole antifungals. Blood 103: 1557-1559, 2004
5) 日本造血・免疫細胞療法学会 HP：造血細胞移植ガイドライン ウイルス感染症の予防と治療：サイトメガロウイルス感染症第5版，2022.
https://www.jstct.or.jp/uploads/files/guideline/01_03_01_cmv05.pdf
6) Nakashima T, et al: Drug interaction between letermovir and voriconazole after allogeneic hematopoietic cell transplantation. Int J Hematol 113: 872-876, 2021
7) Mori Y, et al: Risk factors for late cytomegalovirus infection after completing letermovir prophylaxis. Int J Hematol 116: 258-265, 2022
8) 日本臨床腫瘍学会：発熱性好中球減少症(FN)診療ガイドライン改訂第2版，2017
9) Freifeld AG, et al: Clinical practice guideline for the use of antimicrobial agents in neutropenic patients with cancer: 2010 update by the Infectious Diseases Society of America. Clin Infect Dis 52: 427-431, 2011
10) Inoue Y, et al: Severe acute graft-versus-host disease increases the incidence of blood stream infection and mortality after allogeneic hematopoietic cell transplanta-

tion: Japanese transplant registry study. Bone Marrow Transplant 56: 2125-2136, 2021
11) Svetitsky S, et al: Comparative efficacy and safety of vancomycin versus teicoplanin: systematic review and meta-analysis. Antimicrob Agents Chemother 53: 4069-4079, 2009
12) Cavalcanti AB, et al: Teicoplanin versus vancomycin for proven or suspected infection. Cochrane Database Syst Rev 16: CD007022, 2010
13) 日本化学療法学会/日本 TDM 学会：抗菌薬 TDM 臨床実践ガイドライン 2022
14) 深在性真菌症のガイドライン作成委員会（編）：深在性真菌症の診断・治療ガイドライン 2014，協和企画，2014
15) Kanda Y, et al: D-Index-Guided Early Antifungal Therapy Versus Empiric Antifungal Therapy for Persistent Febrile Neutropenia: A Randomized Controlled Noninferiority Trial. J Clin Oncol 38: 815-822, 2020
16) Maertens J, et al: Empiric vs Preemptive Antifungal Strategy in High-Risk Neutropenic Patients on Fluconazole Prophylaxis: A Randomized Trial of the European Organization for Research and Treatment of Cancer. Clin Infect Dis 76: 674-682, 2023
17) Kimura SI, et al: Risk and Predictive Factors for Candidemia After Allogeneic Hematopoietic Cell Transplantation: JSTCT Transplant Complications Working Group. Transplant Cell Ther 28: 209. e1-209. e9, 2022
18) Marr KA, et al: Combination antifungal therapy for invasive aspergillosis: a randomized trial. Ann Intern Med 162: 81-89, 2015
19) Dadwal SS, et al: American Society of Transplantation and Cellular Therapy Series, 2: Management and prevention of aspergillosis in hematopoietic cell transplantation recipients. Transplant Cell Ther 27: 201-211, 2021
20) Coussement J, et al: Choice and duration of antifungal prophylaxis and treatment in high-risk haematology patients. Curr Opin Infect Dis 34: 297-306, 2021
21) Ghez D, et al: Early-onset invasive aspergillosis and other fungal infections in patients treated with ibrutinib. Blood 131: 1955-1959, 2018
22) Prevention and Treatment of cancer-related infections. NCCN Guidelines Version 2, 2023.
https://www.nccn.org/guidelines/guidelines-detail?category=3&id=1457

41 敗血症への対応

当院では，敗血症の世界的なガイドラインであるSSCG(Surviving Sepsis Campaign Guideline)[1]と日本集中治療医学会からの日本版敗血症診療ガイドライン(J-SSCG)[2]を参考に敗血症の診療を行っている．また循環管理や人工呼吸管理，腎代替療法の詳細についてはセクション37(☞352頁)や各種ガイドライン・専門書を参照されたい．

A 敗血症の定義・診断

1992年に敗血症(sepsis)とは，感染によって発症した全身性炎症反応症候群(SIRS)と定義された(Sepsis-1)[3]．2003年に新たな診断基準が提案された(Sepsis-2)[4]が，Sepsis-2もSepsis-1と比較して敗血症の診断特異度を上昇させることができなかった．その後，敗血症を臓器不全と結びつける明確な定義が必要であるとして2016年に再び定義が改訂され，敗血症の定義は「感染症に対する制御不能な宿主反応に起因した生命を脅かす臓器障害」(図1)とされた(Sepsis-3)[5]．SSCG2021[1]とJ-SSCG2020[2]では，ともに敗血症の定義・診断基準にSepsis-3を用いている．

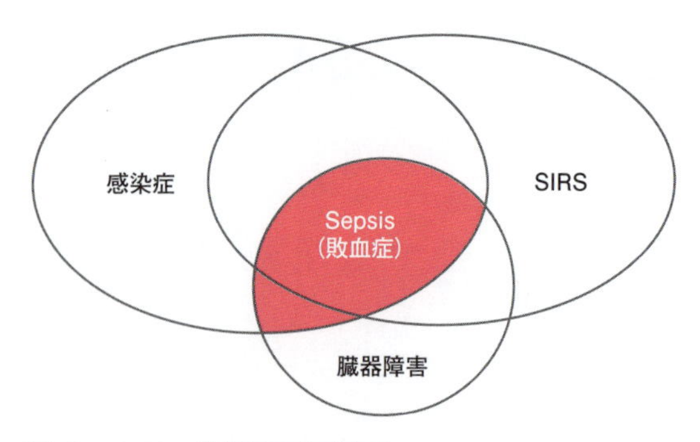

図1 感染症・SIRS・臓器障害と敗血症

Sepsis-3ではこれまで臓器障害を伴い重症敗血症と診断していたものを敗血症と診断することになった．重症な患者のみが敗血症の診断基準を満たすことになり，重症化のスピードが速い移植後の患者においては，診断基準を満たした時点で治療を開始しても手遅れになる可能性がある．より早期に敗血症を発見・対応することが重要と考え，当院では以前の診断基準やガイドラインによるSepsis-1やSepsis-2の定義や重症度分類も引き続き参考にしている．

Sepsis-3の定義による敗血症の診断基準を表1に示す[5]．ICU患者とそれ以外（移植患者も含む）で区別して診断基準があり，ICU患者ではSOFA（Sequential Organ Failure Assessment）スコア[6]を基にして診断される．感染症が疑われた非ICU患者では，quick SOFA（qSOFA）基準で①意識変容，②呼吸数上昇（22回/分以上），③収縮期血圧低下（100 mmHg以下）のうち2項目以上を満たす場合に敗血症を疑い，集中治療管理を考慮する．また敗血症の確定診断は，合計SOFAスコアの2点以上の急上昇により行う．

発熱がなくても血圧，呼吸回数，心拍数，意識状態が異常である場合，敗血症を疑いながら患者を診ることが重要である．また，移植患者においては感染症が進行し臓器障害に進展する前に治療する（早期に対応し敗血症に進行させない）ことが最も重要である．SSCG2021でもqSOFAの位置付けが変化しており，SIRSやNational Early Warning Score（NEWS）なども併せて評価することが記載されている[1]．

またショックの診断は血圧だけで判断するべきではない．「Don't take vitals, take a lactate」[7]という言葉があるように，血圧だけでショックとは診断せず，乳酸値などその他の指標も併せて評価する必要がある．血中乳酸値上昇，中心静脈血酸素飽和度低下，代謝性アシドーシスの進行が，敗血症性ショックや敗血症の進行の指標となることが示されている．

B 初期対応：敗血症，敗血症性ショックへの対応

敗血症は初期対応が予後に大きく影響するため，特に重要である．敗血症や敗血症性ショックを認識，あるいは疑った場合はまず人を集める．当院ではHour-1 bundle[8]を参考に，1時間以内に表

表1 敗血症の診断基準（Sepsis-3の定義）

敗血症の定義

「感染症に対する制御不能な宿主反応に起因した生命を脅かす臓器障害」
（1）従来の敗血症（SIRS＋感染症のみ）を除外する．
（2）従来の重症敗血症（敗血症＋臓器障害）から“重症”を外す．

敗血症の診断基準

ICU患者とそれ以外（院外，ER，一般病棟）で区別する．
（1）ICU患者：感染症が疑われ，合計SOFAスコア2点以上の急上昇があれば，敗血症と診断する．
（2）非ICU患者：quick SOFA（qSOFA）で2項目以上を満たす場合に敗血症を疑う．最終診断は，ICU患者に準じる．

敗血症性ショックの定義と診断基準

定義：「死亡率を増加させる可能性のある重篤な循環，細胞，代謝の異常を有する敗血症のサブセット」
診断基準：適切な輸液負荷にもかかわらず，平均動脈圧≧65 mmHgを維持するために循環作動薬を必要とし，かつ血中乳酸値＞2 mmol/L（18 mg/dL）を認める．

※SOFAスコア

スコア	0	1	2	3	4
意識 Glasgow coma scale	15	13〜14	10〜12	6〜9	＜6
呼吸 PaO_2/F_IO_2 (mmHg)	≧400	＜400	＜300	＜200および呼吸補助	＜100および呼吸補助
循環	平均動脈圧≧70 mmHg	平均動脈圧＜70 mmHg	ドパミン＜5 μg/kg/分あるいはドブタミンの併用	ドパミン5〜15 μg/kg/分あるいはノルアドレナリン≦0.1 μg/kg/分あるいはアドレナリン≦0.1 μg/kg/分	ドパミン＞15 μg/kg/分あるいはノルアドレナリン＞0.1 μg/kg/分あるいはアドレナリン＞0.1 μg/kg/分
肝：血清ビリルビン値 (mg/dL)	＜1.2	1.2〜1.9	2.0〜5.9	6.0〜11.9	≧12.0
腎：血清クレアチニン値 (mg/dL) 尿量(mL/日)	＜1.2	1.2〜1.9	2.0〜3.4	3.5〜4.9 <500（尿量）	≧5.0 <200（尿量）
凝固：血小板数 ($\times 10^3/\mu L$)	≧150	<150	<100	<50	<20

〔文献5）より〕

表2 敗血症の初期対応で達成する目標

1時間以内に達成すべきこと
①乳酸値(Lactate)の測定(静脈血でも，動脈血でもどちらでも可) ②抗菌薬投与前に血液培養を少なくとも2セット採取 ③広域抗菌薬の投与 当院での処方例)腎機能正常の場合 メロペネム 1g/生理食塩水100mL，テイコプラニン600mg/生理食塩水100mL 1時間で点滴静注 ※初回投与の抗菌薬でも明らかなアレルギーがない場合は両者を並列で同時投与する． ④低血圧や乳酸値4mmol/L以上を認めた場合は乳酸リンゲル液(ラクテック®)などの細胞外液30mL/kgを投与する ⑤初期の輸液に反応しない場合 MAP(平均動脈圧)≧65mmHgを維持するように昇圧薬を投与

〔文献8)より〕

2の5項目を達成するようにしている．近年公表されたSSCG2021やJ-SSCG2020ではHour-1 bundleよりもややトーンダウンした表現になっており各施設で敗血症への対応(どの項目を何時間以内に達成するか)を決めておくことが重要である．

1 乳酸値の測定

敗血症や敗血症性ショックの可能性があると判断したら，必ず乳酸値を測定する．Sepsis-3では敗血症性ショックの診断に乳酸値が必須である．乳酸値が2mmol/L以上の場合予後が悪化するとの報告もあり，注意が必要である．また，4mmol/L以上の場合は明らかに予後が悪いことが報告されており，当院の経験でも診断時に4mmol/L以上の症例は，人工呼吸管理や腎代替療法が必要となる症例が多い．

乳酸値は診断時だけでなく繰り返し測定することが重要である．SSCG2021，J-SSCG2020ではともに初期蘇生の指標として乳酸値を用いることが推奨されており，状態が安定するまでは最低でも6時間ごとに乳酸値を測定している．

2 点滴ルートの確保

大量補液や抗菌薬投与，昇圧薬投与が必要となるため，複数の点滴ルートが必要となる．ルートが確保されていない患者の場合，最終的には中心静脈(CV)からのルート確保が望ましいが，まずは末梢静脈を確保し初期蘇生を開始する．末梢静脈は虚脱している場合が多いため，肘や手背，外頸などの狙いやすい静脈から確保を試みる．大量輸液が必要となるため，ルートは16～20 G針で確保することが望ましい．困難な場合は22～24 Gでもよいが，自然滴下では輸液速度が上がらないため，ポンプを使用するかシリンジでのポンピングが必要となる．末梢ルートの場合は最低でも2ルートは確保する．

ルート確保の際に採血や血液培養の採取を一緒に行うことが多いが，血管が虚脱し採血が困難な場合は時間をかけず，動脈や大腿静脈からの採血に切り替える．

CVカテーテルはトリプルあるいはクワッドルーメンが望ましい．シングルやダブルルーメンのCVカテーテルがすでに挿入されている場合は，ワイヤーを用いて入れ替えを検討する．CVカテーテルが感染源になっている可能性がある場合は，刺し直しを検討する．

3 初期蘇生

当院ではSSCGやJ-SSCGを参考に初期蘇生を行っている．組織低灌流を呈し，循環血液量減少が疑われる患者に対する初期輸液負荷は，最低でも30 mL/kgの細胞外液（ラクテック® など）を投与している（状態によってさらに大量の輸液が必要な場合がある）．

ラクテック®　500 mLをボーラス投与（全開またはポンピングで投与）

細胞外液を500 mL程度投与しても血圧の上昇が得られない場合は，ノルアドレナリンの準備を行いながら細胞外液のボーラス投与を続ける．細胞外液を30 mL/kg（50 kgの場合1,500 mL）を投与した段階で，血圧や心拍数，乳酸値，心臓超音波検査などで循環動態を再評価する．

❶ 循環動態の改善が得られ，血管内ボリュームも十分にある場合

細胞外液の投与速度を80～100 mL/時にいったん落として投与する（以後の点滴量はバイタルサインや尿量や体液バランスを考えて調整していく）．細胞外液の投与速度を減らす際に，アルブミン製剤を積極的に併用している．

アルブミネート®（250 mL）　20～40 mL/時で点滴静注

❷ 循環動態は改善傾向だが，血管内ボリュームがまだ不足している場合

急速な輸液蘇生を続行し，循環動態がさらに改善するか評価する．

❸ 循環動態の改善が全く得られない場合

集中治療医に治療方針について相談し，ICU での管理を検討する．

当院では超音波検査で下大静脈(IVC)径や左室径，左房径，右室圧の測定を行い，血管内ボリュームを評価している．IVC 径は患者により個人差や測定手技にも差が大きいため，①患者ごとの正常値を把握しておく，②施設により測定方法を統一させておくことが大切である．また，IVC 径のみで血管内ボリュームを評価せず，他の超音波所見やバイタルサインも含めて総合的に判断する．

Memo

当院での下大静脈(IVC)径測定・評価方法

IVC 径の測定・評価方法は，日本循環器学会が推奨するように短径と呼吸性変動で評価している．短径で正確に評価するには IVC を長軸方向と短軸方向で描出し，IVC の形も含めて評価することが重要である．

呼吸性変動は通常短径の方向にみられるため，プローブが短径に対して斜めにあたっていると，呼吸性変動についても誤った評価をしてしまう．IVC が長軸で描出しにくい場合や，少しプローブを動かしただけで IVC が描出できなくなる場合は，IVC が虚脱し楕円形になっていることが多い．このような場合は必ず短軸で IVC を描出し，短径が評価できるかどうか確認する．

①**IVC の測定部位**：プローブを心窩部にあて，IVC を描出する．長軸で測定する際は右房より 2 cm の部位で IVC 径を測定する．短軸で測定する際は右房より 2 cm の部位が同定しにくいため，中肝静脈との合流部の末梢側で IVC 径を測定している．

②**IVC の評価方法**：IVC の形，短径，呼吸性変動の 3 つで評価する．IVC は静脈圧の亢進に伴い血管径が拡張してくるとともに円形となり，同時に呼吸性変動も少なくなる．IVC 径が 15 mm 以上，呼吸性変動が 50% 以下の場合，中心静脈圧は 10 mmHg 以上である可能性が高い．IVC 径については個人差もあるため，形と呼吸性変動を正確に把握することが重要である．

※呼吸性変動＝(呼気時の IVC 径－吸気時の IVC 径)÷呼気時の IVC 径

注)呼吸性変動を評価するときは鼻をすする程度の呼吸で，深呼吸ではない．

4 昇圧薬

致死的な低血圧をきたした患者では，組織灌流を保ち生命を維持するため，十分な輸液蘇生の前であっても昇圧薬治療が必要となる．血圧はガイドラインに従い，平均動脈圧(MAP)65 mmHg 以上を目標とする〔症例によっては腎臓保護の観点からより高い MAP (70〜75 mmHg)を目標とすることもある〕．目標とする血圧に到達しない場合や，血圧が維持できない場合はノルアドレナリンの投与を開始する．

ノルアドレナリン　4 A〔4 mL(1A＝1 mg/mL)〕＋生理食塩水 36 mL＝40 mL(0.1 mg/mL)　シリンジポンプで 0.05 γ で開始

※50 kg の場合　開始用量 0.05 γ ≒1.5 mL/時)，最大用量は 0.3 γ 程度にしている．

※以後 10〜15 分おきに血圧測定し目標血圧に達するまでノルアドレナリンを 0.05 γ ずつ上げていく．

ノルアドレナリンは末梢ルートから投与すると静脈炎を起こす，漏出時に組織壊死を起こすなどの問題があるため，原則末梢からは投与していない．しかし，SSCG2021 では短時間，かつ肘窩静脈よりも近位からの投与であることを条件に，中心静脈確保を待たず末梢静脈から昇圧薬を開始し血圧を回復させることを提案している[1]．肘窩より近位の末梢ルート確保が困難な場合はドパミン(イノバン® シリンジなど)を 5 γ 程度で開始することを検討する．ただし，ドパミンはノルアドレナリンに比べ頻脈をきたしやすく，催不整脈作用が強いことから第一選択ではなくなっている．ドパミン開始後は速やかに CV カテーテルを挿入し，ルート確保後にノルアドレナリンへ変更する．

ノルアドレナリン最大用量でも血圧が保てない場合はバソプレシンまたはアドレナリンの併用を考慮する．血管拡張に伴う末梢血管抵抗の制御が困難(相対的循環血液量減少性ショック)な場合にバソプレシンが有効である．敗血症性心機能障害合併に伴う心機能低下(心原性ショック)例ではアドレナリンが有効であると考えられている．SSCG2021 ではノルアドレナリンで MAP の上昇が不十分な場合はバソプレシンを追加し，それでも MAP が低い場合はアドレナリンの追加を提案している[1]．

バソプレシン(ピトレシン®) 2 A(＝40 単位)＋生理食塩水 36 mL＝40 mL(1 単位/mL) シリンジポンプで 2 mL/時(＝0.03 単位/分)で開始

※開始用量 0.03 単位/分，最大用量 0.04 単位/分
※0.04 単位/分を超える高用量バソプレシンは心臓，腹腔内臓器，指趾の虚血と関連するため，他の昇圧薬が無効の場合のみに使用を検討する.

5 強心薬

敗血症性ショックを合併した症例では炎症性サイトカインなどの影響により心機能が低下する．心機能低下例に対してはドブタミンやホスホジエステラーゼⅢ阻害薬を使用することがあるが，循環器医や集中治療医と相談のうえで使用することが望ましい.

Memo

敗血症性心機能障害(sepsis-induced myocardial dysfunction：SIMD)

敗血症時に心機能障害を合併することは以前からよく知られており，敗血症性ショックでは 20～40％ の症例で SIMD を合併する．SIMD は比較的早期から左室全体の収縮能の低下を認め，心室拡張期容量が増加する．拡張型心筋症(DCM)のようにみえ，移植患者の場合はアントラサイクリンによる心筋障害との鑑別が困難な場合がある．敗血症に伴う心機能障害は可逆性であり，生存者では 10 日間ほどで徐々に回復するとされる．心機能障害のメカニズムはまだ完全には解明されておらず，確立した治療法もない.

6 検査

敗血症時に行う検査として，血液検査〔血算，生化学，凝固，血液ガス(乳酸値含む)，トロポニン I，BNP，β-D グルカン，アスペルギルス抗原，CMV 抗原血症・CMV-PCR〕，尿検査，心臓超音波検査，腹部超音波検査，全身 CT 検査，血液培養，喀痰培養，尿培養，便培養などがある.

各種培養検査は抗菌薬投与の前に採取することが望ましいが，培養検体を採取することばかりに集中し，抗菌薬の開始が遅れてはいけない．血液培養は CV カテーテル挿入中の患者は末梢から 1 セット，CV カテーテルから 2 セットの合計 3 セットを採取している．また，CV カテーテル挿入中でない患者は末梢から 2 セット採取している.

初期蘇生の後，バイタルサインが安定したら感染フォーカスの検索目的に全身 CT 検査を行う．その他，既往歴や症状などにより各

種真菌・ウイルス検査，肺炎球菌尿中抗原検査，髄液検査などを考慮する．またプロカルシトニン測定も有用なことがある．

7 抗菌薬

敗血症や敗血症性ショックの患者に対しては，発症後1時間以内に経静脈的抗菌薬の投与を開始する．移植患者では濃厚な抗菌薬治療歴のある患者が多く，グラム陽性球菌，グラム陰性桿菌を広くカバーする必要がある．また，真菌やウイルスが敗血症の原因となっている可能性がある場合は，これらもカバーする．抗菌薬は患者背景(薬剤副作用歴，最近3か月以内の抗菌薬使用歴，原疾患，臨床症状，その施設のアンチバイオグラムなど)を考慮して抗菌薬を選択する．

グラム陰性桿菌に対しては下記を用いる．

メロペネム　1g＋生理食塩水　100 mL　1時間で点滴静注　8時間ごとに1日3回

グラム陽性球菌に対しては下記の抗MRSA薬を用いる．

テイコプラニン　12 mg/kg(ローディングドーズ)＋生理食塩水　100 mL　1時間で点滴静注　12時間ごとに1日2回

または

ダプトマイシン(キュビシン®)　6～12 mg/kg＋生理食塩水　100 mL　30分で点滴静注　24時間ごとに1日1回　(肺炎がなくテイコプラニンによる腎障害を避けたい場合．患者の状態により8～12 mg/kgまで増量することがある)

または

リネゾリド(ザイボックス®)　600 mg　2時間で点滴静注　12時間ごとに1日2回　(血球減少がなく腎障害がある場合)

通常はメロペネムと抗MRSA薬を1剤ずつ順番に投与しているが，重症の敗血症で両方の薬剤を早く投与したい場合は初回投与時のみ同時投与を行っている．

真菌(特にカンジダ)に対しては，下記を用いる．

ミカファンギン(ファンガード®)　150 mg＋生理食塩水　100 mL　1時間で点滴静注　24時間ごとに1日1回

8 ステロイド

敗血症性ショック時のステロイド投与は，輸液蘇生と昇圧薬治療に反応しないショック患者に対して考慮するとガイドラインで記載されている．当院では敗血症に伴う腎障害でCNIが使用できなくなることや，サイトカインストームにより過剰な同種免疫反応が惹起される可能性を考慮し，移植後の患者に対しては輸液や昇圧薬への反応性にかかわらずステロイドの投与を行っている．

GVHDが落ち着いていて，内服の免疫抑制剤でコントロールできていた場合は，下記を用いる．

ヒドロコルチゾン　50 mg　1日4回　静注

CNIやステロイドが高用量で投与されていて，それらが継続できない場合，下記を用いる．

メチルプレドニゾロン　0.5〜1 mg/kg　1日2回　点滴静注

9 血糖コントロール

ステロイド投与時は血糖測定を必ず行い，高血糖に注意する．当院では，ガイドラインを参考に随時血糖が180 mg/dL以上の場合はインスリン投与を考慮している．SSCG2021ではインスリン療法開始後の目標値は144〜180 mg/dLとされている[1)]．インスリン投与は各施設の慣れた方法で行い，低血糖に注意しながら行う．

10 輸血

CVカテーテル挿入や侵襲的処置に備えて，敗血症の状態が安定するまで，Hb，Pltともに高めにキープする．

当院でのキープ目標はHb≧8 g/dL，Plt≧5万/μL(処置がなく安定している場合は≧2万/μL)であるが，出血傾向がある場合は症状に合わせて追加の輸血を行う．

11 免疫グロブリン製剤

免疫グロブリン製剤についてはガイドラインで投与しないことが弱く推奨されているが，移植患者はγ-グロブリンが低下していることが多く，敗血症や敗血症性ショックの患者に対して免疫グロブリン製剤を投与していることが多い．

ヴェノグロブリン®　5〜10 g　1〜2時間で点滴静注

12 ストレス潰瘍予防

敗血症に伴う高ストレスによる消化管出血を予防するため当院ではPPI投与を必ず行っている．

13 播種性血管内凝固(DIC)治療

SSCGにはDICに関する記載がなく，J-SSCGでは敗血症性DICに対しリコンビナントトロンボモジュリンを投与することを推奨している[2]．当院でも必要に応じてリコンビナントトロンボモジュリンを投与している．

14 深部静脈血栓予防

深部静脈血栓症の予防のために弾性ストッキング装着を行っている．血小板数が十分にある患者についてはヘパリンの持続投与を行うこともある．血小板減少時の抗凝固の中止基準はESC(欧州心臓病学会)やASCO(米国臨床腫瘍学会)のガイドラインなどを参考にしている．

15 栄養

J-SSCG2020では循環動態が安定した症例は早期に経腸栄養を開始することが推奨されているが[2]，移植後の患者では感染や出血のリスクが懸念されるため，当院では全身状態が落ち着くまで経腸栄養は実施していない．最初の数日間は必要カロリー全量を投与せず，少量の経静脈栄養から開始し，状態に応じてカロリーを増量している．

文献

1) Evans L, et al: Surviving Sepsis Campaign: International Guidelines for Management of Sepsis and Septic Shock 2021. Critical care medicine 49: e1063-e1143, 2021
2) 日本集中治療医学会，他：日本版敗血症診療ガイドライン2020．The Japanese Clinical Practice Guidelines for Management of Sepsis and Septic Shock 2020(J-SSCG2020)．日本集中医療医学会雑誌 28(suppl)，2021
3) American College of Chest Physicians/Society of Critical Care Medicine Consensus Conference: definitions for sepsis and organ failure and guidelines for the use of innovative therapies in sepsis. Crit Care Med 20: 864-874, 1992
4) Levy MM, et al: 2001 SCCM/ESICM/ACCP/ATS/SIS International Sepsis Definitions Conference. Critical care medicine 31: 1250-1256, 2003
5) Rhodes A, et al: Surviving Sepsis Campaign: International Guidelines for Management of Sepsis and Septic Shock: 2016. Criti Care Med 45: 486-552, 2017
6) Vincent JL, et al: The SOFA(Sepsis-related Organ Failure Assessment) score to describe organ dysfunction/failure. On behalf of the Working Group on Sepsis-Related Problems of the European Society of Intensive Care Medicine. Intensive Care Med 22: 707-710, 1996
7) Bakker J, et al: Don't take vitals, take a lactate. Intensive Care Med 33: 1863-1865, 2007
8) Levy MM, et al: The Surviving Sepsis Campaign Bundle: 2018 Update. Crit Care Med 46: 997-1000, 2018

42 肺炎への対応

A 肺合併症のリスク因子，鑑別診断

1 背景にある免疫不全の評価を行う

- いずれの場合でも細菌感染を念頭に置くものの，免疫不全の種類によって，肺炎の原因として鑑別の上位に挙がる病原体が異なる[1].
  (例)① 好中球減少→細菌
  ② 長期の好中球減少→糸状菌(アスペルギルスなど)
  ③ 細胞性免疫不全→ニューモシスチス・イロベチ，ウイルス〔サイトメガロウイルス(CMV)，呼吸器ウイルスなど〕，糸状菌，トキソプラズマなど
  ④ 液性免疫不全→肺炎球菌など
- 同種移植後に問題となる免疫不全は，時間の経過とともに異なる(☞ 372 頁，セクション 40).
- 移植前(防護環境に入る前)から既に長期の好中球減少を認めていた場合(非寛解期の白血病や骨髄異形成症候群など)は，特にアスペルギルスなどの糸状菌に注意が必要となる．また，移植片対宿主病(GVHD)の合併，免疫抑制剤の投与量や種類など，免疫不全の内容は個々の症例ごとに異なるため，丁寧に背景を把握する必要がある.

2 移植前の感染症既往

- 侵襲性アスペルギルス症などの真菌感染症，CMV 再活性化などのウイルス感染症，細菌感染症(特に耐性菌)の既往やトキソプラズマ抗体の有無は，肺炎の起炎病原体の鑑別に非常に重要である.

3 曝露歴

- 特に外来患者や外出/外泊後の患者では，感染症発症者との接触(sick contact)，旅行・渡航歴，土壌や動物との接触歴，食事内容などが感染症の鑑別のうえで重要である.

表1 移植後の時期と主な肺合併症

	移植後早期 (～day 30)	移植後中期 (day 30～100)	移植後後期 (day 100～)
感染性	• 細菌 • 糸状真菌	• 細菌 • 糸状真菌(アスペルギルスなど) • ニューモシスチス • サイトメガロウイルス	• 糸状菌(アスペルギルスなど) • 細菌(肺炎球菌) • ニューモシスチス • サイトメガロウイルス
非感染性	生着症候群 肺水腫 DAH IPS	IPS	BO/BOS COP IPS PTLD

DAH：diffuse alveolar hemorrhage, IPS：idiopathic pneumonia syndrome, BO/BOS：bronchiolitis obliterans(syndrome), COP：cryptogenic organizing pneumonia, PTLD：post-transplant lymphoproliferative disorder

4 移植後の時期と主な肺合併症

表1に移植後の時期と主な肺合併症を示す．同種移植後の肺合併症は約半数が非感染性であり，診断・治療に難渋することも多い(☞312頁，セクション34)．

B 肺炎の診断

1 患者評価

呼吸器症状などから肺炎が最も疑われる状況であっても，播種性病変やその他の感染症を併発している場合もあるため，頭からつま先まで全身を丁寧に診察し，自覚症状も含めたシステムレビューを行う(☞375頁，セクション40)．

(例) • 有痛性皮疹→播種性感染症
• 副鼻腔領域の圧痛→真菌性副鼻腔炎
• 視覚異常→眼内炎
• 肛門周囲の発赤腫脹→肛門周囲膿瘍

呼吸数の増加(22回/分以上)は，敗血症における重症度の指標となるqSOFA(☞393頁，セクション41)にも取り上げられており，必ずその原因を確認する．また好中球減少期には炎症所見が乏しく身体所見に反映されにくいため，微細な症状を軽視せずに精査を行う必要がある．

2 微生物学的検査

- 適切なマネジメントを行うために，微生物学的診断を行う努力を怠らない．
- 良質な喀痰が採取できる症例では塗抹(グラム染色)，培養(一般，抗酸菌)，細胞診(グロコット染色や封入体のチェック)を提出する．良質な喀痰の指標であるGeckler分類4/5では100倍の1視野中に25個以上の白血球かつ25個以下の上皮細胞を認める．特にグラム染色所見は初期治療薬の決定に役立つことが多く，積極的に用いる．喀痰採取が困難な場合，可能であれば3%高張食塩水の吸入を用いた誘発喀痰の採取も試みることもある．
- 肺炎球菌(免疫不全者における感度66%[2])やレジオネラ(メタ解析での感度74%[3])の尿中抗原検査を行うが，いずれも陰性であっても感染を否定できない点に注意する．
- 気管支肺胞洗浄(BAL)検体から検出された腸球菌やコアグラーゼ陰性ブドウ球菌，コリネバクテリウム，カンジダは，播種性感染を疑うなど特殊な場合を除き治療対象とはしない．
- 胸膜に接した病変に対しては，CTガイド下肺生検や胸腔鏡下肺生検も考慮する．

3 画像検査

特に好中球減少期は，呼吸器症状がなくても，原因不明の発熱が続く場合は，胸部CT検査を検討する．胸部X線に所見のない，広域抗菌薬不応の熱源不明の発熱性好中球減少において，半数以上の症例でHRCT(high-resolution CT)にて浸潤影が指摘されたとの報告もある[4]．通常のスライスでは微小な結節を見逃してしまうことが多いため，必ずHRCTで確認する．

肺炎のCT所見は大きく分けて結節影，コンソリデーション(肺胞内の空気が液体などに置換された状態で，内部の肺野血管影はみえなくなる．時に気管支透亮像を伴う，間質影(すりガラス影)に分類される．

CT所見と肺炎の進行スピードによる主な鑑別疾患を表2[5]に示す．ただし，所見の特異度は低い点には注意が必要である．

4 血清学的検査所見

必ず臨床所見や微生物検査，画像所見などとともに治療方針の判断に用いる．検査結果に振り回されることのないように，各検査を

表2 同種移植患者におけるCT所見と肺炎の進行スピードによる主な鑑別疾患

進行スピード	結節影	コンソリデーション	間質影
急性 (1〜3日)	細菌性 緑膿菌 黄色ブドウ球菌	◎細菌性 出血 血栓・塞栓症	異型肺炎 レジオネラ ◎肺水腫 ◎びまん性肺胞出血 ◎生着症候群 IPS トキソプラズマ
亜急性 (>3日)	◎真菌(アスペルギルス，ムーコル) ノカルジア 結核 腫瘍(再発，PTLD)	◎細菌性(耐性菌) ◎真菌(アスペルギルス) ノカルジア 肺結核 ◎COP 腫瘍(再発，PTLD) 放射線肺臓炎	◎ウイルス性 ◎PCP ◎IPS 放射線肺臓炎 薬剤性

◎：比較的高頻度に認める．
IPS：idiopathic pneumonia syndrome，PCP：pneumocystis pneumonia，COP：cryptogenic organizing pneumonia，PTLD：post-transplant lymphoproliferative disorder
〔文献5)より〕

行う目的を理解して実施する．

❶ β-D グルカン

さまざまな真菌感染症を合併したときに上昇し，特にカンジダやニューモシスチス肺炎では有用なマーカーとなる．しかし，臨床的意義が不明なことも多く，その検査特性(検査法によりカットオフ値が異なる)を理解して使用する．当院では週1回スクリーニングしている．

❷ アスペルギルス(ガラクトマンナン)抗原

感度，特異度ともに約65％と不十分であり，好中球回復後はさらに感度が劣る．特に好中球減少下では血液より気管支肺胞洗浄(BAL)での検査のほうが感度に優れるとの報告もある[6]．また，抗糸状菌薬投与下では感度が落ちることが知られている．アスペルギルス抗原単独での臨床判断は行わず，臨床所見や画像所見とともに判断している．当院では週1回スクリーニングしている．

5 気管支鏡検査

- BALによる一般所見(塗抹，培養，細胞診)の診断感度は低いが，その実施時期にも大きく左右される.

- 侵襲性肺アスペルギルス症の場合，症状が出てから2日以内の実施で感度35%，5日以降では2%まで下がるという報告があり[7]，早期の実施が複数のガイドラインで推奨されている.
- 最近のメタ解析[8]では，移植患者におけるBALによる感染症の診断割合は50%で，合併症は8%と報告されている．肺生検の感染症診断割合は30%と劣るが，逆に非感染症疾患の診断に優れる．当院では気管支鏡検査時に血小板減少がある場合には，BALのみを行うことが多く，胸膜に接する病変など一部の診断困難な症例でCTガイド下肺生検を行っている.
- 当院ではBAL検体で培養(一般，抗酸菌)，細胞診，アスペルギルス抗原検査を行っているが，間質影の場合にニューモシスチス・イロベチやCMV，その他の呼吸器ウイルスのPCR(FilmArray® 呼吸器パネル2.1)を追加することがある．インフルエンザウイルスの他，RSウイルス，パラインフルエンザウイルスなどの呼吸器ウイルスも肺炎の原因となることがある．ただし，BAL中に検出したウイルスが必ずしも原因病原体ではない点には注意が必要である．生検は，出血や気胸のリスクに注意して行っている．また，気管支鏡検査を終了後に良質の喀痰を採取できることがあり，採取できた場合には培養(一般，抗酸菌)と細胞診(グロコット染色)を追加で提出している.

C 肺炎の治療方針

1 喀痰のグラム染色所見を参考にした対応

肺炎の起因菌を早期に把握するために，良質な喀痰のグラム染色所見は非常に有用である．当院では，グラム染色所見を参考にして初期治療を検討している(使用する薬剤や投与量については，☞ 411頁，セクション43参照).

❶ グラム陽性双球菌

肺炎球菌を疑う所見であれば，尿中抗原検査結果も参考にしてセフトリアキソンなどの選択を考慮する.

❷ 多数のブドウ球菌

抗MRSA薬の併用を考慮する(ダプトマイシンは肺炎には使用で

きない).

❸ 緑膿菌を疑う小さなグラム陰性桿菌

必ず緑膿菌などのグラム陰性桿菌のカバーを考慮する.

❹ 誤嚥性肺炎を疑う所見(多種類の細菌と上皮細胞を認める場合)

嫌気性菌のカバーも考慮する.

2 画像所見に応じた対応

肺炎を疑う症例における診療・治療方針のアルゴリズムを図1に示す. CT検査で肺炎を疑う所見を認め, 起因菌が判明していれば標的治療を行う. 喀痰のグラム染色や血清マーカーなどで起因菌が推定できる場合は, それに応じた早期治療を開始する. 一方, 起因菌の推定が困難な場合は, 免疫不全のタイプや肺炎の進行スピードも考慮しながら, 表2に示すCT所見に応じた鑑別疾患を想定して対応を行う. ただし, 免疫不全状態では非典型的な画像所見を呈することもあるため, 注意が必要である.

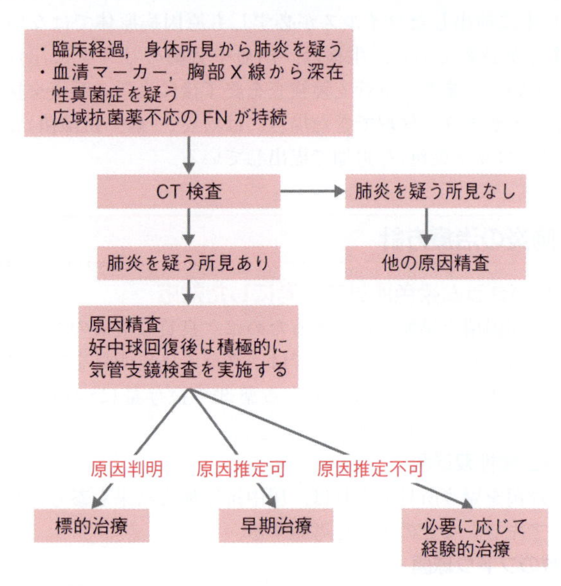

図1 肺炎を疑う症例における診療・治療方針

❶ 結節影

喀痰塗抹標本のグラム染色所見のほか，画像所見，血清マーカーの推移，過去の既往などを参考に検討する．

- 侵襲性肺アスペルギルス症を強く疑う場合には，ボリコナゾールなどの抗糸状菌アゾール系抗真菌薬を投与する．
- ムーコル症が鑑別に挙がる場合には，リポソーマルアムホテリシンBやイサブコナゾール，ポサコナゾールの投与を検討する．
- 細菌性肺炎は常に鑑別に挙げる．

また感染の既往や保菌などの患者背景に応じて，黄色ブドウ球菌や緑膿菌などの膿瘍や septic emboli，外来であればノカルジアやクリプトコックス，放線菌なども含めて検討する．

❷ コンソリデーション

可能な限り抗菌薬投与前に血液培養，喀痰を採取し，グラム染色所見をもとに検討する．

- グラム陰性桿菌による肺炎が鑑別に挙がる場合には，緑膿菌も含めたカバーを検討する．緑膿菌肺炎を強く疑う場合には，感受性が判明するまではβラクタム系抗菌薬＋アミノグリコシドもしくはニューキノロンの併用も検討する(ニューキノロン予防投与下での発症であればアミノグリコシドを優先)．
- 重症時やグラム染色所見で黄色ブドウ球菌の関与が疑われる場合には，抗MRSA薬の併用も検討する(ダプトマイシンは肺炎には使用できない)．
- 重症時や喀血を認める場合などマルトフィリアの関与が疑われる場合には，レボフロキサシンまたはST合剤の投与も検討する(マルトフィリア肺炎と診断がついた場合には原則としてST合剤を優先して使用)．
- 経験的治療としてカルバペネムを選択した場合には，血液や喀痰の培養結果などを参考にして，後日 de-escalation を検討し，不必要な長期投与は避ける．
- 気管支肺炎型のアスペルギルス症もあるため，コンソリデーションであっても真菌感染症も常に鑑別に挙げて治療を検討する．

❸ 間質影

喀痰やBALなどの塗抹検査や培養検査(ニューモシスチスPCR検査を行う)，血清学的検査(β-Dグルカンなど)所見などを参考に鑑別疾患を検討する．

- ST 合剤などの予防投薬の有無，β-D グルカン値などを参考に，ニューモシスチス肺炎の経験的治療の必要性を検討する．
- CMV-PCR 検査や CMV 抗原血症，過去の CMV 再活性化や予防投与の有無などを参考に，抗 CMV 薬の経験的治療の必要性を検討する．
- 特に市中発症の場合に異型肺炎（特にレジオネラ）の疑いがあれば，マクロライドやニューキノロン投与を考慮する．
- 同種移植後は非感染性肺障害（☞ 312 頁，セクション 34）の頻度も高く，肺炎の約半数が非感染性（IPS など）といわれている．感染性の可能性を常に考え，診断を詰めるよう努力するが，困難なことも多い．実際には，感染症の治療と非感染性肺障害に対するステロイド投与など複数の治療を併用せざるをえない場合も多い．

文献

1）Tomblyn M, et al: Guidelines for preventing infectious complications among hematopoietic cell transplantation recipients: a global perspective. Biol Blood Marrow Transplant 15: 1143-1238, 2009
2）Rosón B, et al: Contribution of a urinary antigen assay (Binax NOW) to the early diagnosis of pneumococcal pneumonia. Clin Infect Dis 38: 222-226, 2004
3）Shimada T, et al: Systematic review and metaanalysis: urinary antigen tests for Legionellosis. Chest 136: 1576-1585, 2009
4）Heussel CP, et al: Pneumonia in febrile neutropenic patients and in bone marrow and blood stem-cell transplant recipients: use of high-resolution computed tomography. J Clin Oncol 17: 796-805, 1999
5）Yen KT, et al: Pulmonary complications in bone marrow transplantation: a practical approach to diagnosis and treatment. Clin Chest Med 25: 189-201, 2004
6）Meersseman W, et al: Galactomannan in bronchoalveolar lavage fluid: a tool for diagnosing aspergillosis in intensive care unit patients. Am J Respir Crit Care Med 177: 27-34, 2008
7）Shannon VR, et al: Utility of early versus late fiberoptic bronchoscopy in the evaluation of new pulmonary infiltrates following hematopoietic stem cell transplantation. Bone Marrow Transplant 45: 647-655, 2010
8）Chellapandian D, et al: Bronchoalveolar lavage and lung biopsy in patients with cancer and hematopoietic stem-cell transplantation recipients: a systematic review and meta-analysis. J Clin Oncol 33: 501-509, 2015

43 移植後の感染症対策：各論

A グラム陽性球菌

1 黄色ブドウ球菌(*Staphylococcus aureus*)

❶ 病原性

黄色ブドウ球菌は病原性が強く，皮膚軟部組織感染症，カテーテル関連血流感染症(CRBSI)，感染性心内膜炎，関節炎，髄膜炎など多彩な播種性感染症を引き起こすことがある．治療後再発も時に認めるため，治療終了後も注意深く経過観察を行う必要がある．また，toxic shock syndrome を伴うこともある．

❷ 治療

メチシリン感受性黄色ブドウ球菌(MSSA)の場合はセファゾリンが第一選択となる．

メチシリン耐性黄色ブドウ球菌(MRSA)の場合はバンコマイシンやテイコプラニンなどのグリコペプチド系薬が第一選択となる．薬物血中濃度測定を実施し，適切な治療計画を立てる必要がある[1]．

移植患者では腎機能障害をきたす薬剤を投与することが多いため，当院では抗 MRSA 薬としてバンコマイシンではなく，テイコプラニンを第一選択としている．このため院内でテイコプラニン血中濃度測定検査を実施できる体制を整備した．両薬剤を比較したランダム化比較試験のメタ解析では死亡率や臨床改善率に差がみられず，腎機能障害はテイコプラニン群で有意に少なかった[2]．

MSSA の場合は下記を用いる．

セファゾリン　2 g　1 日 3 回(8 時間ごと)　点滴静注

MRSA の場合は下記を用いる．

テイコプラニン　12 mg/kg(ローディングドーズ)　1 日 2 回(12 時間ごと)　点滴静注
※ローディングのため初日と 2 日目は 12 mg/kg を 1 日 2 回，3 日目は 12 mg/kg を 1 回(合計 5 回)投与する
4 日目以降は維持投与量に変更し 6.7 mg/kg　1 日 1 回(24 時間ごと)　点滴静注

4日目のトラフ値で投与設計を行う(目標トラフ 20～40 μg/mL)[1)]

または

バンコマイシン 25 mg/kg 1日2回(12時間ごと)点滴静注
投与開始2日目から 15 mg/kg 12時間ごとに点滴静注

※通常は生理食塩水 100 mL で溶解し1時間点滴を行うが，1 g 以上の場合には2時間で点滴する．レッドマン症候群を認めた場合は，溶解する生理食塩水の量を増やしたり，点滴時間を長くすることで対応可能なことも多い．

※バンコマイシンの TDM は投与開始3日目に血中トラフ濃度(投与前 30 分以内)とピーク濃度(投与終了1時間後)を測定して AUC/MIC を算出している．MRSA の場合，AUC≧400 μg・時/mL を目標とする[MIC＝1 μg/mL と想定][1)]．

ダプトマイシン(キュビシン®) 6～12 mg/kg 30分で点滴静注 1日1回

※添付文書上での投与量は 4～6 mg/kg である．ダプトマイシンは肺サーファクタントに結合し不活化されるため，肺炎には効果を期待できない点に注意が必要である．

または

リネゾリド(ザイボックス®) 600 mg 2時間で点滴静注 1日2回

※腎機能障害がある患者では，代替薬としてリネゾリドを用いることがあるが，血球減少の副作用があるため，長期投与時は注意する．

黄色ブドウ球菌の血流感染症の場合には，高度な免疫不全がなく，非常に経過のよい場合を除き4週間以上の治療を要することが多い．血液培養陽性例は，治療効果判定を行う際にも必ず血液培養のフォローが必要である．

❸ 注意点

血液培養から黄色ブドウ球菌が1セットでも検出された場合には，真の菌血症として対応が必要である．一方，尿や喀痰から検出した場合には，ただの定着菌である可能性も高く，その病原性については慎重に評価する．黄色ブドウ球菌を血液培養から検出した場合には，血管カテーテルの積極的な抜去を検討する[3)]．また，播種性感染症を引き起こすことがあり，治療経過には十分に注意が必要である．MRSA を検出した場合は，接触予防策が推奨される．菌血症の場合，感染症医の併診(特にベッドサイドでのコンサルテーション)が予後を改善するという報告が複数ある．

2 コアグラーゼ陰性ブドウ球菌（CNS）

❶ 病原性

CNSの代表は表皮ブドウ球菌（*Staphylococcus epidermidis*）で，黄色ブドウ球菌と比較すると病原性は弱いものの，院内発症の血流感染症における主要な病原体である．カテーテル関連血流感染症（CRBSI）や感染性心内膜炎，人工関節や人工血管などの体内異物に関連する感染症を引き起こす．ただし，*S. lugdunensis* は例外的に病原性が高く，黄色ブドウ球菌に準じた対応が必要である．テイコプラニン治療中，まれに *S. haemolyticus* 菌血症のブレイクスルーを経験する．

❷ 治療

第一選択は抗MRSA薬となる．

テイコプラニン　12 mg/kg（ローディングドーズ）　1日2回（12時間ごと）　点滴静注

※ローディングのため初日と2日目は12 mg/kgを1日2回，3日目は12 mg/kgを1回（合計5回）投与する

4日目以降は維持投与量に変更し6.7 mg/kg　1日1回（24時間ごと）　点滴静注

4日目のトラフ値で投与設計を行う（目標トラフ20～40 μg/mL）[1]

※上記投与方法による目標トラフを *S. aureus* 以外に適応できるかどうかは不明である．

❸ 注意点

複数セットの血液培養のうち1セットのみ陽性の場合には，汚染菌（コンタミネーション）と判断されることも多い．複数セットが陽性の場合，カテーテルからの採取血が末梢採取血より2時間以上早く陽性化した場合にはCRBSIと診断できる[3]．CRBSIの場合には抗菌薬カテーテルロック療法を併用することで，カテーテルを温存することができるとされているものの，手技が煩雑であり，かつ再燃することもあるため，可能であればカテーテルの抜去が推奨される[3]．また，カテーテル刺入部の軟部組織感染を示唆する所見がある場合も抜去が推奨される．喀痰や尿から検出した場合の多くは，菌交代による定着であり，治療対象とはならないことがほとんどである．

3 肺炎球菌(*Streptococcus pneumoniae*)

❶ 病原性

肺炎球菌は肺炎，髄膜炎や敗血症(ショック)などの侵襲性肺炎球菌感染症(IPD)を引き起こすことがしばしばある．移植1〜2年後が最も頻度が高いが，数年にわたり発症する可能性がある．移植後にIPDを発症した患者の致死率は約15%前後と高く，適切な初期対応が不可欠である．国内レジストリデータの解析では，同種移植後100日以降に肺炎球菌感染症を合併した43例中6例が肺炎球菌感染が原因で死亡し，うち4例は発症1週間以内に死亡していた[4)]．また血流感染症(BSI)に関する全国調査解析では，移植後100日以降の菌血症は移植後早期よりも頻度はかなり低下するが，BSI発症後の予後は不良(30日後に約3割が死亡)のため迅速な対応が必要である[5)]．このため，高リスク患者ではあらかじめ抗菌薬を処方しておいて，体調不良時に自宅で内服してから受診するという，いわゆる"Stand-by治療"を行うことも多い．

❷ 治療

基本的にはペニシリン感受性菌が多いものの，近年はしばしば耐性菌が問題となる．重症例では，髄膜炎が否定できるまでは肺炎球菌髄膜炎におけるペニシリンへの感受性を考慮してセフトリアキソンの投与を検討する．

セフトリアキソン　2g　1日1〜2回(12〜24時間ごと)　点滴静注

感受性のよい肺炎球菌感染症が確定した場合は下記を用いる．

アンピシリン　2g　1日4回(6時間ごと)　点滴静注

❸ 注意点

肺炎や侵襲性肺炎球菌感染症を疑う場合に尿中抗原検査を診断の補助とすることがある．ただし，罹患後も長期間陽性が続いたり，*S. viridans*などでも陽性となる可能性が指摘されている．

移植後の肺炎球菌ワクチン接種が推奨されている(☞580頁，セクション59)．肺炎球菌ワクチンにはポリサッカライドワクチン(PPSV23：ニューモバックス®)と結合型ワクチン(PCV13：プレベナー13®，PCV15：バクニュバンス®)がある．ガイドラインではPCVを3回接種後にPPSV23の接種が推奨されている．なお，IPDは感染症法における届出対象疾患であり，診断した場合には7

日以内に届け出る必要がある．現在米国ではPCV20が承認されており，国内でも承認・流通開始となった場合，優先して使用される可能性があり，情報の更新に注意する．

4 連鎖球菌（*Streptococcus* sp.）―肺炎球菌以外

❶ 病原性

移植前処置後に口腔粘膜炎を合併した時に，血液培養から *Viridance streptococci* を検出することをしばしば経験する．大量メルファランなど粘膜障害の多い治療の際には特に注意する．

❷ 治療

基本的にはペニシリン感受性菌が多いものの，近年はしばしば耐性菌が問題となる．このため，血流感染症などの重症感染症の場合，薬剤感受性試験結果が判明するまでは抗MRSA薬の投与を検討する．

テイコプラニン　12 mg/kg（ローディングドーズ）　1日2回（12時間ごと）　点滴静注
※ローディングのため初日と2日目は12 mg/kgを1日2回，3日目は12 mg/kgを1回（合計5回）投与する
　4日目以降は維持投与量に変更し6.7 mg/kg　1日1回（24時間ごと）　点滴静注
　4日目のトラフ値で投与設計を行う（目標トラフ20～40 μg/mL）

※上記投与方法による目標トラフを *S. aureus* 以外に適応できるかどうかは不明である．

❸ 注意点

まれにtoxic shock syndromeを引き起こし，急激な全身状態の悪化を伴うことがあり，注意が必要である．

5 腸球菌（*Enterococcus* sp.）

❶ 病原性

腸球菌は尿路感染症，腹腔内感染症，血流感染症などを引き起こすことが知られている．移植前処置や腸管GVHDなどによる腸管粘膜の障害が生じた際に血流感染症を引き起こすことがある．

❷ 治療

ペニシリン感受性株が多い *Enterococcus faecalis* とペニシリン耐性株が多い *Enterococcus faecium* を検出することが多い．*E. faecium* の場合，多くは抗MRSA薬が必要となる．腸球菌はすべてのセフェム系抗菌薬が無効である点に注意が必要である．

テイコプラニン 12 mg/kg(ローディングドーズ) 1日2回(12時間ごと) 点滴静注
※ローディングのため初日と2日目は12 mg/kgを1日2回，3日目は12 mg/kgを1回(合計5回)投与する
4日目以降は維持投与量に変更し6.7 mg/kg 1日1回(24時間ごと) 点滴静注
4日目のトラフ値で投与設計を行う(目標トラフ20～40 μg/mL)

※上記投与方法による目標トラフを *S. aureus* 以外に適応できるかどうかは不明である．
※薬剤感受性試験の結果を見て，感受性があればアンピシリンなどへの変更を検討する．

バンコマイシン耐性腸球菌(VRE)の場合は下記を用いる．

ダプトマイシン(キュビシン®) 8～12 mg/kg 点滴静注 1日1回

※VREに対して高用量を用いることが推奨されている．添付文書上での投与量は4～6 mg/kgである．ダプトマイシンは肺サーファクタントに結合し不活化されるため，肺炎には効果を期待できない点に注意が必要である．

または

リネゾリド(ザイボックス®) 600 mg 1日2回(12時間ごと) 点滴静注

❸ 注意点

E. faecalis は，カルバペネムの感受性ありと判定されることもあるがカルバペネムの腸球菌への効果は不十分とされており，標的治療として用いることは避ける．

米国CLSI(The Clinical & Laboratory Standard Institute)は *E. faecium* に対するダプトマイシンのMIC 4 μg/mL以下がSDD(susceptible dose dependent)と設定しているが，このブレイクポイントは重症感染症に対しダプトマイシンを8～12 mg/kgを投与することを前提としている．

VREの場合には厳重な接触予防策の実施が強く推奨される．VRE検出時に病棟全体のスクリーニングを要する場合もあり，対応について感染対策チームの指示を仰ぐ必要がある．なお，感染症の原因菌として同定されたバンコマイシンのMICが16 μg/mL以上のVREは，感染症法における届出対象疾患であり，診断した場合には7日以内に届け出る必要がある．

B グラム陰性桿菌

1 緑膿菌(*Pseudomonas aeruginosa*)

❶ 病原性

緑膿菌は多彩な感染症を引き起こすが，壊疽性膿皮症(ecthyma gangrenosum)などの播種性軟部組織感染を呈する場合がある．このため全身の皮膚の診察も重要で，特に好中球減少時の原因不明の皮疹は積極的に生検や組織培養を検討する．緑膿菌の薬剤耐性傾向と病原性には関連はない．

❷ 治療

薬剤感受性試験を参考に抗菌薬を選択するが，基本的にセフェピム，タゾバクタム・ピペラシリン，カルバペネム系抗菌薬などの点滴静注を用いることが多い．血流感染症や肺炎などの重症例の場合，感受性検査結果が判明するまで，βラクタム系＋アミノグリコシド系抗菌薬など，各施設のアンチバイオグラムに応じて，抗緑膿菌作用を有する抗菌薬の併用療法を用いる場合もある．

セフェピム　2 g　1 日 2 回(12 時間ごと)　点滴静注

または

タゾバクタム・ピペラシリン　4.5 g　1 日 4 回(6 時間ごと)　点滴静注

または

メロペネム　1 g　1 日 3 回(8 時間ごと)　点滴静注

重症例の場合，薬剤感受性結果が判明するまで下記を併用する．

アミカシン　15 mg/kg　1 日 1 回　点滴静注　初回投与翌日の TDM で投与量調節[1)]

多剤耐性緑膿菌(MDRP)の場合，下記の使用も検討する．

コリスチン(オルドレプ®)　1.25〜2.5 mg/kg(ポリミキシンとしての力価)　1 日 2 回(12 時間ごと)　点滴静注

または

セフトロザン・タゾバクタム(ザバクサ®)　1.5〜3 g※　1 日 3 回(8 時間ごと)　点滴静注

※肺炎・敗血症の場合，3 g，8 時間ごとの投与．

または

イミペネム・シラスタチン・レレバクタム(レカルブリオ®) 1.25 g
1日4回(6時間ごと) 点滴静注

❸ 注意点

カルバペネムなどの抗菌薬への曝露による誘導耐性も知られており，普段から不必要な広域抗菌薬の使用は慎む必要がある．

多剤耐性緑膿菌(MDRP，カルバペネム系，アミノグリコシド系，フルオロキノロン系への耐性)を検出した場合には，厳重な接触予防策の実施が推奨される．3剤中2剤への耐性が確認できた時点で隔離を推奨する施設もある．また，MDRP検出時に病棟全体のスクリーニングを要する場合もあり，対応につき感染対策チームの指示を仰ぐ必要がある．

2 ESBL産生菌

❶ 病原性

基質特異性拡張型βラクタマーゼ(ESBL)産生菌は大腸菌が最も多く，クレブシエラやプロテウスなどの腸内細菌目細菌にも検出され，近年国内でも増加傾向である．腸内細菌目細菌による菌血症などの症例で，ESBL産生菌が非産生菌より死亡率が高いとの報告もある[6)]．

❷ 治療

最も信頼できる抗菌薬はカルバペネム系抗菌薬であり，特に血流感染症などの重症感染症では使用が推奨される．

メロペネム 1g 1日3回(8時間ごと) 点滴静注

❸ 注意点

ESBL産生菌を保菌している症例や，ESBL産生菌による重症感染症の既往がある場合には，経験的治療としてカルバペネム系抗菌薬選択の検討が必要な場合もある．当院では，FN時の初期対応が遅れないように，移植前に便培養のスクリーニングを行っている．当院の185例の検討では27例(15%)がESBL産生菌，2例(1%)がMRSAを移植前に保菌していた．

軽症の尿路感染症やESBL産生菌の保菌に対する予防的な投与の場合などに対しては，感受性があればタゾバクタム・ピペラシリンやセフメタゾールなどを用いる場合もある．

3 マルトフィリア（*Stenotrophomonas maltophilia*）

❶ 病原性

ブドウ糖非発酵グラム陰性桿菌であるマルトフィリアは典型的な日和見感染症の病原体であり，好中球減少時期には重症の血流感染症や皮膚軟部組織感染症，肺胞出血を伴う劇症型の肺炎を引き起こすことがある．特に好中球が少ない時期に血痰や喀血を認め，血液培養で本菌を検出した場合の致死率は高い[7]．国内レジストリデータではday 100時点のマルトフィリア累積発症率は2.2％で，臍帯血移植では発症リスク（HR＝2.89）が有意に高かった[8]．マルトフィリアによるBSI発症から30日後の生存割合は45.7％で，好中球生着前の感染例で有意に予後不良であった．

❷ 治療

ST合剤が第一選択薬となる．薬剤感受性を有する場合にはレボフロキサシンなども代替薬となる．特に重症感染症においては両者の併用も検討する．発症後の予後因子として好中球の存在が最も重要であり，好中球回復までに時間がかかりそうな場合は顆粒球輸注の併用も検討する[7]．

バクトラミン®注　5 mg/kg（トリメトプリム換算で）　1日3回（8時間ごと）　点滴静注

また腎機能障害やアレルギーのためにバクトラミン®の投与を行えない場合は，（感受性試験やアンチバイオグラムの情報を参考にして）レボフロキサシン点滴やミノサイクリン点滴，セフタジジム点滴の単剤もしくは併用療法を考慮する．レボフロキサシンの治療成績はST合剤に劣らないというメタ解析もある[9]（ただしこれらの研究はレボフロキサシン投与量が750 mg/日のものも含まれる）．

❸ 注意点

カルバペネムへの曝露による薬剤選択圧がリスクの1つであり，不必要な使用は慎む必要がある[10]．

4 カルバペネム耐性腸内細菌目細菌（CRE），カルバペネマーゼ産生腸内細菌目細菌（CPE）

❶ 病原性

CREは腸内細菌目細菌（大腸菌，クレブシエラ，エンテロバクターなど）を中心に検出されたカルバペネム耐性菌（メロペネム耐性もしくはイミペネムおよびセフメタゾール耐性）のことを指す．CRE にはカルバペネマーゼを産生する CPE と産生しない non-CPE に分けられるが，CPE による感染症のほうが 4 倍以上死亡率が高いという報告がある[11]．また，CPE はしばしば病院内でアウトブレイクを起こし，感染対策上の大きな問題となることがある．

❷ 治療

特に CPE においては多剤併用療法が必要となることが多い．β ラクタム系抗菌薬に対する MIC がブレイクポイントより若干高い程度であれば，1 回 3 時間など点滴投与時間の延長（extended infusion）を用いた多剤併用療法も治療の選択肢となる．

新規のセファロスポリン系抗菌薬のセフィデロコルはカルバペネム系抗菌薬耐性グラム陰性桿菌（腸内細菌目細菌や緑膿菌など）やマルトフィリアなどに抗菌活性を有する[12]．カルバペネム系抗菌薬に耐性を示し，セフィデロコルに感性の菌株への治療薬として 2023 年 11 月末に国内承認された．

セフィデロコル（フェトロージャ®） 2 g 1 日 3 回（8 時間ごと） 点滴静注

❸ 注意点

CRE による感染症の場合，肺炎球菌と同様，7 日以内に保健所への届け出が必要となる．海外在住や海外の医療施設での曝露歴のある患者による輸入例も問題となることがあり，リスクのある患者ではスクリーニングの実施も検討する．特に CPE の場合は，多剤耐性緑膿菌と同様の厳格な接触予防策の実施が必要となるため，感染対策チームの指示を仰ぐ．

C 真菌

1 カンジダ（*Candida* sp.）

❶ 病原性

カンジダは，口腔，消化管，陰部粘膜の感染症だけではなく，カテーテル関連血流感染症（CRBSI）や播種性病変としての皮膚軟部組織感染などを引き起こす．移植前処置や腸管 GVHD など腸管粘膜の障害が生じた際に，血流感染症を引き起こすこともある．血液培養から 1 セットでも検出された場合には真の菌血症として対応が必要である．移植時はFLCZ予防が行われていることが多いため，non-albicansカンジダによる感染症が多い．国内の同種移植26,236例の解析によると，469件のカンジダ血症の起因菌のうち*C. albicans*は13.0％と少なく，*C. parapsilosis*が32.2％，*C. glabrata*が12.8％であった[13]．

❷ 治療

近年のガイドラインでは，キャンディン系抗真菌薬が第一選択となっており[14, 15]，当院では，キャンディン系抗真菌薬を使用することが多い．血流感染症などの重症感染症では薬剤感受性検査を実施する．必要に応じてFLCZなどへのstep downも検討する．

ミカファンギン　100 mg　1日1回　点滴静注（実際にはアスペルギルスも念頭に150 mgを使用することが多い）

または

カスポファンギン　50 mg　1日1回　点滴静注（初回のみ70 mg）

または

リポソーマルアムホテリシンB　2.5〜5 mg/kg　1日1回（24時間ごと）　点滴静注

または

ボリコナゾール　6 mg/kg　1日2回（12時間ごと）　ローディングした後，2日目以降は4 mg/kg　1日2回（12時間ごと）　点滴静注

※イサブコナゾールは，カンジダ血症においてカスポファンギンに非劣性を示せず[16]，カンジダ血症の適応はない．また，ポサコナゾールもカンジダに対する適応はない．

❸ 注意点

カンジダ血症を認めた場合は速やかに中心静脈カテーテル抜去を行う．治療効果判定目的の血液培養検査のフォローが必要である．カンジダ血流感染症の場合，約2割の患者に眼内炎を合併することが知られており，眼科での精査が推奨される．このほか，血液培養陰性化確認目的の血液培養再検や感受性検査結果判明後のstep downの実施など対応すべき内容をまとめたバンドル（ACTIONs Bundle）を用いた治療法も提案されている[14]．

発熱を伴う右季肋部痛やアルカリホスファターゼの上昇がみられた場合には，造影CT検査などで慢性播種性カンジダ症（肝脾カン

ジダ症)の有無を確認する．移植後にカンジダ血症を合併した患者は，全身状態が不良な場合も多く，侵襲性アスペルギルス症を合併した患者よりも予後不良なことが多い[13]．GVHDなどの腸管粘膜障害が抗真菌薬投与下のブレイクスルーカンジダ感染症の発症リスク因子として知られており，複数の監視培養からカンジダを検出した場合などは注意している．また造血幹細胞移植患者でのブレイクスルーカンジダ血症は特に予後が悪いことが知られている[17]．

2 アスペルギルス(*Aspergillus* sp.)

❶ 病原性

移植後の深在性真菌症としてアスペルギルス感染症は頻度が最も高く，肺炎の他にも副鼻腔炎や軟部組織・中枢神経系の感染症も引き起こす．

❷ 治療

第一選択はボリコナゾールで[14,15]，治療開始時には可能な限り点滴製剤を用いローディングドーズで早めに血中濃度を上げる．また治療開始後5～7日後には，血中濃度をチェックする(至適血中濃度1～4 μg/mL)[1]．治療開始初期には羞明や視覚障害などの副作用出現率が高く，あらかじめ患者へ説明しておく．重症例や治療抵抗例においてはキャンディン系薬剤との併用療法も選択肢となる[18]．イサブコナゾールやポサコナゾールのボリコナゾールに対する非劣性も示され，選択肢となる．アゾール系抗真菌薬を用いる際にはカルシニューリン阻害薬など他剤との薬物相互作用に注意する．これらアゾール系抗真菌薬の代替薬はリポソーマルアムホテリシンBとなり，使用時には電解質異常や腎機能障害に注意する(☞283頁，セクション31)．また，外科切除が可能な場合は検討する．特に大血管のそばの病変などの場合はより積極的に外科切除を検討する[19]．

ボリコナゾール　6 mg/kg　1日2回(12時間ごと)　ローディングした後，2日目以降は4 mg/kg　1日2回(12時間ごと)　点滴静注

または

イサブコナゾール(クレセンバ®)　200 mg　8時間ごと6回のローディングをした後，12～24時間後以降200 mg　1日1回(24時間ごと)　点滴静注

または

ポサコナゾール　300 mg　1 日 2 回(12 時間ごと)　翌日より 300 mg/日　1 日 1 回(24 時間ごと)　点滴静注

または

リポソーマルアムホテリシン B　2.5〜5 mg/kg　1 日 1 回(24 時間ごと)　点滴静注

重症例では

ミカファンギン　150 mg　1 日 1 回(24 時間ごと)　点滴静注を他の抗糸状菌薬と併用　(併用は保険適用外)

❸ 注意点

移植後，好中球生着までの期間は防護環境での治療を行う．侵襲性アスペルギルス症発症のサーベイランスを行い，防護環境下で移植を行っていても侵襲性アスペルギルス症患者が多い場合は，抗糸状菌薬による予防投与を検討する．また防護環境内の空調や水回りなどの汚染について環境調査が必要となる．

胸部単純 CT 検査は診断の感度がよく，病変の早期発見に不可欠であり，好中球減少期でも胸部と副鼻腔の CT 検査を積極的に実施する．好中球減少期の発症早期の画像所見として halo サインを伴う結節影がよく知られており，この時期に治療を開始できることが望ましい．(治療が奏効していても)過半数の症例で治療開始 7〜10 日程度かけて結節影は増大することが知られており，治療効果判定のうえで注意を要する．また結節影だけでなく，気管支肺炎タイプの侵襲性肺アスペルギルス症(好中球回復後に多くみられる)もあり，画像/血清マーカーのみでなく，できるだけ喀痰検査〔培養，細胞診(グロコット染色)〕や気管支鏡検査などで確定診断をつけるように努力する．BAL 液や(良質な)喀痰検体のアスペルギルス(ガラクトマンナン)抗原検査は診断の精度を高めるために有用であり，好中球回復後は血液のアスペルギルス抗原検査よりも感度が高いという報告がある[20]．

3 ムーコル(*Mucor* sp.)

❶ 病原性

ムーコルは，造血細胞移植患者に発症する真菌感染症において，アスペルギルス，カンジダに続いて 3 番目に多い病原体であるが，アスペルギルスの 1/10 の発症頻度である．肺のほか，副鼻腔や中枢神経系などへの感染症を引き起こす.

❷ 治療

第一選択薬としてリポソーマルアムホテリシンB, あるいはイサブコナゾールが推奨される[21]. 代替薬としてポサコナゾールがありstep down 治療の選択肢として用いられる.

リポソーマルアムホテリシンB　5 mg/kg　1日1回(24時間ごと) 点滴静注

または

イサブコナゾール(クレセンバ®)　200 mg　8時間ごと6回のローディングをした後, 12～24時間後以降200 mg　1日1回(24時間ごと)　点滴静注

または

ポサコナゾール　300 mg 1日2回(12時間ごと)　翌日より300 mg/日　1日1回(24時間ごと)　点滴静注もしくは経口

※可能であれば, 病巣の外科的切除も考慮する[15]. 重症例では, リポソーマルアムホテリシンBを10 mg/kg/日まで増量することも選択肢とはなるものの保険適用量を超えており, エビデンスレベルはあまり高くなく, 副作用の増加が懸念される.

❸ 注意点

胸部CT検査でreversed haloサインがムーコル症の特徴とされるが, 特異度は低い. 診断のための参考となる血清マーカーがなく(アスペルギルス抗原やβ-Dグルカンは陰性), 早期に鑑別に挙げて積極的な診断アプローチが必要となる. 外科的介入や免疫抑制剤の減量なども積極的に検討する.

4 ニューモシスチス(*Pneumocystis jirovecii*)

❶ 病原性

ニューモシスチス肺炎は, 以前は原虫に属する*Pneumocystis carinii*による「カリニ肺炎」と呼ばれていたが, 現在は真菌の一種である*Pneumocystis jirovecii*による「ニューモシスチス肺炎(PCPまたはPJP)」と呼ばれている. 経気道的な新規感染または過去の感染/定着の再活性化によって肺炎を引き起こす. 胸部CT検査ですりガラス様の間質影を呈する場合の代表的な鑑別疾患である. β-Dグルカン検査やBAL液のグロコット染色・PCR検査が有用である.

❷ 治療

第一選択はST合剤であり，何らかの理由で使用できない場合にはアトバコンやペンタミジンを用いる[14]．

バクトラミン® 注　5 mg/kg（トリメトプリム換算で）　1日3回（8時間ごと）　点滴静注

または

バクタ®（スルファメトキサゾール 400 mg＋トリメトプリム 80 mg）　1日12錠　分3　内服

呼吸不全の強い症例ではステロイド併用も検討する．

プレドニゾロン　1日80 mg　分2　5日間　以後1日40 mgを5日間，1日20 mgを11日間，計3週間内服

❸ 注意点

治療開始初期は一過性の呼吸不全の増悪を認める場合があり，注意が必要である．一般的には治療開始4～8日程度で効果がみられることが多いが，致死的となる場合もある．このため，同種移植後はST合剤による予防が強く推奨される（☞ 381頁，セクション40）．ST合剤内服が困難な場合にはアトバコン内服やペンタミジンの吸入による予防も行われる．当院での予防投与終了基準は免疫抑制剤が終了し，リンパ球数が十分回復していることである（HIVにおける予防投与基準とされているCD4数＞200/μLを便宜上参考としている）．

D ウイルス

1 単純ヘルペスウイルス（HSV），水痘・帯状疱疹ウイルス（VZV）

❶ 病原性

単純ヘルペスウイルスは，移植後早期に口腔や外陰部にびらん性病変を起こすことがあるが，近年はアシクロビルの予防投与により発症頻度は低い．

水痘・帯状疱疹ウイルスは移植後に水疱を伴う皮疹として再活性化がみられ，帯状疱疹をきたす．まれに，播種性帯状疱疹や内臓播種性帯状疱疹，脳炎をきたし致死的となることもある．

❷ 治療

アシクロビル，バラシクロビル，ファムシクロビル，アメナメビルなどが選択肢となる[22]．

帯状疱疹に対しては下記を用いる．

バラシクロビル(500 mg) 1日6錠 分3 7日間内服

脳炎や播種性帯状疱疹などの重症例に対しては下記を用いる．

アシクロビル 10 mg/kg 1日3回(8時間ごと) 点滴静注

※腎機能障害に注意．

❸ 注意点

同種移植後は最低1年間，または免疫抑制剤終了までアシクロビルの予防投与を行う．帯状疱疹に関しては，移植後2年以降で免疫抑制剤も終了できていれば，ワクチン接種も検討する．

内臓播種性帯状疱疹では，皮疹を認めなかったり，遅れて出現したりすることもあり，診断が遅れる危険性がある．移植後に原因のはっきりしない腹痛，肝障害，DICを認めた際には内臓播種性帯状疱疹を鑑別診断に挙げ，早期に治療を開始する(血液のPCR検査が診断に有用)．アシクロビルの予防投与終了後にVZVの再活性化を認めることはしばしばあり，予防投与を終了するときには発症時の注意点について丁寧な説明が重要である．

播種性帯状疱疹を発症した場合には空気予防策と接触予防策を実施する．

2 サイトメガロウイルス(CMV)

❶ 病原性

CMVは，既感染として移植前に抗体陽性となっていることが多かったが，近年国内若年者における抗体陽性率は低下してきている．CMV抗原血症検査やPCR検査のみではCMV感染症の診断とはならず，臨床症状を伴うCMV感染臓器を指摘できる場合にCMV感染症の診断となる．移植患者ではCMV抗原血症・PCR検査が陽性となった後に一定の割合でCMV肺炎などの感染症に至る(もしくはすでに感染症を発症している)．いったんCMV肺炎を発症した場合には予後が悪く，前段階であるCMV抗原血症もしくはCMV-PCR陽性の時点での治療開始(pre-emptive治療)が推奨されている[22, 23]．週に1回のモニタリングを基にしたpre-emptive治療が一般的となった近年において，比較的頻度が高いのはCMV胃腸炎である．時に網膜炎や肺炎，肝炎，脳炎なども発症する．

近年レテルモビルが承認され，高リスク症例を中心に予防投与されCMV感染症の減少に寄与している．国内からの報告によると，臨床的意義のあるCMV感染症の移植後180日までの累積発症割合はレテルモビル投与群(n＝114)で有意に低く(44.7% vs. 72.4%)，発症後の治療期間は短縮した[24]．一方，レテルモビル中止後に発症する晩期CMV感染症が問題となっており(発症時期中央値はレテルモビル中止30日後)，HLA不適合移植，CMV IgG陰性ドナーからの移植で発症リスクが高かった[25]．2023年8月にレテルモビル投与期間の目安が，患者のCMV感染症の発症リスクを考慮しながら移植後200日目へと変更された．予防投与期間は延長されたが，免疫不全が強い場合はレテルモビル中止後にCMV感染症を発症する場合もあり，CMV-PCR検査によるスクリーニングを強化して対応する必要がある．

またレテルモビルは代謝酵素CYP2C19の誘導効果があるため，VRCZなどのアゾール系抗真菌薬の血中濃度を低下させるため注意が必要である．当院の24例の解析ではレテルモビル開始後VRCZトラフ濃度が約4割に減少した[26]．

❷ 治療

CMV抗原血症検査やPCR検査が陽性閾値(当院ではC7-HRP 1〜2個以上もしくはPCR 50〜150 IU/mL以上でpre-emptive治療を開始している．レテルモビル投与時はC7-HRP 5〜10個以上もしくはPCR 250〜500 IU/mL以上まで様子をみることが多い)を超えた場合，ガンシクロビル5 mg/kg 1日1回の投与を開始する(pre-emptive治療)．その後もCMV抗原陽性細胞数が上昇傾向を認める場合や，CMV感染症と診断された場合には，ガンシクロビルを1日2回に増量して治療を行う(標的治療)．逆にCMV抗原血症が陰性化した場合には中止する．ガンシクロビルは骨髄抑制の副作用があるため，生着前後や血球減少期には使用しにくいことがある．この場合にはホスカルネットを代替薬として用いるが，腎機能障害や電解質異常には注意が必要である(☞281頁，セクション31)．

pre-emptive治療開始時は以下を用いる．

表1 腎機能に応じたホスカルネット1回投与量

患者体重あたりのクレアチニンクリアランス(mL/分/kg)	1日2回(12時間ごと)(mg/kg)	
	>1.4	90
	1.4≧　>1	70
	1≧　>0.8	50
	1日1回(24時間ごと)(mg/kg)	
	0.8≧　>0.6	80
	0.6≧　>0.5	60
	0.5≧　>0.4	50
	0.4>	投与しないこと

推定クレアチニンクリアランスにより減量を行う.
男性＝〔140－年齢(年)〕/72×〔血清クレアチニン値(mg/dL)〕
女性＝〔140－年齢(年)〕×0.85/72×〔血清クレアチニン値(mg/dL)〕

ガンシクロビル　5 mg/kg　1日1回(24時間ごと)　点滴静注

または

ホスカルネット　90 mg/kg　1日1回(24時間ごと)　点滴静注

または

バルガンシクロビル※　1日900 mg　分1　内服

※消化管からの吸収に問題がない症例の場合.

標的治療開始時は下記を用いる.

ガンシクロビル　5 mg/kg　1日2回(12時間ごと)　点滴静注

または

ホスカルネット　90 mg/kg　1日2回(12時間ごと)　点滴静注

※ガンシクロビル投与後に好中球減少を認めた場合，早めにG-CSF併用を開始し，ホスカルネットへの変更を検討する.
※ホスカルネット投与時に，腎機能障害を認めた場合は，表1のように投与量を減量する．患者体重あたりのクレアチニンクリアランスが0.8 mL/分/kg以下の場合は，ガンシクロビルへの変更も検討する.

❸ 注意点

先制治療開始2週間以内のCMVウイルス量の増加は，ホストの免疫不全によるものが多く，薬剤耐性ウイルスを検出することはまれである[23)]．国内からの報告で，同種移植後のCMV再活性化に対する治療を受けた143例中17例(8.5%)が治療抵抗性と考えられたが，そのうちCMV耐性遺伝子を検出したのは1例(全体の0.5%)のみであった[27]．臨床的に治療抵抗性の患者は，薬剤耐性変異が検出されなくても死亡率が高いことから[23]，抗ウイルス薬を変更するとともに，UL97領域とUL54領域についての遺伝子変異検索も検討する．保険適用はないが，外注検査会社を通して北里大塚バイオメディカルアッセイ研究所へ「サイトメガロウイルス薬剤耐性検査(PCR＋ダイレクトシーケンス法)」をオーダーすることができる．

CMV胃腸炎におけるCMV抗原血症/PCR検査の感度は低い．腸管GVHDとの鑑別に悩む症例が多く，両者の合併も多い．実際には内視鏡所見や生検検体の病理所見，CMV免疫染色などを参考に臨床診断することが多い．CMV網膜炎は主に眼科医による特徴的な眼底所見を基にして診断される．国内単施設からの報告によると，同種移植後6か月までのCMV網膜炎の累積発症割合は2.5%と低いが，半数以上がCMV再活性化時の眼科医スクリーニングをきっかけに無症状で診断されていた[28]．

3 ヒトヘルペスウイルス6型(Human herpes virus-6：HHV-6)

❶ 病原性

HHV-6は，臍帯血移植症例を中心に，好中球生着前後の時期に脳炎を発症することが知られている．本邦の全国二次調査によると，移植後100日までの累積発症割合は2.3%で，ドナーソースとしては臍帯血移植(5.0%)が最も頻度が高く，次いでHLA不一致非血縁者間移植(3.3%)が多かった[29]．見当識障害，短期記憶障害，異常行動などに続いて，重症例では痙攣や意識障害がみられる[29～31]．進行が早い例では，神経症状は時間単位で悪化し，繰り返す痙攣や呼吸抑制のため，人工呼吸器管理が必要となる症例も少なくない．また，足のムズムズ感，異常な瘙痒感，手足の激痛などの異常感覚や発汗過多，頻脈などの自律神経症状，不随意運動，性格変化や低Na血症をきたす場合もある[31]．臨床症状に加えて髄液のreal-time PCR検査でHHV-6 DNAが検出された場合には，HHV-6脳炎と診断される(ごくまれにHHV-6全ウイルスゲノムが体細胞に取り込まれるchromosomally integrated HHV-6がある)．頭部MRIでは，海馬や扁桃体を中心とした大脳辺縁系，内側側頭葉に両側性の異常高信号を認める．より早期の異常所見の検出には拡散強調像が有用であり．ついでFLAIR像，T2強調像で疾患の指摘が可能となる．ただし，発症初期にはMRIで所見がないこともある(全国調査では28%がMRI所見で異常なし[29])．

❷ 治療

ホスカルネットもしくはガンシクロビルによる治療を行う．生着前後に中枢神経症状がみられた際には，まず経験的治療を開始し，その際の血漿や髄液のPCR検査や画像検査所見結果をもとに治療継続の可否を検討している．

臍帯血移植後の血球回復前に発症することも多いため，そのような場合にはガンシクロビルは使いにくい．ホスカルネットはガンシクロビルと比較して髄液移行性が高く，国内の調査では下記の治療量でのホスカルネット治療患者のほうが有意に生存率が高かった[29]．

HHV-6脳炎診断時は下記を用いる．

ホスカルネット　90 mg/kg　1日2回(12時間ごと)　または　60 mg/kg　1日3回(8時間ごと)　3週間以上　点滴静注

または

ガンシクロビル　5 mg/kg　1日2回(12時間ごと)　点滴静注

臍帯血移植後のHHV-6脳炎を予防するホスカルネット90 mg/kg予防試験では，末梢血中の高レベルHHV-6再活性化は予防できたものの，57例中7例(12%)でHHV-6脳炎を発症した(全例，PIR/GVHD合併またはステロイド投与後)[32]．したがって，HHV-6脳炎を疑い経験的治療を行う場合は，180 mg/kg/日のホスカルネットを投与するようにしている．

❸ 注意点

特に臍帯血移植における発症率が高いとされており，臍帯血移植後にPIRやGVHDを合併時には特に注意が必要である．末梢血の血漿HHV-6 DNAコピー数が1万コピー/mL以上の，高レベル再活性化は脳炎の発症と強く関連していると考えられ[31]，髄液が採取できない場合には末梢血での結果を参考としている(ただし，ホスカルネット予防投与中は，末梢血中のHHV-6 DNAコピー数が上昇しない場合もあり，注意を要する)．

4 アデノウイルス（Adenovirus）

❶ 病原性

アデノウイルスは，出血性膀胱炎・腎盂腎炎や播種性感染症のほか，上下気道感染症，消化器感染症，肝炎などを起こす．2005～2019年の国内レジストリデータ解析では，成人での自家移植におけるアデノウイルス感染症を合併する頻度は0.49%，同種移植では2.99%であった[33]．ただし，アデノウイルスPCR検査が保険適用外のため，実際の発症頻度はもっと高い可能性がある．アデノウイルス感染症を発症1年後の全生存率は自家移植で65%，同種移植で44%と予後不良であった．ウイルス血症や播種性感染症のうち3～4割の症例では，アデノウイルス感染症が死因に直接関連していた．当院では移植前にアデノウイルス11型の抗体スクリーニングを実施している．

❷ 治療

出血性膀胱炎に対して，症状が強い場合は，疼痛対策を行うとともに，血小板数を高めに維持して膀胱灌流による治療を行う．アデノウイルスに対する有効性が確立している治療薬が国内にないこともあり，通常の出血性膀胱炎に対して抗ウイルス薬投与を行うことは少ない．しかし，重症例や播種性感染症の場合には，血液中のアデノウイルス定量PCR検査を行い，シドフォビル投与を検討する．シドフォビルは国内未承認薬で高額なこともあり，治療開始の閾値は施設ごとに異なっている（当院では10^4～10^5/mL以上の高レベルのウイルス血症の場合に投与を検討している）．当院では，腎毒性を減らすためにシドフォビル投与は週3回点滴静注[34]で行っており，24例中14例（58%）で効果を認めた．腎後性腎不全やアデノウイルスによる腎盂腎炎を合併していることも多いため，腎保護目的にプロベネシドを併用している．またシドフォビル投与ができないときに，エビデンスは十分ではないが，ガンシクロビル投与を試みることもある．

シドフォビル　1 mg/kg　週に3回　点滴静注
プロベネシド（250 mg）　シドフォビル投与3時間前に8錠，投与1時間後に4錠，投与8時間後に4錠　内服

❸ 注意点

欧米のガイドラインではHLA半合致移植や臍帯血移植，T細胞

除去移植，治療不応性GVHDなど高度の免疫不全を伴う場合にはPCRでのモニタリングや，pre-emptive治療を推奨する報告があるが，当院ではルーチンでは実施していない．播種性アデノウイルス感染症を発症した際は，接触予防策を実施している．気道感染の場合には飛沫予防策も実施している．アデノウイルスによる出血性膀胱炎の場合，当院では患者への手洗い，トイレ使用後の便座のふき取りなどの指導を行うとともに，接触予防策を実施している．

5 呼吸器ウイルス(Respiratory virus)

❶ 病原性

呼吸器ウイルス感染症の原因としてインフルエンザウイルス，RSウイルス，パラインフルエンザウイルスなどの頻度が比較的高い．下気道感染を合併した場合は10～50%の致死率と報告されている[35]．同種移植後にインフルエンザウイルス感染症を発症した278例の解析では，下気道感染に至ったのは12.3%で，下気道感染後90日の全生存率は83.3%であった[36]．ほとんどの症例で抗ウイルス薬が投与されており，48時間以内の抗ウイルス薬投与が下気道感染進展を減少させた．

特に入院中または入院を要する患者に呼吸器ウイルス感染合併が疑われる場合は，後述する感染対策を速やかに実施するためにも多項目の遺伝子検査(当院ではFilmArray® 呼吸器パネル2.1を用いている)を積極的に行っている．

当院で2021～2023年に発熱や上気道症状を認めて鼻咽頭拭い液で実施されたFilmArray® 呼吸器パネル検査を行った246件(142例)中63件(26%)で1つ以上のウイルスが陽性となった．(頻度が多い順に)ライノ/エンテロウイルス，SARS-CoV-2，RSウイルス，パラインフルエンザウイルス，従来型コロナウイルス，ヒトメタニューモウイルス，アデノウイルスを検出した経験があり，治療判断や病棟患者の管理を行う際に有用であった．

❷ 治療

インフルエンザウイルス感染を疑う場合は鼻腔スワブで迅速抗原検査やFilmArray® 呼吸器パネル2.1を用いた検査を行う．患者背景や臨床症状からインフルエンザウイルス感染が強く疑われる場合には，迅速検査の結果に関係なく抗ウイルス薬投与を検討する．

オセルタミビル(75 mg) 1回1錠 1日2回 5日間内服

移植後に鼻腔スワブ検体やBAL検体で，RSウイルスやパラインフルエンザウイルスなどを検出することがある．RSウイルスの場合にはリバビリンや免疫グロブリンの投与を検討するが，国内で投与可能な経口リバビリンの効果に関する報告は限られる[37]．パラインフルエンザウイルスやヒトメタニューモウイルスの場合もリバビリンや免疫グロブリンの投与を検討するが，その効果に関する見解は一定ではない[37]．

❸ 注意点

インフルエンザやRSウイルスは冬期，パラインフルエンザウイルスは夏期などの季節性もある．これらのウイルスは健常人も罹患するため，職員が体調を崩した場合に適切な就業制限を行うことが重要である．また，日頃から手指衛生や咳エチケットなど標準予防策を徹底することも重要である．

呼吸器ウイルスによる下気道感染症の場合には接触予防策と飛沫予防策を実施する．呼吸器ウイルスに関しては予防が何より重要である．このため，職員や面会者がウイルスを媒介することを避けるとともに，病棟で発生した場合には速やかな感染対策の実施を検討する必要がある．また，インフルエンザに関しては移植後半年以降であれば，ワクチン接種による予防も積極的に検討する．患者家族へもインフルエンザワクチン接種を勧め，十分なワクチンの効果を期待できない移植患者を間接的に守ることも重要である．免疫抑制剤投与中やGVHDを合併している患者がインフルエンザ罹患者から明らかな曝露を受けた場合には，オセルタミビルなどの予防内服も検討する．

Memo **新型コロナウイルス(SARS-CoV-2)感染症**[38]

2020年8月までの欧米のデータ(ワクチンのない，第1波の頃)によると4～6週後の全死亡率は25～30％前後で同種・自家移植間に大きな差はない．しかし，がん患者のレジストリデータでは波を越えるごとに死亡率は下がってきており，現在ではワクチンの影響も加わり，これよりも致死率が低いことが予想される．移植患者においても新型コロナワクチンは免疫原性があることが示されているが，リンパ球数減少やIgG低値，活動性GVHDの存在，移植後1年以内などは効果低下のリスク因子として報告されている．ワクチン1，2回目に反応が弱い患者でもブースター接種で効果がみられる場合も多い．移植前にワクチンを接種していた場合は，移植後のワクチン再接種が推奨されているが，2023年11月時点では国内で認められていない．ワクチン接種によってGVHD増悪が見られたという報告と，なかったという報告のいずれもがある．新型コロナウイルスへの対応は刻々と変化するため最新のCDCやNCCNのガイドラインを参照されたい．

E その他の病原体

1 クロストリディオイデス・ディフィシル（*Clostridioides difficile*）

❶ 病原性

C. difficile(CD)は偽膜性腸炎の原因菌で，病院内での下痢の原因として大きな割合を占める．

❷ 治療

便検査のCDトキシンA/Bは感度が約75%と低いが，glutamate dehydrogenase(GDH)抗原の感度は高い．しかしトキシン非産生株でもGDH抗原陽性となり特異度が低い．トキシン遺伝子を検出対象としたNAAT(nucleic acid amplification test)検査は感度，特異度に優れる．このため，トキシンA/BもしくはGDH抗原のいずれかが陽性の場合，NAAT検査実施を検討する．トキシン検査を実施せずにNAAT検査を行う施設もある．治療はメトロニダゾールの内服をの10日間行う．内服が困難な場合は点滴製剤を用いる．重症CD感染症の場合にはバンコマイシン散内服もしくはフィダキソマイシン内服もしくは点滴静注が推奨される(バンコマイシン点滴は無効であることに注意)．治療により症状が改善した場合のCDトキシン検査の再検査は不要である．

メトロニダゾール　1回500 mg　1日3回　内服(もしくは点滴静注)

または

バンコマイシン散　1回125 mg　1日4回　内服

※バンコマイシン散の味が苦いため，経鼻胃管から投与する場合を除くと，単シロップを併用する．

または

フィダキソマイシン　1回200 mg　1日2回　内服

❸ 注意点

接触予防策の実施が推奨される．*C. difficile* は芽胞を産生することから，アルコールでは完全に除去できないため，診察後にはアルコール製剤ではなく流水と石鹼での手指衛生を実施する．CD 腸炎は消化管 GVHD のリスクとなることも知られており，病棟内での伝播を未然に防ぐことが重要である．

2 セレウス菌（*Bacillus cereus*）

セレウス菌は環境に存在するグラム陽性桿菌で，血液培養から検出されても汚染菌である場合が多い．食中毒の原因菌として有名であるが，時にカテーテル関連血流感染症を引き起こす．好中球減少患者の場合，発症から1日以内に突然ショックとなったり，頭蓋内に膿瘍形成を認めるなどの激烈な経過をたどることがあり，注意が必要である．疑った場合には早期にバンコマイシンやテイコプラニンなどの点滴投与を開始する．

3 *Helicobacter cinaedi*

Helicobacter cinaedi は，まれに血液培養より“らせん菌”として検出される．血流感染症のほかに蜂窩織炎や関節炎，髄膜炎などの報告がある．標準的な治療薬や治療期間は不明であり，薬剤感受性試験結果が参考となる．当院ではセフトリアキソンなどのβラクタム薬を用いることが多い．治療終了後の再燃をしばしば認め，長期間の治療を推奨する意見もある．

4 フサリウム（*Fusarium*）

フサリウムは環境に存在する糸状菌で，臨床像や画像所見，組織像ではアスペルギルスとの鑑別は困難なため，培養検査が必要である[13)]．肺病変以外に皮膚病変が最も多く，原因不明の皮疹がみられる場合には積極的に生検・組織培養検査を試みる．糸状菌であるが，アスペルギルスと異なり血液培養からも検出される．菌種によって感受性が異なるとされるが，リポソーマルアムホテリシンBやボリコナゾールが主な選択薬となる．再発率，致死率の高いことが知られており，重症例では抗真菌薬の併用療法も試みられる．

5 トリコスポロン（*Trichosporon*）

トリコスポロンはキャンディン系抗真菌薬投与下にブレイクスルー感染症をきたす代表的な酵母様真菌である[13)]．血液培養より検出され，β-D グルカン高値を伴うことが多く，播種性感染症を引き起こすことも多い．ボリコナゾールによる治療が推奨されている．

6 BKウイルス

BKウイルスは，移植後出血性膀胱炎の主な原因ウイルスである．他に血尿の原因がなく，尿中のウイルス量が7 $\log_{10}$ コピー/mL以上であることが診断基準となる[39]．膀胱灌流や血小板輸血などの支持療法や，(可能であれば)免疫抑制剤の減量などが最も推奨される．当院で同種移植を受けた958例中88例(9%)に出血性膀胱炎を認め，73例でBKウイルスを検出した(うち22例はアデノウイルスも同時に検出)．

7 トキソプラズマ(*Toxoplasma gondii*)

トキソプラズマは原虫の一種で，既感染者において，移植後に再活性化し，播種性感染症をきたす[40]．国内でも約1割の妊婦が抗体陽性との報告もあり，移植前の抗体価スクリーニングが重要である．脳炎，肺炎，脈絡網膜炎などを起こし，致死的となることも多い．原因不明の中枢神経症状や肺炎の場合，血液や気道検体でのPCR検査を検討する．

トキソプラズマは脳炎や肺炎を合併すると予後不良のため，予防が重要である．当院ではトキソプラズマ抗体陽性例に対してday−3までST合剤を内服し，day−2以降はアトバコンに変更し切れ目なく予防を継続している．アトバコンは予防失敗例の報告も散見されるため，血小板数が5万/μLを超えたらできるだけ早期にST合剤へ変更している．

トキソプラズマ感染症を発症した場合，一般的にはピリメタミンとスルファジアジンにロイコボリン®を併用する治療が推奨される．代替療法としてスルファジアジンの代わりにクリンダマイシンを用いることもあるが，ピリメタミン，スルファジアジンともに国内未承認薬であり，熱帯病治療薬研究班に相談するなどして調達する必要がある．その他の代替療法としてはST合剤(トリメトプリム換算で5 mg/kgを1日2回)などがある．実臨床ではピリメタミン，スルファジアジンの入手を待っている余裕がないためST合剤で治療を開始している．また，病状の進行が非常に速いため感染症やブレイクスルーを疑った場合は躊躇せず治療を開始している．治療期間は最低でも症状改善から4〜6週間続けることが推奨される[41]．

文献

1) 日本化学療法学/日本 TDM 学会：抗菌薬 TDM 臨床実践ガイドライン 2022. https://www.chemotherapy.or.jp/modules/guideline/index.php?content_id=82
2) Svetitsky S, et al: Comparative efficacy and safety of vancomycin versus teicoplanin: systematic review and meta-analysis. Antimicrob Agents Chemother 53: 4069-4079, 2009
3) O'Grady NP, et al: Guidelines for the prevention of intravascular catheter-related infections. Clin Infect Dis 52: e162-e193, 2011
4) Okinaka K, et al: Clinical characteristics and risk factors of pneumococcal diseases in recipients of allogeneic hematopoietic stem cell transplants in the late phase: A retrospective registry study. J Infect Chemother 29: 726-730, 2023
5) Inoue Y, et al: Severe acute graft-versus-host disease increases the incidence of blood stream infection and mortality after allogeneic hematopoietic cell transplantation: Japanese transplant registry study. Bone Marrow Transplant 56: 2125-2136, 2021
6) Trecarichi EM, et al: Incidence and clinical impact of extended-spectrum-beta-lactamase(ESBL) production and fluoroquinolone resistance in bloodstream infections caused by Escherichia coli in patients with hematological malignancies. J Infect 58: 299-307, 2009
7) Tada K, et al: Stenotrophomonas maltophilia infection in hematopoietic SCT recipients: high mortality due to pulmonary hemorrhage. Bone Marrow Transplant 48: 74-79, 2013
8) Saburi M, et al: Risk factors and outcome of Stenotrophomonas maltophilia infection after allogeneic hematopoietic stem cell transplantation: JSTCT, Transplant Complications Working Group. Ann Hematol 102: 2507-2516, 2023
9) Ko JH, et al: Fluoroquinolones versus trimethoprim-sulfamethoxazole for the treatment of Stenotrophomonas maltophilia infections: a systematic review and meta-analysis. Clin Microbiol Infect 25: 546-554, 2019
10) Aitken SL, et al: Alterations of the oral microbiome and cumulative carbapenem exposure are associated with Stenotrophomonas maltophilia infection in patients with acute myeloid leukemia receiving chemotherapy. Clin Infect Dis 72: 1507-1513, 2021
11) Tamma PD, et al: Comparing the outcomes of patients with carbapenemase-producing and non-carbapenemase-producing carbapenem-resistant enterobacteriaceae bacteremia. Clin Infect Dis 64: 257-264, 2017
12) Delgado-Valverde M, et al: Activity of cefiderocol against high-risk clones of multidrug-resistant Enterobacterales, Acinetobacter baumannii, Pseudomonas aeruginosa and Stenotrophomonas maltophilia. J Antimicrob Chemother 75: 1840-1849, 2020
13) Kimura SI, et al: Risk and predictive factors for Candidemia after allogeneic hematopoietic cell transplantation: JSTCT Transplant Complications Working Group. Transplant Cell Ther 28: 209. e1-209. e9, 2022
14) 深在性真菌症のガイドライン作成委員会(編)：深在性真菌症の診断・治療ガイドライン 2014，協和企画，2014
15) Tissot F, et al: ECIL-6 guidelines for the treatment of invasive candidiasis, aspergillosis and mucormycosis in leukemia and hematopoietic stem cell transplant patients. Haematologica 102: 433-444, 2017
16) Kullberg BJ, et al: Isavuconazole versus caspofungin in the treatment of Candidemia and other invasive Candida infections: The ACTIVE Trial. Clin Infect Dis 68: 1981-1989, 2019
17) Chen XJ, et al: Clinical characteristics and outcomes of breakthrough Candidemia in 71 hematologic malignancy patients and/or allogeneic hematopoietic stem cell transplant recipients: a single-center retrospective study from China, 2011-2018. Clin Infect Dis 71(Suppl 4): S394-S399, 2020
18) Marr KA, et al: Combination antifungal therapy for invasive aspergillosis: a randomized trial. Ann Intern Med 162: 81-89, 2015

19) Patterson TF, et al: Practice Guidelines for the Diagnosis and Management of Aspergillosis: 2016 Update by the Infectious Diseases Society of America. Clin Infect Dis 63: e1-e60, 2016
20) Meersseman W, et al: Galactomannan in bronchoalveolar lavage fluid: a tool for diagnosing aspergillosis in intensive care unit patients. Am J Respir Crit Care Med 177: 27-34, 2008
21) Cornely OA, et al: Global guideline for the diagnosis and management of mucormycosis: an initiative of the European Confederation of Medical Mycology in cooperation with the Mycoses Study Group Education and Research Consortium. Lancet Infect Dis 19: e405-e421, 2019
22) Tomblyn M, et al: Guidelines for preventing infectious complications among hematopoietic cell transplantation recipients: a global perspective. Biol Blood Marrow Transplant 15: 1143-238, 2009
23) 日本造血・免疫細胞療法学会 HP：造血細胞移植ガイドライン ウイルス感染症の予防と治療・サイトメガロウイルス感染症第5版 2022.
https://www.jstct.or.jp/uploads/files/guideline/01_03_01_cmv05.pdf
24) Mori Y, et al: Efficacy of prophylactic letermovir for cytomegalovirus reactivation in hematopoietic cell transplantation: a multicenter real-world data. Bone Marrow Transplant 56: 853-862, 2021
25) Mori Y, et al: Risk factors for late cytomegalovirus infection after completing letermovir prophylaxis. Int J Hematol 116: 258-265, 2022
26) Nakashima T, et al: Drug interaction between letermovir and voriconazole after allogeneic hematopoietic cell transplantation. Int J Hematol 113: 872-876, 2021
27) Jinnouchi F, et al: Incidence of refractory cytomegalovirus infection after allogeneic hematopoietic stem cell transplantation. Int J Hematol 115: 96-106, 2022
28) Mori T, et al: Cytomegalovirus retinitis after allogeneic hematopoietic stem cell transplantation under cytomegalovirus antigenemia-guided active screening. Bone Marrow Transplant 56: 1266-1271, 2021
29) Ogata M, et al: Clinical characteristics and outcome of human herpesvirus-6 encephalitis after allogeneic hematopoietic stem cell transplantation. Bone Marrow Transplant 52: 1563-1570, 2017
30) Ogata M, et al: Human herpesvirus-6 encephalitis after allogeneic hematopoietic cell transplantation: what we do and do not know. Bone Marrow Transplant 50: 1030-1036, 2015
31) 日本造血・免疫細胞療法学会 HP：造血細胞移植ガイドライン HHV-6 第2版，2022.
https://www.jstct.or.jp/uploads/files/guideline/01_03_03_hhv6_02.pdf
32) Ogata M, et al: Effects of prophylactic Foscarnet on human herpesvirus-6 reactivation and encephalitis in cord blood transplant recipients: a prospective multicenter trial with an Historical Control Group. Biol Blood Marrow Transplant 24: 1264-1273, 2018
33) Inamoto Y, et al: Adenovirus disease after hematopoietic cell transplantation: A Japanese transplant registry analysis. Am J Hematol 97: 1568-1579, 2022
34) Nagafuji K, et al: Cidofovir for treating adenoviral hemorrhagic cystitis in hematopoietic stem cell transplant recipients. Bone Marrow Transplant 34: 909-914, 2004
35) Fontana L, et al: Respiratory virus infections of the stem cell transplant recipient and the hematologic malignancy patient. Infect Dis Clin North Am 33: 523-544, 2019
36) Harada K, et al: Prognostic factors for the development of lower respiratory tract infection after influenza virus infection in allogeneic hematopoietic stem cell transplantation recipients: A Kanto Study Group for Cell Therapy multicenter analysis. Int J Infect Dis 131: 79-86, 2023
37) 日本造血・免疫細胞療法学会 HP：インフルエンザとその他の呼吸器ウイルス感染症 第3版，2018.
https://www.jstct.or.jp/uploads/files/guideline/01_03_05_flu.pdf
38) Cesaro S, et al: Recommendations for the management of COVID-19 in patients with haematological malignancies or haematopoietic cell transplantation, from the

2021 European Conference on Infections in Leukaemia (ECIL 9). Leukemia 36: 1467-1480, 2022
39) Cesaro S, et al: ECIL guidelines for the prevention, diagnosis and treatment of BK polyomavirus-associated haemorrhagic cystitis in haematopoietic stem cell transplant recipients. J Antimicrob Chemother 73: 12-21, 2018
40) Sumi M, et al: Acute exacerbation of Toxoplasma gondii infection after hematopoietic stem cell transplantation: five case reports among 279 recipients. Int J Hematol 98: 214-22, 2013
41) 日本造血・免疫細胞療法学会 HP：造血細胞移植ガイドライン 造血細胞移植後の感染管理第 4 版，2017.
https://www.jstct.or.jp/uploads/files/guideline/01_01_kansenkanri_ver04.pdf

44 PIR・生着症候群

移植後に好中球が生着する時期に，発熱や皮疹・体重増加などのさまざまな症状が出現し，生着症候群(engraftment syndrome：ES)と呼ばれている[1)]．また臍帯血移植は好中球が生着するよりも早い時期に同様の症状が出現し，生着前免疫反応(pre-engraftment immune reaction：PIR)[2, 3)]あるいは生着前症候群(pre-engraftment syndrome：PES)と呼ばれている[4)]．本邦ではPIRと呼ばれることが多いが，海外ではPESと呼ばれることが多い．PIRとPESは厳密には診断基準が異なるため全く同じではない．ESの発症時期は好中球増加と一致しており，活性化した白血球とpro-inflammatoryサイトカインが関与していると考えられている．一方，PIR/PESの多くは好中球生着の1週間以上前に認めるため，好中球の役割は不明であり，同種免疫反応の関与が疑われる．

A PIR/PES

PIR/PESは臍帯血移植(CBT)後に多く認め，CBT症例の20～78％に認める[5)]．発症時期はCBT後4～22日と報告されている(図1)．初期の報告では，CBT後9日目ごろの発症が多く「day 9 fever」とも呼ばれていた．報告によって定義が異なるため，頻度や

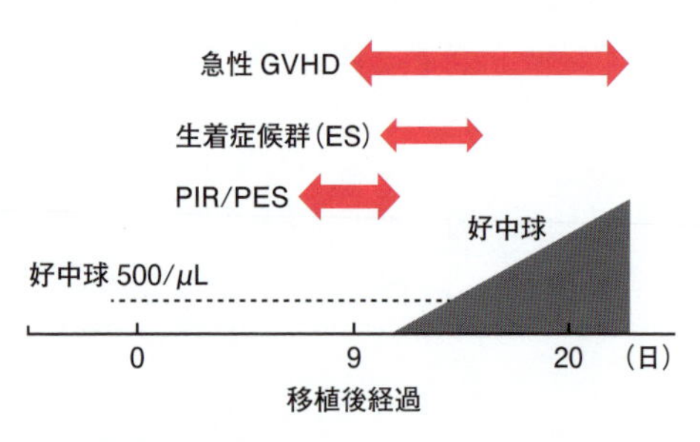

図1 PIR/PESの発症時期

発症時期の解釈には注意を要する．特に発症日から生着日までの日数の定義が大きく異なり，ESと区別していない報告もある．PIR/PESは急性GVHDと関連がある．重症PIRは非再発死亡増加につながることが示唆されているが，一定の見解は得られていない[5]．

1 病態

PIR/PESの詳しい病態については明らかになっていないが，pro-inflammatoryサイトカインの放出が関与している．PIR/PESの時期と一致してドナー由来のメモリーT細胞の増加とT細胞キメリズムのスイッチが起こっていることが示され[6]，これらの免疫反応が原因の可能性もある．

2 症状

- 生着前より非感染性の発熱，末梢性浮腫，体重増加，皮疹，下痢，肝障害，腎障害などを認める．症状は一過性に終息する例が多いが，一部では39〜40℃を超える発熱，下痢，肝障害，腎機能障害の急速な進行を認め，重症GVHDやhemophagocytic syndrome(HPS)を合併し生着不全へと進展する場合もある．
- 呼吸器症状を伴うこともあり，頻呼吸，低酸素血症，肺水腫を一部のPIR/PES患者に認める．PIR/PESに伴う肺水腫は肺の血管内皮の透過性亢進による非心原性の肺水腫である(☞ 319頁，セクション34)．

3 リスク因子

- GVHD予防法としてカルシニューリン阻害薬(CNI)単剤を用いた場合と比較して，メトトレキサート(MTX)やミコフェノール酸モフェチル(MMF)を併用すると発症頻度が低下する(免疫抑制が不十分な状況において出現しやすい)[3]．

4 診断

❶ PIR

本邦ではUchida[3]らが報告した基準で診断されることが多い．

- 生着の6日以上前に下記の症状のうち3つ以上を満たすもの(感染症や薬剤性は除く)．

① 発熱(>38.5℃)
② 皮疹
③ ベースラインから体重増加(>5%)
④ 末梢性の浮腫

- 前記の4つの症状をすべて満たし，以下の重篤な臓器障害を示す症状のうち2つ以上を満たすものを重症PIRとする．
  (1) SpO_2＜92%，または胸水/心嚢水の出現
  (2) 血清Cre値がベースラインの3倍以上
  (3) 血清総ビリルビン値＞3 mg/dL，またはASTあるいはALT＞3×ULN
  (4) 骨髄に血球貪食像を認める

❷ PES[4)]

海外ではPESの診断基準としてPatelらの基準が用いられている．この診断基準は症状の出現時期を「生着前」とのみ定義しているため，「生着の6日以上前」と定義しているPIRとは異なりESも含まれてしまうことに注意が必要である．生着前に以下の症状のいずれかを認める．
① 非感染性の発熱（＞38.3℃）
② GVHDに似た皮膚紅斑

- 好中球生着前に非感染性の発熱，皮疹，体重増加などを認めた場合，臨床的にPIR/PESと診断することが多いが，感染症との鑑別が重要となる．
- 血液培養などの各種培養検査，β-Dグルカンおよびアスペルギルス抗原，全身CT検査などの画像検査で感染症のスクリーニングを行う．
- 皮疹を認める場合は非感染性のPIR/PESの可能性がより高まる．他の疾患との鑑別目的で皮膚生検を行うこともあるが，PIR/PESとGVHDとの鑑別は通常困難である．

5 治療

- PIR/PESに対する治療としてはステロイドを選択することが多い．
- 感染症のリスクを考慮して，当院ではヒドロコルチゾン（ソル・コーテフ®）を少量使用することが多い．GVHDの場合と異なり，ヒドロコルチゾン50〜300 mg/日で十分コントロールできる症例が多い．ヒドロコルチゾンで改善しない症例や，重症化あるいは呼吸器症状を伴う症例はメチルプレドニゾロン（ソル・メドロール®）の使用も検討する．

①呼吸器症状を伴っていない場合は下記を用いる．

ヒドロコルチゾン　25〜100 mg　1日1〜3回　静注

②呼吸器症状を伴っている場合は下記を用いる．

ヒドロコルチゾン　100 mg　1日2〜3回　静注

③重症化が予測される場合は下記を用いる．

メチルプレドニゾロン　0.5〜1 mg/kg　1日2回　点滴静注

感染症を完全に除外することは困難なことが多く，血液培養が陰性であることや抗菌薬に不応であることから最終的に非感染性と判断していることが多い．ステロイドだけでなく抗菌薬，抗真菌薬および抗ウイルス薬を同時に投与することが多い．しかし，マルトフィリアやムーコルなどまれな細菌・真菌によるブレイクスルー感染症や，HHV-6などのウイルスの再活性化を見逃していることがあるため高用量のステロイドに反応しない症例は感染症の可能性を検討し続ける必要がある．特にCBT後にPIR/PESを合併すると，HHV-6の再活性化によるHHV-6脳炎のリスクが高くなる．脳炎・脊髄炎を疑う症状がないか繰り返し確認するとともに，当院ではホスカルネットを投与しHHV-6もカバーするようにしている．

6 予後

PIR/PESを発症した症例の一部はキメリズムがドナー型にもかかわらずHPSなどにより生着不全に至る可能性があり注意する．また本邦の単施設の研究で，軽症のPIRは予後を改善するが，重症PIRは予後を悪化させることが報告されている[5]．PIR/PESによりAML患者の再発を抑制するという報告もあり[7]，今後，多数例での解析によりPIRの臨床的意義が明らかにされることが望まれる．

B 生着症候群

生着症候群(ES)は，当初，自家移植後の報告が多かったが，同種移植後の生着時期にも同様の症状がみられる[1,8]．

- ドナー・幹細胞源を問わず発症し，急性GVHDやPIR/PESなどと同じような臨床徴候を認め，これらとの関係性は曖昧である．

- ESを認めた患者では急性GVHDの発症が多いが，ステロイド治療によく反応し，急性GVHDに進行しない患者もいる．ESと非再発死亡率(NRM)および全生存率(OS)との関係についてはまだ明確になっていない[8]．

1 病態

ESの病態に関する知見は乏しく，明らかにはなっていない．発症時期が好中球増加のタイミングと一致しており，おそらく活性化した白血球とpro-inflammatoryサイトカインが関与し，これらが血管透過性の亢進や血管内皮障害をきたし，発熱や臓器障害などの症状を起こすと考えられている．実際，さまざまなサイトカイン(IL-1，IL-6，TNF-α，IFN-γ)の上昇が報告されているが，ES特有のサイトカイン異常についてはまだ不明である．一部の症例はG-CSFの投与が原因となっていると考えられている．

2 症状

好中球の生着時期前後に，発熱，体液貯留，皮疹，肺浸潤影，下痢，肝障害，腎障害，脳症などの症状を認め，診断基準にも含まれる．EBMT handbookにはCRPが急激に上昇する(20 mg/dL以上)ことが記載されている[9]．

ESの発症頻度は9～70％の報告があるが[8]，診断基準がさまざまであるため，頻度も幅があると考えられる．

3 リスク因子

前処置強度(RIC<MAC)，PBSCの使用，G-CSFの投与などが報告されている．骨髄腫の患者においては自家移植までの治療歴(ボルテゾミブあるいはレナリドミドの使用)がリスクとして報告されている．

4 診断

Spitzer[1]あるいはMaiolino[10]が提唱した診断基準をもとに診断されることが多く表1に示す．Spitzer基準は特異度が高いが複雑で，Maiolino基準のほうが簡便である．感染症の除外診断が重要であるが，この時期はさまざまな感染症を発症するリスクが高く，感染症の合併を完全に否定するのは困難なことが多い．

5 治療

基本的にPIR/PESと同様である．白血球数増加が急速な場合はG-CSF投与の中止も検討する．急性GVHDの場合と異なり，ステ

表1 生着症候群の診断基準[1, 10)]

Spitzer 基準：生着から96時間以内に発症し，急性GVHDを否定したうえで，大基準3つ，あるいは大基準2つと小基準1つ以上	
大基準	小基準
①非感染性の38.3℃以上の発熱	①ビリルビン2 mg/dL以上あるいはトランスアミナーゼの2倍以上の増加
②体表面積25%以上の非薬剤性皮疹	②クレアチニンの2倍以上の増加
③低酸素血症を伴う非心原性肺水腫	③2.5%以上の体重増加
	④原因不明の一過性脳症
Maiolino 基準：生着の前後24時間以内に発症し大基準と小基準1つ以上を満たすもの	
大基準	小基準
非感染性の38.3℃以上の発熱	①皮疹
	②びまん性肺浸潤
	③下痢

ロイドの減量方法は確立していないが，治療が奏効した場合は早めに減量・中止を試みることが多い．EBMT handbookにはメチルプレドニゾロン1 mg/kgを12時間ごとに3日間投与し，その後1週間かけて漸減すると記載されている[9)]．CRPは治療反応性の指標として有用である．

①発熱のみなど軽症の場合は下記を用いる．

ヒドロコルチゾン 25～100 mg 1日1～3回 静注

②呼吸器症状や消化器症状を伴い重症化が予測される場合は下記を用いる．

メチルプレドニゾロン 0.5～1 mg/kg 1日2回 点滴静注

6 予後

海外の同種移植例927例を後方視的に検討した報告では，ESを発症した119例(13%)はESを発症しなかった症例と比べて有意にGrade Ⅱ～Ⅳの急性GVHDが多く，NRMが増加し，OSが低下した[11)]．一方，ESが予後に影響しなかったというを報告もある[12)]．このようにESとNRMおよびOSとの関係についてはまだ明確になっていない．近年のメタ解析ではES発症例は有意に急性GVHD

および慢性 GVHD の発症割合が増加し，再発割合は低下するが，NRM が増加し OS は低下することが報告されている[13)]．ただし，このメタ解析は PES も含まれており純粋な ES のみの結果ではないこと，ES の診断基準がさまざまであることから解釈には注意が必要である．

文献

1) Spitzer TR: Engraftment syndrome following hematopoietic stem cell transplantation. Bone Marrow Transplant 27: 893-898, 2001
2) Kishi Y, et al: Early immune reaction after reduced-intensity cord-blood transplantation for adult patients. Transplantation 80: 34-40, 2005
3) Uchida N, et al: Mycophenolate and tacrolimus for graft-versus-host disease prophylaxis for elderly after cord blood transplantation: a matched pair comparison with tacrolimus alone. Transplantation 92: 366-371, 2011
4) Patel KJ, et al: Pre-engraftment syndrome after double-unit cord blood transplantation: a distinct syndrome not associated with acute graft-versus-host disease. Biol Blood Marrow Transplant 16: 435-440, 2010
5) 日本造血・免疫細胞療法学会 HP：造血細胞移植ガイドライン 臍帯血移植，2022. https://www.jstct.or.jp/uploads/files/guideline/02_02n_cb.pdf
6) Matsuno N, et al: Rapid T-cell chimerism switch and memory T-cell expansion are associated with pre-engraftment immune reaction early after cord blood transplantation. Br J Haematol 160: 255-258, 2013
7) Isobe M, et al: Development of pre-engraftment syndrome, but not acute graft-versus-host disease, reduces relapse rate of acute myelogenous leukemia after single cord blood transplantation. Biol Blood Marrow Transplant 25: 1187-1196, 2019
8) Spitzer TR: Engraftment syndrome: double-edged sword of hematopoietic cell transplants. Bone Marrow Transplant 50: 469-475, 2015
9) Carreras E, et al: Chapter 42 Early Complications of Endothelial Origin. The EBMT handbook: Hematopoietic Stem Cell Transplantation and Cellular Therapies. 7th ed, 2019.
https://www.ebmt.org/education/ebmt-handbook
10) Maiolino A, et al: Engraftment syndrome following autologous hematopoietic stem cell transplantation: definition of diagnostic criteria. Bone Marrow Transplant 31: 393-397, 2003
11) Chan L, et al: Engraftment syndrome after allogeneic hematopoietic cell transplantation predicts poor outcomes. Biol Blood Marrow Transplant 20: 1407-17, 2014
12) Chen Y, et al: High incidence of engraftment syndrome after haploidentical allogeneic stem cell transplantation. Eur J Haematol 96: 517-526, 2016
13) ElGohary G, et al: Engraftment syndrome after allogeneic stem cell transplantation: a systematic review and meta-analysis. Bone Marrow Transplant 58: 1-9, 2023

45 急性 GVHD の診断

A 急性移植片対宿主病(GVHD)の定義

急性 GVHD はドナー T リンパ球のレシピエントに対する免疫反応が原因と考えられており，造血細胞移植後早期に発症する皮疹・下痢・黄疸を主症状とする症候群である．多くは移植後 2〜4 週ごろに発症するが，ドナーリンパ球輸注後にも認める．

以前は，急性 GVHD は移植後 100 日以内の発症，慢性 GVHD は 100 日以降の発症という時期で分けられていたが，2005 年に発表された NIH 基準では，慢性 GVHD に特徴的な徴候がある場合は，発症時期にかかわらず(移植後 100 日以内でも)慢性 GVHD と診断される[1)]．一方，急性 GVHD は発症時期により，①古典的(移植後 100 日以内の発症)，②持続型，再燃型，遅発型(移植後 100 日以降の発症)に分けられる．

詳細はガイドライン[2)]を参照されたい．

B 各臓器の急性 GVHD

1 皮膚

急性 GVHD の初発症状として最も多く，四肢末梢，体幹から発症することが多い．皮疹は瘙痒を伴う紅斑として出現することが多いが，悪化すると水疱を伴うびらんや紅皮症にまで進行することがある．ただし非典型的なパターンもある．

皮疹が出現した場合は，その性状や分布を毎日，記載していくことが重要である．分布状況は GVHD の Stage 分類のためにも重要であり，体表面積に占める皮疹の割合を火傷における rule of nines (9 の法則；成人の場合)で記載する(図 1)．色調も GVHD としての活動性を反映しており，治療効果の判断にも参考となる．急速に全身紅皮症まで進展すると，Grade Ⅳ(Skin Stage 4)となり，その後の皮膚ケアに難渋するため，早期診断・早期治療を行うことが重要である．

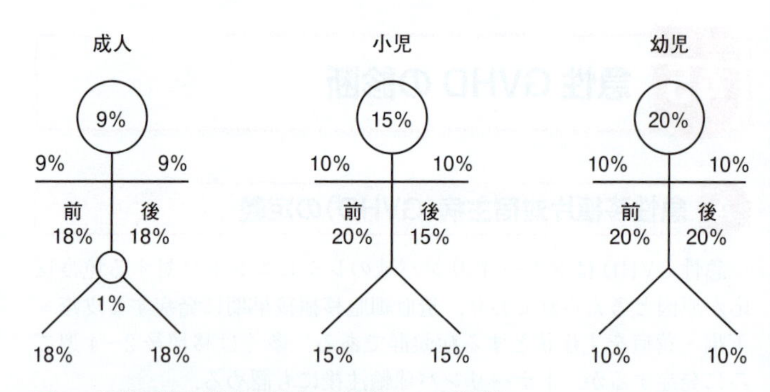

図1 体表面積の計算方法(9の法則と5の法則)

典型的な皮疹であれば臨床診断も可能であり，近年皮膚生検を行うことが少なくなった．GVHDを疑うような典型的な皮疹ではなく，播種性の真菌症や原疾患の皮膚病変を疑う所見(盛り上がってやや硬いなど)があれば，生着前でも皮膚生検と組織培養を施行する．

2 消化管

典型例では水様性の下痢を認めることが多い．初期には上部消化管GVHDとして嘔気症状から発症することもある．重症化すると水様性下痢が1日数L以上持続し，血便やイレウスに至ることもある．一般的に大量の水様性下痢はGVHDの場合が多く，血便や腹痛が強い場合はサイトメガロウイルス(CMV)腸炎や血栓性微小血管症(TMA)も鑑別診断として想定しておく．また感染性腸炎の除外のため，便検体のCDトキシン，培養検査を行い，(疑う場合は)ノロウイルス抗原を確認することもある．

下痢が出現したときは，下部消化管GVHDを疑い，下痢量の測定が重要である．下部消化管GVHDは下痢量により重症度が規定される．下痢便と尿を分けて取る器具としてユーリンパン®は有用であるが，患者の理解度や全身状態によっては正確な下痢量の測定が困難な場合もある．そのような症例では，近年提案された下痢の回数を評価に取り込んだ新たな基準(the Mount Sinai Acute GVHD International Consortium：MAGIC)を参考にすることもある[3]．消化管GVHDの診断や他疾患の鑑別のため，上下部消化管内視鏡検査を行い，生検を積極的に行うべきである．当院では，カプセル内視鏡や超音波検査/CT 検査による腸管病変の評価も行っている．

❶ 上部消化管内視鏡検査

遷延する嘔気，嘔吐，食欲不振，腹痛などがある場合，上部消化管内視鏡検査を行う意義は大きい．一般的に胃粘膜は表面の浮腫・粗造を呈するが，肉眼所見はあまり目立たないことも多い．このような場合でも，生検を行うと GVHD と診断されることが少なくないため，(正常にみえても)胃粘膜の複数部位の生検を行うよう内視鏡医へ依頼しておくことが重要である(病理所見がないと，上部消化管 GVHD の診断基準を満たさない)．当院では生検を行う場合，前庭部から行うことが多い．十二指腸は軽症であれば絨毛の減高を認め，重症例では粘膜の脱落を認める．当院の経験では十二指腸の粘膜が全周性に脱落している症例は疝痛のような非常に強い腹痛を認め，十二指腸以降の下部消化管粘膜も広範囲に障害されている可能性が高いため注意している．

また内視鏡検査により，CMV 胃腸炎やカンジダ，単純ヘルペスによる食道炎の診断が可能となることもある．

❷ 下部消化管内視鏡検査

下部消化管内視鏡検査は，生検により病理診断が得られるだけではなく，肉眼的所見の観察により，鑑別診断や重症度の把握が可能である．このため，挿入可能であれば，下部消化管 GVHD の好発部位である回腸末端まで観察することを重視している．直腸〜S 状結腸だけの観察をして生検を行うと，重要な GVHD/CMV 腸炎の所見を見逃す危険性が高い[4]．回腸末端まで観察できなかった場合には，後述するカプセル内視鏡を併用して行うようにしている．

下部消化管 GVHD の肉眼所見は多彩で，特に回腸末端は炎症の目立つ部位である．表 1 に当院で用いている内視鏡検査の肉眼的所見による重症度分類を示す．炎症の分布は腸管内腔にわたって「びまん性」であることが特徴的で，大腸でみられる亀甲状粘膜模様(粗造粘膜)や，回腸末端にみられる絨毛萎縮，さらに進んだ状態の絨毛脱落は GVHD に特異的な所見といえる．絨毛萎縮の観察には拡大内視鏡が有用である．また絨毛脱落は通常，白苔を伴わないため，インジゴカルミンなどの色素散布を行わないと，その認識は

表1 下部消化管内視鏡検査の肉眼的所見による重症度分類

Grade	大腸内視鏡検査・カプセル内視鏡の肉眼所見
0	所見なし
1	発赤，浮腫，血管透見性低下
2	粗造粘膜，萎縮性粘膜(絨毛減高)
3	部分的な絨毛脱落*
4	広範囲の絨毛脱落*

*びらん，潰瘍，易出血性粘膜がある場合は付記する．

意外と難しい．血小板低値などの特別な理由がない限り，肉眼的所見の程度にかかわりなく，たとえ正常範囲内の肉眼的所見であっても，複数か所からの生検を行っている．当院では5か所以上から生検している症例が半数以上を占めていた．

鑑別診断として重要になるのが，治療法がGVHDと相反するCMV腸炎である．CMV腸炎の診断には生検組織において免疫組織学的なCMVの証明が必要である．しかし，CMVを組織学的に証明するのは難しく，当院の検討では1回の下部消化管内視鏡検査で生検が2か所以下の場合CMV腸炎と診断されたのは8%であったのに対し，5か所以上から生検した場合は28%がCMV腸炎と診断されていた．また，封入体を認めたのはCMV腸炎診断例の半数のみであり，免疫染色は必須である．血液検査(CMV-PCRやCMV抗原血症検査)もCMV腸炎の診断の参考にはなるが，CMV腸炎を発症していてもCMV抗原血症が陽性化しないこともある．当院の検討ではCMV胃腸炎診断時に24%の症例がCMV抗原陰性であった．また，7%の症例は診断時まで一度もCMV抗原血症が陽性化していなかった．生検結果や血液検査だけを頼りにしているとCMV腸炎を見逃す可能性があり，当院では内視鏡での肉眼像を重視している．CMV腸炎の肉眼像は一般的に深掘れ潰瘍(punched-out ulcer)がよく知られているが，移植症例ではこのような潰瘍は意外と少なく，多くは「びらん」にとどまっており，散在性の分布が特徴的である[5,6]．

国内のレジストリデータの解析によると，Grade Ⅱ～Ⅳ急性GVHD発症後1年間で5.7%がCMV胃腸炎を合併しており，CMV胃腸炎合併はNRMの有意なリスク因子であった[7]．近年，レテルモビルによるCMV予防を行うことが増えており，レテルモビル使用はCMV胃腸炎発症リスクやNRMのリスクを減少させていた．

Memo

消化管GVHDとCMV腸炎の内視鏡肉眼像での鑑別

消化管GVHDとCMV腸炎の内視鏡肉眼所見は，腸管の粘膜をサッカーグラウンドの芝生に例える（芝1本が絨毛1本に相当）とわかりやすい．

消化管GVHD：「芝刈り」に例えられ，病変はびまん性である．初期は発赤，血管透見低下，浮腫，粗造粘膜であるが，進行すると粘膜萎縮（絨毛の減高）→部分的な粘膜脱落→粘膜全脱落となる．

CMV腸炎：「もぐらの穴」に例えられ，病変は散在性である．初期はびらんであるが，進行すると潰瘍病変となる（確定診断には生検が必要である）．重症例では潰瘍病変どうしが融合し，縦走潰瘍を呈することもある．ショックに至るような出血や消化管穿孔を認めることもCMV腸炎に特徴的と考えられている．

❸ カプセル内視鏡検査

カプセル内視鏡は侵襲性が低く，特に小腸病変の評価に有用である．小腸カプセル内視鏡の最大の利点は苦痛を伴わないことであり，全身状態が不良の移植症例においても躊躇なく行える．移植後の消化管合併症が回腸末端に好発すること，重症消化管GVHDでは広範囲に小腸が障害されていることを考えると，この小腸カプセル内視鏡は移植症例に非常に適した検査といえる．当院の検討ではカプセル内視鏡の肉眼所見の重症度（表1）はその後の予後とも関連しており[8)]，当院では消化管GVHD発症時に下部消化管内視鏡とセットで行うことが多い．また，重症例では経時的に小腸を観察する必要があり，カプセル内視鏡で経過をフォローしている．当院で同種移植後にカプセル内視鏡を行った94例のうち，肉眼的に炎症所見を認めた47例（GVHD 17例，CMV 14例，GVHD＋CMV 16例）では検査後100日以内のNRMが28％で，所見を認めなかった47例（4％）と比較して有意に予後不良であった[8)]．下部消化管内視鏡に加えてカプセル内視鏡を併用することにより，GVHD重症度評価だけではなく，CMV腸炎がないことを確認することができ，治療判断にきわめて有用と考えている．

カプセル内視鏡の欠点は生検ができないことであり，病理学的診断は得られない．そのため，カプセル内視鏡でみられる炎症所見が何によるものか，肉眼的診断が必要とされる．いまだ，十分な診断法は確立されていないが，当院のこれまでの検討から，カプセル内視鏡でもある程度，GVHD や CMV 腸炎の診断が可能なことがわかってきた．カプセル内視鏡の肉眼所見でびまん性の絨毛萎縮や，さらに進んだ状態の絨毛脱落を認めると GVHD に特異的所見と考えられる(表 1)．一方，散在性の「びらん」を認めると，CMV 腸炎と診断している[5,6]．

同種移植後に消化管 GVHD を合併した患者は，消化管の蠕動が低下しているため，カプセルが胃内に停留することがあり，注意する必要がある．当院では，開始時にプリンペラン® 1A 静注を行い，開始 4 時間後にガスモチン® 2 錠を内服している．リアルタイムの液晶モニターで確認し，胃内に停留する場合は上部消化管内視鏡下にスネア等を用いてカプセルを十二指腸まで押し込む処置を行っている．バルーン内視鏡や外科的処置でカプセル摘出を要するようなカプセル滞留は 1 例も経験していない．カプセル内視鏡検査中は電波干渉を避けるため，心電図モニターをオフにしている．またカプセル内視鏡のセンサーアレイの貼付と剝離による皮膚障害を避けるため，当院ではセンサーアレイ用のポケットを 8 か所取り付けたカプセル内視鏡専用のオリジナル T シャツを作製している．食道がん術後など消化管が狭窄している症例については施行可能かどうか事前に内視鏡医に相談しておく．

❹ 超音波検査・CT 検査

消化管 GVHD による腸管病変の評価法として，内視鏡検査はすぐに実施できないこともあるため，超音波検査や CT 検査は非常に重要である．消化管の部位ごとの腸管壁の肥厚や炎症像を把握できるだけではなく，腸管内にとどまっている液体量(下痢量)の推定も可能となる．急激に進行する腸管 GVHD の場合，下痢量のみで重症度を判断すると治療開始が遅れることがあり，ベッドサイドでも可能な超音波検査は重要となる．超音波検査・CT・内視鏡・病理所見の相関を示した報告[9]や，詳細な超音波検査による腸管 GVHD の grading が臨床像と相関するという報告もある[9]．また，診断時の評価だけではなく，治療開始後の効果判定にも有効である．ただし，腸管の超音波検査を正確に行うには熟練が必要である．

Memo

腸管病変の評価に超音波検査と CT 検査を活用する

超音波検査は毎日でも施行でき，患者への負担も少ないが，腸管病変の評価は術者の技量によって結果が左右される．また，腸管ガスの多い患者や皮下脂肪の厚い患者，浮腫のある患者では観察が困難なことがある．一方，CT 検査は全消化管が観察可能で，単純 CT でも十分評価できるが，被曝の問題があり，頻回には施行できない．当院では両方の検査を使い分けて腸管 GVHD を評価している．

1）超音波検査，CT 検査で何を見るか

- 腸管壁肥厚の有無，程度（特に回盲部が重要）
  壁肥厚の程度は，概ね炎症の強さを反映する．
- 腸管壁の層構造（明瞭，不明瞭，消失）
- 腸管壁肥厚の範囲
- 腸管の内容物の状態（水様便，普通便，硬便，ガス）
- 腸管の拡張の程度．下痢量の推定
- 腸管周囲の脂肪組織の輝度上昇の有無
  壁外への炎症波及により，周囲脂肪組織が肥厚していれば，より強い炎症を疑う．
- 腹水の有無
- 血流の評価（超音波検査のみ）
  肥厚した腸管の血流の有無や，上腸間膜動脈（SMA）の血流が重要とする報告もある．

2）消化管超音波検査

- 消化管は 6 層構造（粘膜層，粘膜筋板，粘膜下層，固有筋層，漿膜下層，漿膜）であるが，超音波検査では 5 層にみえる[10)]．
- 消化管の正常壁厚は胃が 5 mm，小腸が 3 mm，大腸が 4 mm 以下といわれているが，実際の検査では消化管の蠕動運動や個体差などにより壁が厚く描出されることがある．
- 層構造を評価することにより炎症の程度の評価が可能となる．
  強い浮腫を呈する炎症においてはより低エコーとなる．
- CT 検査では層構造の評価は困難である．炎症がある場合は壁が肥厚し内部が low density になる．
- 腸管拡張の定義は報告によってさまざまである．小腸は 20～30 mm，大腸は 40～60 mm としていることが多い．

3 肝臓

胆道系酵素優位の肝障害が典型的な所見であり，診断基準としては血清総ビリルビン値の上昇のみが用いられている．しかし ALP や γ-GTP の上昇や，ALT/AST などトランスアミナーゼが上昇する場合もある．鑑別として，薬剤性肝障害，肝中心静脈閉塞症(VOD/SOS)，cholangitis lenta，ウイルス性肝障害，血栓性微小血管症(TA-TMA)などが重要となるため，腹部超音波検査(HokUS-10)による評価や各種ウイルス PCR 検査などを行う．また，少数例の検討ではあるが肝臓 GVHD と VOD/SOS の鑑別に造影 CT が有用であるという報告がある[11]．この報告では消化管の壁肥厚を認めた場合は肝臓 GVHD の可能性が高いとされており，肝臓以外の臓器にも注目する必要がある．

肝臓単独の急性 GVHD はまれなため，皮膚や腸管の GVHD の病理所見をもとに臨床診断されることが多い．経皮的肝生検は，血小板減少や凝固異常，腹水合併などのため困難なことが多く，当院ではほとんど施行していない．生検が必要な場合は，経静脈的肝生検のほうがより安全に施行可能という報告があり，試みる価値がある．

C 急性 GVHD の重症度分類

皮膚，消化管，肝臓の所見から各臓器の Stage 分類を日本造血・免疫細胞療法学会のガイドライン[2]を基にして行う(表 2, 3)．下痢量の測定が困難な症例では MAGIC 基準(表 4, 5)も使用している[3]．

Grade Ⅲ～Ⅳの重症急性 GVHD が非再発死亡の高リスクとなることは明確であるが，Grade Ⅱの急性 GVHD の範囲は幅広いため，さらに細分化することも検討されている．海外の報告では，Grade Ⅱa(体表面積 50% 以下の皮疹，下痢量 1 L 以下 ± 嘔気，肝臓 GVHD なし)と Grade Ⅱb に分けて，ステロイド治療の適応判断に用いられている[12]．当院の経験では，下部消化管または肝臓に Stage 1 相当の GVHD(500～1,000 mL の下痢，または血清総ビリルビン 2～3 mg/dL)があると，非再発死亡のリスクが高かった．一方，下部消化管と肝臓に GVHD がない場合(皮疹または上部消化管 GVHD の場合)，ステロイド治療に対する反応性は高く，非再発死亡のリスクは急性 GVHD 非発症群と大きく変わらなかった．このため，下痢と高ビリルビン血症の動きには十分注意して，ステロイド治療の開始が遅れないように注意している．

表2 急性GVHD診断における各臓器のStage分類

Stage[*1]	皮膚	肝	消化管
	皮疹(%)[*2]	総ビリルビン(mg/dL)	下痢量[*3]
1	<25	2.0〜3.0	成人 500〜1,000 mL 小児 280〜555 mL/m^2 または持続する嘔気[*4]
2	25〜50	3.1〜6.0	成人 1,001〜1,500 mL 小児 556〜833 mL/m^2
3	>50	6.1〜15.0	成人>1,500 mL 小児>833 mL/m^2
4	全身性紅皮症, 水疱形成	>15.0	高度の腹痛(±腸閉塞)[*5]

[*1] ビリルビン上昇,下痢,皮疹を引き起こす他の疾患が合併すると考えられる場合はStageを1つ落とし,疾患名を明記する.複数の合併症が存在したり,急性GVHDの関与が低いと考えられる場合は主治医判断でStageを2〜3落としてもよい.
[*2] 熱傷における"rule of nines(9の法則)"(成人)または"rule of fives(5の法則)"(乳幼児)を用いる(図1).
[*3] 3日間の平均下痢量.小児の場合はmL/m^2とする.
[*4] 胃・十二指腸の組織学的証明が必要.
[*5] 消化管GVHDのStage 4は,3日間平均下痢量が成人>1,500 mL,小児>833 mL/m^2でかつ,腹痛または出血(visible blood)を伴う場合を指し,腸閉塞の有無は問わない.
〔文献2)より〕

表3 急性GVHDのGrade分類

Grade	皮膚Stage		肝Stage		腸Stage
I	1〜2		0		0
II	3	or[*1]	1	or[*1]	1
III	—[*2]		2〜3	or[*1]	2〜4
IV[*3]	4	or[*1]	4		—[*2]

[*1] "or"は,各臓器障害のStageのうち,1つでも満たしていればそのGradeとするという意味である.
[*2] "—"は障害の程度が何であれGradeには関与しない.
[*3] PSが極端に悪い場合〔PS4,またはKarnofsky performance status(KPS)<30%〕,臓器障害がStage 4に達しなくともGrade IVとする.GVHD以外の病変を合併し,そのために全身状態が悪化する場合,判定は容易ではないが,急性GVHD関連病変によるPSを対象とする.
〔文献2)より〕

表4 臓器障害のStage（MAGIC）

Stage	皮膚 （活動性ある紅斑のみ）	肝 ビリルビン （mg/dL）	上部消化管	下部消化管 （下痢量/日または下痢回数/日）
0	活動性ある紅斑なし	<2.0	症状なし	成人<500 mL/日または<3回/日 小児<10 mL/kg/日または<4回/日
1	斑状丘疹状皮疹<25% BSA	2.0～3.0	持続する嘔気，嘔吐，食思不振*	成人500～999 mL/日または3～4回/日 小児10～19.9 mL/kg/日または4～6回/日
2	斑状丘疹状皮疹25～50% BSA	3.1～6.0		成人1,000～1,500 mL/日または5～7回/日 小児20～30 mL/kg/日または7～10回/日
3	斑状丘疹状皮疹>50% BSA	6.1～15		成人>1500 mL/日または>7回/日 小児>30 mL/kg/日または>10回/日
4	水疱形成と落屑（>5% BSA）を伴う全身性紅皮症（>50% BSA）	>15		高度の腹痛（±腸閉塞）または肉眼的血便（量によらない）

*胃・十二指腸の組織学的証明が必要.
〔文献3）より〕

表5 急性GVHDのGrade（MAGIC）

Grade	皮膚Stage		肝Stage		上部Stage		下部Stage
0	0		0		0		0
I	1～2		0		0		0
II	3	or	1	or	1	or	1
III	—		2～3		—	or	2～3
IV	4	or	4		—	or	4

〔文献3）より〕

文献

1) Filipovich AH, et al: National Institutes of Health consensus development project on criteria for clinical trials in chronic graft-versus-host disease: I. Diagnosis and staging working group report. Biol Blood Marrow Transplant 11: 945-956, 2005

2）日本造血・免疫細胞療法学会 HP：造血細胞移植ガイドライン GVHD 第5版，2022. https://www.jstct.or.jp/uploads/files/guideline/01_02_gvhd_ver05.1.pdf
3）Harris AC, et al: International, multicenter standardization of acute graft-versus-host disease clinical data collection: a report from the Mount Sinai Acute GVHD International Consortium. Biol Blood Marrow Transplant 22: 4-10, 2016
4）Kakugawa Y, et al: Cautionary note on using rectosigmoid biopsies to diagnose graft-versus-host disease: necessity of ruling out cytomegalovirus colitis. Am J Gastroenterol 103: 2959-2960, 2008
5）Kakugawa Y, et al: Small intestinal CMV disease detected by capsule endoscopy after allogeneic hematopoietic SCT. Bone Marrow Transplant 42: 283-284, 2008
6）Kakugawa Y, et al: Endoscopic diagnosis of cytomegalovirus gastritis after allogeneic hematopoietic stem cell transplantation. World J Gastroenterol 16: 2907-2912, 2010
7）Akahoshi Y, et al: Cytomegalovirus gastroenteritis in patients with acute graft-versus-host disease. Blood Adv 6: 574-584, 2022
8）Inoki K, et al: Capsule endoscopy after hematopoietic stem cell transplantation can predict transplant-related mortality. Digestion 101: 198-207, 2020
9）Calabrese E, et al: Bowel ultrasonography as an aid for diagnosis of intestinal acute graft-versus-host-disease after allogeneic haematopoietic stem cell transplantation. Dig Liver Dis 45: 899-904, 2013
10）Nishida M, et al: Ultrasonographic evaluation of gastrointestinal graft-versus-host disease after hematopoietic stem cell transplantation. Clin Transplant 29: 697-704, 2015
11）Erturk SM, et al: CT features of hepatic venoocclusive disease and hepatic graft-versus-host disease in patients after hematopoietic stem cell transplantation. AJR Am J Roentgenol 186: 1497-1501, 2006
12）Mielcarek M, et al: Initial therapy of acute graft-versus-host disease with low-dose prednisone does not compromise patient outcomes. Blood 113: 2888-2894, 2009

46 急性GVHDの治療

同種造血幹細胞移植では，カルシニューリン阻害薬(CNI)やメトトレキサート(MTX)を用いて移植片対宿主病(GVHD)の予防を行うが，ステロイド治療を必要とする急性GVHDを一定の確率で発症する．一次治療としてステロイドの全身投与が行われるが，無効の場合は二次治療に移行せざるをえないケースもある．また，ステロイド全身投与の有無にかかわらず，局所療法を併用することも重要である．ここでは急性GVHDの治療に関して学会ガイドライン[1]と当院で行っている方法を紹介する．

A 急性GVHDの治療開始基準

急性GVHDでは，まず皮膚，消化管，肝臓について臓器ごとの重症度(Stage)の評価を行い，それをもとにGVHDの重症度(Grade)の評価を行う(☞454頁，セクション45)．急性GVHDを発症した症例がすべて全身治療の対象になるわけではなく，基本的にGrade Ⅱ以上の症例を対象とする．ただし，表1に示すようなポイントを考慮して，Grade Ⅰであっても治療を考慮するケースや，Grade Ⅱでも経過観察とする場合もある．

表1 GVHDに対する治療開始や減量を行う際に考慮すべき点

- 原疾患の再発リスク
- ドナー・幹細胞ソース・HLA不一致度から判断するGVHD重症化のリスク
- GVHD予防薬が十分に投与できていたか
- GVHDの重症度(特に紅皮症，下痢，高ビリルビン血症は注意を要する)
- 同種免疫反応を示唆する発熱などの他の所見
- 臓器障害・血管内皮障害の有無
- 重篤な感染症の有無

1 Grade Ⅰでも治療を考慮する場合

- CNIやMTXなどの副作用や使用禁忌のためにGVHD予防が不十分な症例．
- HLA不適合移植など，急性GVHDが重症化しやすいと考えられる症例.

- 急性 GVHD が移植後早期(好中球生着前)に発症した症例.
- GVHD に関連する高熱を伴う症例.
- GVHD に関連する諸症状が急速に(24 時間以内に)悪化する症例.

2 Grade Ⅱに到達していても, 経過観察を考慮する場合

基本的に Grade Ⅱ以上の GVHD を発症した場合, ステロイド全身投与を考慮するが, 特に原疾患の再発リスクが高い場合など, 「ステロイド全身投与なし」で経過観察ができないか検討する場合もある.

- HLA アレル型一致ドナーからの移植で, GVHD の症状・所見が比較的安定していて非進行性の場合.
- 特に皮膚のみに限局した GVHD で, CNI 投与量の調節やステロイド外用薬でコントロールできる場合.
- 上部消化管 GVHD の症状・所見があるが, 下痢が 1 日 500 mL 以下で重篤でない場合(当院では, 腸管病変に対する局所療法であるベクロメタゾン併用を考慮する). ただし下痢量が 1 日 500 mL 以下であっても, 頻回の下痢や腹痛を伴う場合や, 急激な発症や下痢量測定のコンプライアンスが低い場合は, CT や腹部超音波検査での腸管内下痢量の推定や腸管壁の肥厚などの所見を確認する.

B 急性 GVHD に対する一次治療

急性 GVHD の一次治療は副腎皮質ステロイドの全身投与である. CNI などの GVHD 予防薬は続行し, ステロイドを追加する. ステロイドを既に使用している場合は, ステロイドの増量, あるいは二次治療への変更を考慮する.

急性 GVHD に対するステロイド治療は, 鉱質コルチコイド作用が弱く体液貯留作用の少ないメチルプレドニゾロン(mPSL)1～2 mg/kg/日で開始するのが一般的で, これを 2 分割して投与する. 初期治療の投与量設定に関して, Grade Ⅱa(体表面積 50% 以下の皮疹, 下痢量 1 L 以下 ± 嘔気, 肝臓 GVHD なし)までの mild GVHD に関しては, mPSL 1 mg/kg/日で開始しても 2 mg/kg/日で開始しても治療成績に有意差は認めなかったという海外からの報

告がある[2]．日本人では，海外と比較して急性GVHDのリスクは低いため，mPSL 2 mg/kg/日よりも1 mg/kg/日で開始する例が多い．

急性GVHDの初期治療が不十分な場合，ステロイド抵抗性GVHDとなる可能性がある．急性GVHD治療の原則は，重症化の兆しがある場合は「躊躇なく十分な量のステロイドで治療を開始する」ことである．例えば，①1日数Lを超える下痢を認める場合，②酸素化の悪化を伴う場合，③発症から1日以内に急激に増悪する場合などは，早めにステロイド高用量(mPSL 2 mg/kg/日)の投与を検討する．

メチルプレドニゾロン(ソル・メドロール®) 0.5～1 mg/kg＋生理食塩水 50 mL 30分で点滴静注 1日2回 12時間ごと(1～2 mg/kg/日)(当院では7時，19時に投与している)

またメチルプレドニゾロン開始を躊躇するような場合に，ヒドロコルチゾン(ソル・コーテフ®)50～100 mgを1日2～3回定時投与する場合もある．しかしメチルプレドニゾロンと比較すると抗炎症作用は弱いため，GVHD重症化のリスクや徴候がある場合は，早めにメチルプレドニゾロンへ変更する必要がある．

全身ステロイド投与を開始するときに，タクロリムス(TAC)濃度が上がり過ぎないように注意する．特にステロイド投与前に免疫反応による発熱を伴っていた場合，TAC血中濃度が低下し，TAC投与量を増量されていることがある．このようなケースではステロイド開始による解熱とともに，TAC濃度が急増し，血栓性微小血管症(TMA)を合併するリスクが高くなる．

初期治療としてステロイド全身投与を開始後のステロイド減量方法は確立していない．原疾患再発や感染症などのリスクを考えると早期の減量，中止が望ましいが，早すぎる減量はGVHD再燃を招き，結果としてステロイドの総投与量を増やしてしまう．全身ステロイド投与で治療効果が得られた症例は，3～5日ごとに0.2 mg/kg/日ずつ減量し，20～30 mg/日になった時点で，より緩徐に減量を行う方法が海外では推奨されている[3]．

当院では，一次治療開始後すみやかに治療効果が得られた場合は1週間程度(治療効果の発現が遅い場合は2週間程度)，初期治療量を継続している．その後，数日から1週間おきに10 mgまたは0.2

mg/kg ずつ減量し，ステロイドの投与量が 0.5 mg/kg/日以下になったら，より緩徐に減量を行っている．またステロイド減量のペースは，表 1 に示す点も考慮して，個々の症例で判断している．

C 急性 GVHD に対する二次治療

1 一次治療に対する効果判定

ステロイド全身投与による初期治療の効果判定は，治療開始後 1〜2 週間以内の臓器障害の改善の有無で判断する．二次治療の適応はガイドライン[1]では表 2 の通り示されている．ただし，初期治療としてステロイド全身投与を少量(mPSL 0.5〜1 mg/kg/日)から開始していた場合は，まず 2 mg/kg/日へのステロイド増量を検討する．

2 ステロイド抵抗性急性 GVHD の予後

急性 GVHD に対する一次治療と二次治療については，海外のガイドラインに詳細な情報がある[3]．二次治療開始 6 か月後の全生存割合の調整平均は 50% で，二次治療による完全奏効割合は 32% であった．

国内で行われた 3,246 例の解析[4]によると，ステロイドによる一次治療の反応率は 64% で，移植ソースごとに大きく異なった．HLA 一致血縁者間移植と比較して，HLA 一致非血縁者間移植や HLA 不一致移植後のステロイド反応率は低く，臍帯血移植のステロイド反応率は高かった．ステロイド一次治療に反応した場合の 2 年非再発死亡率は 22% で，二次治療を要する場合は 2 年非再発死亡率は 56% であった(6 か月後の全生存割合は約 5 割)．

3 二次治療の実際

ステロイド無効例に対する二次治療は確立していない．また，国内では使用可能な二次治療薬が限られており，これまでは，間葉系

表 2　急性 GVHD に対する二次治療の適応

- ステロイド治療開始 3 日以降の悪化
- ステロイド治療開始 5 日目の時点で改善がみられない
- 安定している場合，Grade Ⅱでは 2 週間，Grade Ⅲでは 1 週間程度，効果が出てくるのを待つ

〔文献 1)より〕

幹細胞（MSC）または抗胸腺細胞グロブリン（ATG）を使用することが多かった．2023年8月に国内でもルキソリチニブ（ジャカビ®）の適応が「造血幹細胞移植後の移植片対宿主病」に拡大された．ルキソリチニブは，急性GVHDに対するステロイドの反応性が不良の場合の二次治療として海外では標準治療となっており，ステロイド抵抗性GVHDに対する治療アルゴリズムが大きく変わった．

❶ ルキソリチニブ（JAK/STAT阻害薬）

ルキソリチニブ（ジャカビ®）は，非受容体型チロシンキナーゼであるJAK（特にJAK1とJAK2）からSTATを介したシグナルを阻害する．ステロイド抵抗性急性GVHD患者71例を対象とした多施設共同第Ⅱ試験であるREACH1試験では，ルキソリチニブ投与開始後28日目の全奏効率（CR，VGPRまたはPR）は55%であった[5]．さらに，一次治療のステロイド抵抗性の急性GVHD患者309例を対象とした多施設共同無作為化非盲検第Ⅲ相試験であるREACH2試験が実施され，ルキソリチニブ（10 mg，1日2回）と対照群（治験医が選択した最善治療）を無作為割付し比較が行われた[6]．主要評価項目である28日目の全奏効率は，対照群に比べてルキソリチニブ群で有意に高かった（62.3% vs. 39.4%）．

ルキソリチニブは，国内で骨髄線維症と真性多血症に対して承認されていたが，2023年8月に「造血幹細胞移植後の移植片対宿主病」の適応が追加された．当院でのルキソリチニブの使用経験はまだ多くないが，以下の点に注意している．

- 用量：ステロイド抵抗性の急性GVHDに対しては1回10 mgを1日2回で開始する．ただし，血球減少を合併している際は開始量を減量することもある．奏効した後に減量する際は緩徐に減量する（1～2か月ごとに5 mgずつなど）．ステロイド依存性のGVHDに対して使用する場合は1回5 mg 1日1回または2回とステロイド抵抗性の投与量よりも少量で開始することが多い．
- 感染症合併リスクとして，真菌感染症，帯状疱疹，結核・非定型抗酸菌などに注意する．
- CYP3A4阻害剤（ボリコナゾール，ポサコナゾール，クラリスロマイシンなど）との併用でルキソリチニブの血中濃度が増加する可能性があり，適宜減量を考慮する．

❷ 間葉系幹細胞（MSC）

間葉系幹細胞（テムセル®）は，ステロイド抵抗性の急性GVHDに対して国内で承認されている．患者体重1kgあたりヒト間葉系幹細胞として1回2×10^6個を，1週間に2回，点滴静注する．投与間隔は3日以上とし，4週間投与する（その後，週に1回，計4週追加可能）．詳細な作用機序は不明である．特に下部消化管・肝臓のステロイド抵抗性急性GVHDで，ルキソリチニブ抵抗性が予想される場合は，早めに間葉系幹細胞（テムセル®）の併用開始も検討する．また感染症・TMAを合併した難治例GVHDの場合にもテムセル®を併用してステロイドや他の免疫抑制剤を早めに減量することを検討する．

国内の報告によると25例中6例（24%）でCR，9例（36%）でPRが得られ，特に大きな副作用は認めなかった[7]．ステロイド抵抗性急性GVHDを合併しMSC（テムセル®）を投与した381例の解析では，投与開始後28日目のoverall response rate（ORR）は56%（二次治療として用いた場合は61%）で，肝GVHDおよび診断後2週以降の開始例でORRが低かった[8]．投与回数は8回が最も多く，ORR達成例の9割は8回目までに効果を認めていた．投与開始後6か月後のOSは40%であった．当院でMSC（テムセル®）を投与した21例の解析では，投与開始後28日目のORRは48%（二次治療として用いた場合は63%）で，ステロイド一次治療開始から14日以内の投与例ではORRが60%と高かった．ORR例ではより多くのステロイド減量が可能で，MSC開始6か月のOSは57%であった．

ただし非常に高価であり，適応や至適な投与開始タイミング・投与回数などを今後明らかにしていく必要がある．当院ではステロイド抵抗性の重症消化管GVHDの症例やTMA・重症感染症合併例において使用することが多い．

❸ ATG

ATGは主に重症の腸管GVHDや，GVHDが急速に悪化し早期にコントロールしたい症例に用いる．至適な投与量は症例ごとに異なるため，当院では，まず1mg/kg/日を投与し，末梢血中のリンパ球絶対数やGVHD症状の推移をみて，1週間ごとに1mg/kg/日を追加することが多い．ATGの投与量が少ないとGVHDが悪化し，多いと感染症や原疾患再発のリスクが上昇するため，用量の設定は難しい．ステロイド抵抗性の急性GVHDに対して国内でATGを投与された99例の解析によると，ATG総投与量が<2 mg/kgの症例において非再発死亡が少なかった[9]．

ルキソリチニブが国内でもGVHDに対して使用可能となったことで，ATGを必要とする場面は少なくなってくるかもしれない．しかし，急速に進行する「下痢，ビリルビン増加，全身性紅斑」があり，末梢血中のリンパ球絶対数(ALC)が急増する場合などは，頭抑えのために少量ATG(1 mg/kg)を1回投与することも当院では検討している．今後の臨床経験の蓄積により，急性GVHD治療におけるATGの位置づけを検討していきたい．

ATG(サイモグロブリン®) 1 mg/kg＋生理食塩水 500 mL 12時間かけて点滴静注

※ATGのアレルギー対策はセクション23(☞220頁)参照．

❹ ミコフェノール酸モフェチル(MMF)

MMFは臓器移植後の免疫抑制剤として国内でも承認されていたが，GVHD予防・治療として用いる場合は保険適用外であった(注射剤は国内未承認)．2019年よりGVHDの抑制に使用した場合に，保険が適用されることになり，2021年には添付文書に「造血幹細胞移植における移植片対宿主病の抑制」が追加された．内服が可能な腸管GVHDの症例や，(腸管は軽症だが)皮膚や肝臓のGVHDが重症である症例に用いていたが，近年は使用頻度が低くなっている．重症腸管GVHD症例では内服したMMFが吸収されない可能性があり，使用していない．MMFは，ATGよりも用量調節が容易で，ウイルス感染症のリスクが低いが，効果が現れるのに時間を要する．急性GVHDの治療としてMMFが投与された94例の国内の解析では，1,000 mg/日投与例が多く，57%で改善を認めた[10]．またMMF投与中にガンシクロビルやST合剤などと併用すると，顆粒球減少をきたすことがあるため，注意が必要である．

MMF(セルセプト®) 1日1,000〜3,000 mg 分2 12時間ごと，または分3 8時間ごとに内服

D 皮膚 GVHD の局所療法・支持療法

1 皮膚 GVHD の局所治療

急性 GVHD が皮膚に限局している場合は局所療法だけで治療できる場合もある．また，局所療法を併用することで全身投与されているステロイドを減量できる可能性がある．皮膚のステロイド外用薬はステロイド全身投与と比較すると合併症も少ないため，状況や症状に応じて積極的に用いる．ただし，症状が改善した場合には，外用ステロイド薬の強度を弱めて中止し，保湿ケアは継続する．また眼の周囲の皮膚 GVHD は，放置すると炎症が眼瞼までおよび角膜を傷つけ視力低下をきたす可能性があるため早めに対応する．必要に応じて眼科に紹介し点眼も併用する．

顔面

アルクロメタゾン（アルメタ®） 1 日 2 回　患部に塗布

眼周囲の皮膚　リンデロン® 眼軟膏　1 日 2 回　塗布（眼の中に入っても問題がないため眼瞼部も含めて塗布する）

四肢・体幹

軽症例では OH-A（組成：ヒルドイド® 50％ ＋アンテベート® 50％）1 日 2 回　患部に塗布

活動性が強い場合は OH-D（組成：ヒルドイド® 50％ ＋デルモベート® 50％） 1 日 2 回　患部に塗布

※頭皮の病変に対しては，リンデロン® ローションやデルモベート® スカルプなどを用いる．

※瘙痒感が強いときには，レスタミン® コーワクリームも併用する．

※乾燥が強い部位には保湿剤を重ねて使用する．

Memo　皮膚 GVHD に対する紫外線照射

治療抵抗性の急性および慢性 GVHD による皮膚病変に対して，当院では紫外線照射（UV）を行うことがある．ソラレン（国内未承認）経口投与と併用した UVA（波長 300～400 nm）や，narrow band UVB（波長 311 nm）の報告があるが，当院では UVA 単独を用いている[11]．治療が奏効するメカニズムは不明であるが，UV 併用により，ステロイドの全身投与量を減量できる場合も多い．

UVA は 1 回あたり 0.1～0.5 J/cm^2 より開始し，週に 1～3 回施行する（入院中は週 2 回，外来では週 1 回行うことが多い）．皮膚の状態に応じて 1.5 J/cm^2 まで増量する（0.5～1.0 J/cm^2 のことが多い）．

副作用として日焼け様の変化，軽度の紅斑，長期的には二次発がんなどが報告されているが，一般的には軽微であることが多い．

2 移植患者における皮膚ケアの基本

皮膚の生理機能として，角質層のバリア機能が重要であり，GVHD発症前から皮膚ケアが重要である．

❶ 清潔の保持

汗が放置されると皮膚表面のpHが上昇し細菌などが増殖するため，1日1回ぬるめの入浴やシャワー浴を行う．

❷ 化学的刺激の除去

弱酸性のボディソープを用いて，すすぎは十分に行う．

❸ 物理的刺激の除去

十分に泡立てた厚みのある泡を用いて，強く擦り過ぎない．テープを貼るときや剝がすときは注意が必要(剝離する皮膚部を指で押し，テープの角度を90〜180°になるようにゆっくり行う)．

❹ 乾燥・浸軟の防止

皮膚を乾燥させないように保湿することが最も重要である．

保湿用の外用薬
ヒルドイド®ローション
ビーソフテン®ローション
ヒルドイド®クリーム
親水軟膏
白色ワセリン
アズノール®

軟膏を塗布する際は，両手掌で伸ばしてスタンプするように塗布する．強く塗り伸ばさない．べたつき感は軟膏＞クリーム＞ローションの順に強い．乾燥が強い場合は，ヘパリン類似物質のあとにワセリンを重ねると効果的である．

複数の外用薬を使用する際の順序：ヒルドイド®→ワセリンの順，ステロイド→保湿剤の順(ただし，一部の皮膚のみにステロイド外用を用いる場合は，順序を逆にする)，日焼け止めは最後に用いる．

また，頻回の下痢がある場合は，肛門周囲の皮膚が長期間，排泄物に触れないように注意する．オムツ内排泄や失禁がある場合は，非アルコール性皮膜スプレーや撥水性保護クリーム，油脂性軟膏，亜鉛華軟膏などを使用して，皮膚浸軟を防ぐ．

3 重症皮膚 GVHD に対する支持療法

Stage 4 の皮膚 GVHD を合併すると，水疱や紅皮症により，広範囲の表皮剝離を伴うこともある．熱傷に準じたケアが必要であり，皮膚科医や皮膚・排泄ケア認定看護師と連携を取り厳重なケアを行う．

❶ 清潔の保持

毎日の泡洗浄を基本とする．泡による刺激が強い場合は，微温湯または微温の生理食塩水で洗浄する(生理食塩水のほうがしみない)．シャワーが困難なときは，ベッド上で洗浄を行う．疼痛が強い場合は，アセトアミノフェンの内服やオピオイドのフラッシュ静注の併用も考慮する．

❷ 化学的刺激の除去

洗浄剤が残留しないようにすすぎは十分に行う．消毒剤は強い細胞障害作用があり，創部の治癒を遅らせるため使用しない．表皮剝離部にステロイド外用薬がしみるときは塗布しない．

❸ 物理的刺激の除去

シャワーの後に拭くときは，擦らずに，やさしく押さえ拭きとる．衣服の摩擦を避けるために，下着は縫い目が皮膚に当たらないように裏返して使用したり，襟などの接触部にリント布を巻いて保護する．ゴムによる締め付けを避ける．手足の疼痛が強いときは，クーリングを行ったり，綿手袋や接触部にスポンジを入れて接触面を柔らかくしたスリッパなどを用いることもある．

❹ 創傷被覆材の使用

表皮剝離やびらんを呈した皮膚には，アズノール® 軟膏を併用しながら適切な被覆材を使用する．創を保護し，湿潤環境を維持することで治癒の促進を促す．小さな水疱は可能な限り破らずに自然吸収を待つ．しかし，水疱が緊満し拡大，多発してくるようなら注射器で内容を穿刺吸引して，水疱そのものの掻破を防いだほうが，苦痛や悪化が少ない．

① 滲出液がない場合

- メピレックス® トランスファー
- 滅菌ガーゼ(またはリント布)

② 滲出液がある場合

- モイスキンパッド®(滲出液を適度に吸収する非固着性ドレッシング材)
- 包帯保護

※滲出液の増加や悪臭など創部の感染が疑われる場合は，細菌検査を行うとともに，ケア時は接触予防策を行う．

③ その他の被覆材の特徴

- メピレックス® ボーダー：中程度から多量の滲出液を伴う創傷治癒に適切な環境を維持する．セーフタック技術がドレッシング交換時の痛みと組織損傷を軽減する．
- オプサイト® ジェントルロール：シリコンゲルテープで，剝がすときに皮膚を傷つけにくい．
- エスアイエイド®：シリコーンゲルと吸収体が一体化した「創傷管理の実際に配慮した」創傷用保護ドレッシング．創傷部位や形状に合わせて自由にカットすることもできる．

E 消化管 GVHD の局所療法

消化管 GVHD に対する局所療法として，消化管からの吸収が非常に少ない経口ベクロメタゾン投与がよく行われている．海外の無作為化比較試験において，経口ベクロメタゾン群のほうがプラセボ群と比較して長期生存率が改善し，安全性が確認され[12)]，消化管 GVHD に対する初期治療として推奨されている．しかし，海外も含めて製剤化されておらず，原末を用いた院内調剤が必要である．経口ベクロメタゾン併用のメリットは，ステロイド全身投与量を減らし，原疾患再発や感染症のリスクが低下することにある．一部の症例では，消化管から少し吸収される可能性もあるため注意が必要である[13)]．当院では，上部消化管で作用する通常カプセルに包んだ薬剤と，下部消化管で作用する腸溶カプセルに包んだ薬剤を併せて内服する方法を用いている．

ベクロメタゾン　1日 4 mg(上部消化管用カプセル)＋1日 4 mg(下部消化管用カプセル)　分4　6時間ごとに内服

※当院では1カプセルあたりベクロメタゾン 1 mg＋乳糖 0.21 g となるように院内調剤を行っている．

当院では2016年より経口ベクロメタゾンを167例の腸管GVHD患者へ使用していた．腸管GVHDのStage 1が152例で，うち73例はベクロメタゾン単独(全身ステロイド投与なし)で治療されていた．投与開始後4週目の腸管GVHDの改善率は73%で，投与1年後の非再発死亡割合は18%であった．また院内でベクロメタゾンの調剤が困難な場合は，クローン病の治療薬であるブデソニド(ゼンタコート®)を使用している施設もある(GVHDに対しては保険適用外)．

F 重症消化管GVHDのマネージメント

重症腸管GVHDでは広範囲の腸管の粘膜が障害され，大量の下痢を認める．下痢の多い患者では1日5Lを超えることもあり，さまざまな問題点が生じるため予後はきわめて不良である．海外からの報告ではStage 3〜4の消化管GVHDを発症した116例について4つのリスク因子〔血清ビリルビン＞3.0 mg/dL，ステロイド抵抗性，移植時年齢＞18歳，消化管出血，(Stage 3〜4の消化管GVHD発症後14日以内で評価)〕のうち3つ以上陽性の場合，1年後の生存率は1割以下であった[14]．また，116例中85例(73%)がステロイド抵抗性であった．重症消化管GVHDのマネージメントは非常に難しく移植医が最も苦労する合併症の1つである．

1 重症消化管GVHDのマネージメントが難しい理由

❶ 重症度判定が下痢量で行われる

現在のGVHDの診断基準は1974年に発表されたGlucksbergの基準からほとんど変わっていない．下痢量は食事内容や飲水量などによっても大きく左右される．また，感染症や出血を合併しても量が変化するためGVHDの病態を正確に反映していない可能性がある．皮膚GVHDを皮疹の面積で評価するように本来は消化管GVHDも粘膜が障害されている広さ(面積)と重症度(粘膜の状態)で評価されるべきである．下痢量はあくまでもその指標の1つであるという認識を持たなければならない．消化管は皮膚と異なり外から見えないため，リアルタイムに状況を把握できない．そのため，内視鏡で消化管の状態を確認し，肉眼所見による重症度判定や治療効果の評価を行うことが重要である(内視鏡所見については449頁，セクション45参照).

❷ 病態が変化していく

海外からの報告で治療開始後も下痢が持続している31例において，初回と2回目以降の内視鏡結果を比較したところ22例(71%)が2回目，3回目の結果が1回目とは異なっており，77%の症例で治療方針の変更が必要であった[15]．変更となった原因の多くはCMV腸炎の合併であり，下痢など症状が持続する場合やいったん改善した症状が悪化する場合は繰り返し内視鏡を行う.

国内レジストリデータの解析によると，Grade Ⅱ～Ⅳ急性GVHD発症後1年間で5.7%がCMV胃腸炎を合併しており，腸管GVHD発症からCMV腸炎発症日までの期間中央値は19日であった[16]．当院では，全大腸内視鏡で腸管GVHDと診断した後，カプセル内視鏡も併用しながらフォローしていくことがきわめて重要と考えている．カプセル内視鏡の併用により，CMV腸炎合併の見逃しが減るだけではなく，経時的な腸管粘膜肉眼所見の変化から腸管GVHDの活動性を評価し治療法変更の根拠とする場合もある[17].

2 重症消化管GVHDの治療

❶ 初期対応

下部消化管GVHDを疑った場合は，早めにmPSL 2 mg/kg/日の投与を開始する．下痢量が少なくても内視鏡所見が重症(Grade 3～4：粘膜脱落あり)であれば予後は不良であり(表3)，当院は治療方針を決定する際に下痢量による重症度だけでなく，内視鏡の肉眼所見での重症度も重視している．当院の経験で内視鏡所見がGrade 3の場合は退院まで2～3か月以上，Grade 4の場合は半年以上を要する．特にGrade 4の場合は粘膜の完全な回復には年単位の時

表3 下部消化管内視鏡の肉眼所見による重症度と予後

重症度	内視鏡肉眼所見	診断後100日以内の非再発死亡
Grade 1	発赤，浮腫，血管透見性低下	0/2(0%)
Grade 2	粗造粘膜，萎縮性粘膜(絨毛減高)	2/10(20%)
Grade 3	部分的な粘膜脱落	2/8(25%)
Grade 4	広範囲の粘膜脱落	8/13(62%)

〔文献17)より〕

間を要することもある．一部でも粘膜脱落が起こっている場合は粘膜脱落の進行を直ちに食い止める必要があり，直ちに二次治療を追加することを検討する．二次治療として，ルキソリチニブが第一選択薬であり，早期に1回10 mgを1日2回で開始する．生着前後で末梢血中のALCが急増する場合などは，頭抑えのために少量ATGを投与する場合もある．ルキソリチニブ抵抗性が予想される場合は，早めに間葉系幹細胞(テムセル®)の併用開始も検討する．特に感染症・TMAを合併した難治性GVHDの場合にもテムセル®を併用してステロイドや他の免疫抑制剤を早めに減量することを検討する．当院でのルキソリチニブの使用経験はまだ多くないが，今後，ステロイド抵抗性GVHDに対する治療アルゴリズムについて再検討を行う必要がある．

❷ 治療開始後の対応

治療効果を認めた場合はステロイドの減量を開始する．ステロイドの減量はゆっくり行うことが多く5〜7日ごとに10%程度の減量を行っている．1 mg /kg/日以下になれば減量速度や減量幅を落とし，0.5 mg/kg/日以下になればさらにゆっくりと減量している．MSCを投与している症例ではもう少し早く(3〜5日ごと)減量を進めることもある．先に述べた通り消化管GVHDの経過中に病態が変化するため，必ず内視鏡で粘膜の状態をフォローしていくことが重要である．繰り返し内視鏡を施行していると，びまん性に絨毛が減高している(あるいは脱落している)粘膜のなかに潰瘍の出現を認め，GVHDにCMV腸炎を合併したと診断する症例も多い．CMV腸炎を合併した場合はCMVに対する治療を継続しながらステロイドの減量を進める．TMAを合併した症例についてはCNIを優先して減量することもある．最重症の症例や治療に難渋する症例はカプセル内視鏡を月1回施行し，上部あるいは下部消化管内視鏡も組み合わせることにより2週間に1回は腸管粘膜の状態を確認している．また，ベッドサイドでの超音波検査での評価も繰り返し行っているが，粘膜脱落の評価は難しく，粘膜肥厚の程度や肥厚している範囲を確認している(☞ 448頁，セクション45)．

3 重症消化管GVHDの支持療法

❶ 大量の下痢による脱水と電解質異常

重症GVHD患者の水分管理は非常に難しく，輸液量が少ないと脱水から腎不全となり，多すぎると浮腫の原因となる．基本的な考え方はVOD/SOSの場合の輸液と同じで血管内ボリュームを維持しながら輸液を最小限にする必要がある(☞300頁，セクション32)．水が血管内から腸管やサードスペースに移動するため，輸液量の計算は難しい．当院では下痢量，尿量，体重だけでなく，心臓超音波検査，IVC径・呼吸性変動，腸管の超音波検査(腸管内の液量で下痢量を推測する)などを参考に血管内ボリュームを評価し，適切な輸液量を総合的に判断している．下痢は腸管内に留まり出てこないこともあるため，下痢量だけで水分管理を行わず，頻回にベッドサイドで超音波を行うことが重要である．電解質異常も起こりやすいため，細かく輸液を調整する(☞610頁，セクション62)．

❷ 重炭酸の喪失による代謝性アシドーシス

カリウムなどの電解質の測定・補正はもちろんのこと，重炭酸の喪失による代謝性アシドーシスや高Cl血症をきたすため，血液ガス検査(静脈血も可)を頻回に行う．当院では重炭酸の補充と脱水の補正を兼ねてビカーボン® を投与することが多い．

❸ 蛋白(アルブミン，グロブリン，凝固因子)の喪失

重症腸管GVHD合併例は蛋白の喪失が著しく，著明な低アルブミン血症や低グロブリン血症となるため，アルブミン製剤，グロブリン製剤などを補充する．また，新鮮凍結血漿にはさまざまな蛋白が含まれているため，重症腸管GVHDの管理には有用であり，使用頻度が高い．

❹ 粘膜バリアの破綻と高用量のステロイド投与による感染リスク増大

粘膜バリアの破綻により腸管内の細菌や真菌が常にトランスロケーションを起こしうる状態である．高用量のステロイドを投与している患者の場合，発熱などの症状が出にくく発見が遅れ，突然急変することもある．

当院で重症急性GVHD(Grade Ⅲ～Ⅳ)を発症した91例の解析によると，ステロイド開始後6か月間の感染症累積発症割合は2~3倍上昇しており〔真菌感染症14%，CMV disease 21%，その他のウイルス感染症(9割が出血性膀胱炎)28%，グラム陰性桿菌20%〕，ステロイド総投与量との相関を認めた[18]．

当院では週1回は便培養を提出し，腸管内の細菌を調べている．

消化管内視鏡で粘膜障害が著しい場合は，便培養検査結果を参考に抗菌薬投与を行うことがある．高用量のステロイド投与中は，発熱などの症状がなくても週2回は血液培養を採取しており，早期に菌血症を発見できることがある．また，下痢便の刺激による肛門周囲皮膚の障害にも注意し，適切な皮膚ケアを行う．

重症消化管 GVHD 患者において最も苦労する感染症はウイルス感染症である．先述の通り CMV 腸炎を合併しているかどうかの判断は内視鏡の肉眼所見に頼るところも多く経験がないと難しい(☞449頁，セクション 45)．CMV 腸炎を合併した場合，治療は GVHD 治療と並行して行う必要があり，ガンシクロビルあるいはホスカルネットを長期に投与することになる．重症例では半年以上に及ぶこともある．ガンシクロビルを長期に投与していると骨髄抑制が，ホスカルネットを長期に投与すると腎障害が不可逆的となってしまうことがあるため両剤を交替で使用する．ガンシクロビル投与中は骨髄抑制のある薬剤を，ホスカルネット投与中は腎障害のある薬剤の併用を避け，副作用が重症化する前に早めに減量・切り替えを行うことが重要である．CMV 腸炎に対する治療を終了するタイミングの判断は難しいが，当院では症状だけでなく内視鏡所見も重視しており，潰瘍やびらんの消失を確認してから治療を終了している．CMV 抗原血症・PCR 検査の値も参考にはなるが，血液で陰性化しても局所(消化管)には残存していることがあり治療の指標とはならないことが多い．

2018 年より，本邦では CMV 予防薬のレテルモビル(プレバイミス®)が使用可能となった．レジストリデータを用いた研究では Grade Ⅱ～Ⅳの GVHD を発症した症例においてレテルモビル投与群は有意に CMV 胃腸炎の発症割合が低かった[16]．さらに CMV 胃腸炎を発症した症例においても，レテルモビル予防を行っていた群で有意に NRM が低かった．レテルモビルは腎障害や血球減少が少ないため長期投与が可能であり，GVHD 発症例(特に腸管 GVHD 発症例)では可能な限りレテルモビルの投与を継続し CMV 胃腸炎の発症を予防することが望ましい．

❺ TMA への対策

重症消化管 GVHD を発症した症例は TMA を合併することが多い．TMA が顕在化する前から TMA の発症に備えて対策を行う必要がある．重症消化管 GVHD の症例では粘膜出血を伴っていることが多く，リコンビナントトロンボモジュリン（rTM）の投与（保険適用外）の判断に悩まされることが多い．理想的には粘膜障害が進行し出血を合併する前に投与する必要があり先を読んだ戦略を立てることが重要である．rTM の投与が困難な場合はその他の TMA に有効な薬剤の投与を開始する．詳細はセクション 36（☞ 348 頁）参照．

❻ 患者の身体的・精神的苦痛，PS 低下

重症腸管 GVHD 患者の身体的・精神的苦痛は著しい．さらに，治療には数か月以上の期間を要するため，長期間厳しい状況に置かれることになる．頻回の排尿，排便で患者は不眠となるため，患者と相談し尿道カテーテルだけでなく閉鎖式に水様便を回収できるシステム（ディグニケア® など）を早期に導入し，睡眠時間を確保する．絶食期間が長いと患者のストレスとなるため，管理栄養士とも相談しつつ食事再開の時期や食事内容にも配慮する．PS を落とさないよう，リハビリテーションも積極的に行う．闘病意欲の維持には精神的なケアが最も重要であり，早期にメンタルサポートチームと連携をとり，患者と家族の精神的ケアを行う．

文献

1) 日本造血・免疫細胞療法学会 HP：造血細胞移植ガイドライン GVHD 第 5 版，2022. https://www.jstct.or.jp/uploads/files/guideline/01_02_gvhd_ver05.1.pdf
2) Mielcarek M, et al: Initial therapy of acute graft-versus-host disease with low-dose prednisone does not compromise patient outcomes. Blood 113: 2888-2894, 2009
3) Martin PJ, et al: First- and second-line systemic treatment of acute graft-versus-host disease: recommendations of the American Society of Blood and Marrow Transplantation. Biol Blood Marrow Transplant 18: 1150-1163, 2012
4) Murata M, et al: Clinical factors predicting the response of acute graft-versus-host disease to corticosteroid therapy: an analysis from the GVHD Working Group of the Japan Society for Hematopoietic Cell Transplantation. Biol Blood Marrow Transplant 19: 1183-1189, 2013
5) Jagasia M, et al: Ruxolitinib for the treatment of steroid-refractory acute GVHD (REACH1): a multicenter, open-label phase 2 trial. Blood 135: 1739-1749, 2020
6) Zeiser R, et al: Ruxolitinib for glucocorticoid-refractory acute graft-versus-host disease. N Engl J Med 382: 1800-1810, 2020
7) Muroi K, et al: Bone marrow-derived mesenchymal stem cells (JR-031) for steroid-refractory grade III or IV acute graft-versus-host disease: a phase II/III study. Int J Hematol 103: 243-250, 2016
8) Murata M, et al: Off-the-shelf bone marrow-derived mesenchymal stem cell treatment for acute graft-versus-host disease: real-world evidence. Bone Marrow Transplant 56: 2355-2366, 2021
9) Murata M, et al: Low-dose thymoglobulin as second-line treatment for steroid-resistant acute GvHD: an analysis of the JSHCT. Bone Marrow Transplant 52: 252-257,

2017
10) Iida M, et al: Use of mycophenolate mofetil in patients received allogeneic hematopoietic stem cell transplantation in Japan. Int J Hematol 93: 523-531, 2011
11) Rodgers CJ, et al: More than skin deep? Emerging therapies for chronic cutaneous GVHD. Bone Marrow Transplant 48: 323-337, 2013
12) Hockenbery DM, et al: A randomized, placebo-controlled trial of oral beclomethasone dipropionate as a prednisone-sparing therapy for gastrointestinal graft-versus-host disease. Blood 109: 4557-4563, 2007
13) Ito T, et al: Analysis of blood concentrations following oral administration of beclomethasone dipropionate for gut GVHD. Gan To Kagaku Ryoho 37: 267-270, 2010
14) Castilla-Llorente C, et al: Prognostic factors and outcomes of severe gastrointestinal GVHD after allogeneic hematopoietic cell transplantation. Bone Marrow Transplant 49: 966-971, 2014
15) Martínez C, et al: Serial intestinal endoscopic examinations of patients with persistent diarrhea after allo-SCT. Bone Marrow Transplant 47: 694-699, 2012
16) Akahoshi Y, et al: Cytomegalovirus gastroenteritis in patients with acute graft-versus-host disease. Blood Adv 6: 574-584, 2022
17) Inoki K, et al: Capsule endoscopy after hematopoietic stem cell transplantation can predict transplant-related mortality. Digestion 101: 198-207, 2020
18) Matsumura-KimotoY, et al: Association of cumulative steroid dose with risk of infection after treatment for severe acute graft-versus-host disease. Biol Blood Marrow Transplant 22: 1102-1117, 2016

47 キメリズム検査・生着不全への対策

A 生着不全の定義

同種移植後の生着不全は重篤な合併症の1つで，緊急の再移植が必要となることもある．生着不全は移植後の好中球減少のパターンから大きく2つに分けられる．

① **一次性**：移植後に好中球数が500/μL以上に回復しない状態．移植細胞ソースにもよるが，骨髄や末梢血幹細胞ではday 28，臍帯血であればday 35～42の時点で診断される（日本造血細胞移植データセンターの移植登録一元管理プログラムではソースにかかわらず，day 28までに好中球数が500/μL以上に回復しない場合を一次性生着不全と定義している）．

② **二次性**：移植後に好中球数が500/μL以上に回復した後，3日連続で好中球数が500/μL未満へ減少した状態．

いずれの場合も，Tリンパ球のドナー/レシピエントが占める割合（キメリズム）のタイプにより成因が推定可能であり，対処法も大きく異なる．骨髄破壊的前処置（MAC）だけを用いていた時代は好中球数だけで生着不全を定義していたが，ミニ移植の場合には混合キメラ状態となることも多く，全血ではなくTリンパ球分画でのキメリズム検査が重要となる（表1）．

このため，近年の生着不全の定義では，Tリンパ球のドナーキメリズムが5%以上へ増加しない場合を一次性生着不全，いったんド

表1　Tリンパ球キメリズムタイプと生着不全の原因

Tリンパ球キメリズム	生着不全の原因
レシピエントタイプ	レシピエントTリンパ球による免疫学的拒絶（狭義のgraft rejection）
両方のタイプが混在	混合キメラ状態（ミニ移植後に多くみられ，どちらの割合が多いかがポイントとなる）
ドナータイプ	薬剤性や多臓器不全・血球貪食症候群（HPS）に伴う造血回復遅延（poor graft function）

ナー型あるいは混合キメラ状態となった後，ドナーキメリズムが5%未満へ減少する場合を二次性生着不全とされる．Tリンパ球のドナーキメリズムが低い場合，ドナータイプの好中球が十分回復していても，最終的に好中球数も低下してくることが多い．

生着不全の頻度はHLA一致の移植においては5%未満であるが，臍帯血移植は10%程度である．HLA半合致移植も海外では10%程度とされているが，本邦は末梢血幹細胞移植が多いため5%程度である[1)]．

B 生着不全のリスク因子

生着不全を起こすリスクが高い因子として，さまざまなものが報告されている．

1 臍帯血

骨髄や末梢血幹細胞と比較して有意に生着不全が多い．特に輸注細胞数や輸注CD34陽性細胞数が少ない場合はリスクが高くなる．

2 抗HLA抗体

臍帯血移植だけではなく，HLA不一致血縁者間移植においてもドナー特異的なHLAに反応する抗HLA抗体(DSA)の存在により，生着不全のリスクが高くなる[2〜4)]．抗HLA抗体の力価が高いほど，リスクが高くなるが，カットオフ値は明らかにされていない．最近の国内レジストリデータ二次調査によると，平均蛍光強度(MFI)が1,000以上のDSA陽性群(n＝25)ではDSA陰性群と比較して臍帯血移植後の生着率が有意に低かった(56% vs. 76%)[4)]．当院ではMFIが1,000以上のドナーは原則避けている．抗HLA抗体が出現しやすい要因の1つとして輸血歴が挙げられる．

3 疾患タイプ・寛解状態・化学療法歴

同種移植後の生着は「ドナーTリンパ球とレシピエントTリンパ球の陣取り合戦である」と考えている．ドナーTリンパ球がレシピエントTリンパ球を追い出すことでドナー幹細胞が増殖する陣地を確保する(環境が整う)ことで生着に至ると考えている．好中球がドナー優位であっても，Tリンパ球がレシピエント優位である症例は最終的に生着不全に至る可能性が高く，好中球よりもTリンパ球のキメリズムを重視する．原疾患のタイプにより移植までの化学療法は異なるが，この化学療法の内容が移植直前のレシピエントTリンパ球の数に影響する．一般的に，リンパ系腫瘍に対する治療後はTリンパ球が減少しているため生着不全のリスクは低くなる．一方，MDSのような骨髄系腫瘍で未治療のまま移植に進む場合にはTリンパ球が多数残存しており生着不全のリスクは高くなる．また，非寛解での移植(特に骨髄系腫瘍)は残存する腫瘍細胞によりドナーリンパ球が追い出されてしまうため生着不全のリスクが高くなると考えている．

4 HLA不一致移植

上述の抗HLA抗体が陰性であっても，血縁・非血縁移植の両方で患者とドナーのHLA不一致が多いと生着不全のリスクが高くなる．

5 弱い移植前処置

前処置強度が弱くなるほど，生着不全のリスクが高くなるが，抗がん剤の種類によっても大きく異なる．レシピエントTリンパ球の抑制は，BUよりもMELやCYのほうが強い．BUは成熟リンパ球への効果が弱いことが自家移植で報告されており，臍帯血移植の場合はFLU/BUだけでは生着不全が増加する．また，全身放射線照射(TBI)を用いると生着不全のリスクは低くなる(特に臍帯血移植で顕著にみられる)．当院では生着不全のリスクが高い症例に対し強度減弱前処置を用いる場合は，FLU/BUではなくFLU/MELを用いる，あるいはFLU/BUにTBI 2〜4 Gyを追加するようにしている．

6 脾腫

臍帯血移植において脾腫の有無が生着までの期間に影響することが報告されている．骨髄線維症など脾腫が著明な症例では生着に時間を要することを経験している．脾腫を認めた場合は輸注CD34陽性細胞数が多い($\geqq 0.8 \times 10^5$/kg)臍帯血を選択することが望ましい[5]．

7 移植前の骨髄線維化

移植前に骨髄が線維化しているMDSや骨髄線維症の症例は生着不全のリスクが高く注意が必要である．

ポイント 生着不全のリスクが高い場合の対処法

1)生着を有利にするための工夫を行う：移植前処置の強度を可能な限り上げる，また MEL や TBI の併用を検討する〔例：臍帯血移植では 4 Gy 以上の TBI 併用を考慮する．GVHD 予防としてメトトレキサート(MTX)の代わりにミコフェノール酸モフェチル(MMF)を用いることで，生着までの期間を短くすることはできるが，生着率を高くするかどうかはわかっていない〕．
2)生着不全となった際のバックアップドナー候補の確認：HLA 一致血縁ドナーからの移植の場合は，同一ドナーから緊急 PBSC 採取を行うことが多い．上記以外のドナーからの移植では，臍帯血や HLA 不一致(ハプロ)血縁ドナーの候補がいるかどうかを確認しておく(当院では，前もって血縁ドナー健診まで行うことはしないが，いざという場合の提供の意思と既往歴の確認は行っている)．
3)生着が遅延している場合は，早めにキメリズム検査を行い確認する．

C 生着を確認するための検査

1 末梢血白血球数・スメア

移植後は，生着を確認するまで，毎日血液検査を行う．好中球増加の可能性がある時期からは毎日末梢血スメアを確認する．スメアを見るポイントは細胞が集まっていることが多い引き終わりをまず確認する．単球や幼若な顆粒球系細胞が増えてくれば生着時期の予測は容易であるが，少数の好中球が出現してもすぐに回復しない場合もある．末梢血スメアで生着傾向を確認することにより，生着前であってもドナーによる免疫反応に伴う発熱(PIR/PES)・生着症候群(ES)の影響を予測でき，発熱の原因について検討する際に重要である．

Memo 白血球回復遅延時におけるその後の好中球生着率[6)]

次頁表に，当院の 1,355 例の解析による，ソースごとに下記の時期までに WBC＜100/μL が持続していた場合，その後に好中球が 500/μL 以上へ回復してくる確率を示す．例えば，骨髄移植後の day 21 まで WBC＜100/μL が持続する場合は，それ以降に好中球生着となる確率は 62% である．下記に該当する場合は，他の生着不全のリスク因子も考慮して，早めにキメリズム検査を行う．

幹細胞ソース	WBC＜100/μL の期間	以降の好中球生着率*
末梢血幹細胞	～day 14	79%
骨髄	～day 21	63%
臍帯血	～day 28	33%

*生着不全の成因は問わず，すべてを含めた検討.

2 骨髄検査

通常，骨髄スメアと骨髄クロットの病理検査を行う．Cellularity の確認や幼若な顆粒球系細胞，原疾患の残存，血球貪食像の有無を確認する．

3 FISH 法を用いたキメリズム検査

ドナーとレシピエントの性別が異なる場合に限り，性染色体特異的プローブを用いた XY-FISH を行うことにより，ドナー生着を確認することができる．染色体検査 G バンド法よりも解析細胞数が多いが，骨髄検体を用いた FISH は，末梢血の T リンパ球キメリズムと相関しない場合もあり(特にミニ移植では)注意が必要である．また，同性間移植では XY-FISH を用いたキメリズムを確認することができない．

4 STR 法を用いたキメリズム検査

染色体上の特定の数 bp の塩基の繰り返し(STR)回数が個人によって異なることを利用した手法で，ドナー・レシピエントの割合を検出する方法として，現在では最も広く用いられている．蛍光プライマーを用いて DNA シークエンサーで解析することにより，高感度で正確なキメリズム割合が可能となった．SRL 社で STR 法でキメリズム検査を行う場合に必要な細胞数は 2×10^5 個以上と記載されているが，T リンパ球分画のキメリズム検査を行う場合は，さらに多くの細胞数が必要となる．

5 定量 PCR 法を用いたキメリズム検査

ドナーとレシピエントにおける SNP や indel の相違を利用し，それぞれに特異的なマーカーを増幅する定量 PCR を行い，キメリズムを判定する[7]．少量の DNA(≦10 ng)から検査が可能で，検出限界が 0.1% 以下と STR 法を用いた場合よりも高感度である．単施設で 65 ペアのドナー・レシピエントで検討したところ識別率 100% で，従来法の結果と良好に相関し，0.1～0.3% まで検出できた[8]．

6 HLA フローサイトメトリー法を用いたキメリズム検査

HLA 不適合移植の場合，ドナー・レシピエントで異なる HLA 抗原に対するモノクローナル抗体を用いて，フローサイトメトリーを行うことによりキメリズム検査が可能となる．Lineage 特異的な抗体と組み合わせることにより，白血球の各分画ごとに(一部では腫瘍細胞分画も)キメリズムを測定できる．白血球数が 100/μL 以下であっても検査が可能であり，臍帯血幹細胞移植(CBT)後 1～2 週の段階でも，ドナータイプへの転換傾向を確認することができる[9]．ただし，現状で利用可能な HLA 抗原に対する抗体の種類は限られており，大多数はクラス I 抗原(特に HLA-A)に対する抗体であり，他の抗原が不一致の場合は検査が難しいことも多い．今後，各 HLA アレルを認識する抗体の開発が期待されている．

D 生着不全への対策

生着不全と診断した場合，キメリズムのパターンや全身状態，感染症や臓器障害の合併，再移植ドナー候補の有無を考慮して迅速に対処する必要がある．再移植を行う場合，多くは CBT か HLA 不一致血縁ドナーからの移植となるため，必ず抗 HLA 抗体の有無を確認する(初回移植前に行っていた場合も再検が必要)．

1 キメリズムが完全レシピエントタイプの場合

いわゆる免疫学的な拒絶(狭義の graft rejection)であり，大多数はレシピエント T リンパ球(一部は抗 HLA 抗体)が関与している．

一次性生着不全では好中球数がゼロのまま推移することが多く，早期の再移植を検討する．一部の症例では，自己造血が回復してくる場合もある．特に移植前の治療歴が少ない場合では，TBI/CY のフル移植後でも移植後 3～4 週でレシピエントタイプの好中球が増加してくることも経験している．自己造血が回復した場合は，患者の全身状態や臓器機能，感染症の有無，原疾患の再発リスクに応じて，再移植の必要性やタイミングを検討する．

❶ 再移植時のドナー選択

初回移植が HLA 一致血縁ドナーの場合，同一ドナーから末梢血幹細胞移植(PBSCT)を行うほうが最も治療成績がよい．初回移植が骨髄の場合，PBSCT へ変更して 2 回目の提供を行いやすいが，短期間に2回の末梢血幹細胞(PBSC)採取を行う場合は，ドナーのリスクについても配慮が必要である(当院では，十分な説明と同意の後，間隔が1か月以上あいていれば，2回目のPBSC採取を試みることもある)．

初回移植が骨髄バンクドナーからの細胞や臍帯血移植であった場合，2回目の移植ソースは臍帯血かHLA不一致(ハプロ)血縁ドナーの選択となる．特に近年ハプロ移植においてPTCYを用いたGVHD予防が普及し，生着不全に対する再移植例に対しても行われている．本邦で生着不全に対しPTCYハプロ移植を施行された33例(BMT 3例，PBSCT 30例)の報告では，day 30での好中球生着率は82%，1年OS 47%，1年NRM 46%であった[10]．海外からもPTCYを用いた再移植で好中球生着79%，1年OS 56%という報告があり[11]，これまでの生着不全に対する臍帯血移植成績が1年OS 17〜35%であったことを考慮すると，PTCYハプロ移植は今後第一選択となる可能性が高い．

心機能障害などによりPTCYが投与できない場合は抗胸腺細胞グロブリン(ATG)を用いるATGハプロ移植か臍帯血かを選択する．表2のように両者の特徴は大きく異なるため，難しい選択となることが多い．例えば，重症の細菌感染症や真菌感染症を合併している場合には，好中球減少期間を考慮してハプロ移植を選択し，全身状態が落ち着いていて原疾患の再発リスクが低い場合には，臍帯血移植を選択する場合がある．どちらも可能な場合には，ハプロ血縁ドナーからのPBSCTのほうが全生存率(OS)がよかったという報告があるが[12]，小児例の解析ではハプロ移植と臍帯血移植の成

表2 再移植時のドナーごとの比較

	臍帯血移植	ハプロ移植(PBSCT)
再移植までの準備期間	1〜2週間	1〜2週間
ドナーへの負担	なし	あり
前処置・GVHD予防	少量TBIが必要	少量ATGまたはPTCY
再移植〜生着までの期間	3〜4週	2週前後
2回目の生着不全のリスク	多い	少ない
GVHDのリスク	少ない	多い(ATG)， 少ない(PTCY)

績は同等であった[13]．

再移植として臍帯血ミニ移植を行った80例の解析によると，再移植前に約6割が肺炎または菌血症などの感染症を合併し，約6割はGrade 3以上の臓器障害を合併しており，これらは再移植後の予後不良因子であった[14]．したがって，免疫学的拒絶が確定した段階で早急に準備を開始し，感染症や臓器障害をきたす前に再移植を行うよう心掛けている．

❷ 再移植時の前処置・GVHD予防法の選択

① CBT

FLU，アルキル化剤，少量TBIの併用が基本となる．全国調査ではFLU＋アルキル化剤併用群が，FLU単剤群と比較して有意に生着率やOSが高かった(アルキル化剤の中では，MELとCYのほうがBUよりも成績がよかった)[14]．また，細胞数が多い臍帯血ユニットのほうが生着率が高かった．近年報告されたFLUに1日間のCY投与を行う1 dayレジメン[15]を基にして，当院ではFLUを3日間投与するレジメンを用いている．

フルダラビン　1日30 mg/m^2　day－4，－3，－2
シクロホスファミド　1日50 mg/kg　day－2
（シクロホスファミドが使いにくい場合はメルファラン40 mg/m^2 day－3，－2　へ変更）
全身放射線照射　2～4 Gy　day－1
タクロリムス　0.03 mg/kg　day－1～
ミコフェノール酸モフェチル　1,000 mg　12時間ごと経口投与　day 0～
G-CSF　day 1～

※最近は，「シクロホスファミド50 mg/kg day－2」の代わりに，「メルファラン40 mg/m^2 day－3，－2」を使うことが多くなっている．

② ハプロPBSCT

生着不全後に行うハプロ移植における前処置を検討した報告は少ない．day 0に(凍結解凍処理を行っていない生の)PBSCを大量に輸注することにより，CBTと比較すると前処置強度を少し下げることが可能かもしれない．したがって，初回移植でTBI 12 Gyを用いていた場合は，2回目移植時にTBIを用いないレジメンを検討することが多い．GVHD予防法はPTCY法を用いるかどうかで大きく異なる．以前はATGや，TAC，ミコフェノール酸モフェチル(MMF)，ステロイドを用いたGVHD予防を行う場合もあった．しかし，近年はPTCYを用いたハプロPBSCTを行うことが増えている．PTCYハプロPBSCTとATGハプロPBSCTを比較すると，ATGハプロ移植ではGVHDが重症化しやすいため，厳重な予防が必要である．また，PTCYハプロ移植を行う場合CYの投与量が少ない(total 40〜50 mg/kg)と重症GVHDが増加し，予後不良であったこと報告がされており，CYはtotal 75 mg/kg以上投与することが望ましい[10)]．

生着不全時のPTCYハプロ移植

前処置
フルダラビン 1日30 mg/m^2 day−4，−3，−2
メルファラン 40 mg/m^2 day−3，−2
全身放射線照射(TBI) 2 Gy day−1 ※リンパ球が十分抑制されていると考える症例はTBIなしにすることがある
GVHD予防
シクロホスファミド 1日40 mg/kg day 3，4
G-CSF day 5〜
タクロリムス 0.02 mg/kg day−1〜

※前回の移植からタクロリムスを継続している場合はそのまま継続し，濃度は5 ng/mL程度にコントロールする．

ミコフェノール酸モフェチル 1,000 mg 12時間ごと経口投与 day 5〜

生着不全時のATGハプロ移植

前処置
フルダラビン 30 mg/m^2 day−4，−3，−2
メルファラン 40 mg/m^2 day−3，−2
全身放射線照射 0〜2 Gy day−1
GVHD予防
ATG(サイモグロブリン®) 1.5 mg/kg day−2，−1
タクロリムス 0.03 mg/kg day−1〜
ミコフェノール酸モフェチル 1,000 mg 12時間ごと経口投与 day 0〜
メチルプレドニゾロン 1 mg/kg day−1〜(ATG使用量に応じて)
G-CSF day 1〜

2 混合キメラの場合

原疾患の種類や移植までに行った化学療法歴と，移植前処置の強度・種類によって，移植後に混合キメラ状態となる確率は大きく異なる(生着不全のリスクが高いほど，混合キメラの可能性が高い)．FLU/BU2 レジメンを用いたミニ移植後の T リンパ球分画キメリズム平均は，移植後 1 か月時点で約 8 割前後で，移植後 2 か月以降に約 9 割前後となる[16]．当院の経験では，FLU/MEL レジメンのほうが FLU/BU2 レジメンよりもドナー割合が高い．フル移植の場合，TBI/CY ではすぐに完全ドナータイプとなることが多いが，BU/CY の場合，移植後早期にドナータイプが 8，9 割前後の混合キメラをみる場合も少なくない．一方，好中球分画では移植後早期に完全ドナータイプとなっていることが多い．

混合キメラへの対処法は，T リンパ球分画でのキメリズムがドナー優位かレシピエント優位かで対処法が大きく異なる．ドナータイプが 5 割以上のときは，(疾患再発リスクに応じて)免疫抑制を徐々に減量していくことで，ドナー割合が増加することが多い．この場合，通常よりも遅い時期に急性 GVHD が急激に発症することがあり，注意を要する．T リンパ球でドナー割合が 5 割以下で，好中球が完全ドナータイプの場合，split chimerism と呼び，急速に免疫抑制を減量すると，レシピエント T リンパ球によりドナータイプ好中球が急激に拒絶されることがある．このため，T リンパ球でドナー割合が 5 割以下の場合，免疫抑制をある程度強化して平衡状態を保ちながら 2〜4 週ごとに T リンパ球と好中球のキメリズム検査を行い，注意深く推移を確認する．ドナー割合が徐々に増えてくる場合は，そのままじっくりと観察していくが，ドナー割合が減少してくる場合には，ドナーリンパ球輸注(DLI)を考慮するか，再移植の準備を行う．ドナー好中球数が保たれている状態で，DLI 前に(レシピエント T リンパ球抑制を目的に)FLU を投与し，全分画で完全ドナー型となり回復した経験がある．

3 キメリズムが完全ドナータイプの場合

キメリズム検査では末梢血も骨髄も完全ドナータイプであるにもかかわらず，好中球数がなかなか回復してこず，一次性生着不全と診断される場合がある．Poor graft function とも呼ばれるが，輸注細胞数が十分量であった場合でも起こりうる．PIR から続発した血球貪食症候群(HPS)を合併した際に，ステロイド投与などで回復する場合もあるが，なかなか回復せず全身状態が悪化する場合もある．HPSに対してデキサメタゾンパルミチン酸エステル(リメタゾン®)が有効であることが報告されており[17,18]，当院でも生着に至った症例を経験している．これまでの報告は主に小児が対象であり，成人に対する至適な投与量・投与期間は確立していない．

デキサメタゾンパルミチン酸エステル注射液(リメタゾン®) デキサメタゾンとして1日5mgを3日間連日静注

※二次性血球貪食性リンパ組織球症として保険請求が可能．

また，多臓器不全による高ビリルビン血症や腎不全などを合併した場合，好中球数回復遅延が時にみられる．その詳細なメカニズムは解明されていないが，血管内皮障害の存在も疑われている．

完全ドナータイプの一次性生着不全に対しては，全身状態がよいときはG-CSF投与を継続しながら，好中球数の回復を待つことが多い．一部の症例ではday 35〜42以降に好中球数が増加してくることもある．一方，多臓器不全を合併したpoor graft functionの場合は，対処が最も難しい．臓器障害のため，再移植に用いる前処置が十分量投与できないこともあり，再移植を無理に行っても合併症死亡のリスクはきわめて高い．HPSを合併した一次性生着不全(ドナータイプ優位)の症例に対して，著明な臓器障害をきたす前に減量PTCYを用いた血縁ハプロ移植を行い回復した経験がある．また同一ドナーからのPBSC採取が可能な場合には，ブーストとして前処置なしで幹細胞輸注が有効であった経験がある．

4 二次性生着不全の場合

いったん，生着の定義を満たした後に好中球数が減少し，二次性生着不全と診断した場合，Tリンパ球と好中球のキメリズムを確認して，免疫学的機序による拒絶を除外する必要がある．完全ドナータイプで二次性生着不全をきたす原因としては，薬剤性の場合が最も多い．特にガンシクロビル，ST合剤，MMFなどは投与量依存性に好中球減少をきたす場合があり，これらの薬剤を併用するとリスクがさらに高くなることを知っておく必要がある．対処法としては，原因薬剤を可能な限り他剤へ変更し，早めにG-CSF投与を開始する．二次性生着不全に対してエルトロンボパグが有効であった報告がある[19]．

文献

1) Sugita J, et al: Comparable survival outcomes with haploidentical stem cell transplantation and cord blood transplantation. Bone Marrow Transplant 57: 1681-1688, 2022
2) Takanashi M, et al: The impact of anti-HLA antibodies on unrelated cord blood transplantations. Blood 116: 2839-2846, 2010
3) Yoshihara S, et al: Risk and prevention of graft failure in patients with preexisting donor-specific HLA antibodies undergoing unmanipulated haploidentical SCT. Bone Marrow Transplant 47: 508-515, 2012
4) Fuji S, et al: Impact of pretransplant donor-specific anti-HLA antibodies on cord blood transplantation on behalf of the Transplant Complications Working Group of Japan Society for Hematopoietic Cell Transplantation. Bone Marrow Transplant 55: 722-728, 2020
5) Yuasa M, et al: Splenomegaly negatively impacts neutrophil engraftment in cord blood transplantation. Biol Blood Marrow Transplant 26: 1689-1696, 2020
6) Kawajiri A, et al: Kinetics of neutrophil engraftment in allogeneic stem cell transplantation. Blood Cell Therapy 2: 22-30, 2019
7) 池田和彦：同種造血幹細胞移植後キメリズム解析の意義と解析法．日本造血・免疫細胞療法学会雑誌 12：1-10，2023
8) Minakawa K, et al: Evaluation of a quantitative PCR-based method for chimerism analysis of Japanese donor/recipient pairs. Sci Rep 12: 21328, 2022
9) Matsuno N, et al: Rapid T-cell chimerism switch and memory T-cell expansion are associated with pre-engraftment immune reaction early after cord blood transplantation. Br J Haematol 160: 255-258, 2013
10) Harada K, et al: Outcomes of salvage haploidentical transplantation using posttransplant cyclophosphamide for graft failure following allogeneic hematopoietic stem cell transplantation. Int J Hematol 116: 744-753, 2022
11) Prata PH, et al: Outcomes of Salvage Haploidentical Transplant with Post-Transplant Cyclophosphamide for Rescuing Graft Failure Patients: a Report on Behalf of the Francophone Society of Bone Marrow Transplantation and Cellular Therapy. Biol Blood Marrow Transplant 25: 1798-1802, 2019
12) Fuji S, et al: Peripheral blood as a preferable source of stem cells for salvage transplantation in patients with graft failure after cord blood transplantation: a retrospective analysis of the registry data of the Japanese Society for Hematopoietic Cell Transplantation. Biol Blood Marrow Transplant 18: 1407-1414, 2012
13) Kato M, et al: Salvage allogeneic hematopoietic SCT for primary graft failure in children. Bone Marrow Transplant 48: 1173-1178, 2013
14) Waki F, et al: Feasibility of reduced-intensity cord blood transplantation as salvage therapy for graft failure: results of a nationwide survey of adult patients. Biol Blood Marrow Transplant 17: 841-851, 2011
15) Shimizu I, et al: Successful engraftment of cord blood following a one-day reduced-intensity conditioning regimen in two patients suffering primary graft failure and sepsis. Bone Marrow Transplant 44: 617-618, 2009
16) Saito B, et al: Impact of T cell chimerism on clinical outcome in 117 patients who underwent allogeneic stem cell transplantation with a busulfan-containing reduced-intensity conditioning regimen. Biol Blood Marrow Transplant 14: 1148-1155, 2008
17) Nishiwaki S, et al: Dexamethasone palmitate successfully attenuates hemophagocytic syndrome after allogeneic stem cell transplantation: macrophage-targeted steroid therapy. Int J Hematol 95: 428-433, 2012
18) Sakaguchi H, et al: Dexamethasone palmitate for patients with engraftment syndrome is associated with favorable outcome for children with hematological malignancy. Bone Marrow Transplant 51: 1540-1542, 2016
19) Tang C, et al: Successful treatment of secondary poor graft function post allogeneic hematopoietic stem cell transplantation with eltrombopag. J Hematol Oncol 11: 103, 2018

48 原疾患再発を減らすための対策

同種移植後に血液学的再発をきたした症例の予後は概して不良であり，再発を減らすための対策はきわめて重要である[1)].

移植前に再発リスクを評価し，高リスク症例では移植後に微小残存病変(MRD)をモニタリングして早期に治療介入することにより，予後を改善できる可能性がある．ただし移植後早期は，造血能や臓器機能の回復が十分ではなく，また相互作用が問題になる併用薬剤も多い時期であるため，治療介入は必ずしも容易ではない．本項では，移植後再発を減らすための対策についてまとめており，血液学的再発後の治療についてはセクション60(☞586頁)を参照されたい．

A 移植前の評価

移植前に再発リスクを見極めることが重要である．再発リスク因子は，主に患者因子，疾患因子，移植因子に大別される．

- 患者因子：高齢，臓器障害，感染症併発(十分な強度の移植前処置を行えない場合があるため)
- 疾患因子：予後不良染色体異常，予後不良遺伝子異常，進行期〔第二寛解期以上または非寛解状態(特に高腫瘍量が示唆されるLDH高値や末梢血芽球を認める場合)〕，MRD陽性，巨大腫瘤，CNS浸潤など．将来的には，ゲノム異常による予後層別化も重要視される．
- 移植因子：骨髄非破壊的前処置(特に移植前に非寛解の症例)，T細胞除去移植(ATGの使用など)．少量ATG投与により再発リスクを上昇させないという報告もあるが，ATGの至適用量は定まっておらず，再発リスクについて考慮しておく必要がある．

B 移植のタイミング・移植前処置の選択

同種移植が考慮される症例では，診断後速やかに患者のHLA検査を行ってドナー検索を開始するなど，移植を視野に入れて準備を進める．移植タイミングの遅れは，腫瘍量の増大，化学療法感受性の低下，パフォーマンス・ステータス(PS)や臓器機能の低下，耐性菌の出現などにつながることが多いため，可能な限り早期の移植を目指す．

移植前に非寛解の場合，そのまま直接フル移植を行うか，化学療法を行った直後にミニ移植(なだれ込み移植)を行うかの選択肢がある．疾患の病勢以外に，疾患の種類，ドナータイプなどから，移植片対白血病(GVL)効果の得られやすさも考慮して判断する．疾患の病勢が速く移植前処置開始までに腫瘍量増大が懸念される場合や，高いGVL効果が期待できない場合には，なだれ込み移植を余儀なくされる．しかし，なだれ込み移植では，好中球減少期間が長くなり感染リスクが増大すること，ミニ移植であっても粘膜障害や臓器毒性はかえって増強しうることは考慮しておく必要がある．

移植前にMRDが陽性の場合，移植後再発の高リスクと考えられるため，ALLやAMLにおいては年齢・臓器機能・併存症の観点から可能な限り前処置強度を上げることを考慮する．AMLを対象とした最近の海外第Ⅲ相試験において，NGS解析に基づくMRD陽性例のうちMAC例はRIC例と比べて有意に再発率が低くOSが良好であった[2]．一方，年齢や合併症・臓器障害のためにMACの適応にならない患者については，AMLを対象とした海外第Ⅱ相試験(RCT)において，フローサイトメトリー検査に基づくMRD陽性例では強度を高めたRICを用いられたが，従来型RICに比べて予後改善は得られなかった[3]．また，Ph+ALLやFLT3-ITD陽性AMLなど，移植後に分子標的薬を投与可能な疾患においては，前処置による毒性を軽減し移植後早期に分子標的薬を導入するために，前処置強度を弱めた移植を選択することもある．

C MRDモニタリング

血液学的寛解が得られた症例では，MRDに基づいた寛解評価・モニタリングが行われる(図1)[4,5]．MRDが陰性を維持するケース，MRDが持続的に陽性のケース，MRDがいったん陰性化した後に陽転化するケースなどがある．移植前のMRD残存例は，移植後再発の高リスクであり[6]，移植後もMRDモニタリングを行うこ

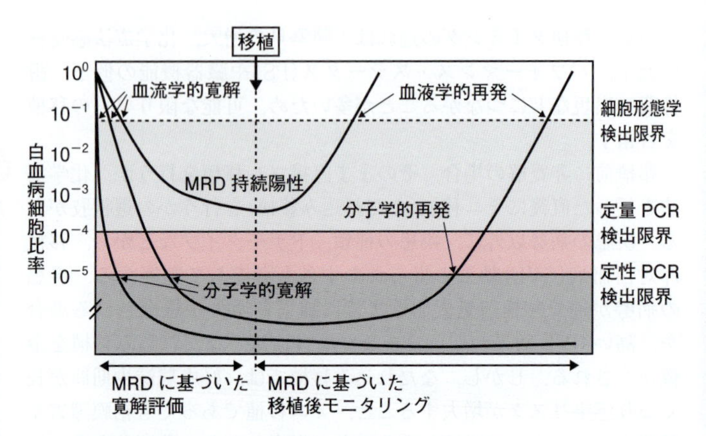

図1　MRD に基づいた寛解評価・移植後モニタリング
〔文献 4)より改変〕

とにより，血液学的再発をきたす前に早期診断・早期介入ができる可能性がある．

MRD モニタリングには，造血器腫瘍に特異的な遺伝子異常/再構成や細胞表面マーカー発現により，10^{-4}〜10^{-5} の感度で腫瘍細胞を検出する方法が用いられる(☞ 72 頁，セクション 8)．

PCR 検査には，定性的検査や定量的検査(リアルタイム PCR)があり，染色体転座に由来する融合遺伝子，疾患特異的な遺伝子変異，腫瘍細胞における過剰発現遺伝子，リンパ系腫瘍における特定の Ig/TCR 遺伝子再構成などを検出可能である(表 1)．定量 PCR 検査で陰性の場合，より高感度な定性 PCR 検査を行うことが望ましい．なお，MRD モニタリングを目的とした移植後のドナーキメリズム検査については，白血病細胞を含む CD34 陽性細胞分画に限定して解析するなど感度・特異度を上げる試みがなされているが，現時点では確立されていない．

フローサイトメトリー検査では，正常細胞では通常みられない抗原の発現パターン(aberrant antigen expression：AAE)を腫瘍細胞表面に検出する場合，MRD モニタリングが可能となる．骨髄性腫瘍における CD7，CD56，CD19 などの発現，B 細胞性腫瘍における免疫グロブリン軽鎖(κ/λ)の偏り(light chain restriction)，T

表1 MRDモニタリングに用いられる主な遺伝子異常(保険適用外のものも含む)

AML	• 融合遺伝子：*AML1-MTG8*, *PML-RARα*, *CBFβ-MYH11* など • 遺伝子変異：*NPM-1*, *FLT3-ITD/TKD*, *CEBPA*, *TP53* など • 過剰発現遺伝子：*WT-1* など
MDS	• 遺伝子変異：*TET2* など • 過剰発現遺伝子：*WT-1* など
ALL	• 融合遺伝子：*BCR-ABL*, *MLL-AF4* など • Ig/TCR遺伝子再構成
CML	• 融合遺伝子：*BCR-ABL*
B細胞リンパ腫	• 融合遺伝子：*IgH-BCL6*(*DLBCL*), *IgH-BCL2*(*FL*), *IgH-BCL1*(*MCL*), *MALT1-API2*(*MALT*) など • Ig遺伝子再構成
T細胞リンパ腫	• 融合遺伝子：*ALK-NPM*(*ALCL*) など • TCR遺伝子再構成

細胞性腫瘍における汎T細胞抗原(CD3, CD5, CD7)の欠失などが用いられる.

D GVL効果の誘導

GVL効果の存在は, ①同系移植で再発が多いこと, ②T細胞除去移植による移植片対宿主病(GVHD)発症率の低下と再発率の上昇, ③GVHD発症例における再発率の低下, ④一部の移植後再発例に対するドナーリンパ球輸注(DLI)の有効性などにより支持されている.

同種移植後の再発を予防する目的で意図的にGVL効果を誘導することの意義は必ずしも確立されていないが, 再発高リスク例では試みられることが多い. GVHD予防で用いるカルシニューリン阻害薬の血中濃度を低めを維持し, 治療目的のステロイド全身投与の開始閾値を高めに設定する. ただし重症急性GVHD(Grade Ⅲ～Ⅳ)や慢性GVHDによる肺病変(BOS)を合併すると逆に予後を悪化させるため注意が必要である. また移植後再発の高リスクで移植後にMRDが陽性化した症例に対して, (特に併用可能な分子標的薬がない場合)積極的な免疫抑制剤の減量やDLIが試みられている.

E 再発予防のための併用療法

同種移植後の再発を予防する目的で，さまざまな併用療法が試みられている(表2). 疾患ごとの詳細は，各疾患の項(☞56〜138頁，セクション7〜13)を参照されたい.

再発高リスク急性白血病に対する移植後維持療法について肯定的な立場[6]と否定的な立場[7]からの総説が報告されている. 新規薬剤を用いた維持療法による再発予防効果への期待は大きいが，ランダム化比較試験に基づくエビデンスはまだ少なく，今後明らかにしていくべき点も多い. 診断時に予後不良な細胞遺伝学的異常を認めた症例，移植前にMRDが陽性だった症例，前処置強度を弱めざるを得なかった症例などでは，移植後再発の高リスクと考えて維持療法

表2 血液学的再発を防ぐために用いられる併用療法

薬剤		疾患
DNAメチル化阻害薬	アザシチジン	MDS/AML
BCL-2阻害薬	ベネトクラクス	AML，CLL
チロシンキナーゼ阻害薬	イマチニブ	Ph陽性CML/ALL
	ダサチニブ	
	ポナチニブ	
	ソラフェニブ	*FLT3*遺伝子変異陽性AML
	ギルテリチニブ	
	キザルチニブ	
免疫調整薬	レナリドミド	MM，ATL
プロテアソーム阻害薬	ボルテゾミブ	MM，MCL
モノクローナル抗体	リツキシマブ	NHL
	ブリナツモマブ	ALL
	ブレンツキシマブベドチン	HL，CD30陽性PTCL
ヒストン脱アセチル化酵素阻害薬	ロミデプシン	PTCL
	ツシジノスタット	ATL，PTCL
EZH1/2二重阻害薬	バレメトスタット	ATL

の適応を検討する．

移植後寛解例に対する維持療法を，予防的に行うべきか(prophylactic therapy)，MRD 残存/陽性化例に対して先制攻撃的に行うべきか(pre-emptive therapy)は結論が出ていない．また，維持療法に用いる薬剤の至適な開始時期，用量，治療期間(治療終了基準)についても，確立されていない．薬剤選択に際しては，薬剤の GVHD や GVL 効果への影響，カルシニューリン阻害薬やアゾール系抗真菌薬などの併用薬との相互作用も考慮する必要がある．また，移植後に長期におよぶ維持療法を行うことによる患者の経済的・心理的負担も，治療コンプライアンスに直結する問題点である．

ドイツのグループは，血液学的寛解状態で同種移植を受けた Ph 陽性 ALL 症例に対し，イマチニブの予防的投与(n＝26)と nested PCR 法による MRD 陽性化例に対する先制攻撃的投与(n＝29)とを比較する無作為化試験を行った[8]．イマチニブ開始日の中央値は移植後 48 日と 70 日で予防投与群のほうが早く，治療期間の中央値は 201 日と 127 日で予防投与群のほうが長期間であった．イマチニブ 600 mg/日が投与可能であったのは 22% で，両群とも約 7 割の症例で予定より早期に治療が中止された．分子学的寛解の持続期間は予防投与群で長い傾向があったが，無白血病生存率(LFS)および全生存率(OS)に有意差はなかった．

またドイツの多施設で行われた第Ⅱ相試験(RELAZA2 試験)では，MDS/AML に対する寛解期移植後に，変異またはキメラ遺伝子の定量 PCR または CD34 陽性細胞でのキメリズム検査で MRD をモニタリングし，MRD 陽転化例に対してアザシチジン(75 mg/m^2，7 日間，29 日サイクル)が投与された[9]．登録例(MDS，n＝26；AML，n＝172)のうち，60 例(30%)で移植後に分子学的再発をきたし，53 例がアザシチジン療法を受けた．治療開始後の観察期間中央値 13 か月において，12 か月時点の無再発生存割合は 46% であり，再発高リスクの移植後 MDS/AML 例においてアザシチジンの先制攻撃的投与により血液学的再発を減らせる可能性が示唆された．

FLT3-ITD 変異陽性 AML に対しては，移植後ソラフェニブ維持療法の有効性を検証するランダム化二重盲検試験(SORMAIN 試

験)が行われた[10]．移植後寛解例83例が，ソラフェニブ(n＝43)またはプラセボ(n＝40)に割り付けされ，移植後60～100日目より24か月間の投与が計画された(ソラフェニブの投与量は最初の2週間は400 mg，次の4週間は600 mg，以降は800 mgに漸増された)．観察期間中央値41.8か月において，主要評価項目であるRFSはソラフェニブ群で有意に優れていた(24か月RFS：85.0% vs. 53.3%；$P=0.002$)．また中国でも，移植後ソラフェニブ維持療法に関する第Ⅲ相試験が行われた[11]．ソラフェニブは，400 mg1日2回を，移植後day 30～60からday 180にかけて投与された．観察期間中央値21.3か月において，維持療法群(n＝100)ではプラセボ群(n＝102)と比べて移植後2年の再発率が有意に低く(11.9% vs. 31.6%：$P<0.001$)，移植後2年のOSは有意に優れていた(82.1% vs. 68.0%；$P=0.012$)．

当院では，移植後のMRDモニタリングとして，疾患特異的な遺伝子異常を検出するPCR検査(基本的に保険診療として実施可能なもの)の他，汎用性の高いマーカーとしてはAMLやMDSにおける*WT-1*，ATLにおけるHTLV-1 analysis system(HAS)など腫瘍細胞特異的なAAEを検出するマルチカラーフローサイトメトリーを主にフォローしている．

また当院では，移植を行った全例を対象とした予防的治療(prophylactic therapy)は行っていないが，移植前MRD陽性などの再発ハイリスク例に対しては，Ph陽性ALLに対してTKI療法，*FLT3-ITD*変異陽性AMLに対して*FLT3*阻害薬療法を造血回復後早期に開始している．MDS/AMLに対するアザシチジン療法(AMLではベネトクラクス併用を考慮)，Ph陰性ALLに対するブリナツモマブ療法，ATLに対するバレメトスタット療法またはツシジノスタット療法は，移植後のMRD残存/陽転化例に対する先制攻撃治療(pre-emptive therapy)または血液学的再発例に対する救援治療として行うことが多い．

文献

1) Tsirigotis P, et al: Relapse of AML after hematopoietic stem cell transplantation: methods of monitoring and preventive strategies. A review from the ALWP of the EBMT. Bone Marrow Transplant 51: 1431-1438, 2016
2) Hourigan CS, et al: Impact of conditioning intensity of allogeneic transplantation for acute myeloid leukemia with genomic evidence of residual disease. J Clin Oncol 38:

1273-1283, 2020
3) Craddock C, et al: Augmented reduced-intensity regimen does not improve postallogeneic transplant outcomes in acute myeloid leukemia. J Clin Oncol 39: 768-778, 2021
4) Bruggemann M, et al: Has MRD monitoring superseded other prognostic factors in adult ALL? Blood 120: 4470-4481, 2012
5) van Dongen JJ, et al: Minimal residual disease diagnostics in acute lymphoblastic leukemia: need for sensitive, fast, and standardized technologies. Blood 125: 3996-4009, 2015
6) Scott BL: Allogeneic stem cell transplantation for high-risk acute leukemia and maintenance therapy: no time to waste. Blood Adv 4: 3200-3204, 2020
7) Soiffer RJ: Maintenance therapy for high-risk acute leukemia after allogeneic hematopoietic cell transplantation: wait a minute. Blood Adv 4: 3205-3208, 2020
8) Pfeifer H, et al: Randomized comparison of prophylactic and minimal residual disease-triggered imatinib after allogeneic stem cell transplantation for BCR-ABL1-positive acute lymphoblastic leukemia. Leukemia 27: 1254-1262, 2013
9) Platzbecker U, et al: Measurable residual disease-guided treatment with 13 zacytidine to prevent haematological relapse in patients with myelodysplastic syndrome and acute myeloid leukaemia (RELAZA2): an open-label, multicentre, phase 2 trial. Lancet Oncol 19: 1668-1679, 2018
10) Burchert A, et al: Sorafenib maintenance after allogeneic hematopoietic stem cell transplantation for acute myeloid leukemia with FLT3-internal tandem duplication mutation (SORMAIN). J Clin Oncol 38: 2993-3002, 2020
11) Xuan L, et al: Sorafenib maintenance in patients with FLT3-ITD acute myeloid leukaemia undergoing allogeneic haematopoietic stem-cell transplantation: an open-label, multicentre, randomised phase 3 trial. Lancet Oncol 21: 1201-1212, 2020

49 リハビリテーション

A 造血細胞移植患者におけるリハビリテーションの目的

造血細胞移植では，大量抗がん剤や放射線療法に伴う倦怠感や発熱，悪心・嘔吐，血球減少によるふらつきや疲労感などの副作用，またクリーンルーム内での行動制限のために，長期間ベッド上での療養となる場合が多い．長期臥床は筋肉萎縮や筋力低下，関節拘縮，静脈血栓症，肺炎，褥瘡の要因となる．特にステロイド長期投与を受ける患者では，筋力低下や骨粗鬆症のリスクが高い．

造血細胞移植患者におけるリハビリテーションの目的は，移植治療前から退院時まで筋力や運動耐容能を保持・増強させ，早期退院や社会復帰を促すことである．

B 病棟でのリハビリテーションの活動内容

1 移植前の評価

移植患者にはできる限り移植前からの介入を行う．ここでは運動機能，筋力，運動耐容能，日常生活動作(ADL)などの評価を実施する．具体的な評価方法として，当院ではShort Physical Performance Battery(SPPB)，握力，6分間歩行試験などを用いることが多い．SPPBは，立位バランス，歩行，立ち座り動作の3課題からなるパフォーマンステストであり，各課題の達成度を0～4点で採点し，合計点を指標とする(12点満点)．SPPBを評価する際は，スコアに加えて実測値も記録しておくほうがよい．

当院で同種移植を受けた60例の解析では，移植前の筋肉量減少は非再発死亡の有意なリスク因子であった[1)]．

2 リハビリテーションの種類

当院では造血幹細胞移植を受ける患者向けのパンフレット[2)]に，リハビリテーションの目的や種類，実施時の注意点などを記載している．移植前オリエンテーション時に看護師が説明することで，移

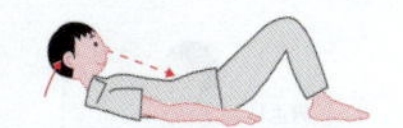
①頭を持ち上げながら臍のあたりを見る．姿勢を約 3〜5 秒間保持する．

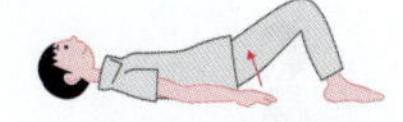
②膝を立て，腰を持ち上げ，その姿勢を約 3〜5 秒間保持する．

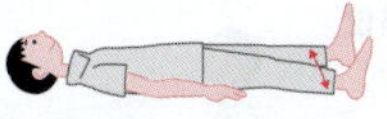
③つま先を上に向けて，足を外側に開く．

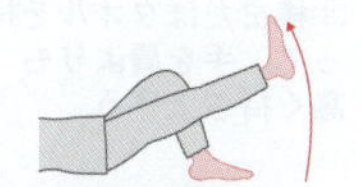
④一方の膝を立てる．反対の膝を伸ばしたまま，足を持ち上げる．姿勢を約 3〜5 秒間保持する．

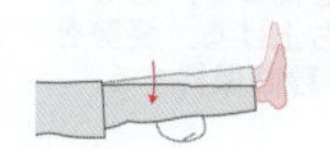
⑤膝下にタオルを丸めて挟み，ベッドの方向に力を入れる．

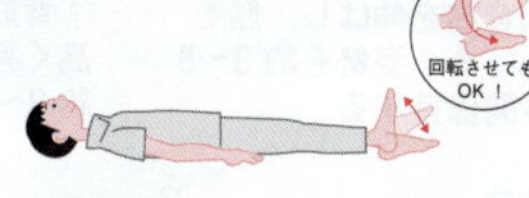

⑥膝を伸ばして，つま先を頭側と床側に動かす．また，回転も可．

図 1　ベッド上で行う筋力トレーニング

植前からリハビリテーションの重要性を伝えている．

❶ 筋力トレーニング

筋力や運動耐容能を維持するために，PS や ADL が落ちた患者でも実施可能な体位別の筋力トレーニングがある．ベッド上臥床時であっても，膝立てや腰上げ，足上げ，足首の内旋・外旋などの運動を行うことが可能である(図 1)．座位ではもも上げや膝の伸展，立位では手すりを使用するスクワットやつま先立ちなどを行う(図 2)．

体調が悪化し，歩行やエアロバイクなどの運動ができない場合や，血球減少などでベッド上安静の場合でも実施できるような負担の少ないリハビリテーションを行い，座位や立位などの姿勢を維持するための抗重力筋を少しでも維持できるようにしている．またストレッチングにより，関節可動域を保つことも重要である．

❷ 呼吸リハビリテーション(図 3)

移植後は，長期臥床や肺炎や閉塞性細気管支炎(BOS)などにより呼吸機能が低下している患者が多い．ベッド上でも安全に実施できる腹式呼吸や呼吸体操を行い，呼吸機能の低下を予防している．

3 リハビリテーション用器具

当院では，病棟内にエアロバイク 2 台と踏み台を設置したリハビリテーションコーナーがあり，治療中でも患者が自由に使用でき

座位

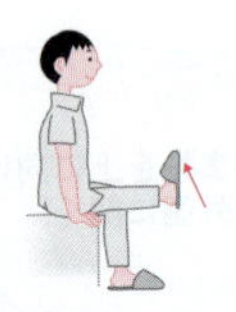

①背筋を伸ばし，膝を伸ばす．姿勢を約3〜5秒間保持する．

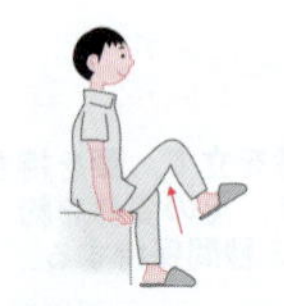

②背筋を伸ばし，ももを高く持ち上げる．姿勢を約3〜5秒間保持する．

③棒またはタオルを持って，手を肩よりも高く持ち上げる．

立位

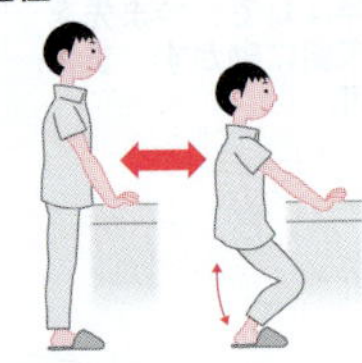

①机や手すりにつかまり，かかとをつけたまま，膝を曲げる．

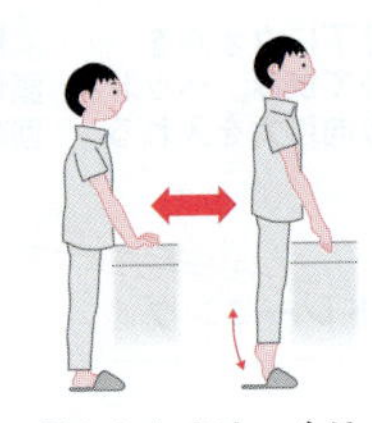

②かかとをゆっくり上げて，ゆっくり降ろす．

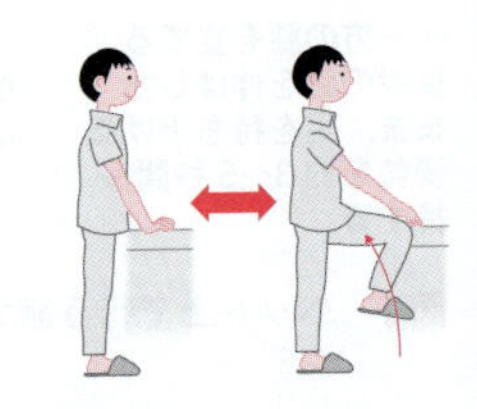

③机や手すりにつかまり，一方の足を床から持ち上げ，片足立ちになる．10秒数えて，床におろす．

図2　座位・立位で行う筋力トレーニング

る．エアロバイクや踏み台昇降では，大腿四頭筋やハムストリング，殿部筋，下腿三頭筋など，立ち上がりや歩行，階段昇降などの日常生活に必要な筋肉をつけることができる．転倒リスクが高い患者では，看護師が付き添い，また身体症状の有無や程度について，医師とリハビリテーション専門職で相談し，リハビリテーションを安全に実施するよう努めている．

4 リハビリテーションへのモチベーション向上の試み

当院では，リハビリテーションコーナーにリハビリテーション時の注意点や患者からの疑問に答えるような掲示物を貼り，季節ごとに風景の写真などを掲示している．

5 リハビリテーションの効果判定

移植後は，day 30前後と退院時に，握力測定，6分間歩行試験，SPPBにより，治療による筋力低下の程度やリハビリテーションの効果を数値化して評価している．当院の単施設前向き観察研究(n＝100)では，移植後の身体機能低下に影響する因子は，HLA不一

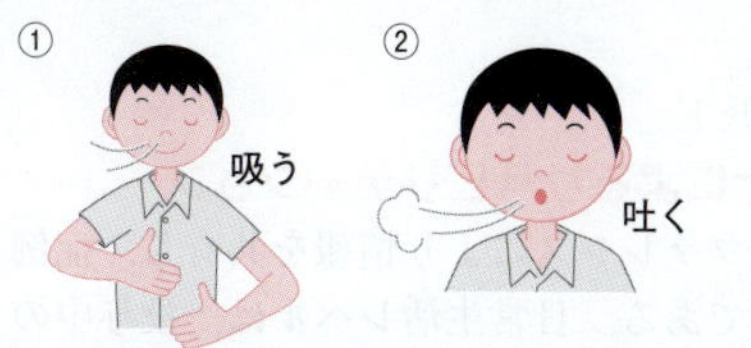

【口すぼめ腹式呼吸】
①一方の手を胸の上に，もう一方の手をお腹の上に置く．お腹が盛り上がるようにして鼻から息を吸う．
②唇をすぼめてろうそくの火を消すようにゆっくり「ふーっ」と口から吐く．

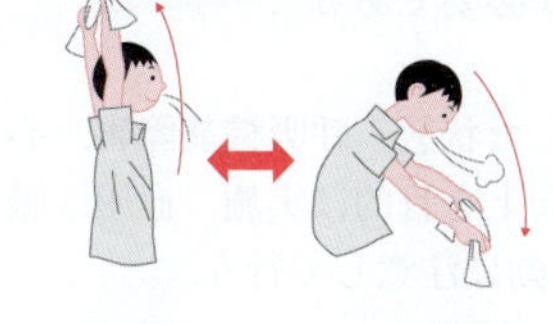

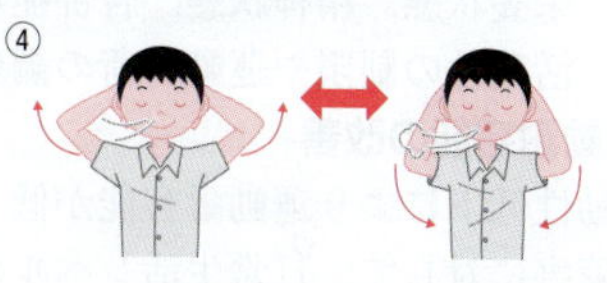

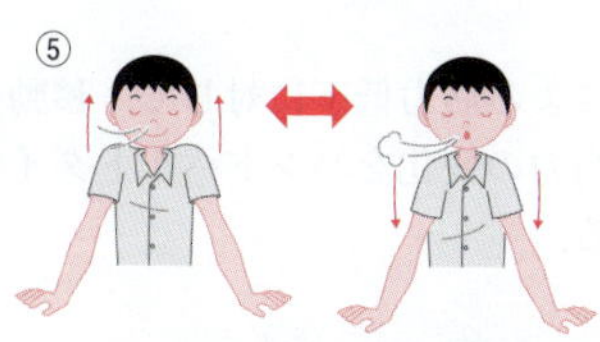

【呼吸体操】
③棒またはタオルを両手で持ち，息を吸いながら腕を肩より高く持ち上げる．息を吐きながら腕を下ろす．
④頭の後ろで手を組み，息を吸いながら両肘を広げ，吐きながら閉じる．
⑤息を吸いながら肩を上げ，吐きながらおろす．

図 3　呼吸リハビリテーション
息を吸うときは鼻から，吐くときは口から，かける時間は吸う：吐く＝1：2 で行う．

致，減量強度前処置，非血縁ドナー，体重減少率 5% 以上，ステロイド累積投与量がプレドニゾロン換算で平均 20 mg/日以上などであった[3)]．

C　理学療法士・作業療法士によるリハビリテーション

1　理学療法士・作業療法士へのコンサルト

当院では，造血細胞移植患者全例に，整形外科医を介してリハビリテーション科へのコンサルトが行われる．移植患者では多くの場合，理学療法・作業療法が処方される．

❶ 移植前のコンサルト

- 長期間の治療により運動耐容能が低下した状態，PS・ADL 低下
- 呼吸機能障害，心機能障害の合併
- 60 歳以上の高齢者

❷ 移植後のコンサルト

- 移植後合併症による PS の低下

2 理学療法士・作業療法士によるリハビリテーション

多職種による定期的なカンファレンスにより情報を共有し，症例ごとの個別アプローチが必須である．日常生活レベルは，投与中の薬剤，栄養状態，精神状態，合併症などによって大きく左右されるため，活動性の制限や運動負荷の調整が必要である[4]．

❶ 運動耐容能の改善

活動性低下により運動耐容能が低下した状態，呼吸機能障害，心機能障害に対して，日常生活レベルの向上を目的に実施．血圧，脈拍数，SpO_2 などのバイタルサインの変動に注意して行う．

❷ 体幹や下肢の筋力増強

活動性低下やステロイド長期使用による筋力低下に対して，移動動作の改善を目的として実施する．筋力の変化をハンドヘルドダイナモメーターなどで継時的に確認する．

❸ 関節可動性の改善

慢性 GVHD による皮膚硬化，下肢の浮腫などに対して，ADL の維持を目的として実施する．

❹ 呼吸機能の改善

肺 GVHD などによる呼吸機能障害に対して，日常生活レベルの向上を目的として，呼吸方法の指導，胸郭可動性の向上を目指したアプローチを行う．

❺ 慢性腰痛の改善

低活動性腰痛，体幹の筋力低下による腰痛などに対して，日常生活の安定化を目的として実施する．長期ステロイド使用者の場合は腰椎圧迫骨折のリスクに注意する．

文献

1）Sakatoku K, et al: Prognostic significance of low pre-transplant skeletal muscle mass on survival outcomes in patients undergoing hematopoietic stem cell transplantation. Int J Hematol 111: 267-277, 2020
2）国立がん研究センター中央病院 HP：同種造血幹細胞移植療法を受けられる方へ. https://www.ncc.go.jp/jp/ncch/clinic/stem_cell_transplantation/Allo.pdf
3）奥田生久恵，他：同種造血細胞移植患者の身体機能低下に関連する因子の検討：単施設前向き観察研究．日本造血・免疫細胞療法学会雑誌 10：165-171，2021
4）日本リハビリテーション医学会(編)：がんのリハビリテーションガイドライン．金原出版，2019

50 疼痛管理

A 疼痛の評価

疼痛緩和においてはまず主観的な患者の痛みを客観的に評価する必要がある．そして痛みの原因と種類を診断し，速やかなアプローチの開始が求められる．詳細は専門書[1~3]を参照されたい．

1 アセスメント

❶ 発症様式(O：Onset)

- 痛みの発症時期，時間帯など．

❷ 増悪因子と緩和因子(P：Provocation and palliation factor)

- 痛みを増悪させる要因，緩和させる要因など．
- 要因として，労作，姿勢，食事，排泄，加温，冷却など．

❸ 性質(Q：Quality)

- 体性痛：鋭い痛み，うずくような/噛みつかれるような痛み．
- 内臓痛：鈍い痛み，重苦しい/ひきつるような痛み．
- 神経障害性疼痛：刃物で刺すような/槍で突かれるような/焼けるような痛み．

❹ 部位(R：Region/Radiation/Related symptom)

- 体性痛：狭い範囲に局在する明瞭な痛み．
- 内臓痛：広い範囲の漠然とした痛み．
- 神経障害性疼痛：デルマトームに一致する痛み．

❺ 強さ(S：Severity)

- NRS(Numerical Rating Scale)：[0：痛みは全くない]から[10：最悪の痛み]の11段階で患者に選択してもらう．
- VRS(Verbal Rating Scale)：none，mild，moderate，severeなど，痛みを示す言葉を患者に選択してもらう．
- VAS(Visual Analogue Scale)：10 cmの水平な直線上で[左端：痛みは全くない]から[右端：最悪の痛み]と設定し，患者自身に痛みのレベルをチェックしてもらい，左端からの距離を評価する．

❻ 経時的変化(T：Time course)

時間の経過とともに痛みは悪化しているかどうか．

2 臨床所見

❶ 視診

原疾患の皮膚病変，帯状疱疹の有無など確認．

❷ 触診

- 神経障害性疼痛を疑う場合→デルマトームに一致した範囲に皮膚の感覚異常があるか．
- 内臓痛を疑う場合→腹部の圧痛はあるか．
- 骨転移を疑う場合→疼痛部位に叩打痛はあるか．
- 脳転移を疑う場合→髄膜刺激症状はあるか，中枢神経障害の所見はあるか．

❸ 聴診

消化管蠕動痛を疑う場合→蠕動の亢進はあるか．

3 検査データ

- 痛みの原因を推定する際に，血液検査で炎症所見や感染症はあるか，また鎮痛薬を選択するうえで，臓器障害はあるか．
- CT，MRI，骨シンチグラフィ，PET 検査などで画像的に現状の痛みを説明しうるか．

B がん疼痛への対処法の基本

がん疼痛の治療は，基本的に WHO 方式がん疼痛治療法に従い，その本質は「鎮痛薬使用の基本原則」と「三段階除痛ラダー」により成り立つ．「WHO ガイドライン　成人・青年における薬物療法・放射線治療によるがん疼痛マネジメント」2018 年改訂版においては，がん疼痛薬物療法の普及のために用いていた三段階除痛ラダーはその役目を終えて，鎮痛薬使用の基本原則から「ラダーに沿って効力の順に(by the ladder)」の項目が本文から削除されたが，がん疼痛の治療は，「痛みの強度に応じて適切な鎮痛薬を用いる」というラダーに基づいた考えで実践することが求められる．

1 鎮痛薬使用の 4 原則

① 経口投与を基本とする(by mouth)
② 時刻を決めて規則正しく投与(by the clock)
③ 患者ごとの個別的な量で(for the individual)
④ さらに細かい配慮を(with attention to detail)

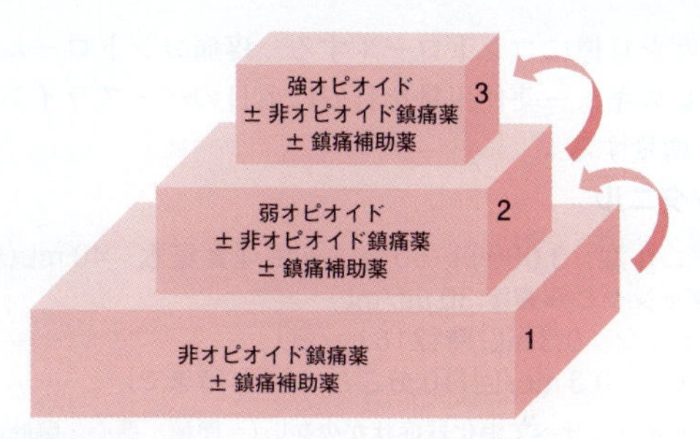

図1 三段階除痛ラダー

2 三段階除痛ラダー(図1)

❶ 非オピオイド鎮痛薬

軽度の痛みに関しては，第一段階の非オピオイド鎮痛薬を使用する．ただし，NSAIDs は血小板減少による出血傾向や腎障害をきたしうるため移植患者では使用を控えるのが望ましい．また肛門部の感染リスクを避けるため坐薬の使用は原則行わない．

アセトアミノフェン(カロナール® 錠)(200 mg，500 mg) 1 回 500〜1,000 mg 1 日 3〜4 回 内服

または

アセトアミノフェン(アセリオ® 注) 1 回 1 V(1,000 mg) 点滴静注 6 時間空けて反復投与可

❷ 弱オピオイド

コデイン，トラマドールがあるが，移植患者においては口腔粘膜障害により経口内服が困難になること，弱オピオイドでの疼痛コントロールが難しいことから，使用頻度は低い．

❸ 強オピオイド

当院では，便秘・尿閉・眠気などの副作用が少ないことと，腎機能に影響せず使用可能なフェンタニルを第一選択としている．

3 当院での処方例

移植患者では，前処置後の粘膜痛などの急性疼痛に対して，がん疼痛と同様に薬物療法を行うことが多い．注射薬の場合，レスキュー薬投与は1〜2 時間量の早送りとする．持続痛が適切にコントロールされ，突出痛に対してレスキュー薬投与を 1 日 2 回まで使

用する程度を目標にコントロールする．疼痛コントロールが不良であれば，レスキュー薬使用量を目安に前日のベースライン投与量を20〜50% 増量する．

❶ フェンタニル

フェンタニル注 3,000 μg(60 mL)＋生理食塩水 40 mL(総量 100 mL，フェンタニル濃度 30 μg/mL)
ベースライン：0.3 mL/時(216 μg/日)
レスキュー：0.3 mL/回(10 分ごと 6 回/時まで)

※他のオピオイドに比べて消化器症状が少ない(＝便秘，悪心・嘔吐の副作用が少ない)．

❷ オキシコドン

1% オキシコドン注 100 mg(10 mL)＋生理食塩水 90 mL(総量 100 mL，オキシコドン濃度 1 mg/mL)
ベースライン：0.5 mL/時(12 mg/日)
レスキュー：0.5 mL/回(10 分ごと 6 回/時まで)

※腸管運動を抑制する(フェンタニルと比較し便秘の副作用が強い)ため，腸管蠕動痛に対して効果を認める．また，フェンタニルより鎮痛効果が強い傾向にある．腎機能障害の減量基準に関してはデータがないが，eGFR 30 mL/分/1.73 m^2 以上で使用は可能と思われる．

❸ 塩酸モルヒネ

1% 塩酸モルヒネ注 100 mg(10 mL)＋生理食塩水 90 mL(総量 100 mL，モルヒネ濃度 1 mg/mL)
ベースライン：0.5 mL/時(12 mg/日)
レスキュー：0.5 mL/回(10 分ごと 6 回/時まで)

※頻呼吸を伴う呼吸苦にもエビデンスがある．腎機能障害時は蓄積傾向があるため，使用は控える．

❹ ヒドロモルフォン

ナルベイン® 注 10 mg(1 mL)＋生理食塩水 99 mL(総量 100 mL，ナルベイン® 濃度 0.1 mg/mL)
ベースライン：0.4 mL/時(0.96 mg/日)
レスキュー：0.4 mL/回(10 分ごと 6 回/時まで)

※2023 年 11 月時点で，がん疼痛に対してのみ適応があることに注意する．
※鎮痛活性代謝産物がなく，腎機能低下例において蓄積しないことから使用しやすいが，代謝遅延があるため慎重に投与する．

4 オピオイドの副作用対策

❶ 悪心・嘔吐

オピオイド開始/増量時に約3割の患者で悪心が出現し，定時か頓用で制吐剤の併用が必要となる．1～2週間ほどで軽減することが多いが，その場合は制吐剤の定時投与はいったん中止する．制吐剤による錐体外路徴候に注意する．

プロクロルペラジン（ノバミン® 錠）(5 mg)　1錠頓用，もしくは1回1錠　1日2～3回定期内服

または

ジフェンヒドラミン（トラベルミン® 配合錠）　1錠頓用，もしくは1回1錠　1日3回定時内服

※トラベルミン® が飲めない場合は，アタラックス® P点滴を使用する．

オランザピン（ジプレキサ® 錠）(2.5 mg)　1錠　眠前

※耐糖能異常例にはオランザピンは禁忌．オランザピンが使用できない患者においてはリスペリドン1 mgを，飲めない場合はセレネース® 0.5 Aを使用する．

❷ 便秘

オピオイドの投与開始直後から出現する．水分摂取や適度な運動とともに，大腸刺激性下剤と緩下剤の定時投与，オピオイドスイッチ（モルヒネ，オキシコドンを減量もしくはフェンタニルにスイッチする）などにより対応する．開始後1～2週後も便秘のコントロールがうまくいかない場合は，末梢性オピオイド拮抗薬（ナルデメジン）の併用を考慮する．

酸化マグネシウム（マグミット® 錠）(330 mg)　1日3～6錠　分3　毎食後
センノシド（プルゼニド® 錠）(12 mg)　1日1～2錠　分1　眠前
ピコスルファート0.75% 内用液（ラキソベロン®）　1日1回　10～15滴
ラクツロースシロップ（モニラック®・シロップ65%）　1日30 mL　分3
ナルデメジン（スインプロイク®）(0.2 mg)　1日1錠　分1

❸ 眠気・傾眠・せん妄

オピオイド開始/増量後は眠気や傾眠が出現するが，数日で改善する．オピオイドが原因と疑われる場合はオピオイドの減量やス

イッチ，鎮痛補助薬の使用，対症療法薬の処方を検討する．

- オピオイドを増量前の量，もしくは現在の 1/2 量に減量する．
- せん妄を生じた場合は，オピオイド以外のせん妄誘発因子を探索するとともに，オピオイドが原因である場合は他のオピオイドにスイッチする．

❹ 呼吸抑制

刺激に対して速やかに覚醒し呼吸数も回復する場合は問題ない．覚醒不良かつ刺激しても呼吸数が少ない(6 回未満/分)場合，オピオイドによる呼吸抑制として対応する．

- オピオイドをベース，レスキュー量ともに 1/2 量に減量する．
- 重症の呼吸抑制の場合は疼痛出現に注意しつつ，ナロキソンの使用を検討する．
- ナロキソン：1 A(0.2 mg/mL)を 10 倍希釈し，1 回 1 mL ずつ 5 分ごとに，呼吸数が 10 回/分になるまで静脈注射．ナロキソンは持続時間が短いため，呼吸回数が再度 6 回/分未満になれば，同様の処置を行う．オピオイド持続静注・貼付剤はいったん中止し，意識レベルが回復した後に，オピオイド投与量を半量にして持続注射に変更して投与を開始する．

❺ オピオイドスイッチ(オピオイドの種類変更)

静注オピオイドの換算表を表 1 に示す．経口モルヒネ換算 120 mg 以上の投与例や長期使用例においては，一度に全量を切り替えると退薬症状が出現する可能性があり，半量～1/4 ずつ段階的に置き換えていく．また疼痛コントロール不良例に対して，注射へのオピオイドスイッチを行う場合，等換算で切り替えると耐性・感受性が異なるため，過量投与・呼吸抑制につながることがある．等換算の 80% 量にて換算し，観察のうえ，タイトレーションを行うことが

表 1　オピオイド換算表(静注)

薬剤(静注薬)	経口モルヒネに対する換算比	mg/日				
モルヒネ注	1/2	15	30	60	120	180
オキシコドン注	1/2	15	30	60	120	180
フェンタニル注	1/100	0.3	0.6	1.2	2.4	3.6
ヒドロモルフォン注	1/25	1.2	2.4	4.8	9.6	14.4

望ましい．

C 特殊な疼痛への対処法

1 帯状疱疹

移植後，水痘・帯状疱疹ウイルスの再活性化が30〜50%に認められる．他の免疫不全患者での発症と同様にヘルペス後神経痛を残す頻度が高い．帯状疱疹発症後の急性期は一般的に急性神経炎の痛みとして治療を行う．強さに応じてNSAIDs(移植患者には使用しにくい)，アセトアミノフェンを投与するが，多くはこれらが無効で弱オピオイド，強オピオイドを使用する．急性期疼痛に対して三環系抗うつ薬やガバペンチノイド(プレガバリン，ミロガバリン)の有効性は確立していないが，疼痛緩和に有効なことがある．ミロガバリンはプレガバリンと比較してめまいの副作用が少ない．

慢性期疼痛に対する処方例を示す．

> プレガバリン(リリカ®：Caチャネル遮断薬) 1回50 mg 1日1回 眠前投与より開始，1週間以上かけて1日300 mg 分2まで増量可

または

> ミロガバリン(タリージェ®：Caチャネル遮断薬) 1回5 mg 1日2回より開始，1週間以上かけて1日30 mg分2まで増量可

※めまい・傾眠・浮腫といった副作用増強のおそれがあり，高齢者，クレアチニンクリアランス(CCr)30 mL/分以下ではリリカ® 25 mgまたはタリージェ® 2.5 mgより開始し，リリカ® 150 mgまたはタリージェ® 7.5 mgまで段階的に増量する．

※腎代替療法で除去されるため，透析患者ではCCrに応じた投与量に加えて透析直後に補充が必要．

> デュロキセチン(サインバルタ®：セロトニン・ノルアドレナリン再取り込み阻害薬) 1回20 mg 1日1回 朝食後より開始，1日40〜60 mgまで増量

または

> アミトリプチン(トリプタノール®：三環系抗うつ薬) 1回10 mg 1日1回 眠前より開始，1日25〜75 mgへ漸増

※全身状態不良あるいは高齢の患者では，尿閉・せん妄・眠気・便秘などの抗コリン作用を生じることが多くなるので注意が必要．

※カルバマゼピン(テグレトール®)は骨髄抑制の副作用があるため，移植患者では投与を控える．

2 出血性膀胱炎による膀胱痛

移植後にアデノウイルスやBKウイルスによる出血性膀胱炎を合併したときに，膀胱灌流などの処置を行うが，膀胱痛のコントロールに難渋することも多い．

膀胱痛に対しては，カテーテル留置など膀胱安静・洗浄を行うとともに，オピオイド投与を行う．時に，鎮痛補助薬としてガバペンチノイド（リリカ®，タリージェ®）やクロナゼパム（ランドセン®，リボトリール®）などの抗痙攣薬，タムスロシン（ハルナール®）・ジスチグミン（ウブレチド®）・ソリフェナシン（ベシケア®）・猪苓湯などの排尿機能関連薬，抗コリン薬などを併用することにより症状が改善する場合がある．

3 カルシニューリン阻害薬などによる薬剤性神経障害性疼痛

移植後はカルシニューリン阻害薬などにより薬剤性神経障害性疼痛をきたすことがあり，calcineurin-inhibitor induced pain syndrome（CIPS）と呼ばれている．原因薬剤の中止・変更または用量調整の可否を判断することが重要であるが，対症的に鎮痛補助薬としてガバペンチノイド（リリカ®，タリージェ®）やクロナゼパム（ランドセン®，リボトリール®）などの抗痙攣薬を使用することもある．

4 HHV-6 脊髄炎に伴う神経障害性疼痛

HHV-6 脊髄炎後の難治性神経障害性疼痛に対して，ガバペンチノイド（リリカ®，タリージェ®），抗うつ薬（サインバルタ®，トリプタノール®），ベンゾジアゼピン系抗痙攣薬（ランドセン®，リボトリール®），リドカインまたはケタミン等の併用を試すこともある．

文献

1）森田達也，他：緩和ケアレジデントマニュアル第2版．医学書院，2022
2）日本緩和医療学会（編）：専門医をめざす人のための緩和医療学改訂第2版．南江堂，2019
3）日本緩和医療学会（編）：がん疼痛の薬物療法に関するガイドライン2020年版．金原出版，2020.
https://www.jspm.ne.jp/files/guideline/pain2020.pdf

51 精神的サポート

A 造血細胞移植における心理社会的問題

造血細胞移植は，がん治療のなかで最も身体的合併症が多いため，さまざまな心理的問題をもつ患者が多い．治療期間も長期間で，経済的負担も大きいため，社会的問題も考えておく必要がある．

特に問題となる心理社会的問題として「5つのD」が挙げられている[1)]．

① Death（死の恐怖）
② Dependence（長期入院・通院を通しての家族や医療者への依存）
③ Disfigurement（脱毛，中心静脈カテーテルの挿入，不妊など容貌や機能の変化に伴い，醜くなったと感じてしまうこと）
④ Disruption（長期・複数回の入院による社会との断絶）
⑤ Disability（疾患に関連する障害による社会生活の阻害）

造血細胞移植後の厳しい予後についての説明や身体的合併症に伴うストレスによって，誰でも強い抑うつ状態が生じ，日常生活への適応能力が大きく低下する．多くの患者は約2週間程度で最低限の日常生活への適応レベルへと戻るが，2週間を超えても強い抑うつ状態が持続し，日常生活に大きな支障をきたす場合，「大うつ病」と診断される（図1）．また，大うつ病の基準は満たさないが，通常の適応レベルまで戻らない場合を「適応障害」という．

当院では移植前のスクリーニングとして，図2[2, 3)]のような「つらさと支障の寒暖計」を全例で確認している．つらさの点数が4点以上かつ支障の点数が3点以上の場合，適応障害や大うつ病などの介入が必要である精神症状を有していることが疑われる（感度82%，特異度82%）ため，精神科受診が推奨される[2, 3)]．

当院では，同種造血幹細胞移植を受ける全患者に対して，「心のケアチーム」によるメンタルサポートを提供している．移植前オリエンテーション（☞157頁，セクション16）のときに，簡単なアンケートと心理士・精神腫瘍医の面接を行い，入院後の継続的な介入

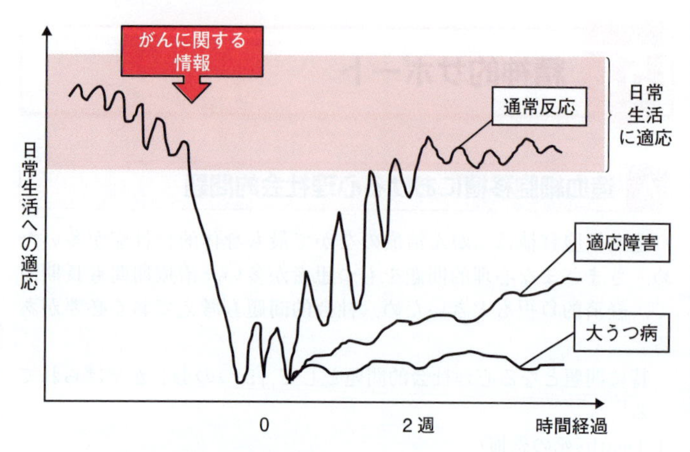

図1 造血細胞移植患者の心理的反応（適応障害・大うつ病）
〔文献1）より〕

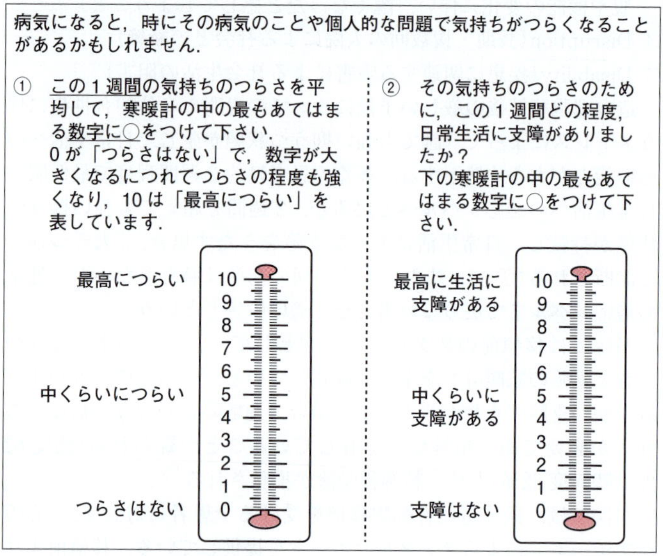

病気になると，時にその病気のことや個人的な問題で気持ちがつらくなることがあるかもしれません.

① この1週間の気持ちのつらさを平均して，寒暖計の中の最もあてはまる数字に○をつけて下さい.
0が「つらさはない」で，数字が大きくなるにつれてつらさの程度も強くなり，10は「最高につらい」を表しています.

最高につらい 10
9
8
7
6
中くらいにつらい 5
4
3
2
1
つらさはない 0

② その気持ちのつらさのために，この1週間どの程度，日常生活に支障がありましたか？
下の寒暖計の中の最もあてはまる数字に○をつけて下さい.

最高に生活に支障がある 10
9
8
7
6
中くらいに支障がある 5
4
3
2
1
支障はない 0

図2 つらさと支障の寒暖計
〔文献2, 3）より〕

の必要性について検討している．当院で同種移植前の心理的要因プレスクリーニングを行った155例の経験では，移植患者の約8割は精神科診断には該当しないが，約半数の患者で抑うつを認めた．本人の希望，医療者からの依頼，移植前からの介入例を含めると，約7割の患者で移植中のメンタルサポートが必要であった．

B 適応障害

適応障害は造血細胞移植患者において最も高頻度にみられるストレス反応性疾患であり，「病気ではない」と判断せず注意深いフォローが必要である．

抑うつ気分を伴うもの，不安を伴うものがあるが，両者の混合タイプが多い．ストレス因子として不安を抱きやすい個人の資質や精神疾患の既往といった心理的側面，治療や病気による身体的活動性低下などの身体的側面，社会的サポートの不足や経済状況などの社会的側面も関与しうる．移植患者のようにがん年齢における相対的若年者もリスク因子である．これらのストレス因子へ曝露することにより，不安などの症状が惹起される．また，いったん軽快した後も症状が再燃することがある．

患者が何を苦痛に感じているのか，心配しているのかを確認しながら，精神科チームと一緒に多元的アプローチをする必要がある．適切な治療がなされれば病状は改善していくことが多いが，逆に症状が悪化し大うつ病へと発展していくこともあるため，症状の変化に注意が必要である．

❶ 精神療法

まずは患者が何を困っているのかをきちんと傾聴して，医療者が理解することが大切である．「自分の苦しみを担当医が理解してくれている」と感じられると，患者の心理的苦痛は軽減される．そのうえで現実的な情報提供を行って保証を与える．

❷ 環境調整

周囲からのサポートが効果的に働くよう，医療スタッフ内での意見交換や家族の希望の汲み取り，調整・働きかけを行う．

❸ 薬物療法

患者の苦痛が強く，希望がある場合には，薬物療法を適宜併用するのが一般的である．不安に対する作用だけではなく抗うつ作用も併せもち，効果の発現が早い抗不安薬を最初に選択する．

アルプラゾラム（ソラナックス®） 1日0.4〜1.2 mg 分1〜3 内服

症状が続く場合には長時間作用型の抗不安薬も検討する．

ロフラゼプ酸エチル（メイラックス®） 1日1〜2 mg 分1〜2 内服

※依存性があるため，短期間の使用にとどめるようにする．

C 大うつ病

うつ病を合併した患者は症状の訴えが少なく，気分が沈んでいても，治療中の正常反応と考えられ，発見が遅れる場合がある．また，移植後は，食欲減退・体重減少，不眠，易疲労性などのうつ病の身体症状と同様の症状が高頻度にみられるため，見逃されやすい．コントロールされない痛みの存在は，うつ病の大きな原因の1つである．

スクリーニングとして図2の「つらさと支障の寒暖計」を用いる場合，つらさの点数で5点以上，かつ支障の点数で4点以上がカットオフ値として推奨されている（感度89%，特異度70%）[1]．

精神療法と薬物療法が必要であり，精神科チームと協力し対応していく．当院ではDSM-5診断基準により重症度を評価し，薬剤選択を行っている．軽症例では，自然回復を認めることも多いため，副作用のリスクも考慮して薬物療法を積極的には考慮していない．本人の意向や症状による苦痛の強さ，精神療法など他の治療法への反応性も踏まえて，以下の薬剤を考慮している．

① 軽症の場合，抗うつ作用も併せもつ下記の抗不安薬を用いる．

アルプラゾラム（ソラナックス®） 1日0.4〜1.2 mg 分1〜3 内服

※依存性があるため，短期間の使用にとどめるようにする．

② 中等症〜重症の場合，下記の抗うつ薬を用いる．

エスシタロプラム（レクサプロ®） 1日10 mg 分1 夕食後に内服

または

ミルタザピン（リフレックス®） 1日7.5〜15 mg 分1 眠前に内服

※抗うつ薬の中には薬物相互作用を示すものがある．

D せん妄

せん妄は治療のあらゆる段階において生じうる疾患であり，患者，家族，医療スタッフに強い負担と苦痛を強いる．せん妄は適切に対応することにより，症状の改善が可能である．

せん妄の診断にはDSM-5-TR診断基準が用いられており，表1の基準を満たす場合に診断される．せん妄の病型には過活動型，低活動型，活動水準混合型があり，特に低活動型が見落とされたり，うつ病と間違われたりする場合があるため，注意が必要である．適切な治療を行うためにも発症要因を検討することが大切である．せん妄の原因は多様であり，誘因として，高齢，認知症や脳血管障害の既往，視力・聴力障害(白内障など)，夜間の覚醒を促す処置，コントロールされていない身体症状などがある．直接の原因として，①中枢神経病変，②肝不全や腎不全，③低酸素血症，④循環不全，⑤電解質異常，⑥感染症，⑦貧血や播種性血管内凝固症候群(DIC)，⑧栄養障害，⑨オピオイドやベンゾジアゼピン系薬剤，⑩脱水などがある．造血細胞移植患者ではこれらの複合によりせん妄をきたす可能性も高い．

特に同種移植後は，HHV-6などによるウイルス性脳炎や免疫抑制剤による脳症などの器質的疾患を発症している可能性があり，こ

表1 せん妄のDSM-5-TR診断基準

A. 環境の認識の減少が伴った注意の障害(すなわち，注意を方向づけ，集中，維持，転換する能力の低下)
B. その障害は短期間の間に出現し(通常数時間〜数日)，もととなる注意および意識水準からの変化を示し，さらに1日の経過中で重症度が変動する傾向がある．
C. さらに認知の障害を伴う(例：記憶欠損，失見当識，言語，視空間認知，知覚)．
D. 基準AおよびCに示す障害は，他の既存の，確定した，または進行中の神経認知障害ではうまく説明されないし，昏睡のような覚醒水準の著しい低下という状況下で起こるものではない．
E. 病歴，身体診察，臨床検査所見から，その障害が他の医学的状態，物質中毒または離脱(すなわち，乱用薬物や医療品によるもの)，または毒物への曝露，または複数の病因による直接的な生理学的結果により引き起こされたという証拠がある．

〔日本精神神経学会(日本語版用語監修)，髙橋三郎・大野　裕(監訳)：DSM-5-TR精神疾患の診断・統計マニュアル．p653，医学書院，2023より〕

れらを見逃さないことが重要である．

せん妄をきたす原因となっている状況の改善が認められれば，回復の可能性が高い．環境調整として，睡眠覚醒リズムの回復や時計やカレンダーなどによる見当識低下の予防，眼鏡や補聴器などによる知覚障害の改善なども有用である．過活動性（幻覚妄想・興奮など）の症状や不眠に伴う苦痛を認める場合，薬物療法を併用する．

内服が可能な場合：

リスペリドン（リスパダール®） 1回1 mg 1日2 mgまで使用

または

クエチアピン（セロクエル®） 1回25～50 mg 1日50 mgまで使用（※糖尿病の患者では禁忌）

または

オランザピン（ジプレキサ®） 1回2.5～5 mg 1日5 mgまで使用（※糖尿病の患者では禁忌）

内服が困難な場合：

ハロペリドール（セレネース®：5 mg/A） 0.5～1 A＋生理食塩水 50 mL 30分で点滴静注 1日ハロペリドール10 mgまで使用（※錐体外路症状の出現に注意，キニジン様作用があるためQT延長に注意）

効果がない場合は，精神科または心療内科への依頼を検討する．

E 不眠

不眠は頻度が高い症状の1つである．一般的に，入眠困難（入眠に30分以上かかる）や中途覚醒による睡眠維持困難といった睡眠の問題が週3日以上の頻度で出現し，本人にとっての著しい苦痛や日常生活への支障を引き起こしている状態を不眠症という．

不眠を引き起こす原因はさまざまであり，移植患者においては抗がん剤治療やGVHDなどによる症状，発熱，長期間の隔離された状態や全身状態の変化によるストレス，24時間の持続点滴などの医療処置，ステロイドや利尿剤の使用など，多要因にわたり，その原因を評価することが重要である．特に，不眠が「うつ病」や「せん妄」といった精神疾患の前駆症状あるいは随伴症状の1つとなっていることもあり，見逃さないことが大切である．

対応としては，まずは対処可能な原因があれば，原因の除去を図る．薬物療法は，せん妄のリスクを考慮して薬剤を用いる．

内服が可能な場合（せん妄ハイリスク患者）：

トラゾドン（デジレル®） 1回25～50 mg 1日100 mgまで使用

または

レンボレキサント（デエビゴ®） 1回2.5 mg 1日1回のみ使用

※CYP3Aを中等度から強力に阻害する薬剤（フルコナゾール，ポサコナゾール，エリスロマイシン，ベラパミル，イトラコナゾール，クラリスロマイシン等）と併用する場合は1日1回2.5 mgを上限とする

内服が可能な場合（せん妄リスクが低い患者）：

エスゾピクロン（ルネスタ®） 1回1～2 mg 1日2 mgまで使用

内服が困難な場合：

ヒドロキシジン塩酸塩（アタラックス®-P 25 mg/A） 1～2 A＋生理食塩水50 mL 30分で点滴静注 1日ヒドロキシジン塩酸塩100 mgまで使用

効果がない場合は，精神科または心療内科への依頼を検討する．

文献

1）小川朝生，他（編）：精神腫瘍学クイックリファレンス．創造出版，2009
2）つらさと支障の寒暖計の使用の手引き．
http://plaza.umin.ac.jp/~pcpkg/dit/dit.pdf
3）Akizuki N, et al: Development of an Impact Thermometer for use in combination with the Distress Thermometer as a brief screening tool for adjustment disorders and/or major depression in cancer patients. J Pain Symptom Manage 29: 91-99, 2005

52 移植医療にかかる費用と社会制度

A 移植を受けるための費用

造血細胞移植を受ける患者にとって，経済的な問題は非常に大きいため，的確な情報提供が必要である[1)]．移植を準備する際には，早めに医療ソーシャルワーカー(MSW)や造血細胞移植コーディネーター(HCTC)へ相談することが望ましい．

1 医療費

患者の自己負担額はそれぞれの保険内容などで変わってくるが，医療費の負担を軽減するために高額療養費制度などが利用できる．

2 血縁ドナーのコーディネート費用

HLA 検査料(3～4 万円 × 人数分)，抗 HLA 抗体検査料(2～7 万円)は，検査を実施する段階では保険適用外のため自費請求となり，料金も施設や検査会社によって差がある．移植実施後，患者・血縁ドナーの 2 名分は保険請求されるため，すでに支払われた HLA 検査料・抗 HLA 抗体検査料は返金請求が可能である(領収書の提示が必須)．なお，HLA 検査料は，ドナーの造血幹細胞採取，患者の造血幹細胞移植の所定点数に含まれており，抗 HLA 抗体検査料は，抗 HLA 抗体検査加算として 4,000 点が加算される．ドナーの健診費用(約 3 万円)・入院費用(約 60 万円)は，保険が適用され患者の治療費に含まれる．ただし，ドナーが不適格となった場合の健診費用や何らかの理由で移植が実施されなかった場合の HLA 検査費用およびドナー入院費用は，患者に自費で請求されるため，後でトラブルにならないよう患者・ドナーへの事前説明が必要である．

3 骨髄バンクのコーディネート費用

骨髄バンク登録後は，負担金項目が実施されると患者負担金が発生し，移植まで至ると概ね 20～30 万円ほどかかる．この患者負担金は医療保険の対象外であるが，所得税の確定申告の際の医療費控除の対象となる．また，骨髄バンクの患者負担金に関しては減免制度があり(免除率 50～100%)，患者の世帯が条件を満たしていれば必要書類を骨髄バンクへ提出する．そのほかに，採取された骨髄・

末梢血幹細胞の運搬費用が請求されるが，健康保険の療養費払い(患者が医療費の全額を立替払いし，後で健康保険に療養費として請求し払戻しを受けること)の対象となり，自己負担分も医療費控除の対象となる．また，ドナーが入院する際に特室料(差額ベッド代)が生じた場合は患者負担となる(0〜30万円程度)．

4 さい帯血バンクのコーディネート費用

コーディネート費用は基本的に無料であるが，提供希望の臍帯血および患者について追加検査を依頼した場合，別途費用が発生する．また，骨髄・末梢血幹細胞と同様にさい帯血バンクから施設への運搬費用が請求されるが，健康保険の療養費払いの対象となり，自己負担分も医療費控除の対象となる．

B 医療費の助成などについて

1 高額療養費制度

同じ月の間に同じ医療施設であっても，医科入院，医科外来，歯科入院，歯科外来に分けて保険適用の自己負担額が一定の金額を超えた場合に，超えた額の払い戻しが受けられる制度である．ただし，食事代や差額ベッド代などは対象にならない．なお，「一定の金額」は被保険者の収入によって異なり，申請により支給される．医療費が高額になることが事前にわかっている場合は，「限度額適用認定証」を医療機関に提示することで窓口での支払いが自己負担限度額までとなる．

2 骨髄・臍帯血など運搬にかかる費用の療養費請求

骨髄や臍帯血などの運搬費用は健康保険の療養費払いの対象となる．請求方法は，病院へ支払った費用の領収証を添付し，医師の意見書，療養費払いの申請書を保険者(国民健康保険の場合は役所，社会保険の場合は職場)へ提出すると，後日5〜10割程度，返金を受けることができる(返金率は保険者によって差がある)．

3 所得税の医療費控除制度

控除の対象となるのは医療費のほか，骨髄バンクなどに支払う患者負担金も含まれる．その他，移植後の症状管理に必要な市販品(外用薬など)の購入費，医療機関受診の交通費なども対象となる．

4 指定難病の特定医療費助成

指定難病の認定を受けると「医療受給者証」が交付され，医療費は公費負担の対象となる．対象疾患には「再生不良性貧血」などがある．「医療費公費負担」は患者の生計中心者の所得税額(市民税額)に応じて医療費の自己負担限度額が決定される．ただし，認定された疾患名にかかる医療費のみが対象となる．

5 小児慢性特定疾病医療費助成制度

小児慢性特定疾病をもつ児童について健全育成の観点から患児家庭の医療費の負担軽減を図るため，その医療費の自己負担分の一部を助成する制度である．18歳未満(引き続き治療が必要であると認められる場合は20歳未満)で小児慢性特定疾病医療支援事業の対象疾病をもち，なおかつ別に定める認定基準に該当する児童が対象となる．

6 生活福祉資金貸付制度

低所得世帯，高齢者世帯，身体障害者世帯を対象に，それぞれの世帯の状況と必要に合わせた資金貸付などを行う制度である．例えば，就職に必要な就学や介護サービス利用のための資金貸付について，居住地の社会福祉協議会へ申請する．ただし利子を含めた返済が必要となる．

7 小児・AYA世代のがん患者等の妊孕性温存療法研究促進事業[2)]

将来子供を産み育てることを望む小児・AYA世代のがん患者，造血細胞移植が実施される非がん疾患などが対象(年齢制限あり)となる(☞154頁，セクション15)．居住地の自治体に申請すると，妊孕性温存療法および妊孕性温存療法により凍結した検体を用いた生殖補助医療等に要する費用の一部が助成される．ただし事業に基づく研究への参加に同意する必要がある．

8 佐藤きち子記念「造血細胞移植患者支援基金」[3)]

助成総額の限度額は30万円で，経済的理由により造血細胞移植の実施が困難な患者とその家族が対象となる(基金が定めた，対象となる世帯の総収入額の基準あり)．申請には移植予定病院の医師とMSWが作成する推薦状が必要で，助成対象の期間は移植をはさんで3か月間である．

9 淳彦基金

生活保護受給者，母子家庭など経済的事情のある患者が対象で，

HLA 検査費用の援助が受けられる．ただし「HLA 研究所」での検査費用に限られる（注：申請は検査前に行わなければならない）．

10 志村大輔基金[3)]

造血細胞移植や抗がん剤治療を開始予定の男性患者が対象で，精子保存にかかる費用の助成をしている（申請においては，基金が定める世帯の所得基準がある）．居住する自治体の助成の対象とならなかった費用が対象となる．

11 こうのとりマリーン基金[3)]

今後，造血幹細胞移植や抗がん剤治療を開始する予定の女性患者が対象で，未受精卵子の採取・保存を経済的に援助する基金である．申請においては対象年齢，世帯の所得などの制限基準がある．居住する自治体の助成の対象とならなかった費用が対象となる．

C 退院後の支援体制

1 傷病手当金

療養のために働けず，給料がもらえないときにその間の生活費を保障するためのもので，社会保険に加入している移植患者は利用する場合が多い．医師による「就労不可」の判断が必要で，連続して休み始めて 4 日目から支給され（最初の 3 日は「待期」とされ，4 日目が支給開始日となる），1 日あたり標準報酬日額の 2/3 が支給される．支給期間は，開始日から通算して 1 年 6 か月（2022 年 1 月より）である．条件が合えば，退職後も受給できる．

2 障害年金

初めて医師の診察を受けた日から 1 年半を経過したとき（障害認定日）に，障害の程度が障害等級に該当した際に支給される．2017 年 12 月から「血液・造血器疾患による障害」の認定基準が改正され，「慢性 GVHD」として申請が可能となった．障害認定日は障害によって異なる場合があるので注意が必要である．

3 特別児童扶養手当

20 歳未満の精神または身体に障害のある児童を監護する父母などに支給される（所得制限あり）．

4 身体障害者手帳

身体に一定以上の障害が残ってしまったとき，身体障害者手帳の交付を受けると，等級によって医療費や医療装具の助成，税金の軽減，公共施設や公共交通利用料金の割引など，各種サービスを受けることができる．

5 ファミリーハウス

患者家族が病院近くに宿泊施設やファミリーハウスを必要とする場合がある．そのようなケースに備え，安価で泊まれるファミリーハウスやウィークリーマンション，ホテルのリストを作成し活用することも有効である．

文献

1) 日本造血細胞移植学会 HCTC 委員会(編)：チーム医療のための造血細胞移植ガイドブック，医薬ジャーナル社，2018
2) 厚生労働省 HP：小児・AYA 世代のがん患者等の妊孕性温存療法研究促進事業．https://www.mhlw.go.jp/stf/seisakunitsuite/bunya/kenkou_iryou/kenkou/gan/gan_byoin_00010.html
3) 全国骨髄バンク推進連絡協議会 HP：患者さんへ．https://www.marrow.or.jp/patient/

第3章

移植後の外来フォロー編

53 退院前オリエンテーション

同種移植後の初回退院に際しては，退院後の生活におけるさまざまな注意点について医師や看護師からオリエンテーションを行う．

A パンフレット/造血細胞移植患者手帳

オリエンテーションの際，感染症やGVHDなどの予防法や，その他の日常生活や治療上の注意点などを記したパンフレット[1)]を渡せるとよい．緊急時にも使用できるように，患者のプロフィール，移植記録，移植施設の連絡先などを記載のうえ，いつでも持参するよう勧める．

1 患者のプロフィール

- 氏名，診察券番号(院内ID)，生年月日，住所，電話番号，緊急時連絡先を記載する．

2 患者の移植記録

- 移植施設，移植日，病名，ドナー(血縁/非血縁，骨髄/末梢血幹細胞/臍帯血)，ABO血液型表，薬剤アレルギー歴などを記載する．

なお，2017年12月から，移植情報や健診歴・ワクチン接種歴の記録，一般の医療機関やかかりつけ医とのスムーズな連携などを目的として，「造血細胞移植患者手帳」の配布が開始された．

以下に，当科で渡しているパンフレット(「退院後の生活」，2014年9月改訂版)から，重要と思われる事項をまとめる[1)]．

B 一般的な注意点

- 自宅での体温・血圧・脈拍・体重・SpO_2を記録し，外来時に持参する．
- 免疫抑制剤は，内服時間を守り，飲み忘れがないように注意する．外来受診時に免疫抑制剤の血中濃度採血がある場合は，朝分は内服せずに持参して採血後に内服する．

- 飲水は，腎保護のために1日1～2L以上を目標にする．食欲低下や味覚異常が続く場合，管理栄養士による栄養相談も可能である．
- 医師による診察以外に，看護師による造血細胞移植後長期フォローアップ外来(LTFU外来)がある(☞550頁，セクション55)．

C 早めの外来受診・電話相談が必要な場合

当院で初回同種移植を受けた213例の解析によると，同種移植後の初回退院から100日間で合併症による累積再入院割合は15%で，約5割が感染症，約4割がGVHDが原因であった[2)](図1)．

表1のような症状がある場合には，重症合併症の徴候である可能性があり，緊急入院が必要となることがある．このような場合には，再来予定日よりも早めに外来受診をしたり，電話で状況を知らせるように患者へ伝えておく．緊急時の医療機関連絡先は，平日の勤務時間内と夜間・休日のそれぞれを伝えておく．

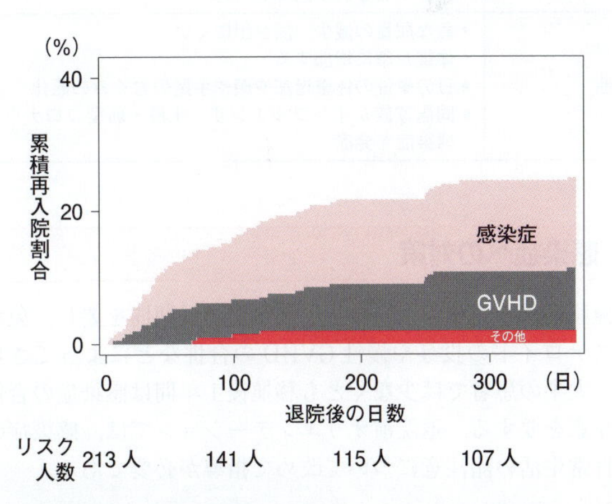

図1 初回同種移植後の移植関連合併症による累積再入院割合
〔文献2)より改変〕

表1 外来受診や電話相談が必要な注意すべき症状

症状	特に注意すべき状況
全身状態の悪化(原因によらない)	• 倦怠感が強く，ぐったりしている • 飲水や食事ができない • 意識がぼんやりするなど通常と異なる
38℃以上の発熱	• 強い寒気や体の震えがある • 解熱剤や抗菌薬を数日内服しても熱が下がらない
呼吸器症状	• 息が苦しい，軽い運動でも息切れが強い • 眠れないほどの激しい咳が出る • 喀痰がたくさん出る，痰に血が混じる • 胸の痛みがある
皮膚症状	• 皮疹が急速に広がっている • 皮疹の赤みが強く，皮膚がむけたり水ぶくれを伴う • 皮膚の強い腫れ・発赤・痛みを認める
消化器症状	• 嘔気・嘔吐が続き，水分が十分に摂れない • 脱水症状を伴う(強い口渇，尿量減少，体重減少，意識障害等) • 水様の便が大量・頻回に出る(特に緑色の下痢) • 吐いたものや便に血が混じる(赤い便，黒い便) • 強い腹痛を伴う
神経症状	• 手足が動きにくい，感覚がおかしい • ふらついて歩きにくい • 急な物忘れの増加や性格変化を指摘される • 痛みやしびれが強くなった
その他	• 急な尿量の減少，尿が出にくい • 体重が急に増加する • 日の単位の体重増加や顔や手足のむくみの悪化 • 同居家族がインフルエンザ・水痘・新型コロナウイルス感染症を発症

D 感染症への対策

同種移植後の免疫回復には月～年単位の長期間を要し，免疫抑制剤・ステロイドの投与や慢性GVHDの合併などによってさらに遅れる．大半の患者では少なくとも移植後1年間は感染症の合併に厳重な注意を要する．退院前オリエンテーションでは，感染症の予防策や日常生活の諸注意について改めて指導が必要である．

1 外出

• マスクを着用し，できるだけ人混みを避け，帰宅後の手洗い・うがいをしっかりする.
- 公衆浴場/プール，真菌や粉塵の舞う農耕期の農場や工事現場は，特に移植後早期や免疫抑制剤使用中は避けることが望ましい.

2 掃除

- 特に移植後早期や免疫抑制剤使用中は，清掃は家族に代わってもらうよう指導している.
- 患者が清掃をする場合は，マスクや手袋を着用し，ほこりができるだけたたないようにし，作業後は手洗い・うがいをしっかり行う.
- 空調器(エアコン・加湿器・空気清浄機)や水回り(キッチン・冷蔵庫・浴室)は定期的に清掃する.

3 食事

- 食品の賞味期限・消費期限はきちんと守る.
- 飲用水はペットボトルが望ましいが，水道水を飲む場合は煮沸する.
- 食事のあとは歯を磨いて口腔内の衛生を保つ.
- グレープフルーツなどの柑橘類の一部は，免疫抑制剤の血中濃度に影響を及ぼすことがあり，内服中は摂取を避ける.
- 食品ごとの注意点，免疫抑制剤投与中の禁止食品，身の回りの病原性微生物と予防法についての詳細はセクション 27(☞ 260 頁)を参照.
- 調理の際は，前後にしっかり手洗いをして，新鮮な食材を用い，野菜や果物は流水でよく洗い，肉や魚や卵はよく加熱する.
- 外食の際は，衛生状態のよさそうな店を選び，肉や魚や卵はよく加熱してもらい，開放陳列された食品やサラダバー・バイキングなどは避ける.

4 その他の日常生活

- 入浴またはシャワーは毎日行う.
- トイレの際はウォシュレットを使う.
- 寝具はまめに洗濯・交換する.
- 動物との接触，ガーデニングや土いじりは，特に移植後早期や免疫抑制剤使用中は避けることが望ましい.

5 ワクチンの接種

- 季節性インフルエンザのワクチン接種を勧める.

- その他のワクチンの接種時期や条件についての詳細はセクション59(☞ 578 頁)を参照.

6 同居家族の健康管理

- 同居家族も,季節性インフルエンザのワクチン接種を勧める.患者本人がインフルエンザ発症者と濃厚接触があった場合には(職場や学校で流行した場合など),オセルタミビルの予防内服を行う.

E GVHD への対策

1 皮膚・筋肉・関節

- 皮膚や爪は,保湿を心がけ,日光や化粧品による刺激に注意する.
- 皮疹が出ていないか,入浴時などに毎日チェックする.
- 適度な運動を心がける.関節拘縮予防のため,ストレッチも有用である.

2 口腔・消化管

- うがいや歯磨きをまめに行って,口腔内を清潔に保つ.口腔の乾燥には,必要に応じて口腔用保湿ジェルを用いる.
- 刺激のある食物を避ける.
- 食思低下や嘔気が続く場合,水様下痢や強い腹痛がある際には,すぐに医師に相談する.

3 眼

- 日光による刺激を避けるため,サングラスを用いる.
- ドライアイに対して,軽症なら人工涙液点眼,重症ならステロイド点眼/軟膏を使用する.重症度によって涙点プラグの挿入を考慮する.

4 肺

- 禁煙を徹底する(患者本人だけではなく,受動喫煙も減らすよう指導する).
- 息苦しさや息切れ症状が出現した場合は,早めに医師に相談する.

F 社会復帰（復職）について

社会復帰（復職）の時期は，個人差も大きいが移植後半年～1 年くらいが目安になる．国内の移植経験者 1,048 人の全国調査によると，復職割合は移植後 1 年で 38%，2 年で 58%，5 年で 76% であった[3)]．なお，移植後長期フォローアップ外来支援の一環で，移植後就労支援に際しての説明補助資料として，移植後就労支援リーフレットが 2022 年 2 月に公開された[4)]．

文献
1）国立がん研究センター中央病院・造血幹細胞移植科 HP：同種造血幹細胞移植を受けた方へ－退院後の生活.
https://www.ncc.go.jp/jp/ncch/clinic/stem_cell_transplantation/Patient_Discharge.pdf
2）Yamaguchi K, et al: Characterization of readmission after allogeneic hematopoietic cell transplantation. Bone Marrow Transplant 56: 1335-1340, 2021
3）Kurosawa S, et al: Resignation and return to work in patients receiving allogeneic hematopoietic cell transplantation close up. J Cancer Surviv 16: 1004-1015, 2022
4）日本造血・免疫細胞療法学会 HP：移植後長期フォローアップ外来運営を支援する “LTFU ツール全国版”.
https://www.jstct.or.jp/modules/facility/index.php?content_id=37

54 慢性 GVHD の診断・治療

A 慢性 GVHD の診断基準

以前は，移植片対宿主病(GVHD)の発症時期が移植後 100 日以内か 100 日以降かで急性 GVHD と慢性 GVHD に分けられていたが，2005 年の NIH 分類でその診断方法が大きく変わった(表 1)[1,2].

表 1 急性・慢性 GVHD に関する NIH 分類(2005)

分類	亜分類	発症時期	急性 GVHD 症状	慢性 GVHD 症状
急性 GVHD	古典的	100 日以内	あり	なし
	持続型，再燃型，遅発型	100 日以降	あり	なし
慢性 GVHD	古典的	規定なし	なし	あり
	重複型	規定なし	あり	あり

慢性 GVHD の診断には，慢性 GVHD に特徴的な臨床徴候があることが重要であり，下記①，②のいずれかを満たす必要がある.

① 少なくとも 1 つの診断的徴候(diagnostic clinical sign)があること.

② 少なくとも 1 つの特徴的徴候(distinctive manifestation)＋病理検査による確認.

2014 年に改定された NIH 基準[3]の診断的徴候と特徴的徴候を表 2 に示す.

Memo

NIH 基準 2014 年改訂のポイント(1：診断的・特徴的徴候)[3]

①口腔：角化斑(hyperkeratotic plaques)は診断徴候から外す.
②眼：眼の GVHD に関する臨床試験では眼科医による診察が必須.
③肺：慢性 GVHD の特徴的徴候があれば閉塞性細気管支炎(BO)の診断に肺生検は必須ではなく，肺機能検査と感染症の否定で可能.
④生殖器：男性，女性ごとに性器に出現する徴候を明文化.

表2 2014年に改訂された慢性GVHDのNIH基準：診断的徴候と特徴的徴候

臓器	診断的徴候[*1]	特徴的徴候[*2]
皮膚	多形皮膚萎縮(毛細血管拡張を伴う) 扁平苔癬様皮疹 限局性巣状の皮膚表層硬化 強皮症様硬化性病変	色素脱失 鱗屑を伴う丘疹性病変
爪	—	爪形成異常，萎縮，変形 爪床剥離，翼状片，対称性爪喪失
頭皮，体毛	—	脱毛(瘢痕性，非瘢痕性) 鱗屑，体毛の減少
口腔	扁平苔癬様変化	口腔乾燥症，粘膜萎縮 粘液囊胞，偽膜形成，潰瘍形成
眼	—	眼球乾燥症，疼痛 乾燥性角結膜炎 融合性の点状角膜障害
生殖器	扁平苔癬様，硬化性苔癬 女性：腟瘢痕，陰核/陰唇癒着 男性：尿道瘢痕化，狭窄，包茎	びらん，潰瘍，亀裂
消化器	食道ウェブ 上部食道の狭窄	—
肺	生検で確定した閉塞性細気管支炎 (BO/BOS)	呼吸機能検査や胸部CTによるBO所見(air trapping像や気管支拡張像)
筋，関節	筋膜炎 関節拘縮	

*1 診断的徴候：単独で慢性GVHDと診断できる所見．
*2 特徴的徴候：慢性GVHDに特徴的であるが臨床所見だけでは診断価値がなく，組織学的，画像所見などにより証明され，他疾患が否定される場合に診断できるもの．
〔文献3)より改変〕

B 慢性GVHDの頻度・評価・重症度分類

1 慢性GVHDの頻度

日本人コホート(当院)と白人コホート(米国単施設)のNIH基準を用いた慢性GVHDを比較した報告がある[4]．慢性GVHDの頻度は，BMT後は日本人が15%，白人30%，PBSCT後は日本人が27%，白人 45％で，ソースを問わず日本人のほうが頻度は低かったが，どちらも PBSCT で発症頻度が高かった．臓器病変の比較では，いずれの人種も皮膚，口腔，眼の頻度が高く，日本人の特徴として眼と肝臓の頻度が高く，消化管の頻度が白人よりも低かった．一方，晩発性の急性 GVHD の頻度は人種・ソースにかかわらず 2 割前後であった．

2 慢性 GVHD のスクリーニング

移植後長期フォロー(LTFU)外来で慢性 GVHD のスクリーニングを行う際に，下記の 9 個のポイントを問診で聴取する．これらを質問シートにしておき，外来の待ち時間の間に記入してもらうことで直接聞きにくい質問(生殖器にかかわる質問など)の情報が得やすい．

① 皮膚：硬くてごわごわしたところがあるか，瘙痒感，乾燥感，外見上の変化(新たな皮疹，色の変化)，汗が出にくいか，頭髪の変化，爪の変化
② 眼：乾燥感，風の強い場所での症状，痛み，眩しい感じ，点眼薬の使用量
③ 口腔：乾燥感，味覚の異常，熱さ，冷たさ，辛さ，硬さなどの刺激に敏感，潰瘍の有無
④ 食道：食べ物や水分の飲み込みは問題ないか
⑤ 肺：咳，喘鳴，労作時・安静時の呼吸困難
⑥ 関節：指，手首，肩，股関節のこわばり，痛み
⑦ 女性生殖器：腟の乾燥感，性交痛，瘙痒感
⑧ 男性生殖器：陰茎の痛みや異常，排尿痛
⑨ 予期しない体重減少，体重が増えない

3 慢性 GVHD の重症度分類

慢性 GVHD の重症度分類として，限局型(limited type)と広範型(extensive type)の 2 つに分ける方法が長年，用いられてきた[5]．

- 限局型(limited type)：限局性皮膚病変，または肝機能障害
- 広範型(extensive type)：広範な皮膚病変，または限局型の所見に下記のいずれかが存在すること(①肝生検で慢性活動性肝炎など，②シルマー試験で 5 mm 以下の眼病変，③口腔・口唇粘膜生検で慢性 GVHD の所見，④消化器症状，呼吸器症状，血小板減少など慢性 GVHD による他の臓器病変)

表 3 臓器別スコアによる慢性 GVHD の重症度分類(NIH)

軽症	軽度の病変(スコア 1)が 1～2 臓器に限局する
中等症	スコア 1 が 3 臓器以上(肺なし) スコア 2(肺はスコア 1)が 1 つでもある
重症	スコア 3(肺はスコア 2)が 1 つでもある

〔文献 1, 3)より改変〕

しかし，この古典的分類は，予後予測や治療介入のタイミングの決定指標ではなかったため，2005 年の NIH 基準では臓器別スコアによる重症度分類(表 3)が提唱された[1,3]．臓器ごとに軽度の病変(スコア 1)から重度の病変(スコア 3)が点数化され，障害臓器数も含めて検討される(肺病変のスコアは一段階重視されている)．2005 年版 NIH 基準を用いた前方視的研究[6]では，重症度は非再発死亡，全生存率と有意に相関しており，2 年全生存率は軽症群で 97%，中等症群で 86%，重症群で 62% であった．NIH 基準を用いた評価は臨床試験のみではなく実臨床の判断にも有用である．最近は LTFU 外来の普及に伴い医師以外の職種も NIH 基準を用いる機会が増えている．

以下に，それぞれの臓器別スコア(表 4～12)[3]と診察のポイントをまとめる．

❶ PS(表 4)

全身状態の指標としてパフォーマンス・ステータスを記載しておく(☞ 53 頁，セクション 6)．

表 4 慢性 GVHD の臓器別スコア(ECOG-PS，KPS)

スコア	0	1	2	3
PS	ECOG 0, KPS 100%	ECOG 1, KPS 80～90%	ECOG 2, KPS 60～70%	ECOG 3～4, KPS＜60%

KPS：Karnofsky performance status

❷ 皮膚(表5)

- 見る，触る，つまむことが重要(衣服や履物で隠れているところも確認する).
- 写真に残しておくと経時的に評価でき，カンファレンスで検討できる.

表5　慢性 GVHD の臓器別スコア(皮膚)

スコア	0	1	2	3
臨床症状の合計体表面積 • 斑状丘疹/紅斑 • 扁平苔癬様変化 • 硬化型病変 • 丘疹鱗屑性病変/魚鱗癬 • 毛孔性角化症	症状なし	合計体表面積≦18%	合計体表面積19～50%	合計体表面積>50%
皮膚硬化所見	なし		表在性(つまめる)	深層性硬化性変化(つまめない) 可動性の低下 潰瘍形成

皮膚色素の過剰・低下，多形皮膚萎縮症，重症または全身の瘙痒，毛髪や爪の変化の有無はチェックするが，体表面積やスコアには反映しない.

❸ 口腔(表6)

- 明るい光源(ハロゲンライトなど)を使って観察する.
- 診察する部位：口唇，口唇粘膜，口腔粘膜，舌，軟口蓋.
- 確認すべき所見：発赤，扁平苔癬様変化，潰瘍.

表6　慢性 GVHD の臓器別スコア(口腔)

スコア	0	1	2	3
臨床症状	症状なし	軽度の症状とGVHD 徴候を認めるが，経口摂取は制限されない	中等度の症状とGVHD 徴候を認め，経口摂取が一部制限される	重度の症状とGVHD 徴候を認め，経口摂取が大きく制限される

扁平苔癬様変化の有無も記載しておく.

❹ 眼(表 7)

- 充血，流涙の異常，眼瞼の異常.
- 眼科医の介入も早めに依頼する.

表 7　慢性 GVHD の臓器別スコア(眼)

スコア	0	1	2	3
臨床症状	症状なし	軽度の眼乾燥症状があるが ADL に影響なし(乾燥に対する点眼薬の使用頻度が 1 日 3 回以下)	中等度の眼乾燥症状があり，一部 ADL に影響を与える(乾燥に対する点眼薬の使用頻度が 1 日 4 回以上または，涙点プラグを要する). ただし乾燥性角結膜炎による新たな視力障害は伴わない	重度の眼乾燥症状がありADL に大きく影響を与える〔疼痛緩和のため特殊な眼器具(密着型ゴーグルなど)が必要〕. または，眼症状により就労不可または視力喪失

眼科医によって診断された乾燥性角結膜炎の有無も記載しておく.

❺ 消化管(表 8)

- 体重減少，下痢，食道狭窄の有無.
- 必要に応じて消化管内視鏡検査を行う.

表 8　慢性 GVHD の臓器別スコア(消化管)

スコア	0	1	2	3
臨床症状 • 食道のウェブ/近位狭窄 • 嚥下困難 • 食欲不振 • 嘔気 • 嘔吐 • 下痢 • 3 か月以内の体重減少 • 通過障害	症状なし	症状があるが，3 か月以内の体重減少は 5% 未満	症状があり，軽度～中等度(5～15%)の体重減少を伴う．または，ADL に影響しない中等度の下痢	症状があり，15% を超える体重減少を伴う．またはカロリー必要量の大半を栄養剤で補う必要がある．または食道拡張術施行．または日常生活の大きな支障となる重症の下痢

❻ 肝臓(表 9)

- 肝障害の原因を鑑別することが重要.
- ウイルス検査やフェリチン測定を行う.
- 超音波検査などの画像検査を行う.

表 9 慢性 GVHD の臓器別スコア(肝臓)

スコア	0	1	2	3
T-bil(mg/dL) ALT(IU/mL) ALP(IU/mL)	T-bil 正常，かつ ALT または ALP <3×ULN	T-bil 正常，かつ ALT が 3〜5×ULN または ALP が 3×ULN	T-bil 上昇(ただし 3 mg/dL 以下)，あるいは ALT >5×ULN	T-bil>3 mg/dL

ULN：upper limit of normal(基準値上限)

❼ 肺(表 10)

- 問診と呼吸機能検査により判定する.
- 肺以外の臓器に慢性 GVHD を認めた患者では 3 か月に 1 回は呼吸機能検査を行う(呼吸機能検査で異常を認めたら改善/安定化が確認できるまで毎月行う).

表 10 慢性 GVHD の臓器別スコア(肺)

スコア	0	1	2	3
臨床症状	症状なし	階段を 1 階分登った後の息切れ	平地歩行後の息切れ	安静時でも息切れ，または酸素吸入が必要
呼吸機能(1 秒量：$\%FEV_1$)	$\%FEV_1$ 80% 以上	$\%FEV_1$ 60〜79%	$\%FEV_1$ 40〜59%	$\%FEV_1$ 39% 以下

肺のスコアは他臓器よりも重視されていて，スコア 1 でも中等症となる.

❽ 関節・筋膜(表 11)

- 写真関節スケール(P-ROM)を用いて評価する(図 1)[3].
- 血液検査で CK を測定しておくと筋炎のマーカーとして役立つ.

表 11 慢性 GVHD の臓器別スコア(関節・筋膜)

スコア	0	1	2	3
P-ROM score	症状なし	軽度の腕・下肢のこわばりがあり，ROM は正常または軽度の低下を呈し，かつ，ADL には影響がない	腕・下肢のこわばりまたは筋膜炎によると思われる関節拘縮，紅斑があり，ROM は中等度の低下を呈し，かつ，ADL に軽度～中等度の制限がある	拘縮とともに重度の ROM 低下を呈し，かつ，ADL に重度の制限がある(靴紐結び，ボタンがけ，着衣など不能)

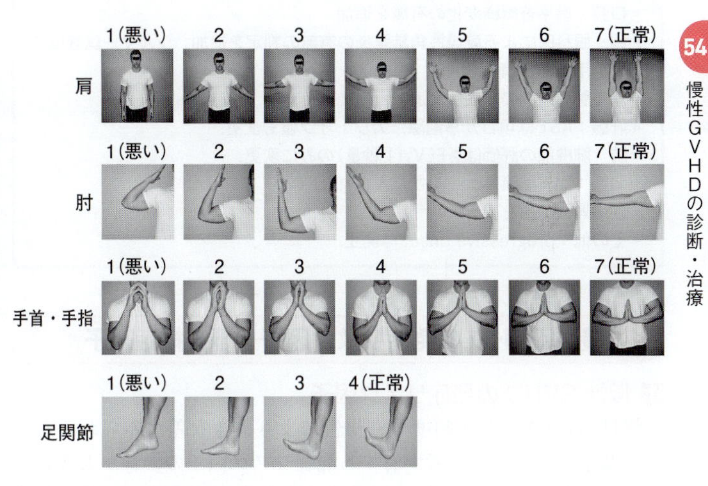

図 1 Photographic Range of Motion(P-ROM)
〔文献 3)より〕

❾ 生殖器(表 12)

- 問診が重要.
- 女性器については，婦人科医に診察を依頼する.

表 12　慢性 GVHD の臓器別スコア(生殖器)

スコア	0	1	2	3
□診察なし 性活動 □あり □なし	徴候なし	軽度の徴候 女性は診察時の不快感があっても軽度	中等度の徴候 女性は診察時の不快感がある	重度の徴候

診察の有無や，性活動の有無を記載しておく.

Memo　NIH 基準 2014 年改訂のポイント(2：臓器別スコア)[3)]

- 皮膚：2 つの構成(BSA と皮膚の性状)で評価する.
- 口腔：扁平苔癬様変化の有無を追加.
- 眼：眼科医による乾燥性角結膜炎の有無の判定を追加．シルマー試験はスコア用紙から消失.
- 消化管：下痢の重症度を追加.
- 肝臓：AST は項目から削除．カットオフ値も変更.
- 肺：肺機能の評価は％FEV_1(1 秒量)のみに変更.
- 関節：写真関節スケールが導入された.
- 性殖器：基準を変更.
- その他：progressive onset は廃止.

C 慢性 GVHD の発症リスク因子・予後推定因子

1 慢性 GVHD の発症リスク因子

慢性 GVHD の発症頻度は，報告により大きな差がみられるが，診断基準の違いや各患者が有する発症リスク因子の影響が大きい．慢性 GVHD の発症を増やす因子，減らす因子を表 13 にまとめる[4, 7, 8)]．急性 GVHD の既往自体が，慢性 GVHD の発症リスクである．末梢血幹細胞移植，女性ドナーから男性患者への移植，患者年齢(高齢)は，急性 GVHD(Grade Ⅱ～Ⅳ)の高リスク因子ではなかったが，慢性 GVHD(NIH 基準)の発症リスクが高かった[6)]．NIH 基準で定義される慢性 GVHD の発症頻度は骨髄移植後が 15%，末梢血幹細胞移植後が 27% であり，白人よりも低く，臓器としては

表13 慢性GVHDの発症リスク因子

発症を増やす因子	発症を減らす因子
• HLA不一致移植 • 非血縁ドナー（臍帯血除く）からの移植 • 末梢血幹細胞移植 • 女性ドナーから男性患者への移植 • 患者年齢（高いほど多い） • ドナー年齢（高いほど多い） • 急性GVHDの既往	• T細胞除去（ATG投与） • 臍帯血移植 • 移植後シクロホスファミド（PTCY）によるGVHD予防

〔文献4, 7, 8）より改変〕

表14 慢性GVHD発症後の予後予測因子

非再発死亡	免疫抑制剤使用期間の延長
HLA不一致数 患者年齢（高いほど多い） 急性GVHD（Grade Ⅲ～Ⅳ）の既往 100日以降の急性GVHD発症 治療開始時に血小板<10万/μL 治療開始時にT-Bil>2 mg/dL ステロイド投与中の慢性GVHD発症	末梢血幹細胞移植 HLA不一致 100日以降の急性GVHD発症 女性ドナーから男性患者への移植 治療開始時に複数臓器病変を認める 治療開始時にT-Bil>2 mg/dL ステロイド投与中の慢性GVHD発症

〔文献9, 10）より改変〕

いずれのソースも皮膚，口腔，眼，肝臓の頻度が高い[4)]．

2 慢性GVHD発症後の予後予測因子

慢性GVHD発症後の予後予測因子として，非再発死亡の高リスク因子と免疫抑制剤使用期間が長期化するリスク因子に分けて，表14にまとめる[9, 10)]．発症時のステロイド高用量，血小板減少（<10万/μL），高ビリルビン血症（>2 mg/dL），Grade Ⅲ～Ⅳの急性GVHDの既往，HLA不一致，患者年齢（高齢）などは，NIH基準の慢性GVHDに絞った解析でも同様の結果が得られている[10)]．慢性GVHDに対する全身療法開始後にすべての免疫抑制剤を終了できる割合に人種差はなく，骨髄移植後は40%程度，末梢血幹細胞移植後は25%程度である[4)]．臓器別にみると，皮膚スコア3，口腔スコア2以上，消化管スコア1以上，肝臓スコア3，肺スコア1以上が時期にかかわらず死亡リスクとなる[11)]．日本人を含めた解析では，白人，末梢血幹細胞移植，MMFを用いたGVHD予防が生存を悪化させる因子であった[4)]．

D 慢性 GVHD 治療の原則

1 治療の分類

慢性 GVHD に対する治療は，全身療法(一次治療と一次治療が無効の場合の二次治療に分けられる)，および局所療法，支持療法に分けられる．局所療法や支持療法は副作用や原疾患への影響が少ないため，全身療法の有無にかかわらず早めに開始する．

2 治療開始基準・治療の原則

❶ 治療のポイント

- 後遺症を残さないように治療開始のタイミングを見極める必要がある．
- 必要最小量の免疫抑制量を目指す．
- 長期間の治療が必要である．硬化型 GVHD など徴候によっては改善するまで6か月以上の治療が必要となる．
- 免疫抑制剤の投与を必要とする期間の中央値は2〜3年であり，日本人と白人で差はない[4)]．治療開始7年後でも10%の患者は免疫抑制を必要としている[10)]．

❷ 全身療法の開始基準

一般的に，全身治療は NIH 重症度分類が中等症または重症の場合に考慮する．軽症でもハイリスク徴候(血小板10万/μL 以下，progressive onset, PSL 0.5 mg/kg/日以上投与中の発症，T-bil 2 mg/dL 以上など)を1つでも認める場合や，肝病変や筋膜病変を認める場合は，全身治療の開始を検討する．

また治療を開始する場合，原疾患再発や感染症のリスクと慢性 GVHD による QOL 低下のリスクを天秤にかけ，患者ごとに治療方針を検討する．再発や感染症のリスクの低い患者では，GVHD による QOL の低下を招かないよう積極的に全身治療を検討する．一方，再発リスクや感染症のリスクの高い患者では，ある程度 QOL を犠牲にしても全身治療を最小限にとどめる場合もある．

E 慢性 GVHD に対する局所療法・支持療法の実際

1 適応

慢性 GVHD が NIH 重症分類で軽症の場合，すなわち1，2臓器に限局し，かつ機能障害をきたしていない場合は，原則として局所療法を選択する．また中等症以上でも，全身療法の有無にかかわらず，局所療法も併用する．

2 皮膚および皮膚付属器病変

- 予防として日光曝露を避けるため，日焼け止めクリームや衣服による防護が勧められる．
- 皮膚・粘膜病変のケアは重要であり，局所病変に対して，ステロイド外用薬を塗布する(部位ごとに異なる外用薬を用いる☞465頁，セクション46)．

OH-A(組成：アンテベート® 50%＋ヒルドイド® 50%) 1日2回 患部に塗布

または

OH-D(組成：デルモベート® 50%＋ヒルドイド® 50%) 1日2回 患部に塗布(OH-A不応例や重症例に使用．長期間の投与は可能な限り避ける)

アルメタ® 顔面の皮疹に塗布
デルモベート® スカルプローションまたはリンデロン® ローション 頭部の皮疹に塗布
リンデロン® 眼軟膏 眼周囲の皮疹に塗布

- 硬化性病変にはマッサージや伸展運動，びらんや潰瘍を形成した皮膚面には抗菌薬外用，抗菌薬内服，創傷処置や浮腫の制御が有用である．
- 紫外線照射を用いた治療に関してはセクション46(☞465頁，Memo)を参照．

3 口唇と口腔粘膜病変

- 歯科専門医による綿密な口腔衛生，歯科疾患および歯周疾患の予防を行う．
- 含嗽や口腔保湿剤で粘膜を湿潤，保護し，また口腔乾燥症を引き起こす薬剤の中止を検討する．
- 局所病変に対して中～高強度のステロイド外用薬を塗布する(口唇粘膜には避ける)．

サルコート® 1回1カプセル 1日2～3回 患部に噴霧する

- 広汎な病変にはステロイド含有含嗽薬によるリンスが有効である．

デカドロン® エリキシル0.01％　1回5〜10 mLを1日1〜4回含嗽する

- その他，アズノール® 含嗽，CNI外用薬，麻酔薬含有のうがい薬などが用いられる．
- 唾液腺障害には水分の頻回の補給と人工唾液，無糖キャンディーやガムによる唾液腺刺激が有効である．

サリベート® エアゾール　1回1〜2秒間口腔内に1日4〜5回噴霧

- 唾液分泌促進薬（セビメリン，ピロカルピン）も有効である．

セビメリン（サリグレン®）　1日90 mg　分3　食後に経口投与

または

ピロカルピン（サラジェン®）　1日15 mg　分3　食後に経口投与

- 粘液嚢胞の予防には刺激物の摂取を避けることが重要で，巨大なものは外科的処置が必要となる．
- 口周囲の硬化性病変に対して，局所療法は効果がなく，全身治療とリハビリテーションが必要である．

4 眼病変

- 眼の慢性GVHDの治療目標は炎症と眼乾燥の改善である．局所療法の併用が重要であり，眼科専門医へのコンサルトが望ましい．また，ステロイド点眼やステロイド内服を長期に行うと白内障のリスクが上昇するため，眼科医の定期的な診察が重要である．

❶ 眼の湿潤

- 防腐薬の入っていない人工涙液，眼軟膏を用いる．

ヒアレイン® 点眼0.1％　1日数回点眼（0.3％は原則用いていない）
ジクアス® 点眼　1日数回点眼
ムコスタ® 点眼　1日数回点眼
フラビタン® 眼軟膏　眠前に塗布

※2種類以上の点眼薬を時間をずらして併用することもある．

- 点眼回数が1日に4回を超えるようなケースでは，防腐剤を含有しないものを使用する（ヒアレイン® ミニなど）．
- 涙液の蒸発を減らす：眼の温湿布，ゴーグル着用，眼瞼部分縫合．
- 涙液の吸収を減らす：涙点プラグ，涙点焼灼．

- 涙液産生/質の調節：セビメリン内服が有効なことがある．
- 自己血清点眼の有効性も報告されているが，施行可能な施設は限られている．

❷ 眼表面炎症の軽減

- ステロイド点眼，シクロスポリン点眼，自己血清点眼を行う．
- ただしステロイド含有点眼は，眼圧の上昇，白内障，不顕性角膜炎などの有害事象があるため，炎症を抑制する目的や，全身療法の補助療法として短期間に限り使用するべきである．
- 角膜を治療する：角膜手術・移植．

5 消化管病変

- 食道狭窄病変：食道拡張術を行うが，リスクのある手技であるため，適応を慎重に考慮したうえで熟練した医師が行う．
- 膵酵素の外分泌能低下：膵酵素製剤の補充療法が有効な場合がある．
- 体重減少：管理栄養士による栄養指導(食事内容や形態の工夫など)が有用である．

6 肝病変

- 移植後の肝機能障害の原因はさまざまであり，鑑別診断が重要である．慢性GVHDと安易に決めつけてしまうと，HBVなどのウイルス再活性化を見逃し，致死的となることもある．また，鉄過剰症や脂肪肝など治療可能な病態を見逃さないようにする．腹部超音波検査などの画像検査は鑑別に有用であり，積極的に施行する．
  - 鉄過剰が原因と考えられる場合は除鉄を検討する．ただし，腎機能障害などのため，経口鉄キレート剤を投与できないことも多い．
  - 脂肪肝が肝機能障害の原因と考えられる場合は，ベザトール® あるいはパルモディア® の投与を検討する．

ベサフィブラート(ベザトール® SR)　1日200〜400 mg　分1〜2　食後に経口投与

ペマフィブラート(パルモディア®)　1日0.2〜0.4 mg　分2　食後に経口投与

※パルモディア® はベザトール® より腎障害が少ないが，シクロスポリンとの併用は禁忌となっている．

- 肝臓の慢性 GVHD に対してウルソデオキシコール酸(UDCA)やグリチロン® を投与することもある.

ウルソ® 1日600〜900 mg 分3 食後に経口投与

グリチロン® 1日6〜9錠 分3 食後に経口投与

7 肺病変

- FAM 療法[12]は慢性 GVHD による BOS に対して有効性の報告があり，当院ではアジスロマイシンをクラリスロマイシンに変更した FCM 療法を早い段階で開始している(☞ 324 頁，セクション 34 も参照).

フルチカゾン(フルタイド®) 400 μg 1日2回吸入
クラリスロマイシン(クラリシッド®) 1日200〜400 mg 分1〜2 内服
モンテルカスト(シングレア®) 1日10 mg 分1 内服

- 吸入ステロイド，気管支拡張剤，呼吸リハビリテーションは BOS の症状緩和，進展防止に有用な場合もあり，積極的に併用している．フルチカゾンの代わりに以下を使用することがある.

アドエア® 250 ディスカス® 1回1吸入(サルメテロールとして 50 μg，およびフルチカゾンプロピオン酸エステルとして 250 μg) 1日2回吸入

または

レルベア® 100 エリプタ® 1回1吸入(ビランテロールとして 25 μg，およびフルチカゾンフランカルボン酸エステルとして 100 μg) 1日1回吸入

上記に加えて抗コリン性の長時間作用性吸入気管支拡張薬を併用することもある.

スピリーバ® 2.5 μg レスピマット® 1回2吸入(チオトロピウムとして 5 μg) 1日1回吸入

- 慢性 GVHD による閉塞性障害が進行し，BOS の診断基準〔% 1 秒量が＜75%，または 10% を超える低下など(☞ 320 頁，セクション 34)〕を満たし，感染症が否定されれば，ステロイドによる全身療法も開始することを検討する.

F 慢性 GVHD に対する全身療法の実際

1 適応

慢性 GVHD が NIH 重症度分類で中等症以上の場合，または軽症であっても筋膜障害など機能障害や肝障害を呈する場合，あるいは非再発死亡の高リスク因子(表 14)を有する場合が適応となる．

2 一次治療

これまで慢性 GVHD の初期治療に関する第Ⅲ相臨床試験は 8 つ行われているが，いずれの試験も新規治療群は primary endpoint において従来治療群よりも優れなかったため，標準治療は依然としてプレドニゾロン(PSL)0.5～1 mg/kg/日である．

❶ ステロイド全身投与

- CNI 維持療法中に発症した場合や急速進行性の場合は，ステロイド投与を行う．投与量は PSL 0.5～1 mg/kg/日を目安に，症状や合併症の有無によって調整することが多い．
- CNI 減量中に発症した場合は CNI を同量で続行とし，局所療法を開始する．局所療法で改善しない場合や局所療法が困難な臓器障害の場合，GVHD の悪化が急速な場合は CNI を再度増量する(当院では 2 段階前の量に増量することが多い)．
- ステロイド投与中の発症であれば，ステロイドの増量，CNI の追加・増量を検討する．

❷ CNI の併用

海外のランダム化比較試験[13]によると，ステロイドに加えて CNI を併用すると，ステロイドをより早期に減量できる利点や，特発性骨頭壊死(avascular necrosis)の発症頻度の低下を認めた．肝臓の GVHD は CNI の調節で改善することも多い．また CNI を追加する場合は腎機能などに注意しつつ少量から開始する．

❸ ステロイドの減量方法

治療開始後のステロイドの減量方法は症例によってさまざまであり，施設や医師によっても異なる．

当院では PSL 0.5～1 mg/kg/日を最低 2 週間投与し，所見の改善が認められれば減量を開始している．その後は有害事象の有無や，GVHD 症状の再燃の有無を確認しながら，月に 10～20% の緩徐な減量(chronic taper)を行うことが多い．PSL 0.25 mg/kg/日まで減量できた場合，その後の減量はさらに慎重に行う．

ステロイドを隔日投与法に切り替えて減量していく方法もあり，患者のコンプライアンスに気をつける必要はあるが，長期的な副作用や副腎不全になりにくいことが経験上知られている．ステロイドの減量ペースは急性GVHDと比較して非常にゆっくり行い，中止前にはステロイド離脱症状に注意する(プレドニゾロン1mg錠剤を用いる場合もある)．

3 二次治療

海外の報告では，慢性GVHDに対する全身療法を受けた患者の50%近くが二次治療を要する[14]．RCTであるREACH3試験では従来治療と比べてルキソリチニブのほうが奏効割合が高いことが示された[15]．慢性GVHDに対する二次治療のRCTで有意差が出たのは初めてであり，ルキソリチニブが二次治療の第一選択となる．国内ではイブルチニブ，体外式フォトフェレーシス(ECP)が慢性GVHDに対して適応がある．

❶ 適応

- 一次治療であるPSL 1mg/kg/日を2週間投与しても増悪する場合．
- 0.5mg/kg/日以上のPSLを4〜8週間継続したにもかかわらず改善しない場合．
- 症状再燃のためPSLを0.5mg/kg/日未満に減量できない場合．
- 長期的にPSLを0.25mg/kg/日以下に減量できない場合．

❷ 開始時期

重症で難治性の場合は，より早期に二次治療に移行するが，皮膚の硬化性病変など比較的緩徐に改善する病変を指標とする場合は，二次治療開始を遅らせてもよい．また，二次治療に用いる薬剤の毒性が高いと予測される場合は，一次治療を延長すること(PSL 1mg/kg/日投与を2週間以上投与)も適切な判断である．

❸ 治療薬

1 ルキソリチニブ

ステロイド抵抗性慢性GVHD患者41例に対して，ルキソリチニブ5〜10mgが投与され35例(85%)に効果を認め，6か月後の生存率も97%ときわめて良好な成績であった[16]．また，ステロイド抵抗性または依存性の慢性GVHD患者329例を対象とした多施設共同無作為化非盲検Ⅲ相試験であるREACH3 試験が実施され，ルキソリチニブ(10 mg，1 日 2 回)と一般的に使用されている 10 種類の治療法から治験責任者が選択した治療法(対照群)を無作為割付し比較が行われた[15]．主要評価項目である 24 週目の全奏効率は対照群に比べてルキソリチニブ群で有意に高かった(49.7% vs. 25.6%)．これらの結果から FDA は 2021 年にルキソリチニブを 12 歳以上の小児または成人における慢性 GVHD の治療薬として承認した．国内でも 2023 年 8 月に「造血幹細胞移植後の移植片対宿主病」の適応が追加された．

当院でのルキソリチニブの使用経験はまだ多くないが，以下の点に注意している．

- 用量：ステロイド抵抗性の慢性 GVHD に対しては 1 回 10 mg を 1 日 2 回で開始する．ただし，血球減少を合併している際は開始量を減量することもある．奏効した後に減量する際は緩徐に減量する(1～2 か月ごとに 5 mg ずつなど)．ステロイド依存性の GVHD に対して使用する場合は 1 回 5 mg，1 日 1 回または 2 回とステロイド抵抗性の投与量よりも少量で開始することが多い．
- 感染症合併リスクとして，真菌感染症，帯状疱疹，結核・NTM などに注意する．
- REACH3 試験では肺 GVHD に対する有効性は従来治療と同程度であった．
- CYP3A4 阻害薬(ボリコナゾール，ポサコナゾール，クラリスロマイシンなど)との併用でルキソリチニブの血中濃度が増加する可能性があり，適宜減量を考慮する．

② イブルチニブ

ステロイド抵抗性または依存性の慢性 GVHD 患者 42 例を対象とした第Ⅰ/Ⅱ相試験では，イブルチニブ(420 mg)を連日内服し，中央値 14 か月の時点での全奏効率は 67% であった[17]．さらに中央値 26 か月の追跡調査では全奏効率は 69% で，55% の患者で 44 週間以上の持続的奏効が認められた[18]．またステロイドの投与量は 64 % の患者で 0.15 mg/kg/日未満に減少し，19% の患者では完全に中止されていた．国内のステロイド抵抗性/依存性慢性 GVHD 患者に対してイブルチニブ 420 mg を投与した試験では，20 週以上の長期奏効を 19 例中 10 例に認めた[19]．これらの結果から本邦では

2021年9月に「造血幹細胞移植後の慢性移植片対宿主病(ステロイド剤の投与で効果不十分な場合)」を適応疾患として保険適用が認められた．有害事象である感染症と出血に注意して使用する必要がある．

③ 体外式フォトフェレーシス(ECP)

ステロイド抵抗性慢性GVHDに対する多数の後方視的報告によれば，皮膚病変に対して60～80%と高い奏効率が示され早期開始による改善率向上も示唆されている．皮膚以外の病変に対する有効率は，報告によりばらつきが大きいが，粘膜，肝や肺病変にも有効であるとされている．ステロイド治療抵抗性，依存性または不耐容の皮膚病変を有する慢性GVHD患者100例を対象とした前方視的無作為化国際多施設共同研究が行われた[20]．主要評価項目である治療開始後12週のTotal Skin Score(TSS)の改善割合は，両群間に有意差はなかった(ECP群14.5%，コントロール群8.5%，$P=0.48$)ものの，治療開始後12週までに皮膚病変スコアが25%以上改善し，ステロイド投与量を50%以上減少できた患者の割合は，ECP群で有意に高かった．また，本邦で実施されたステロイド抵抗性または依存性およびステロイド不耐容の慢性GVHD患者を対象とした多施設前向き試験では，ECP治療を完遂した12例中8例(67%)で24週目までに奏効を示した[21]．これらの結果から本邦でも2020年12月からステロイド抵抗性または不耐容の慢性GVHDに対し保険適用が認められた．

④ ミコフェノール酸モフェチル(MMF)

米国では慢性GVHDに対する二次治療薬として用いられることが最も多い薬剤であった[22]．海外の42例の後方視的研究[23]では，免疫抑制療法を終了できた例が3年間で26%，効果が不十分で他の免疫抑制療法を必要とした例が59%，有害事象のためMMFが中止となった例が21%であった．それ以外のこれまでに行われた第Ⅱ相臨床試験は前方視的，後方視的含めて8つあるが，全体でCRが20%，CR+PRが65%であった[24]．しかし，いずれの臨床試験も症例数は少なく，有効性の評価は困難で有害事象が多いことに留意すべきである．

⑤ 間葉系幹細胞(MSC)(保険適用外)

国内で，ステロイド抵抗性の急性GVHDに対して承認されたが，慢性 GVHD に対する治療法としての報告は少ない．

6 ベルモスディル(本邦未承認)

ROCK2 阻害薬であるベルモスディルは，Rho-associated coiled-coli-containing protein kinase 2(ROCK2)を選択的に阻害することで Th17/Treg のバランスを Treg 側にシフトさせる．また ROCK2 を阻害することで線維化を抑制し，動物モデルにおいて肺と皮膚の線維化を有意に減少させることが示されている．ステロイド抵抗性の慢性 GVHD を対象としたベルモスディルの第Ⅱa 相用量設定試験における全奏効率は 60% 程度，奏効期間の中央値は 35 週と良好な結果を示した[25]．この結果を受けて多施設共同無作為化第Ⅱ相試験(ROCKstar 試験)が実施された[26]．この試験では，2〜5 種類の前治療を受けた慢性 GVHD 患者を対象に，ベルモスディル 200 mg 1 日 1 回(n＝66)あるいは 200 mg 1 日 2 回(n＝66)投与の効果を評価した．200 mg 1 日 1 回および 200 mg 1 日 2 回の最良全奏効率はそれぞれ 74%，77% で，奏効期間の中央値は 54 週であった．これらの結果から FDA は 2021 年にベルモスディルを慢性 GVHD の三次治療薬として承認した．

7 その他の薬剤

慢性 GVHD の皮膚・筋膜病変に対するリツキシマブ(保険適用外)，慢性 GVHD の皮膚硬化性病変や BOS に対するイマチニブ(保険適用外)，制御性 T 細胞を増加させる少量インターロイキン 2 投与(国内治験終了)，CSF-1 受容体の活性化を抑制してマクロファージを抑制する Axatilimab(本邦未承認)などが，慢性 GVHD の二次治療薬としての有効性の報告がある．

Memo **Axatilimab**

Axatilimab は，colony-stimulating factor 1(CSF-1)受容体に結合すると活性化を阻害し，単球およびマクロファージの組織移行，増殖，分化，および生存を阻止する．2 レジメン以上の治療に抵抗性の慢性 GVHD 患者 40 例が登録された第Ⅰ/Ⅱ相試験における全奏効割合は 60% であった[27]．NIH 重症度が中等症以上でも奏効割合は同様で，54% の患者で Lee 症状スケールの改善も認めた．この有望な結果を受けて国際共同第Ⅱ相無作為化比較試験が行われている．

文献

1) Filipovich AH, et al: National Institutes of Health consensus development project on criteria for clinical trials in chronic graft-versus-host disease: I. Diagnosis and staging working group report. Biol Blood Marrow Transplant 11: 945-956, 2005
2) 日本造血・免疫細胞療法学会 HP：造血細胞移植ガイドライン GVHD 第5版，2022. https://www.jstct.or.jp/uploads/files/guideline/01_02_gvhd_ver05.1.pdf
3) Jagasia MH, et al: National Institutes of Health Consensus Development Project on Criteria for Clinical Trials in Chronic Graft-versus-Host Disease: I. The 2014 Diagnosis and Staging Working Group report. Biol Blood Marrow Transplant 21: 389-401, 2015
4) Inamoto Y, et al: Comparison of characteristics and outcomes of late acute and NIH chronic GVHD between Japanese and white patients. Blood Adv 3: 2764-2777, 2019
5) Shulman HM, et al: Chronic graft-versus-host syndrome in man. A long-term clinicopathologic study of 20 Seattle patients. Am J Med 69: 204-217, 1980
6) Arai S, et al: Global and organ-specific chronic graft-versus-host disease severity according to the 2005 NIH Consensus Criteria. Blood 118: 4242-4249, 2011
7) Flowers ME, et al: Comparative analysis of risk factors for acute graft-versus-host disease and for chronic graft-versus-host disease according to National Institutes of Health consensus criteria. Blood 117: 3214-3219, 2011
8) Lee SJ, et al: Chronic graft-versus-host disease. Biol Blood Marrow Transplant 9: 215-233, 2003
9) Stewart BL, et al: Duration of immunosuppressive treatment for chronic graft-versus-host disease. Blood 104: 3501-3506, 2004
10) Vigorito AC, et al: Evaluation of NIH consensus criteria for classification of late acute and chronic GVHD. Blood 114: 702-708, 2009
11) Inamoto Y, et al: Association of severity of organ involvement with mortality and recurrent malignancy in patients with chronic graft-versus-host disease. Haematologica 99: 1618-1623, 2014
12) Williams KM, et al: Fluticasone, azithromycin, and montelukast treatment for new-onset bronchiolitis obliterans syndrome after hematopoietic cell transplantation. Biol Blood Marrow Transplant 22: 710-716, 2016
13) Koc S, et al: Therapy for chronic graft-versus-host disease: a randomized trial comparing cyclosporine plus prednisone versus prednisone alone. Blood 100: 48-51, 2002
14) Inamoto Y, et al: Failure-free survival after initial systemic treatment of chronic graft-versus-host disease. Blood 124: 1363-1371, 2014
15) Zeiser R, et al: Ruxolitinib for glucocorticoid-refractory chronic graft- versus-host disease. N Engl J Med 385: 228-238, 2021
16) Zeiser R, et al: Ruxolitinib in corticosteroid-refractory graft-versus-host disease after allogeneic stem cell transplantation: a multicenter survey. Leukemia 29: 2062-2068, 2015
17) Miklos D, et al: Ibrutinib for chronic graft-versus-host disease after failure of prior therapy. Blood 130: 2243-2250, 2017
18) Waller EK, et al: Ibrutinib for chronic graft-versus-host disease after failure of prior therapy: 1-year update of a phase 1b/2 study. Biol Blood Marrow Transplant 25: 2002-2007, 2019
19) Doki N, et al: An open-label, single-arm, multicenter study of Ibrutinib in Japanese patients with steroid-dependent/refractory chronic graft-versus-host disease. Transplant Cell Ther 27: 867. e1-867. e9, 2021
20) Flowers ME, et al: A multicenter prospective phase 2 randomized study of extracorporeal photopheresis for treatment of chronic graft-versus-host disease. Blood 112: 2667-2674, 2008
21) Okamoto S, et al: Extracorporeal photopheresis with TC-V in Japanese patients with steroid-resistant chronic graft-versus-host disease. Int J Hematol 108: 298-305, 2018
22) Wolff D, et al: Consensus Conference on Clinical Practice in Chronic GVHD: Sec-

ond-Line Treatment of Chronic Graft-versus-Host Disease. Biol Blood Marrow Transplant 17: 1-17, 2011
23) Furlong T, et al: Therapy with mycophenolate mofetil for refractory acute and chronic GVHD. Bone Marrow Transplant 44: 739-748, 2009
24) Martin PJ, et al: Treatment of chronic graft-versus-host disease: past, present and future. Korean J Hematol 46: 153-163, 2011
25) Jagasia M, et al: ROCK2 inhibition with belumosudil (KD025) for the treatment of chronic graft-versus-host disease. J Clin Oncol 39: 1888-1898, 2021
26) Cutler CS, et al: Belumosudil for chronic graft-versus-host disease (cGVHD) after 2 or more prior lines of therapy: The ROCKstar Study. Blood 138: 2278-2289, 2021
27) Kitko CL, et al: Axatilimab for chronic graft-versus-host disease after failure of at least two prior systemic therapies: results of a phase I/II study. J Clin Oncol 41: 1864-1875, 2023

55 移植後長期フォロー外来

A 移植後長期フォロー外来の目的

近年各国より，血液疾患患者に対する同種造血幹細胞移植成績の改善が報告されており，長期生存例は増えてきている．しかし移植後の死亡リスクは一般人口の2〜9倍に上昇することが報告されている．移植後2年間，無再発で生存している患者の晩期非再発死亡の原因をみると，感染症，呼吸器合併症，二次がん，臓器障害などさまざまである(図1)[1]．特に移植後5年未満の時期では，感染症と呼吸器合併症(主に肺GVHD)による死亡のリスクが高い．

また移植後の晩期合併症は，長期生存患者の生活の質(QOL)の低下をもたらすと考えられる．移植後長期フォロー(LTFU)外来は移植後の節目となる時期に「通常の外来受診では行われない検査や

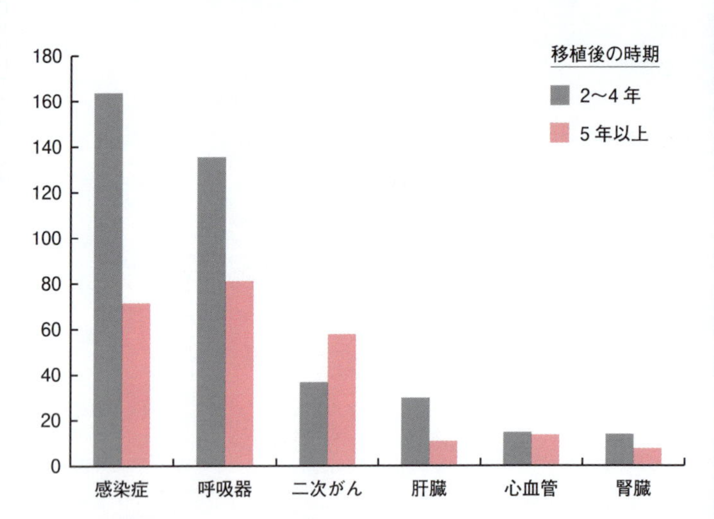

図1 初回同種移植後2年間無再発生存患者における晩期非再発死亡の原因件数

〔文献1)より〕

診察」を行うことにより，移植後晩期合併症の予防や早期発見・介入を行い，移植後の長期予後を改善することを目指す．

2012年に「移植後外来患者指導管理料」が算定可能となったため，全国の病院でLTFUを設置する施設が増えてきている．2017年に行った全国LTFU外来アンケート調査の結果，LTFU開設率が2008年調査の8%から62%まで上昇していた[2]．移植にかかわる診療科に専任する医師と移植医療にかかわる研修を受けた専任の看護師が，必要に応じて薬剤師などと連携しながら治療計画を作成し，移植患者に特有のGVHD，易感染性などについて療養上必要な指導管理を行った場合に，月1回に限り300点算定が可能である．

2017年4月に日本造血細胞移植学会(現日本造血・免疫細胞療法学会)から，「移植後長期フォローガイドライン」が公表された[3]．対象は，主に同種造血幹細胞移植後100日以降の患者とし，数年以上経過した長期サバイバーも含む．内容は，海外のガイドラインに記載されているスクリーニング項目がベースとなっているが，日常の臨床現場でのClinical Questionを考慮して，合併症に対する基本的な対処方針についても記載されている．

2021年6月に日本造血・免疫細胞療法学会から，LTFUガイドラインをより実用的なフォーマットとした「LTFUツール全国版」が公表され，運用が開始された[4]．LTFU外来における網羅的・効率的で均一なスクリーニングや情報提供，多職種間の情報共有を目的としたツールであり，「患者指導用リーフレット」，「問診票フォーマット」，「移植後就労支援リーフレット」，「成人移植患者LTFUスクリーニング項目リスト」などが含まれる(表1)．

B　移植後長期フォロー外来の具体的な流れ(図2)

年間100件前後の移植を行っている当院でのLTFU外来の運用を図2に示す．週4日間の午前中，45分枠のLTFU外来を4つ設置している．施設における移植件数や人員によりさまざまな運用方法が考えられるが，病棟で移植中の経過をみていた看護師が対応する場合が多い．

節目受診は，退院後初回，移植後3か月(day 100)，6か月，1

表1 LTFUツール一覧

患者指導用リーフレット(成人版2021年6月公開，小児版2021年11月公開)
1. 食中毒への対策
2. 免疫抑制剤終了後の注意点
3. 予防接種
4. インフルエンザ流行期の対策
5. 帯状疱疹について
6. ステロイド内服中の注意点
7. 移植後の口腔ケアについて
8. 眼のGVHDについて
9. 移植後の皮膚ケアについて
10. 移植後の爪ケアについて
11. 移植後の肺障害について
12. 味覚障害について
13. 移植後の足のつり
14. 筋力トレーニング
15. ストレッチ
16. 二次がんについて
17. 移植後のメタボリックシンドローム
問診票フォーマット(2021年10月公開)
1. 最優先項目
2. 年1回晩期スクリーニング
3. 症状の程度と社会生活スクリーニング
移植後就労支援リーフレット(2022年2月公開)
1. 診断時
2. 移植前
3. 移植後
4. 補助資料
成人移植患者LTFUスクリーニング項目リスト(2022年6月公開)
1. 1年未満
2. 移植後1年目
3. 移植後2年目以降

〔文献4)より〕

年，以降1年ごとに行っている．それぞれの時期によって相談内容や指導の重点項目は異なる(表2)．

参考までに当院のLTFU外来で1年間に相談対応した内容の総件数(238名，延べ388件)を示す(図3)．受診時期により相談内容の傾向は大きく異なっており，GVHDに関する指導は全期間で多いが，感染予防に関しては経過とともに割合が減少傾向で，後遺

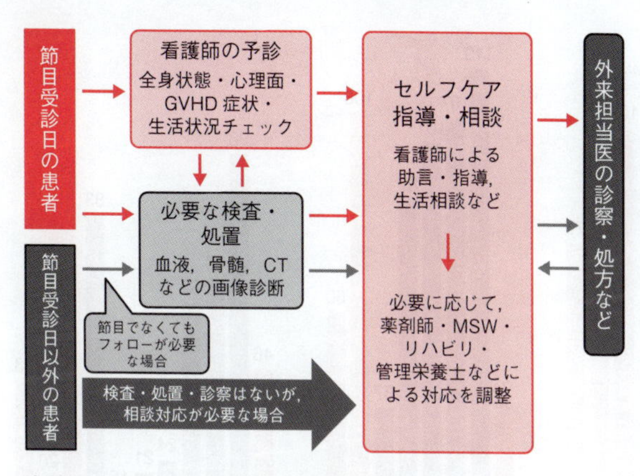

図2 当院におけるLTFU外来の具体的な流れ

表2 節目受診の時期と相談内容・指導内容

節目の受診時期	主な相談内容・指導内容
退院後初回外来	• 入院生活からの変化 • 自宅で困っていることはないか，生活パターンの影響はないか • 内服管理 • 食事・水分摂取
移植100日後（3か月後）	• 免疫抑制剤の減量開始を検討される • 慢性GVHDの徴候が出現し始める • 血球は回復していても感染リスクはある • 生活全般や感染予防 • GVHD症状 • 内服管理 • 食事・水分摂取や体重変化 • リハビリテーション
移植6か月後	• 順調に経過すれば免疫抑制剤が中止されるが，免疫力の回復は不十分である • 引き続き注意すべき感染症 • 慢性GVHD症状が出現・再燃・悪化する場合もある • 体重・筋力の回復が遅れることがある
移植1年後	• 慢性GVHD症状が続く場合がある • GVHD症状によっては免疫抑制剤が継続されているため，感染予防が必要 • 職場復帰・復学をする人が多い時期 • ワクチン接種，二次がん検診，性腺機能障害などへの対応

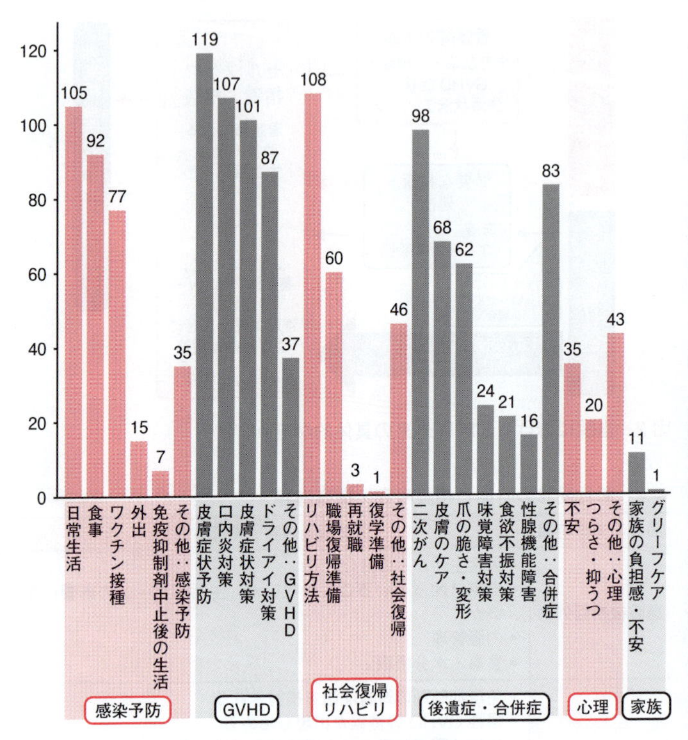

図3 当院のLTFUで行った相談対応の内容内訳

症・合併症に関しては移植2年後以降に増加傾向にある.

C 指導内容・情報提供

移植後患者においては，さまざまな項目に関する指導が必要となる．患者ごとに，また移植後の経過時間ごとに重点をおく項目は異なるが，当院のLTFU外来では次頁のチェックリストを用いている(☞次頁，Memo)．前述の「LTFUツール全国版」のうち，2022年6月に公開された「成人移植患者LTFUスクリーニング項目リスト」も参考にしている[4)]．しかし1回の指導ですべてを行うことは困難なため，必要な場合は翌月以降にLTFU受診を追加するなど適宜対応している．「同種造血幹細胞移植後LTFUシステム構築のための縦断的前方視的研究」の結果，LTFU看護師外来受診率は94%で，のべ426ポイントのスクリーニングにおける投薬開始や二次がん治療を含めた介入率は検査項目により異なるが5～25%であった[5)]．

Memo

当院のLTFU外来における指導内容のチェックリスト

(1)皮膚・爪・毛髪
□皮疹の観察方法　□皮膚の洗浄方法　□保湿ケア　□軟膏塗布の方法
□軟膏の選択　□日焼け対策
□爪のカット方法　□爪の保湿　□爪のマッサージ　□ネイル
□陥入爪のテーピング方法　□メイク　□毛染め・パーマ
□その他

(2)口腔
□乾燥予防含嗽やジェルの紹介　□マスクの使用　□水分補給
□唾液分泌促進マッサージ　□味覚障害　□含嗽の紹介　□食事の工夫
□亜鉛の補充　□口内痛対策
□歯科受診の検討　□その他

(3)眼
□日常生活上の乾燥予防方法　□点眼薬の検討・紹介
□眼周囲マッサージ　□眼科受診の検討　□涙点プラグの紹介
□乾燥用ゴーグルの紹介　□乾燥用コンタクトの紹介
□紫外線予防(サングラス使用)　□その他

(4)消化管
□栄養相談の調整　□食事の工夫　□止痢剤の使い方
□緩下剤の使い方　□嘔気対策　□制吐剤の検討　□その他

(5)肺
□呼吸器症状のセルフモニタリング　□息切れ時の対処方法
□呼吸筋運動　□その他

(6)鼻腔
□点鼻薬の検討　□その他

(7)筋肉・骨・関節・知覚障害
□ストレッチ　□マッサージ　□適度な運動の励行　□保温
□症状緩和薬の検討・紹介
□整形外科受診の検討　□その他

(8)陰部・生殖器
□セルフモニタリング　□洗浄方法　□ホルモン補充療法の紹介
□婦人科・泌尿器科受診の検討・紹介　□性交時の疼痛緩和(ジェルの紹介)

□その他

(9)感染予防

□食事の判断　□日常生活における感染予防
□免疫抑制剤中止後の生もの制限解除について
□その他

(10)社会復帰・リハビリ

□通勤・通学の工夫　□勤務時間の調整方法の紹介　□復職後の注意点
□休息の取り方　□職場や学校への協力依頼の紹介
□体力，筋力回復への運動の紹介　□ストレッチの励行
□散歩の励行と注意事項　□その他

(11)予防接種・各種検診

□歯科受診　□二次がんのリスク　□各種検診方法の紹介
□ワクチン接種　□その他

(12)心のケア

□眠剤の検討　□精神科の紹介　□家族のサポート方法の紹介
□家族の精神科の紹介　□患者会の紹介　□その他

D 移植患者の就労

移植サバイバーにおける就労の現状やニーズ把握を目的とした「同種造血幹細胞移植後患者の就労に関する実態調査(全国72施設，1,048例)」の結果，移植経験者の41%が診断後に一度は退職を経験していた[6]．最も多いタイミングとしては移植後退院後(46%)，続いて診断後治療開始前(27%)であった．移植前の退職理由としては自ら就労継続困難と判断することが多く，移植後の退職理由としては身体的理由や職場の指示が多かった．退職後の復職率はフル復職が移植後5年時点で52%であったのに対して，何らかの配慮を得た復職は76%であった．しかし，移植後に復職を果たしたサバイバーのうち30%が再離職を経験していた[7]．慢性GVHD等の自覚症状による仕事・生活への影響に関する検討では，移植経験者(移植後年数中央値5年)の92%が皮膚，関節筋肉，眼など何らかの自覚症状を有していた[8]．患者の業務内容により影響を及ぼしやすい症状が異なることが示され，LTFUにおけるセルフケア指導において有用な情報であった．これらの情報を基にして，移植患者に特化した就労支援資材を「診断時」「移植前」「移植後フォローアップ」の3時点のバージョンを2022年2月に公開している[4]．

文献

1) Atsuta Y, et al: Late Effect and Quality of Life Working Group of the Japan Society for Hematopoietic Cell Transplantation. Late Mortality and Causes of Death among Long-Term Survivors after Allogeneic Stem Cell Transplantation. Biol Blood Marrow Transplant 22: 1702-1709, 2016
2) Kurosawa S, et al: Current status and needs of long-term follow-up clinics for hematopoietic cell transplantation survivors: results of a nationwide survey in Japan. Biol Blood Marrow Transplant 26: 949-955, 2020
3) 日本造血・免疫細胞療法学会 HP：造血細胞移植ガイドライン 移植後長期フォローアップ，2017.
https://www.jstct.or.jp/uploads/files/guideline/04_01_ltfu.pdf
4) 日本造血・免疫細胞療法学会 HP：移植後長期フォローアップ外来運営を支援する"LTFU ツール全国版"
https://www.jstct.or.jp/modules/facility/index.php?content_id=37
5) Kurosawa S, et al: Feasibility and usefulness of recommended screenings at long-term follow-up clinics for hematopoietic cell transplant survivors. Support Care Cancer 30: 2767-2776, 2022
6) Kurosawa S, et al: Resignation and return to work in patients receiving allogeneic hematopoietic cell transplantation close up. J Cancer Surviv 16: 1004-1015, 2022
7) Kurosawa S, et al: Incidence and predictors of recurrent sick leave in survivors who returned to work after allogeneic hematopoietic cell transplantation. J Cancer Surviv 17: 781-794, 2023
8) 松浦朋子，他：同種移植後患者の就労に関する実態調査ー慢性 GVHD 等の自覚症状による仕事・生活への影響に関する検討．日本造血・免疫細胞療法学会雑誌 10：172-182，2021

56 移植後の晩期障害

移植後の長期生存者はさまざまな晩期障害をきたし，晩期死亡やQOL低下のリスクとなる．

近年，移植成績の向上に伴い長期生存者が増加しており，長期フォローアップの標準化が求められている．本項では，成人患者を対象とした国内外のガイドライン[1,2]を参照しながら，晩期障害のうち臓器合併症の発症率とリスク因子，予防とスクリーニングについて概説する．各晩期障害の詳細は総説を参照されたい[3]．なお，小児領域の晩期障害については，成人の場合と大きく異なる部分もあり，ガイドライン原著を参照されたい[1,2]．また慢性GVHDはセクション54(☞528頁)，二次がんはセクション57(☞565頁)，感染症はセクション58(☞571頁)を参照されたい．

A 心血管疾患

❶ 発症率とリスク因子

あらゆる種類の心疾患(心筋症，弁膜症，伝導障害および不整脈，うっ血性心不全，虚血性心疾患，心膜炎など)，血管疾患(脳血管疾患，末梢動脈疾患)が含まれる．移植後患者は一般人口に比較して心血管疾患による死亡リスクが1.4〜3.5倍高い[3]．心血管合併症のリスクとして知られる高血圧，糖尿病，脂質代謝異常症などは，移植後患者では一般人口よりも保有率が高い．移植後患者におけるリスクとして重要なのは，アントラサイクリン系薬剤による用量依存性の心筋障害(特にドキソルビシン換算で250 mg/m^{2}以上)，胸部放射線照射後の線維化を伴う心筋および伝導系の障害(特に35 Gy以上の胸部照射歴)である(☞143頁，セクション14)．それ以外に，移植前心機能，前処置強度，鉄過剰症(ヘモクロマトーシス)，アミロイドーシス，移植後の内分泌異常，低マグネシウム血症，GVHDによる血管内皮障害などが挙げられる．

❷ 予防とスクリーニング

- 全症例に対して，生活指導(禁煙，運動，栄養指導，健康的な体重維持)を行い，心血管リスク(高血圧・糖尿病・脂質代謝異常症)の治療が重要であることを説明する．

- 生活習慣病のスクリーニングおよび心機能の評価を，移植後1年時と，以降年1回行う．アントラサイクリン系薬剤の投与歴や胸部照射歴のあるハイリスク症例ではより頻回に行う．
- 心機能検査として，血圧測定，心音聴診，心臓超音波検査，心電図，血中 BNP 測定などを行う．

B 内分泌・代謝障害

1 甲状腺機能低下症

❶ 発症率とリスク因子

潜在性甲状腺機能低下〔甲状腺刺激ホルモン(TSH)高値，遊離サイロキシン(free T4)正常〕は移植後2年(中央値)で25～30％に発症し，甲状腺機能低下症(TSH 高値，free T4 低値)は移植後2.7年(中央値)で3.4～9％に発症する[1,2]．甲状腺への放射線治療歴(頸部，縦隔，全身)や鉄沈着，BU/CY による移植前処置，低年齢(<10歳)などがリスク因子である．

❷ 予防とスクリーニング

- 全身倦怠感，体重増加，便秘，皮膚乾燥，月経異常などの甲状腺機能低下症状の有無について問診・診察をする．症状・所見を認めた場合，あるいは移植後1年時と，以降年1回，甲状腺機能検査(TSH，free T4)を行う．
- 甲状腺機能低下を認めた場合には内分泌専門医に紹介し，甲状腺ホルモン補充療法の適応やその後のフォローアップについて相談する．

2 脂質代謝異常

❶ 発症率とリスク因子

同種移植後の発症率は9～61％で，ステロイドやカルシニューリン阻害薬(CNI)の使用がリスクとなる[1,2]．

❷ 予防とスクリーニング

- 3～6か月ごとに総コレステロール値，LDL コレステロール値，HDL コレステロール値，空腹時中性脂肪値の評価を行う．
- 体重，肥満度または BMI(body mass index)，血圧，腹囲，体脂肪率のフォローが望ましい．詳細については日本動脈硬化学会や日本高血圧学会のガイドライン[4,5]を参照されたい．

3 糖尿病

❶ 発症率とリスク因子

同種移植後の糖尿病の有病率は3〜41％で，ステロイドやCNIなどの薬剤，膵臓への放射線照射歴，鉄沈着などがリスクとなる[1,2]．

❷ 予防とスクリーニング

- 3〜6か月ごとに空腹時血糖値やヘモグロビンA1c(HbA1c)の評価を行う．ハイリスク症例では，併せてグリコアルブミン(GA)，空腹時インスリン値(IRI)，インスリン抵抗性(HOMA-IR)，食後血糖も評価することが望ましい．
- 糖尿病と診断された場合には，糖尿病専門医への紹介とともに，糖尿病合併症(網膜症，腎症，神経障害)のモニタリング，高血圧，心血管障害，脳血管障害の出現に留意する．詳細については日本糖尿病学会のガイドライン[6]を参照されたい．

4 高血圧

❶ 発症率とリスク因子

同種移植後の有病率は21〜56％で，ステロイドやCNIの使用がリスクとなる[1,2]．

❷ 予防とスクリーニング

- 血圧測定は外来受診ごとに行う．家庭での血圧もできる限り測定して記録するように指示する．
- 1週間以上の間隔で2回測定された血圧が，収縮期血圧140 mmHg以上，拡張期血圧90 mmHg以上の場合には降圧剤の治療適応と考えられる．詳細については日本動脈硬化学会や日本高血圧学会のガイドライン[4,5]を参照されたい．

C 骨合併症

近年，骨合併症については米国移植細胞治療学会からexpert opinion[7]が公表されており，そちらも参照されたい．

1 骨量低下と骨粗鬆症

❶ 発症率とリスク因子

移植後の骨量低下は移植後5年で約半数，骨粗鬆症は移植後2年で約2割の患者に合併し，骨折リスクが増加する[1,2]．長期のステロイド投与が重要なリスク因子であるが，それ以外のリスク因子として，CNI，成長ホルモン(GH)不足，性腺機能低下症，運動不足，カルシウム摂取不足，腎障害などが挙げられる．

❷ 予防とスクリーニング

- 全症例で，定期的な荷重運動，禁煙と過量飲酒の回避を指導し，必要に応じてカルシウム(1,200 mg/日以上)やビタミンD(1,000 IU/日，または血中25-ヒドロキシビタミンD濃度<30 ng/mLの場合はそれ以上)を補充する．卵巣機能不全を有する若年女性には禁忌のない限りホルモン補充療法を行う．
- 移植後1年で，DXA(dual-energy X-ray absorptiometry)法による骨密度のスクリーニングを行う．ハイリスク症例(ステロイドやCNIの長期投与例など)ではより頻回の検査を考慮する．骨量低下を認める場合には，性腺機能や甲状腺機能をスクリーニングする．
- ステロイド性骨粗鬆症の診断および管理の詳細については日本骨代謝学会のガイドラインを参照されたい[8]．

2 虚血性骨壊死(AVN)

❶ 発症率とリスク因子

局所血管障害による骨髄浮腫・虚血や，栄養障害に伴う骨芽細胞による骨修復障害，機械的ストレスにより発症し，大腿骨頸部や膝・肩関節に好発する．発症中央時期は移植後2年で，移植後10年で3〜10%の頻度で起こる．GVHD治療薬〔ステロイドやCNI，ミコフェノール酸モフェチル(MMF)〕の投与，全身放射線照射(TBI)，男性患者，慢性GVHDなどがリスクとなる．ステロイド投与例では用量依存性にリスクが増加する．

❷ 予防とスクリーニング

- 確立された予防法およびスクリーニング法はない．
- ハイリスク患者が骨痛などの症状を訴えた場合には詳細な問診と診察を行い，異常を認めた場合には速やかに画像検査を行う．MRIでは発症後早期(骨壊死発生後4〜6週)に特徴的なT1強調像での骨頭内バンド像が出現し，早期診断および治療方針決定に有用である．

D 性腺機能障害

1 性腺機能低下症

❶ 発症率とリスク因子

- 放射線照射・化学療法による視床下部-下垂体系や性腺の障害に起因する．男性では92%，女性では99%に発症するとされ，いずれも高用量の放射線化学療法などの移植前処置(特に女性ではBUの使用)，年齢25歳以上，女性，慢性GVHDの合併がリスクとなる．
- 精子形成の障害は，CY(120 mg/kg<200 mg/kg)，TBI(2〜3 Gyでは一過性に，>6 Gyでは不可逆的に生殖細胞を傷害する)がリスクとなり，いずれも用量依存性がみられる．
- 卵巣は放射線化学療法による障害を受けやすい(高ゴナドトロピン性性腺機能低下症)．女性患者において，BUは骨髄非破壊的前処置においても高頻度に性腺機能不全をきたし，高用量では思春期前であっても卵巣機能低下は必発する．

❷ 予防とスクリーニング

- 男性では，年齢に応じて性欲減退や勃起障害の有無について問診する．症状を認めた場合にはFSH，LH，テストステロンを測定する．テストステロン補充療法が必要な患者では専門医に紹介する．
- 女性は，移植後1年時に，以降は前回評価時に異常を認めた場合あるいは更年期障害の訴えがあった場合に，性腺機能評価を行う．無月経，月経不整，不妊症の有無についての問診と身体診察に加え，FSH，エストラジオール(E2)値を測定することが推奨される．無月経を認めた際には甲状腺機能低下症の有無も確認する．性腺機能低下症を認めた場合には，ホルモン補充療法について検討し，婦人科にコンサルトする．

2 不妊症(☞153頁，セクション15)

❶ 発症率とリスク因子

移植前処置の毒性による恒久的な生殖器障害と不妊はよく知られ

ている．性腺機能回復後の自然妊娠の確率は15％未満で，30歳以上，女性，TBIが特にハイリスクとなる．

❷ 予防とスクリーニング

- 移植前に，妊孕性を維持させるためのオプション(精子，卵子，受精卵，卵巣組織の凍結保存，TBI時の卵巣遮蔽など)について患者とよく相談しておくことが望ましい．
- 不妊症の有無にかかわらず，移植後2年間は，原疾患再発のリスクが高いため，自然妊娠や不妊治療を避ける．不妊症を認めた場合にも，感染症予防の観点からは避妊器具を用いることが望ましい．

E 腎・泌尿器疾患

❶ 発症率とリスク因子

慢性腎臓病(CKD)はGFR <60 mL/分/1.73 m^2 が3か月以上持続することと定義される[9]．血清クレアチニンがGFRの代替指標として用いられることが多い．重症度は原因(C)，GFR(区分：G1〜5)，アルブミン/クレアチニン比(区分：A1〜3)によるCGA分類で評価される[1,2]．発症率は約20％で，好発時期は移植後6か月〜1年である．なお急性腎障害(AKI)についてはセクション31(☞ 280頁)を参照されたい．

腎臓のGVHDという概念はまだ確立していないが，免疫抑制剤の中止後あるいは慢性GVHDに合併して，ネフローゼ症候群を発症することがある[10]．高度の蛋白尿の持続(3.5 g/日以上または随時尿で3.5 g/gCr以上)，低アルブミン血症(3.0 g/dL以下または血清総蛋白6.0 g/dL以下)により診断される．移植後ネフローゼ症候群のうち膜性腎症が約60％，微小変化群が約20％を占める．

CKDのリスク因子として，AKIの既往，原疾患(多発性骨髄腫など)，前治療歴(シスプラチンやシクロホスファミド)，放射線照射歴，TMAの合併，CNIの長期使用，ネフローゼ症候群の合併，ウイルス感染症(ポリオーマウイルス，アデノウイルス，BKウイルス)などが挙げられる．

❷ 予防とスクリーニング

- 腎毒性のある薬剤(NSAIDs，造影剤，抗菌薬など)を可能な限り避ける．CNIの血中濃度をモニタリングして投与量を調節する．腎機能が増悪するときは，GVHDのリスクと腎障害の重症度を考慮して，CNIからステロイドやMMFなどへの変更を検討する．

- CKDと高血圧は相互にリスク因子となるため高血圧の予防・管理に努める．またCKD患者に高血圧を認める場合には，腎保護の観点からARBの導入を考慮する．
- 移植後半年および1年後に，腎機能を評価する．尿素窒素，クレアチニン，尿蛋白を測定する．
- 体表面積あたりのGFRが60 mL/分/1.73 m^2未満となった症例は腎臓専門医にコンサルトする．

文献

1）Majhail NS, et al: Recommended screening and preventive practices for long-term survivors after hematopoietic cell transplantation. Biol Blood Marrow Transplant 18: 348-371, 2012
2）日本造血・免疫細胞療法学会 HP：造血細胞移植学会ガイドライン 移植後長期フォローアップ，2017.
https://www.jstct.or.jp/uploads/files/guideline/04_01_ltfu.pdf
3）Inamoto Y, et al: Late effects of blood and marrow transplantation. Haematologica 102: 614-625, 2017
4）日本動脈硬化学会：動脈硬化性疾患予防ガイドライン 2022年版.
https://www.j-athero.org/jp/wp-content/uploads/publications/pdf/GL2022_s/jas_gl2022_3_230210.pdf
5）日本高血圧学会：高血圧治療ガイドライン 2019.
https://www.jpnsh.jp/data/jsh2019/JSH2019_noprint.pdf
6）日本糖尿病学会：糖尿病治療ガイド 2022-2023．文光堂，2022
7）Bar M, et al: Bone Health Management After Hematopoietic Cell Transplantation: An Expert Panel Opinion from the American Society for Transplantation and Cellular Therapy. Biol Blood Marrow Transplant 26: 1784-1802, 2020
8）日本骨代謝学会：ステロイド性骨粗鬆症の管理と治療ガイドライン 2014年改訂版.
http://jsbmr.umin.jp/guide/pdf/gioguideline.pdf
9）日本腎臓学会：エビデンスに基づくCKD診療ガイドライン 2023.
https://jsn.or.jp/medic/guideline/pdf/guide/viewer.html?file=001-294.pdf
10）Cuvelier GDE, et al: Toward a better understanding of the atypical features of chronic graft-versus-host disease: A report from the 2020 National Institutes of Health Consensus Project Task Force. Transplant Cell Ther 28: 426-445, 2022

57 移植後の二次がん

移植成績の向上に伴い，長期フォローアップにおける晩期合併症のスクリーニングや予防/治療法の重要性が増している．本項では成人患者における晩期合併症のうち二次がんについて，国内外のガイドライン[1,2]や総説[3]を参照して概説する．

移植後の二次がんは，移植後リンパ増殖性疾患(PTLD)，移植後骨髄系腫瘍〔治療関連骨髄異形成症候群(t-MDS)，急性骨髄性白血病(t-AML)など〕，固形がん(solid cancer)，の3つに大別される(図1)．二次がんは，同種移植後の晩期死因として日本人患者では12%，海外患者では27%を占める重要な課題である[3]．

移植患者における二次がんの一般的なリスク因子として，移植前の化学/放射線療法，移植前処置としての大量化学療法および全身放射線照射(TBI)，HLA不一致，GVHDやその予防/治療薬投与に伴う免疫不全状態，腫瘍原性をもつウイルス感染症(EBV，HBV，

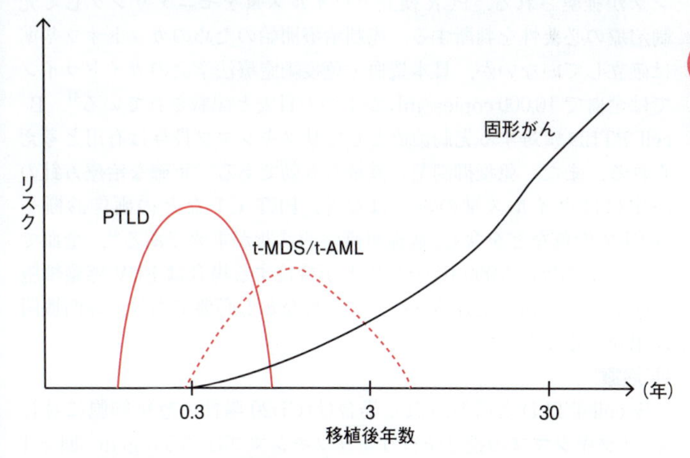

図1　移植後二次がんの種類と好発時期
PTLDは移植後1年以内(2〜3か月)，t-MDS/t-AMLは移植後2〜3年に好発する．固形がんは移植後1年から発症しはじめ，以降発症リスクが上がり続ける．
〔文献1)より〕

HCVなど)などが挙げられる．

A リンパ腫(PTLD)

❶ 発症割合とリスク因子

PTLDの多くはB細胞由来(B-cell PTLD)である．発症時期は移植後60〜90日をピークとし，約7割の症例が移植後半年以内に発症する[4)]．まれではあるがT-cell PTLD[5)]やEBV陰性のPTLDも報告されており，臨床像と予後は差がないとする報告もある[6)]．

発症割合は0.5〜17%と報告によってさまざまであるが，1.0%程度と考えられている[4,7)]．国内レジストリデータ解析における発症割合は自家移植後で0.1%，同種移植後で0.8%であった[8)]．同種移植後のリスク因子としてT細胞除去，再生不良性貧血，非血縁ドナー，HLA不一致ドナー，臍帯血などが挙げられ，これらのリスク因子を多く有すると発症割合は10%を超える．

❷ 予防とスクリーニング

ハイリスク症例では，PCRによる血中EBV-DNA量のモニタリングが推奨される．PCR検査でウイルス量をモニタリングして先制治療の必要性を判断する．先制治療開始のためのカットオフ基準は確立していないが，日本造血・免疫細胞療法学会のガイドラインでは全血で10,000 copies/mLが1つの目安と記載されている[4)]．B-cell PTLDに対する先制治療としてリツキシマブ投与は有用と考えられる．また，免疫抑制剤の減量も有効である．正確な治療方針の決定にはウイルス量のみではなく，PET-CTなどの画像診断や(EBER染色などを含む)病理組織学的診断が重要である[4)]．全血でのウイルス量が5,000 IU/mL以上が持続する場合はEBV感染細胞の同定や，T細胞受容体レパトア解析なども必要であり，専門機関に相談することが望ましい．

❸ 治療

B-cell PTLDと診断された場合は(CD20陽性の感染細胞に対して)リツキシマブの投与を行う．リツキシマブは375 mg/m^2/回を1週間ごとに1〜4回投与する．第一選択薬であるリツキシマブの有効率は約70%とされている[4)]．その他の治療法としては免疫抑制剤の減量，ドナーリンパ球輸注(DLI)，EBV特異的CTL輸注療法，抗がん剤などがある．なお，EBVに対して臨床上有効な抗ウイルス薬はない．日本人におけるPTLD発症後の2年OSは自家移植後が15%，同種移植後が43%であった[8]．

B 移植後骨髄系腫瘍

❶ 発症割合とリスク因子

移植後骨髄系腫瘍の大半は移植後数年以内に発症し，国内レジストリデータ解析における発症割合は自家移植後で2.3%，同種移植後で0.4%であるが，発症した場合の長期的生存割合はいずれのケースも20%程度と予後不良である[9]．染色体異常として5番や7番の異常が30%程度みられ，これらの異常を有すると予後はかなり不良である．同種移植後に発症する移植後骨髄系腫瘍の半数以上がドナー由来であり，その42%が臍帯血移植後であった[9]．

発症リスクを増加させる因子として，自家移植，男性患者，高齢，アルキル化薬やトポイソメラーゼII阻害薬による治療歴，TBIを含む放射線照射歴，臍帯血などが報告されている[9]．

❷ 予防とスクリーニング

予防する方法は確立していないが，可能な限り放射線やcytotoxic agentへの曝露を減らすように努める．上記の発症リスク因子を有する症例では定期的に血液検査を確認し，血小板減少や芽球の出現などの異常がみられた場合には移植後骨髄系腫瘍の発症を疑うことが重要である．

❸ 治療

移植後骨髄系腫瘍発症後の2年OSは3割程度であり，特に5番・7番染色体異常があるとさらに予後不良であった[9]．根治を目指した治療法は同種移植(再移植)であり，再移植が実施できた89例の5年OSは4割弱であった．

C 固形がん

❶ 発症割合とリスク因子

移植後の固形がんの発症部位は多岐にわたるが，日本人の同種移植後は口腔，食道，大腸，肺，胃，皮膚などで頻度が高い(表

表1 日本人における移植後の二次性固形がん

一般人口と比較したリスク		順位	観察された件数	
臓器名	SIR		臓器名	N*2
口腔/咽頭	15.7*1	1位	口腔/咽頭	64
食道	8.5*1	2位	食道	41
皮膚	7.2*1	3位	大腸	27
中枢・末梢神経	4.1*1	4位	肺/気管	19
胆嚢	2.6	5位	胃	16
大腸	1.9*1	6位	皮膚	13

*1 一般人口に比べ有意なリスクの増加を認めている.
*2 N：解析対象17,545例中に観察された件数.
SIR：標準頻度比
〔文献10)より改変〕

1)[10, 11]．移植5〜10年後以降も発症割合は右肩上がりに上昇しており，明らかなプラトーはみられない(図1)．年齢・性別・地域を調整した一般人口に比較すると発症リスクは2〜3倍と報告されている[11]．

当院単施設の1,106例の解析では，同種移植後の二次がん発症割合(固形腫瘍)は移植5年後に2.5%，10年後に5.9%，15年後に8.5%であった[10]．一方，全国集計データにおける同種移植後の二次がん発症割合(固形腫瘍)は5年後に0.7%，10年後に1.7%と単施設のデータと比べて低く，過少報告の可能性がある[11]．

放射線照射後二次性固形がんは，線量依存性にリスクが高まり，特に肉腫，乳がん，甲状腺がんなどは放射線照射との関連が高い．特に移植時15歳以下，女性，甲状腺領域への照射例では甲状腺がんに注意が必要である．また慢性GVHD併発も二次がんの重要な発症リスク因子であり，特に口腔領域や食道の扁平上皮がんのリスクが高くなる[10, 11]．口腔や消化管の慢性GVHDを合併する患者では，特に二次がんの発症頻度が高いので注意が必要である(口腔がん15倍，食道がん23倍)[10]．

❷ 予防とスクリーニング

発症リスクを減らすには，化学療法や放射線照射の曝露を可能な限り減らすことが第一であるが，移植後には正常な免疫回復の促進や慢性GVHDの予防・治療，禁煙や禁酒，日焼け対策がリスク軽

表2 移植後二次がんに対して推奨される主なスクリーニング

臓器	予防とスクリーニング
口腔	ハイリスク症例では6か月ごとに口腔評価を実施する.
食道	ハイリスク症例では臨床症状に留意してスクリーニング検査として上部消化管内視鏡検査が推奨される.
皮膚	日常生活では紫外線を避けて外出時にはSPF 20以上の日焼け止めクリームの使用あるいは肌を衣服で覆うことを勧める.
乳がん	TBI歴のある女性患者では,(40歳未満では)25歳もしくは移植後8年のいずれか遅い時点から,遅くとも40歳以降は,マンモグラフィー検査を受けるように勧める.

〔文献1)より〕

減に重要である.当院では,同種移植後は慢性GVHDがない患者も積極的に上部および下部の消化管内視鏡検査を行っている.早期の食道がんを見逃さないためにはヨード散布による観察を行うことが重要である.食道にヨード不染帯を認めた場合は6か月〜1年ごとのフォローを行っている.また病理検査結果がボーダーラインの場合は3〜6か月後にフォローしている.

甲状腺がんの高リスク患者〔移植時低年齢(15歳以下)・女性・甲状腺領域照射例〕では3〜5年ごとに触診または頸部超音波検査によるスクリーニングを行う(有症状または前回検査時に異常を認めた場合は年に1回).

すべての患者に対して,年に一度は二次がんのリスクについての情報提供を行い,がん検診(最低限,国あるいは地域でがん検診項目として定められているもの)を受けるよう指導を行う(表2)[1].国際スクリーニング推奨も含めて検討した本邦での推奨案は総説[3]を参照されたい.患者には禁煙指導を徹底し,受動喫煙を避け,飲酒量を控えるように指導をする.また紫外線を避けて,口腔,皮膚,乳房,精巣などの表在部位は自己チェックするように指導する.

❸ 治療

二次固形がんを発症した本邦の移植患者の予後について,全国がん罹患モニタリング集計データベースと比較した学会レジストリからの報告がある[11].発症年齢中央値は,初発がんが67歳であるのに対して,自家移植後二次がんは62歳,同種移植後二次がんは52歳と若年で発症していた.ほとんどのがん種で初発がんの生存割合との差を認めなかったものの，大腸・骨軟部，中枢神経の移植後二次がんは有意に予後不良であった．また移植後二次がんに対する放射線・化学療法は毒性が出やすい傾向があり，固形がん診療科との連携が重要となる．

文献

1) 日本造血・免疫細胞療法学会 HP：造血細胞移植学会ガイドライン 移植後長期フォローアップ，2017.
https://www.jstct.or.jp/uploads/files/guideline/04_01_ltfu.pdf
2) Inamoto Y, et al: Secondary solid cancer screening following hematopoietic cell transplantation. Bone Marrow Transplant 50: 1013-1023, 2015
3) 稲本賢弘：造血細胞移植後二次がんへの対策．日本造血・免疫細胞療法学会雑誌 12: 103-109, 2023
4) 日本造血・免疫細胞療法学会 HP：造血細胞移植ガイドライン ウイルス感染症の予防と治療：EB ウイルス関連リンパ増殖症，2018.
https://www.jstct.or.jp/uploads/files/guideline/01_03_02_ebv.pdf
5) Kuno M, et al: T-cell posttransplant lymphoproliferative disorders after allogeneic hematopoietic cell transplantation. Int J Hematol 112: 193-199, 2020
6) Naik S, et al: Survival outcomes of allogeneic hematopoietic cell transplants with EBV-positive or EBV-negative post-transplant lymphoproliferative disorder, A CIBMTR study. Transpl Infect Dis 21: e13145, 2019
7) Al Hamed R, et al: Epstein-Barr virus-related post-transplant lymphoproliferative disease(EBV-PTLD) in the setting of allogeneic stem cell transplantation: a comprehensive review from pathogenesis to forthcoming treatment modalities. Bone Marrow Transplant 55: 25-39, 2020
8) Fujimoto A, et al: Risk Factors and Predictive Scoring System For Post-Transplant Lymphoproliferative Disorder after Hematopoietic Stem Cell Transplantation. Biol Blood Marrow Transplant 25: 1441-1449, 2019
9) Kuno M et al: Characterization of myeloid neoplasms following allogeneic hematopoietic cell transplantation. Am J Hematol 97: 185-193, 2022
10) Tanaka Y, et al: Analysis of non-relapse mortality and causes of death over 15 years following allogeneic hematopoietic stem cell transplantation. Bone Marrow Transplant 51: 553-559, 2016
11) Atsuta Y, et al: Late mortality and causes of death among long-term survivors after allogeneic stem cell transplantation. Biol Blood Marrow Transplant 22: 1702-1709, 2016
12) Inamoto Y, et al. Outcomes of patients who developed subsequent solid cancer after hematopoietic cell transplantation. Blood Adv. 2: 1901-1913, 2018.

58 外来フォロー時の感染症対策

A 感染症のリスク評価・対応策

1 移植後外来患者におけるリスク評価

同種移植後の免疫回復には通常1〜3年を要し，時間の経過とともに問題となる免疫不全の種類は異なる(免疫不全の詳細については☞372頁，セクション40参照)．なかでも活動性の慢性GVHDの有無や免疫抑制剤・ステロイドの投与が，細胞性免疫不全や液性免疫不全の重要なリスク因子となり，感染症や合併症死亡のリスクを高める．表1に感染症リスクと主な病原体をまとめた．

表1　同種移植後外来フォロー中の感染症リスクと主な病原体

感染症リスク	免疫不全の指標	主な病原体
細胞性免疫不全	末梢血CD4陽性Tリンパ球数 ステロイド投与量 (積算投与量も重要) 慢性GVHD	サイトメガロウイルス アデノウイルス 水痘・帯状疱疹ウイルス 単純ヘルペスウイルス 呼吸器ウイルス 新型コロナウイルス EBウイルス ニューモシスチス アスペルギルス トキソプラズマ
液性免疫不全	末梢血IgG ステロイド投与量 慢性GVHD 脾摘，脾照射後	肺炎球菌 インフルエンザ菌 髄膜炎菌
好中球減少	好中球数減少 (原疾患再発・生着不全・薬剤性)	緑膿菌 腸内細菌目細菌 マルトフィリア ブドウ球菌 連鎖球菌 アスペルギルス カンジダ

2 リスクに応じた対応策

❶ 活動性の慢性 GVHD 合併例，またはステロイド投与例

カンジダ・糸状菌・ウイルス・ニューモシスチスなどに対する予防投与が必須である．サイトメガロウイルス(CMV)抗原血症やPCR，β-D グルカン・アスペルギルス(ガラクトマンナン)抗原，血清 IgG などのモニタリングを行い，早期治療を検討する．健常人では軽症にとどまる感染症がごく短時間で重篤な状態へ進行することもあるため，厳重な管理が必要である．

❷ 活動性の慢性 GVHD なし，免疫抑制剤内服中

カンジダ・ウイルス・PCP に対する予防投与を継続していることが多い．移植後の時期や免疫回復の状況をみて，抗真菌薬の予防投与は中止する場合もある．不活化ワクチンの接種を検討する(生ワクチンは不可)．

❸ GVHD なし，免疫抑制剤中止後

免疫回復の状況に合わせて，感染予防薬を中止していく．慢性GVHD を発症していない場合にも，健常人と比較して感染症のリスクは高いため，積極的にワクチン接種を行う(☞ 578 頁，セクション 59)．

B 予防投与

外来フォロー時は，本人の全身状態や免疫回復の状況を総合的に判断して指導する．通常，同種移植後 2～3 か月以内に退院する患者は，入院中より下記の感染予防薬を継続していることが多い(☞ 379 頁，セクション 40)．保険適用の問題はあるが，免疫抑制剤を内服中は予防投与を継続する．

1 真菌感染予防

慢性 GVHD 合併時やステロイド内服中は，カンジダ予防のため少量フルコナゾールによる予防を継続する．

フルコナゾール　1 日 100 mg　分 1　内服　免疫抑制剤中止まで

※重症 GVHD 合併時や侵襲性アスペルギルス症の既往がある場合は，抗糸状菌効果をもつボリコナゾールまたはポサコナゾールを投与している例が多い．しかし医療費が高額となるため，ステロイド中止後の免疫回復状況や CT で感染巣がないことを確認後に，フルコナゾールへ変更する場合もある．その際に

は，薬剤相互作用の関係でタクロリムスの血中濃度が予想以上に低下して，GVHD を惹起する場合もあるため，細かなフォローが必要となる．ただし，ステロイド内服中はボリコナゾールまたはポサコナゾールの継続が望ましい．

2 ウイルス感染予防

免疫抑制剤内服中は水痘・帯状疱疹ウイルス（VZV）を抑制するために，少量のアシクロビル（ACV）予防を継続する必要がある．

アシクロビル　1 日 200 mg　分 1　内服　移植後 1 年間または免疫抑制剤中止まで

免疫抑制剤を 1 年以内に中止できた場合も，移植 1 年後までは ACV 予防投与が推奨される．また慢性 GVHD が遷延し免疫回復が遅延している症例では，免疫抑制剤中止後 6 か月程度は ACV 予防を継続し，抗 VZV 抗体価を確認する．抗体価が低下している症例では，ワクチン接種も考慮する．

ACV 予防を中止する際には，帯状疱疹を発症するリスクを伝え，早期に治療開始が必要なことを教育する必要がある．当院では，リーフレットを用いて典型的な帯状疱疹の写真を見せ，ピリピリする痛みを伴う場合は，早めに連絡してもらうように伝えている[1)]．また原因のはっきりしない腹痛，肝障害，DIC を認めた際には内臓播種性帯状疱疹の可能性も考慮しておく．

レテルモビル予防は，以前は移植後 100 日までとされていたが，免疫回復が遅延している患者を中心に，day 100 以降の CMV 再活性化が増加していた[2)]．2023 年 8 月にレテルモビル投与期間の目安が，患者の CMV 感染症の発症リスクを考慮しながら移植後 200 日目へと変更された．予防投与期間は延長されたが，免疫不全が強い場合はレテルモビル中止後に CMV 感染症を発症する場合もあり，CMV-PCR 検査によるスクリーニングを強化して対応する必要がある．

3 ニューモシスチス感染予防

ニューモシスチス肺炎（PCP）に対して予防効果が最も高いのは ST 合剤である．腎機能障害，血球減少や消化器症状などで ST 合剤を継続できない場合，アトバコン内服またはペンタミジン吸入への切り替えを考慮する．しかし ST 合剤以外の PCP 予防薬は肺炎球菌などの有莢膜細菌に対する予防効果がないため，可能な限り

ST合剤の継続を試みる（ST合剤を1日0.5錠へ減量してもPCP発症はほとんどみられない．ただしステロイド投与量が多い場合などはブレイクスルーに注意が必要）．慢性GVHDが遷延し免疫回復が遅延している症例では，PCP予防を中止する前に末梢血CD4陽性細胞数を確認する．

ST合剤（バクタ®：スルファメトキサゾール400 mg/錠＋トリメトプリム80 mg/錠） 1日0.5～1錠 分1 内服 生着後に再開し，免疫抑制剤中止後3か月は継続

または

アトバコン〔サムチレール® 内用懸濁液15％（750 mg/5 mL）〕 1日1,500 mg 分1 内服

または

ペンタミジン（ベナンバックス®） 300 mg＋注射用水10 mL 吸入 3～4週間ごと
※サルタノール® インヘラー 1回2吸入 ベナンバックス® 吸入前に行う

4 細菌感染予防

慢性GVHD合併例では，肺炎球菌，インフルエンザ菌，髄膜炎菌などの有莢膜細菌による敗血症などの重症感染症のリスクが高い．国内レジストリデータの解析では，同種移植後100日以降に肺炎球菌感染症を合併した43例中6例が肺炎球菌感染が原因で死亡していた[3)]．また血流感染症（BSI）に関する全国調査の解析では，移植後100日以降の菌血症は移植後早期よりも頻度はかなり低下するが，BSI発症後の予後は不良（30日後に約3割が死亡）のため迅速な対応が必要である[4)]．

PCP予防もかねて，可能な限りST合剤による予防を継続する．ST合剤による予防が不可能な症例において，海外では経口ペニシリン予防投与が試みられているが，当院では行っていない．

海外のガイドラインでは，肺炎球菌ワクチン（PCV）接種を移植後3～6か月後から開始するよう推奨されている（☞580頁，セクション59）．また肺炎球菌による敗血症のリスクについて十分に説明を行い，38℃以上の発熱時や感染症を示唆する症状が出現した際に，すぐに抗菌薬内服を開始できるように1週間分の処方を行っている

(Stand-by 治療).

レボフロキサシン(クラビット®) 1日 500 mg 分1 内服 (発熱時に開始)

5 低ガンマグロブリン血症への対策

IgG が 400～500 mg/dL 以下へ低下した場合，静注免疫グロブリン製剤(IVIG)5 g を点滴している．IgG 値が十分ある場合に，IVIG 補充を予防的に行う意義は確立しておらず，医療費や副作用のリスクを考慮すると推奨されない．

C 日常生活の注意事項

外来フォロー時の本人の全身状態や免疫能の回復状況を総合的に判断して指導する．

- 入浴やシャワーで肌や外陰部を清潔に保ち，皮疹のセルフチェックを行う．食後の歯みがきや含嗽で，口腔内衛生の維持を行う．歯科における出血を伴う処置や抜歯では抗菌薬予防投与を考慮する．
- 不特定多数の人が集まる場所や人混み，温泉や公衆浴場など，感染リスクの高い場所にはなるべく行かないよう心がける．外出時のマスクや手洗いの励行により感染リスクを回避する．
- インフルエンザウイルス感染者や水痘・帯状疱疹発症者との曝露があれば，連絡するよう伝える(感染予防法を検討するため)．
- 登園・登校や復職は，免疫能の回復状況を踏まえて検討する．学校生活や職場における注意事項を伝える．動物の取り扱いや塵埃の多い清掃当番は避ける．給食ではヨーグルト，カビを含むチーズ，ドライフルーツ，生ハム，発酵食品など可否の判断が必要である．
- 地域の感染症流行情報に注意し，学校などで感染症流行の兆しがあった場合は，流行が収束するまで休ませる．
- 早めの外来受診・電話相談が必要な注意すべき症状について指導する(☞ 523 頁，セクション 53)．

D 発熱時・感染症を疑ったときのアプローチ

移植後は，（健常人では軽症にとどまる）感染症が短時間で重篤化するリスクが依然として高いことから，発熱や感染を疑う症状を認めた場合には，早期に十分な対応を行う必要がある．同種移植後の合併症による再入院のうち感染症が約半数を占めている[5)]．特に，慢性 GVHD の合併やステロイド，免疫抑制剤を長期間投与している患者では，細胞性免疫や液性免疫の再構築が遅れ，感染症が重篤化しやすい．

発熱時・感染症を疑ったときのアプローチを図 1 に示す[6)]．個々の患者に対して，自身の免疫状態と注意すべき感染症の症状を外来診療において経時的に指導し，38℃ 以上の発熱や感染を示唆する徴候や症状が現れたら早めに医療機関を受診するように指導してお

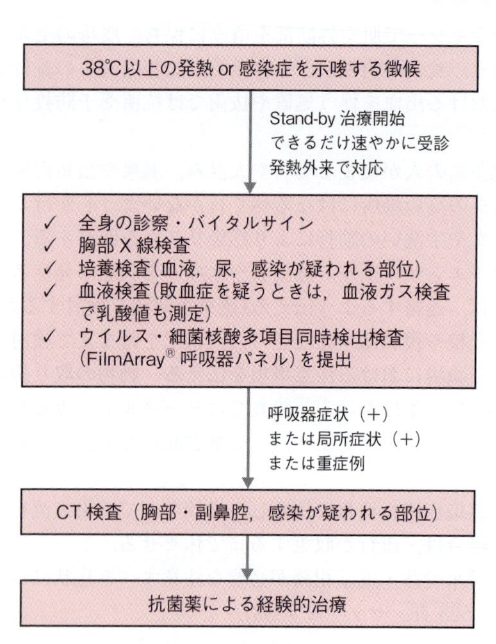

図 1　発熱時・感染症を疑ったときのアプローチ
〔文献 6)より改変〕

くことが重要である．感染症の重症化を回避するために，内服抗菌薬を数日分処方しておき，38℃以上の発熱を認めた場合は，すぐに服用してもらったうえで来院してもらうStand-by治療も検討する．なお，ステロイド投与例では，ステロイドにより発熱が抑制されている場合があることを念頭におかなければならない．

患者を診察する際には，新型コロナウイルス感染症患者と同様に，発熱外来で対応している．まず，バイタルサインや全身状態を確認し，敗血症や重症肺炎の可能性を疑って診察を行う必要がある．予防投与の有無や服薬コンプライアンスを確認し，全身を丁寧に診察するとともに，胸部X線および培養検査(血液，尿および感染が疑われる部位)やウイルス・細菌核酸多項目同時検出検査(FilmArray®)を提出する．各種感染症のリスクを評価し対応を行うが，外来で最も注意すべきは呼吸器系の感染症である．呼吸器症状がある場合は，胸部X線で異常所見を認めなくても，胸部単純CT検査を行うことが望ましい．また重症例や感染症を示唆する症状を認める場合は，副鼻腔から骨盤までCT検査を行うことも多い．感染源を特定できない場合も，各種培養検査を施行後，肺炎球菌やグラム陰性桿菌による感染症を念頭に抗菌薬による経験的治療を開始することが多い．特に肺炎球菌などの有莢膜細菌による敗血症には，注意を要する．また喀痰検体のグラム染色結果も，初期治療には有効であることが多い．原因菌およびその感受性が判明すれば，de-escalationを検討する．

文献

1) 日本造血・免疫細胞療法学会HP：移植後長期フォローアップ外来運営を支援する“LTFU全国版”患者指導用リーフレット「5. 帯状疱疹について」.
https://www.jstct.or.jp/modules/facility/index.php?content_id=37
2) Mori Y, et al: Risk factors for late cytomegalovirus infection after completing letermovir prophylaxis. Int J Hematol 116: 258-265, 2022
3) Okinaka K, et al: Clinical characteristics and risk factors of pneumococcal diseases in recipients of allogeneic hematopoietic stem cell transplants in the late phase: A retrospective registry study. J Infect Chemother 29: 726-730, 2023
4) Inoue Y, et al: Severe acute graft-versus-host disease increases the incidence of blood stream infection and mortality after allogeneic hematopoietic cell transplantation: Japanese transplant registry study. Bone Marrow Transplant 56: 2125-2136, 2021
5) Yamaguchi K, et al: Characterization of readmission after allogeneic hematopoietic cell transplantation. Bone Marrow Transplant 56: 1335-1340, 2021
6) 日本造血・免疫細胞療法学会HP：造血細胞移植学会ガイドライン 移植後長期フォローアップ，2017.
https://www.jstct.or.jp/uploads/files/guideline/04_01_ltfu.pdf

59 移植後の予防接種

A 移植後の予防接種

1 接種推奨の理由

造血細胞移植前に予防接種もしくは感染症への罹患によって獲得された抗体価は，移植後徐々に減衰する．これは，移植後の免疫再構築過程の液性・細胞性免疫不全や，GVHDもしくはその予防・治療によるものと考えられている．このため，一般的に移植後の患者は“ワクチン未接種”とみなして，再接種をすることが推奨されている．特に移植患者において健常人よりも発症頻度が高く重篤化しやすい感染症で有用性が高い．移植患者に対する予防接種に関して，海外[1~3]および国内[4]からガイドラインが公表されており参照されたい．

2 予防接種に伴う諸問題

ワクチンによる免疫賦活化がGVHD増悪のトリガーとなる可能性が危惧されている．しかし現時点では，ワクチンは重要なトリガーとなることは少ないというエビデンスが優勢であり，本理由をもとに予防接種を控えるべきではない[2]．また，ほとんどのワクチンの費用は自己負担となるため，費用の点も説明をしっかりと行う必要がある．移植患者の予防接種について，補助を行っている自治体もあるので確認してもらう(接種は当該自治体にある病院で行う必要あり)．例えば，水痘・帯状疱疹ワクチン接種費用については，主に50歳以上を対象に助成を行っている自治体が多く，全国保険医団体連合会のホームページに一覧が掲載されている(https://hodanren.doc-net.or.jp/wp-content/uploads/2019/09/230824_hzvccn.pdf)．

3 生ワクチンと不活化ワクチン

ワクチンは生ワクチンと不活化ワクチンに分けられる(表1)．生ワクチンは，病原体の野生株の病原性を減じて弱毒化したもので，接種することによって通常の感染症に罹患するよりもおだやかな症状(接種部位の局所反応や微熱など)を引き起こすのみで免疫獲得を

表 1 移植患者に対する生ワクチンと不活化ワクチン

	生ワクチン	不活化ワクチン
接種時期	移植後 2 年以降，慢性 GVHD がなく，免疫抑制剤の投与を行っていない場合	移植後 6〜12 か月以降，慢性 GVHD の増悪がない場合
代表的なワクチン	◎麻疹ワクチン ◎風疹ワクチン ◎流行性耳下腺炎（ムンプス）ワクチン ◎水痘ワクチン	◎インフルエンザウイルスワクチン ◎肺炎球菌ワクチン（PCV13/15, PPVS23） B 型肝炎ワクチン 破傷風トキソイド ◎帯状疱疹ワクチン（リコンビナントワクチン） 4 種混合ワクチン（ジフテリア，破傷風，百日咳，ポリオ） 新型コロナワクチン（mRNA ワクチン）

◎：特に推奨度が高いもの．

狙う．不活化ワクチンは，病原体を熱や薬品で不活化しており，感染症を引き起こす危険を伴うことなく免疫獲得を狙うが，生ワクチンと比べるとその免疫原性は劣る．

同種移植後患者の場合，生ワクチンは移植後 2 年以降，かつ免疫抑制剤終了後の接種が推奨される．複数のワクチンを接種する場合，生ワクチン接種後は次回の生ワクチン接種までに 4 週間（27 日間）以上の間隔を空ける．生ワクチン接種後の不活化ワクチン接種に関しては，接種間隔の制限はない．生ワクチン（特に麻疹ワクチンと水痘ワクチン）は血液製剤投与後一定期間投与できない点にも注意が必要である（免疫グロブリン製剤投与後 3〜6 か月以降[4]）．

不活化ワクチン接種に関しては，接種間隔に制限はない．なお，同日の複数接種も可能である．2023 年 11 月時点では，新型コロナワクチンのみ，インフルエンザワクチン以外のワクチンとの接種間隔を前後 2 週間空ける必要がある．

リツキシマブなどの抗 CD20 抗体が投与されている場合，最低でも半年間はワクチンの効果は期待できないことが知られている．近年の新型コロナワクチンの研究では，BTK 阻害薬や BCL-2 阻害薬などもワクチン効果を低下させる可能性が懸念されている．

4 家族へのワクチン接種

移植後の免疫不全の時期は，患者自身がワクチンを接種しても十分な効果が得られない可能性がある．また，移植後数年間は生ワクチンの接種もできない．このため，患者を間接的に守るために，家族や医療従事者へのワクチン接種も推奨される．

特に季節性のインフルエンザワクチンを同居家族へ接種することが推奨される．同居する小児には，生ワクチンである麻疹，風疹，流行性耳下腺炎，水痘ワクチンなど一般的に推奨されるワクチンの接種が望ましい(ポリオは生ワクチンでなく不活化ワクチンを接種する)．同居する小児が生ワクチンを接種後に皮疹が出現するなどワクチン株への感染が疑われた際には，移植後患者との濃厚接触を避ける．また，移植後患者はロタウイルスワクチン接種後4週間以内の小児のおむつに触れることを避ける．ただし，免疫不全が強い場合には，さらに長期の隔離が必要である．

B ワクチン各論

1 インフルエンザワクチン

移植後患者は，他の呼吸器ウイルスと同様にインフルエンザによる下気道感染に至るリスクがあり，肺炎発症後の致死率も1～2割と高い．インフルエンザウイルス感染症を発症した国内約250名の解析では下気道感染に至ったのは12.3%で，下気道感染発症後の全生存率は83.3%であった．この報告ではほとんどの症例で抗ウイルス薬が投与されており，48時間以内の抗ウイルス薬投与が下気道感染進展を減少させた[5]．移植後は毎年秋ごろにインフルエンザワクチンの接種が推奨される．国内では13歳未満の場合に1か月以上の間隔を空けて2回接種が推奨されているが，添付文書上13歳以上でも2回接種は可能であり，同種移植後1年以降の成人において，2回接種によって健常者と同等のワクチン効果が得られたという報告もある[6]．13歳以上でも特に移植後最初のインフルエンザワクチン接種時には2回接種が推奨される．

2 肺炎球菌ワクチン

侵襲性肺炎球菌感染症を発症した移植患者の致死率は約15%と高く[7]，肺炎球菌ワクチンの接種が推奨される．肺炎球菌ワクチンには結合型ワクチンであるプレベナー13®(PCV13)やバクニュバンス®(PCV15)とポリサッカライドワクチンであるニューモバックス®(PPSV23)がある．PCVのほうが免疫原性に優れるが，PPSV23のほうがカバーできる血清型の種類が多い．国内外のガイドラインではPCVの3回接種後にPPSV23の1回接種が推奨されている[3,4]．小児へのPCV接種が導入され，市中における肺炎球菌感染症を引き起こす血清型に変化がみられており(PCV13の侵襲性肺炎球菌感染症カバー率が低下している)，今後のワクチンの推奨内容の変更にも注意が必要である．2021年に米国ではPCV15とPCV20が承認され，2022年には国内でもPCV15が承認されたため，今後，肺炎球菌ワクチンの接種に関する推奨が変更される可能性がある．

Memo

肺炎球菌ワクチンに関する国内データ

以前の国内ガイドラインでは，当時はPCVが発売されていなかったこともあり，移植後1年以降にPPSV23の1回接種のみが推奨されていた．初回同種移植後1年以降の成人患者30例に対してPPSV23を1回接種したところ，接種1年後においても約半数の患者で有効抗体価を維持していた[8]．また移植後3〜9か月後よりPCV13を3回または4回接種した後，PPSV23を1回接種するスケジュールを72例で比較した臨床試験では，接種開始14か月の時点で抗体価に有意な差を認めなかった[9]．

3 B型肝炎ワクチン

国内ではHBV genotype A感染が増加傾向であり，移植後にHBVに感染するとキャリア化が危惧される．2016年10月より0歳児へ定期接種化されるなど，国内でもB型肝炎ワクチンの重要性が指摘されており，移植後患者にも接種が推奨される．移植後B型肝炎の再活性化が起こりうることが国内外から報告され，現在B型肝炎既往のある同種移植レシピエントに対するワクチンによる再活性化予防に対するランダム化比較試験が国内で行われている(UMIN000034113)．

4 破傷風トキソイド

破傷風は国内で年間100例程度の発症が報告され(移植患者ではない)，受傷した際の適切な対応(グロブリンやトキソイドの投与)が必要な疾患である．定期接種開始後の年代での発症が少ないことからトキソイド接種の有効性が再確認されており，移植後患者でも再接種が推奨される．その際，百日咳，ジフテリア，ポリオなどとの3種もしくは4種混合ワクチンでの3回接種が推奨される．

5 水痘・帯状疱疹ワクチン

海外では生ワクチンとして低力価の水痘ワクチン（VARIVAX®）と，高力価の帯状疱疹ワクチン（ZOSTAVAX®）がある．ZOSTAVAX® は移植後患者には禁忌となっているが，近年その安全性を示唆する報告もみられる．本邦で流通している水痘ワクチンはZOSTAVAX® に近く，接種の際には皮疹の出現など感染症状に十分な注意が必要である．なお，家族などの健常者に接種後に皮疹の出現がみられた場合には，患者との濃厚接触を避ける必要がある．また帯状疱疹に対する不活化ワクチンが開発されており，2018年に本邦でも新しいサブユニットワクチン（シングリックス®）が50歳以上の成人を対象に承認された（2023年には18歳以上の免疫不全者に対象が拡大）．治療中もしくは治療後6か月以内の血液腫瘍患者においても，ワクチン効果が87.2%と従来の生ワクチンよりも良好な効果が示されている[10]．また自家移植後50〜70日目に初回，その1〜2か月後に2回目の不活化ワクチンを接種することで帯状疱疹を約7割減少させ，帯状疱疹後神経痛を約9割減少させた[11]．しかし2023年11月時点では同種移植患者における効果やGVHD悪化の有無など安全性に関する十分なデータはない．このため，英国のように移植後6か月からの接種を推奨する意見や，移植後2年以降の接種を推奨する意見があり専門家によって見解が異なる[12]．一方，米国では，帯状疱疹ワクチンとして，生ワクチンはすでに流通していないためリコンビナントワクチンに置き換わっている[13]．接種時期については意見が分かれているが，以下の3つの条件で行われている：①同種移植後1〜2年以降，②免疫抑制剤を中止後6〜8か月以降，③活動性のGVHDがない．

6 麻疹，風疹，流行性耳下腺炎ワクチン

2015年3月に本邦では麻疹の根絶が宣言された．しかし，以後も輸入麻疹が国内で散発しており，今まで通り予防接種が推奨される．2013年に大流行した風疹や2016年に流行した流行性耳下腺炎も同様に予防接種が推奨される．これらのワクチン2回接種によって2〜3割の患者の抗体価が陽転したとの国内の報告[13]のほか，1

表2 移植患者に対する新型コロナワクチン：ASH-ASTCT と EBMT の推奨

ASH-ASTCT の主な推奨(Version5.0，2022 年 3 月 22 日)[15]
• mRNA ワクチンを移植 3 か月以降から接種することが推奨される． • 米国では高度な免疫不全者ではファイザー/BioNTech は 3 週間間隔，モデルナは 4 週間間隔で接種後，28 日以降に 3 回目の接種を推奨している．その後ブースター接種として 3 回目接種から 3 か月以降に 4 回目接種を推奨している(国内では 2 回接種後，6 か月以降にブースター接種)． • 移植前に接種していても，移植後は接種しなおすことが推奨される(ただし，2023 年 11 月時点では国内ではこの対応は困難)． • 新型コロナウイルス感染症罹患後の隔離解除後や抗体治療薬投与後もワクチン接種を遅らせるべきではない． • 同居家族，介護者，医療者もワクチンを接種すべき．
EBMT の主な推奨(Version8，2022 年 1 月 3 日)[16]
• mRNA ワクチンが望ましい． • 周辺地域の感染率が高ければ移植後 3 か月から，低ければ 6 か月以降からの接種が妥当． • 接種後の GVHD 悪化は懸念されるが，それ以外の副反応が増えたという報告はない． • 移植前に接種していても，移植後は接種しなおすことが推奨される(ただし，2023 年 11 月時点では国内ではこの対応は困難)． • 単独接種が望ましいが他のワクチンとの同時接種も可能．他のワクチンとは前後 1 週間の間隔を空けることが望ましい． • 重症で治療抵抗性の急性 GVHD 患者，過去 6 か月以内に抗 CD20 抗体や B 細胞除去治療(イノツズマブやブリナツモマブなど)を受けた患者，最近の ATG やアレムツズマブ投与患者などは接種を延期する．

回接種でも 3～7 割の患者で陽転したという国内からの報告[14]がある．

7 新型コロナワクチン

移植後患者におけるワクチンとしては mRNA ワクチンを用いた研究が多く，mRNA ワクチン接種が推奨される．表2に，2023 年 11 月時点での，ASH-ASTCT[15]および EBMT[16]の推奨を示す．移植後のワクチンの免疫原性低下のリスク因子として，移植後 1 年以内，3 か月以内の免疫抑制治療，6 か月以内のリツキシマブ投与，リンパ球数＜1,000/μL とする報告がある．またブースター接種により抗体価が上昇したとする報告がある[17,18]．

8 RSV ワクチン

60 歳以上の健常者を対象とした RCT で下気道感染へのワクチン

効果が7〜8割と報告され，2023年5月に米国で承認された．2023年9月に国内でも組換えRSウイルスワクチン（アレックスビー®筋注用）が承認された．健常人におけるRSウイルス感染症の重症度はインフルエンザと同等かそれ以上とされる．移植後患者では呼吸機能の低下と関連しており，下気道感染に至ると死亡率が3〜4割前後と報告されており[20]，今後，移植患者への接種も検討される可能性がある．

文献

1) Ljungman P, et al: Vaccination of hematopoietic cell transplant recipients. Bone Marrow Transplant 44: 521-526, 2009
2) Rubin LG, et al: 2013 IDSA clinical practice guideline for vaccination of the immunocompromised host. Clin Infect Dis 58: 309-318, 2014
3) Cordonnier C, et al: Vaccination of haemopoietic stem cell transplant recipients: guidelines of the 2017 European Conference on Infections in Leukaemia（ECIL 7）. Lancet Infect Dis 19: e260-e272, 2019
4) 日本造血・免疫細胞移植学会 HP：造血細胞移植ガイドライン 予防接種第4版, 2023.
https://www.jstct.or.jp/uploads/files/guideline/01_05_vaccination_ver04.pdf
5) Harada K, et al: Prognostic factors for the development of lower respiratory tract infection after influenza virus infection in allogeneic hematopoietic stem cell transplantation recipients: A Kanto Study Group for Cell Therapy multicenter analysis. Int J Infect Dis 131: 79-86, 2023
6) Linnik J, et al: Association of host factors with antibody response to seasonal influenza vaccination in allogeneic hematopoietic stem cell transplant patients. J Infect Dis 225: 1482-1493, 2022
7) Okinaka K, et al: Clinical characteristics and risk factors of pneumococcal diseases in recipients of allogeneic hematopoietic stem cell transplants in the late phase: A retrospective registry study. J Infect Chemother 29: 726-730, 2023
8) Okinaka K, et al: Pneumococcal polysaccharide vaccination in allogeneic hematopoietic stem cell transplantation recipients: a prospective single-center study. Microbes Infect 19: 553-559, 2017
9) Okinaka K, et al: Immunogenicity of three versus four doses of 13-valent pneumococcal conjugate vaccine followed by 23-valent pneumococcal polysaccharide vaccine in allogeneic haematopoietic stem cell transplantation recipients: a multicentre, randomized controlled trial. Clin Microbiol Infect 29: 482-489, 2023
10) Dagnew AF, et al: Immunogenicity and safety of the adjuvanted recombinant zoster vaccine in adults with haematological malignancies: a phase 3, randomised, clinical trial and post-hoc efficacy analysis. Lancet Infect Dis 19: 988-1000, 2019
11) Bastidas A, et al; ZOE-HSCT Study Group Collaborators: Effect of recombinant zoster vaccine on incidence of herpes zoster after autologous stem cell transplantation: a randomized clinical trial. JAMA 322: 123-133, 2019
12) Miller P, et al: Joint consensus statement on the vaccination of adult and paediatric haematopoietic stem cell transplant recipients: Prepared on behalf of the British society of blood and marrow transplantation and cellular therapy（BSBMTCT）, the Children's cancer and Leukaemia Group（CCLG）, and British Infection Association（BIA）. J Infect 86: 1-8, 2023
13) Dadwal SS, et al: How I prevent viral reactivation in high-risk patients. Blood 141: 2062-2074, 2023
14) Aoki T, et al: Safety and seropositivity after live attenuated vaccine in adult pa-

tients receiving hematopoietic stem cell transplantation. Biol Blood Marrow Transplant 25: 1576-1585, 2019

15) Kawamura K, et al: Immunity and vaccination against measles, mumps, and rubella in adult allogeneic hematopoietic stem cell transplant recipients. Transplant Cell Ther 27: 436. e1-436. e8, 2021
16) American Society of Hematology HP: ASH-ASTCT COVID-19 Vaccination for HCT and CAR T Cell Recipients: Frequently Asked Questions. Version 5.0, March 22, 2022.
https://www.hematology.org/covid-19/ash-astct-covid-19-vaccination-for-hct-and-car-t-cell-recipients
17) European Society of Blood and Marrow Transplantation HP: COVID-19 vaccines. Version 8, January 3, 2022.
https://www.ebmt.org/sites/default/files/2022-01/COVID%20vaccines%20version%208.3%20-%202022-01-03.pdf
18) Maillard A, et al: Antibody response after 2 and 3 doses of SARS-CoV-2 mRNA vaccine in allogeneic hematopoietic cell transplant recipients. Blood 139: 134-137, 2022
19) Canti L, et al: Antibody response against SARS-CoV-2 Delta and Omicron variants after third-dose BNT162b2 vaccination in allo-HCT recipients. Cancer Cell 40: 335-337, 2022
20) Khawaja F, et al: Respiratory syncytial virus in hematopoietic cell transplant recipients and patients with hematologic malignancies. Haematologica 104: 1322-1331, 2019

60 移植後再発に対する治療法

本項では，移植後の血液学的再発に対する治療方針として，移植片対白血病(GVL)効果の誘導，化学療法・放射線照射，新規薬剤，再移植について述べる．血液学的再発を減らすための対策〔微小残存病変(MRD)モニタリングを含む〕についてはセクション48(☞489頁)を，疾患ごとの治療法の詳細は各疾患の項(☞56～138頁，セクション7～13)をそれぞれ参照されたい．

A 移植後再発の診断

血液学的再発の診断は，骨髄検査や腫瘍生検による形態診断が基本である．急性白血病に対する同種移植後は，骨髄や末梢血が寛解であっても，中枢神経系(CNS)を含む髄外再発をきたすことが多く，診断には髄液検査やPET/CT検査が有用である．

再発時の腫瘍細胞は，大多数がレシピエント由来であるが，まれにドナー由来のこともある．ドナー由来の腫瘍を疑った場合には異性間FISHやキメリズム検査が有用である．また，再発時の腫瘍細胞は，移植前に有していた治療標的分子の欠失・変異をきたしていることがあるため，新規薬剤を用いた救援治療の適応を判断する際は再発時腫瘍検体で再検索する必要がある．さらに，再発時の腫瘍細胞におけるHLA発現低下，特にHLA遺伝子の位置する6番染色体短腕領域のヘテロ接合性消失(loss of heterozygosity：LOH)は，HLA半合致移植後に不一致HLAを失ったクローンがGVL効果を回避して再発に至る免疫逃避機構として注目されており，DLIや再移植を検討する際には考慮する．

B 移植後再発の予後・治療方針

血液学的再発後の予後は，移植から再発までの期間(6か月以内の再発は予後不良)，再発時の病勢(LDH上昇のスピードなど)，救援化学療法や新規薬剤への反応性，原疾患に対するGVL効果の得られやすさなどに影響される．

再発後の治療方針は，上記の疾患因子に加え，患者因子として年齢，PS，臓器機能，血球数，活動性の移植片対宿主病(GVHD)や感染症の有無などを考慮し，総合的に判断される．

治療選択肢として，①GVL 効果の誘導，②化学療法/放射線/新規薬剤，③緩和的治療が挙げられる．GVL 効果の誘導には，免疫抑制剤の減量，ドナーリンパ球輸注(DLI)，再移植が含まれる．積極的治療による完治の可能性が低い場合は，緩和的治療の選択肢についても提示して，それぞれのメリット・デメリットを患者や家族とよく相談する必要がある．

C 免疫抑制剤の減量・DLI

免疫抑制剤の減量は，移植後再発に対してまず考慮されるが，慢性期の CML や濾胞性リンパ腫など GVL 効果が得られやすい腫瘍を除き，単独での抗腫瘍効果は不十分なことが多い．

DLI の適応は，ドナーからのリンパ球採取が可能かと GVHD の活動性などを合わせて検討する．当院での DLI 輸注細胞数(CD3 陽性細胞数)は，HLA 一致血縁ドナーなら 1×10^7/kg，骨髄バンクドナーなら 5×10^6〜1×10^7/kg，HLA 半合致血縁ドナーなら 1×10^5/kg から開始し，効果と毒性(GVHD，骨髄抑制，感染症など)をみながら 4〜8 週ごとに漸増することが多い．

国内レジストリデータでは，非血縁骨髄移植後に再発した造血器腫瘍に対する DLI 施行例(n＝414)において，対象疾患は AML が 184 例(44％)，MDS が 69 例(17％)，ALL が 57 例(14％)，CML が 36 例(9％)，その他のリンパ系腫瘍が 38 例(9％)，ATL が 18 例(4％)，MM が 12 例(3％)であった[1)]．65 例(16％)は細胞遺伝学的/分子学的再発に対して，349 例(84％)は血液学的再発に対して実施された．輸注された CD3 陽性細胞数の中央値は 3.51×10^7/kg で，266 例(64％)では化学療法(新規薬剤を含む)と併用された．DLI 後 100 日時点において，CR は細胞遺伝学的/分子学的再発例の 57％，血液学的再発例の 20％ で得られ，247 例(60％)が生存し，死因の過半数以上(66％)は原疾患増悪であった．多変量解析において，細胞遺伝学的/分子学的再発，DLI 後の GVHD 発症，CML が予後良好因子であった[1)].

AMLに対するHLA半合致血縁ドナーからのDLIに関する国内レジストリデータ解析(n＝84)では，投与回数の中央値は1回で，CD3陽性細胞数の中央値は1.0×10^6/kgであり，CD3陽性細胞数が5.0×10^5/kg以上では，急性GVHDが高頻度であった(Grade Ⅱ〜Ⅳ，32.1% vs. 10.5%，$P=0.03$；Grade Ⅲ〜Ⅳ，21.4% vs. 5.3%，$P=0.10$)[2)].

GVL効果に期待したこれらの治療は，基本的には腫瘍量の少ないMRD再発の段階で行うのが妥当と考えられる．血液学的再発をきたした急性白血病など，GVL効果だけでは不十分と考えられる場合には，早めに化学療法の開始を考慮する．また，急速な免疫抑制剤の減量やDLIにより誘発されたGVHDが，以降の治療の妨げになることがある(特に再移植を予定している場合に問題となる)．活動性GVHDのある症例では免疫抑制療法を継続し，GVHDがない症例であっても2〜3週間かけて緩徐に減量・中止することが推奨される．

D 化学療法・放射線照射

移植後再発に対する標準的な化学療法はなく，疾患の病勢や患者の前治療歴・全身状態から症例ごとに検討する必要がある．救援化学療法により再寛解が得られても，化学療法継続のみでの長期予後はきわめて不良であり，適応のある症例では再移植やDLIを考慮する．

当院では以下のレジメンを用いることが多い．

① **AML**：VEN＋AZA療法，CAG療法(7〜14日間)，IDR＋AraC療法(2＋5，または3＋7)

② **ALL**：Hyper CVAD療法，ブリナツモマブ，イノツズマブオゾガマイシンなど

③ **リンパ腫**：GCD療法，ICE療法など

AMLやALLなどの髄外再発に対して放射線照射が有効なことがある．皮膚病変の場合には電子線照射も考慮する．中枢神経再発に対して髄腔内投与(IT)(AraC＋MTX＋PSL)を行う．必要に応じて，全脳全脊髄照射や，CNS移行性を考慮した全身性化学療法(大

量 AraC 療法や大量 MTX 療法など）についても検討する．

また化学療法後の血球回復期に GVHD 症状が出現・増悪することがあり，注意しておく．

E 新規薬剤

移植後再発例に対する新規薬剤として，DNA メチル化阻害薬，チロシンキナーゼ阻害薬，モノクローナル抗体などが挙げられる（表 1）．通常の化学療法と比べて概して毒性が少ないことが多く，特に移植後早期再発に対しては通常の化学療法よりも優先されることが多い．

移植後 100 日以内に再発した MDS/AML の 39 例に対してアザシチジン 75 mg/m^2 を 7 日間，4 週ごとに投与したところ，治療開始 6 か月において 12 例（31％）に PR 以上の奏効が得られ，25 例が生存していた[3)]．また一部の薬剤は殺腫瘍細胞効果だけでなく GVL 効果増強作用や GVHD 抑制作用が示唆されており，DLI と組み合わせて投与されることもある[4)]．

F キメラ抗原受容体 T 細胞療法（CAR-T 細胞療法）

2023 年 11 月時点では，同種移植後再発に対する CAR-T 細胞療法に関するエビデンスは乏しい．同種移植後においては，十分なリンパ球採取が可能か，CAR-T 細胞療法後の GVHD リスク，奏効した場合の維持療法ないし再同種移植の必要性などの検討課題がある．本邦で承認された CAR-T 細胞製剤のうち，同種移植後再発に対して投与可能なのは，B-ALL に対するキムリア®（同種移植後 6 か月以上経過していることが条件）と，大細胞型 B 細胞リンパ腫および濾胞性リンパ腫に対するブレヤンジ®（規定なし）である（2023 年 11 月時点）（表 2）．今後，これらの適応は変遷していくものと思われ，最新の最適使用推進ガイドラインを参照されたい．

G 再移植

再移植は移植後再発に対する最も強力な治療であり，ドナー選択

表1 移植後再発に対する主な新規薬剤治療例

薬剤		疾患	主な用法・用量*1
DNA メチル化阻害薬	アザシチジン	MDS, AML	75 mg/m², 5〜7日間, 28日ごと
チロシンキナーゼ阻害薬	イマチニブ	Ph陽性 CML/ALL	600〜800 mg/日, 連日
	ダサチニブ		140〜180 mg/日, 連日
	ニロチニブ		600〜800 mg/日, 連日
	ポナチニブ		45 mg/日, 連日
モノクローナル抗体	ニボルマブ*2	HL	240 mg, 14日ごと または 480 mg, 28日ごと
	ペムブロリズマブ*2	HL, PMBL	200 mg, 21日ごと または 400 mg, 42日ごと
	モガムリズマブ	CCR4陽性 ATL, PTCL	1 mg/kg, 1週間ごと
二重特異性抗体	ブリナツモマブ	B-ALL	1サイクル目の1〜7日目は9 μg/日, それ以降は28 μg/日, day 1〜28, 42日ごと
	エプコリタマブ	LBCL, FL	1サイクル目は1日目に0.16 mg, 8日目に0.8 mg, 15日目および22日目に48 mg. 以後は添付文書参照.
抗体薬物複合体	イノツズマブオゾガマイシン	CD22陽性 ALL	day 1は0.8 mg/m², day 8およびday 15は0.5 mg/m², 28日ごと
	ブレンツキシマブベドチン	HL, PTCL	1.8 mg/kg, day 1, 21日ごと
	ポラツズマブベドチン	DLBCL	1.8 mg/kg, 21日ごと
プロテアソーム阻害薬	ボルテゾミブ	MM, MCL	1.3 mg/m², day 1, 4, 8, 11, 21日ごと
ヒストン脱アセチル化酵素阻害薬	ロミデプシン	PTCL	14 mg/m², day 1, 8, 15, 28日ごと
	ツシジノスタット	ATL, PTCL	40 mg, 週2回内服
ヒストンメチル化酵素阻害薬	バレメトスタット	ATL	200 mg, 連日内服
免疫調整薬	レナリドミド	MM	25 mg, 21日間, 28日ごと
		ATL	5〜25 mg, 連日

*1 移植後再発に対する治療後は, 血球減少のため投与量の減量が必要なことが多い.
*2 投与後の免疫関連合併症リスクが高いため用量減量, 投与間隔延長など慎重投与を要する.

表2 移植後再発に投与可能なCAR-T細胞製剤

製剤	適応	自家移植後再発	同種移植後再発
キムリア®	B-ALL	—	条件付き可：同種移植後6か月以上
	DLBCL	可	不可
	FL	可	不可
イエスカルタ®	LBCL	可	不可
ブレヤンジ®	LBCL	可	可
	FL		
アベクマ®	MM	可	不可
カービクティ®	MM	可	未定

2023年11月時点.

肢の増加や支持療法の進歩などにより，近年施行件数は増加しつつある.

EBMTの急性白血病ワーキンググループ(ALWP)による後方視的研究では，移植後再発AMLに対する再移植(n＝137)とDLI(n＝281)が比較され，治療後OSは両群に有意差はなかった(再移植後2年OS＝26%，DLI後2年OS＝25%，P＝0.86)[5]．再移植とDLIいずれにおいても，再寛解が得られた症例において有意に予後良好であり，初回移植から6か月以内の再発例は予後不良であった．国内レジストリデータを用いた後方視的解析では，寛解期移植後に再発をきたしたAML(n＝1,265)において，初回移植から再発までの期間の中央値は6.1か月，再発後2年のOSは19%であり，初回移植から再発までの期間が短いほど有意に予後不良であった[6]．DLIは152例(12%)，再移植は481例(38%)に実施され，それぞれ75%の症例がDLIまたは再移植を受けた時点からのランドマーク解析において，実施時寛解例においてのみDLI・再移植非実施例と比べてOSの有意な改善が得られていた．再移植とDLIを含めた他の治療法を比較した無作為化試験はなく，再発から再移植またはDLIを実施するまで生存しえた患者を対象とした観察研究であることから解釈に注意を要する.

当院では，近年，DLIよりも再移植を優先させることが増えてきている．患者が若年で，PSや臓器機能が維持されており，初回移植から1年以上経過している場合，積極的に再移植を考慮しやすい．60歳代でも再移植を行う場合もあり，若年患者では時に3回以上の複数回移植を行うこともある．以前は，救援化学療法への感受性がよい場合のみ，積極的に再移植を勧める考え方もあったが，近年は再移植の適応に関する考え方が大きく変わってきている．救援化学療法後も非寛解の場合，患者や家族へ移植を行わない選択肢との比較について説明し，再移植に踏み切ることも増えてきている．

ドナーは，原疾患の再発様式(部位や病勢)，初回移植時の免疫反応(GVHDの有無や重症度，GVL効果が示唆される治療効果が得られていたかどうか)を参考に，初回移植と同一ドナーか別ドナーかを選択する．ドナー変更により生存期間延長が得られるかどうかは確立されていないが[7]，初回移植時より強力なGVL効果が得られる可能性があるため，当院では別のドナーを優先することが多い．

移植前処置は，疾患の病勢や治療反応性，患者の臓器機能や合併症などを考慮して，総合的に決定する．疾患が急速に進行する場合には，救援化学療法を先行させることを考慮する．初回移植と異なるレジメンが考慮されることが多いが，コンセンサスは乏しい．初回移植から6〜12か月以上経過している場合は，フル移植の選択も考慮する．

文献

1) Miyamoto T, et al: Donor lymphocyte infusion for relapsed hematological malignancies after unrelated allogeneic bone marrow transplantation facilitated by the Japan Marrow Donor Program. Biol Blood Marrow Transplant 23: 938-944, 2017
2) Harada K, et al: Donor lymphocyte infusion after haploidentical hematopoietic stem cell transplantation for acute myeloid leukemia. Ann Hematol 101: 643-653, 2022
3) Woo J, et al: Factors determining responses to azacitidine in patients with myelodysplastic syndromes and acute myeloid leukemia with early post-transplantation relapse: a prospective trial. Biol Blood Marrow Transplant 23: 176-179, 2017
4) Lubbert M, et al: Efficacy of a 3-day, low-dose treatment with 5-azacytidine followed by donor lymphocyte infusions in older patients with acute myeloid leukemia or chronic myelomonocytic leukemia relapsed after allografting. Bone Marrow Transplant 45: 627-632, 2010
5) Kharfan-Dabaja MA, et al: Association of second allogeneic hematopoietic cell transplant vs donor lymphocyte infusion with overall survival in patients with acute myeloid leukemia relapse. JAMA Oncol 4: 1245-1253, 2018
6) Yanada M, et al: Relapse of acute myeloid leukemia after allogeneic hematopoietic cell transplantation: clinical features and outcomes. Bone Marrow Transplant 56: 1126-1133, 2021
7) Christopeit M, et al: Second allograft for hematologic relapse of acute leukemia after first allogeneic stem-cell transplantation from related and unrelated donors: the role of donor change. J Clin Oncol 31: 3259-3271, 2013

追補編

61 CAR-T 細胞療法後の合併症対策

A CAR-T 細胞療法とは

キメラ抗原受容体発現T細胞療法(chimeric antigen receptor [CAR] T-cell therapy：CAR-T 細胞療法)は再発/治療抵抗性のB細胞リンパ芽球性白血病(B-acute lymphoblastic leukemia：B-ALL)，B細胞非ホジキンリンパ腫(B-cell non-Hodgkin lymphoma：B-NHL)，あるいは多発性骨髄腫(multiple myeloma：MM)に対する新規の治療法として近年目覚ましい進歩を認めている治療法である．CAR-T 細胞とは，患者自身のT細胞に対して，CD19やBCMAなどの標的抗原を認識する抗原認識部位とともに，シグナル伝達/T細胞活性化ドメインであるCD3ζ鎖(第一世代)および共刺激分子であるCD28あるいはCD137(4-1BB)を1つ(第二世代)もしくは2つ(第三世代)つなぎ合わせた人工蛋白質であるキメラ抗原受容体(CAR)をコードする遺伝子をウイルスベクターによって組み込んだ遺伝子改変T細胞である．この遺伝子改変により，CAR-T 細胞は標的抗原を認識すると，抗原提示を介することなく共刺激シグナルを介して活性化される．その結果，Fasリガンドやグランザイムなどのサイトカインによって標的抗原を有する細胞にアポトーシスを誘導し抗腫瘍効果をもたらすとともに，体内でT細胞が増殖する．必然的に，いずれのCAR-T 細胞も抗腫瘍機序および細胞増殖に伴い高サイトカイン血症とそれに付随するさまざまな臨床症状をもたらすサイトカイン放出症候群(cytokine release syndrome：CRS)を合併する可能性がある．このためCAR-T 細胞療法においては治療効果を担保しつつ致死的な副作用を回避するよう適切な管理を行うことが肝要である[1〜3]．

B CAR-T 細胞の輸注までの流れ

CAR-T 細胞の輸注までには「自家T細胞の採取」，「遺伝子改変と増幅培養」というステップが必要であり，採取から輸注までは6

週間前後の期間を要する．自家T細胞の採取と輸注後の体内におけるCAR-T細胞の増幅および維持には，採取以前の化学療法によるT細胞数の減少と老化等が影響を及ぼすことが知られている．採取のタイミングやベンダムスチンなどの遷延性リンパ球減少をきたす薬剤の使用歴に注意する必要がある．また，輸注までに腫瘍量に応じたブリッジング化学療法を行うことはCRSの予防および抗腫瘍効果という点で有意義であるが，感染症や臓器障害等の副作用に注意する必要があり，intensiveなレジメンが投与できない場合も多い．そのため，輸注まで腫瘍病勢を適切に制御できるかどうかがCAR-T細胞療法の適応を決める1つのポイントであると考えられる．

CAR-T細胞製剤の製造と医療機関への搬送後，患者に対してリンパ球除去化学療法(前処置)を行ったうえで細胞輸注を行う．このリンパ球除去化学療法の目的は，輸注後にT細胞が増幅しやすい免疫環境を整えることにあり，リンパ球除去化学療法の追加によるCAR-T細胞の増幅と生着およびその後の生存成績に与える有益性が証明されている[4)]．各臨床試験や施設ごとにさまざまなレジメンが用いられているが，フルダラビン(FLU)とシクロホスファミド(CY)の組み合わせが用いられることが多く，前処置終了後2〜7日後にCAR-T細胞が輸注される(当院では通常3日後に輸注している)．リンパ球除去化学療法後の血球減少遷延による易感染性や臓器障害リスクにも留意する必要があり，患者ごとに血球数や臓器機能を考慮した薬剤の種類および投与量を選択する必要がある．表1にCD19を標的としたCAR-T細胞療法で用いられるリンパ球除去化学療法の例を示す．

表1 CD19を標的としたCAR-T細胞療法で用いられるリンパ球除去化学療法の例

薬剤名	tisa-cel (キムリア®)	liso-cel (ブレアンジ®)	axi-cel (イエスカルタ®)
フルダラビン(FLU)	25 mg/m^2×3日	30 mg/m^2×3日	30 mg/m^2×3日
シクロホスファミド(CY)	200 mg/m^2×3日	300 mg/m^2×3日	500 mg/m^2×3日

C CAR-T細胞療法後の合併症対策

1 サイトカイン放出症候群(cytokine release syndrome：CRS)

CRSは，T細胞およびその他の免疫エフェクター細胞の過剰な活性化により炎症性サイトカインが血液中に多量に放出された状態であり，CAR-T細胞療法に限らずその他の抗体療法や免疫療法，HLA半合致血縁者間移植後早期においてもみられる急性の全身性炎症症候群である[1]．臨床症状は，軽微な発熱から血圧低下/酸素化低下や急激な組織障害に起因する多臓器不全まで多岐にわたる．CAR-T細胞療法後CRSのonsetは輸注後1週間以内(中央値3日後)が多い．

CRSの発症頻度，重症CRSの割合，および発現時期は使用するCAR-T細胞の種類や対象疾患，腫瘍量の影響を受ける．B-ALLに対してCAR-T細胞療法を行う場合のほうが，B-NHLに対して行う場合より，重症CRSの割合が高い傾向にあり，腫瘍量が多い症例は重症CRSが発現するリスクが高いことが知られている．また，比較試験はないものの，共刺激ドメインとしてCD28を用いる場合(axicabtagene ciloleucel：axi-cel)のほうが，4-1BBを用いる場合よりCAR-T細胞の生体内での増幅速度が速い傾向にあることが知られており，CRSの発現時期も早い傾向にある[5]．

CAR-T細胞療法におけるCRSは抗腫瘍効果を表す側面もあることから，重症度を評価したうえでそれに応じた必要十分な治療を行うことが重要である．重症度評価には，発熱，血圧，酸素化について評価を行うAmerican Society for Transplantation and Cellular Therapy(ASTCT)提唱の評価基準が用いられることが多い(表2)[6]．

当院では，重症度ごとに治療介入を行っており，発熱のみのGrade 1の場合は補液やアセトアミノフェンなど対症療法を行っているが，症状やリスクに応じて抗IL-6抗体であるトシリズマブの使用も考慮する．昇圧剤不要の血圧低下や低流量酸素投与を要するGrade 2の場合は，抗IL-6受容体抗体であるトシリズマブ投与を行う．

表 2 サイトカイン放出症候群(CRS)の ASTCT 評価基準と当院における治療方針

	Grade 1	Grade 2	Grade 3	Grade 4
発熱	体温 38℃ 以上			
低血圧	なし	あり(昇圧剤不要)	あり(昇圧剤が必要)	あり(複数の昇圧剤が必要:バソプレシンは含めず)
低酸素血症	なし	低流量酸素投与を要する(鼻カニューレ≦6 L/分)	高流量酸素投与を要する	陽圧換気/呼吸器管理を要する
治療方針	対症療法*1	トシリズマブ 8 mg/kg*2	トシリズマブ 8 mg/kg+デキサメタゾン 10〜20 mg(6〜12 時間ごとに)	

*1 症状やリスクに応じて抗 IL-6 抗体であるトシリズマブの使用も考慮する.
*2 症状・リスクやトシリズマブに対する反応性をみてデキサメタゾンを追加する.
〔文献 6)より〕

トシリズマブ 8 mg/kg+生理食塩水 250 mL 1 時間で点滴静注
1 日 3 回まで投与可

Grade 3 以上の重症 CRS の場合は,トシリズマブに加えて速やかにステロイド投与を追加する必要があり,当院ではデキサメタゾン 10〜20 mg を 6〜12 時間ごとに投与することが多い.

デキサメタゾン 10〜20 mg+生理食塩水 50 mL 30 分で点滴静注
6〜12 時間ごとに

トシリズマブ奏効例では投与から数時間で解熱が得られるが,24 時間経過しても症状が改善しない場合はトシリズマブの再投与やステロイドの追加投与を行う.トシリズマブ投与の有無が CAR-T 細胞療法の有効性に影響を与えないことが明らかになってきており,最近は Grade 2 の CRS やリスクの高い Grade 1 の CRS に対しても積極的にトシリズマブが投与されるようになっている[5,7,8].一方,ステロイドの累積投与量が多い場合や輸注後 7 日以内の早期にステロイドを使用した場合に,原疾患の再発リスクが高まることが報告されている[9].特に CD28 を補助刺激シグナルとする axi-cel 投与例や腫瘍量が多い患者では CRS の重症化リスクを考慮して早めのステロイド投与を検討することが望ましい.

2 神経毒性（immune effector cell-associated neurotoxicity syndrome：ICANS）

ICANSはCRSに次いで多く起こるCAR-T細胞療法の毒性であり，特にCRSの終了後に発症することが多い[2, 10～12]．典型的な症状としては，書字障害や見当識障害，記憶障害から発症し，多くは一過性で自然軽快する．症状が進行する患者では，昏睡や脳症，痙攣発作に至ることもある．海外で行われたpivotal studiesにおけるICANSの発症頻度は30％程度であるが，本邦で行われた試験におけるICANSの発症頻度は，製品の種類にかかわらず低い傾向がある[13～15]．ICANSの発症リスクについてはaxi-cel投与例，B-ALL，CAR-T細胞輸注量が多いことなどが指摘されている．

ICANSの病態生理については未解明の部分が多いが，神経毒性の重症度はCRSと同様にT細胞の増殖程度やサイトカインの量と関連することが知られている．また，血管透過性の亢進と脳血流関門の破綻によって中枢神経系にCAR-T細胞が遊走，あるいはサイトカインが放出される可能性が指摘されている．その他，中枢神経系におけるIL-1の活性化を伴う骨髄系細胞の影響，CD19発現細胞に対する直接的なCAR-T細胞による傷害の可能性，血栓性血小板減少性紫斑病における神経症状の発症機序との類似性なども指摘されており，今後の治療につながることが期待される．

ICANSの重症度評価はICEスコアとその他の神経所見に基づいたASTCT評価基準（表3）を用いて行う[6]．ICANSに対する治療として提唱されているものはなく，細胞製剤の種類・投与量，患者ごとにICANSの発症リスクを考慮しつつ，重症度や病変の局在に応じた適切な対応を行う必要がある．Grade 1の軽症例では経過観察あるいは抗痙攣薬等の支持療法のみとすることが多い．一方，Grade 3以上の重症例，あるいは重症化リスクが高いGrade 2の症例においては支持療法に加えてメチルプレドニゾロンパルス療法やデキサメタゾンなどのステロイド投与を行う．CRS合併例ではトシリズマブの併用も検討されるが，トシリズマブのICANSに対する有効性は不明であり，ICANS合併の軽症CRSではステロイド投与を優先する．海外では，抗IL-1受容体抗体であるanakinraの予防投与によるICANSの予防効果を検討する第Ⅱ相試験が行われている．

表 3 神経毒性(ICANS)の ASTCT 評価基準

	Grade 1	Grade 2	Grade 3	Grade 4
ICE score*	7〜9 点	3〜6 点	0〜2 点	0 点
意識障害	なし(自然覚醒)	声掛けで覚醒	触刺激で覚醒	強い持続的な刺激で覚醒/昏睡
痙攣	なし	なし	すぐに止まる部分/全般発作	生命を脅かす痙攣発作の持続(>5 分)
運動障害	なし	なし	なし	対麻痺/片麻痺など
脳浮腫(画像検査)	なし	なし	局所的な脳浮腫	びまん性の脳浮腫

*ICE score(合計 0〜10 点):見当識(4 点:年,月,都市名,病院名),物の名前を言える(3 点:時計,ペン,ボタンなど),簡単な指示に従える(1 点:指 2 本,閉眼など),文章を書ける(1 点),注意力(1 点:100 から 10 ずつ逆算).
〔文献 6)より〕

3 免疫不全(血球減少・液性免疫不全)・感染症管理

CAR-T 細胞療法後の患者では,リンパ球除去療法後に,二相性の遷延する血球減少を認めることが知られている[16].初回の血球減少は主としてリンパ球除去療法で用いられるシクロホスファミドに起因し,輸注から 2 週間前後で回復することが多い.一方,2〜3 週後以降に起きる血球減少は,月単位で遷延することもある.CAR-T 細胞輸注前の造血能や炎症性サイトカインの影響,免疫学的機序等が推定されているが,明確な機序は明らかでない.必要に応じて G-CSF 製剤や輸血による支持療法を行う.また CD4 陽性細胞数の減少が遷延することから,ニューモシスチス肺炎や帯状疱疹に対する予防投薬を行う必要がある[17, 18].

CD19 を対象とした CAR-T 細胞療法を行った場合は,その特性上,正常 B 細胞数の減少は必発である.CAR-T 細胞は数年にわたって体内に存在する可能性があり,定期的な IgG のモニタリングと血清 IgG 値>400 mg/dL を目標とした免疫グロブリン製剤の補充が推奨される.その他,長期のステロイド使用例における CMV モニタリング,既感染患者における HBV モニタリング,粘膜障害が強い場合のカンジダ予防なども推奨されており,患者ごとに免疫不全の状態に応じた適切な感染管理を長期にわたって継続する必要がある.

4 Hemophagocytic lymphohistiocytosis/macrophage activation syndrome（HLH/MAS）

同種移植後と同様に，CAR-T 細胞療法後にも免疫反応（CRS）によって惹起された HLH/MAS が報告されている[2,3]．EBMT からの報告によると 3% という頻度でみられる可能性も示唆されているが，CRS との鑑別も難しく，真の発症頻度や重症度を含め全体像はまだ把握されていない．HLH 発症後は予後不良であることが知られている．CRS としての治療に不応性であり，フェリチンやビリルビンなどのマーカーの上昇を認める場合は，トシリズマブやステロイド投与に加えて抗 IL-1 受容体抗体（anakinra：本邦未承認）やエトポシド投与追加も検討する[3]．

5 T 細胞性腫瘍

2023 年 11 月に FDA から CAR-T 細胞療法後の T 細胞性腫瘍（CAR-positive lymphoma）の発症について注意喚起のアナウンスがあった．ウイルスベクターを用いる遺伝子治療において起こりうる合併症であるが，CD19 または BCMA を標的とした CAR-T 細胞療法を受けた患者は，生涯，T 細胞性腫瘍を含む新規悪性腫瘍の発症に注意してフォローする必要がある．

文献

1) Lee DW, et al: Current concepts in the diagnosis and management of cytokine release syndrome. Blood 124: 188-195, 2014
2) Neelapu SS, et al: Chimeric antigen receptor T-cell therapy-assessment and management of toxicities. Nat Rev Clin Oncol 15: 47-62, 2018
3) Santomasso BD, et al: Management of Immune-Related Adverse Events in Patients Treated With Chimeric Antigen Receptor T-Cell Therapy: ASCO Guideline. J Clin Oncol 39: 3978-3992, 2021
4) Fabrizio VA, et al: Optimal fludarabine lymphodepletion is associated with improved outcomes after CAR T-cell therapy. Blood Adv 6: 1961-1968, 2022
5) Neelapu SS, et al: Axicabtagene ciloleucel CAR T-cell therapy in refractory large B-cell lymphoma. N Engl J Med 377: 2531-2544, 2017
6) Lee DW, et al: ASTCT consensus grading for cytokine release syndrome and neurologic toxicity associated with immune effector cells. Biol Blood Marrow Transplant 25: 625-638, 2019
7) Locke FL, et al: Long-term safety and activity of axicabtagene ciloleucel in refractory large B-cell lymphoma（ZUMA-1）: a single-arm, multicentre, phase 1-2 trial. Lancet Oncol 20: 31-42, 2019
8) Abramson JS, et al: Lisocabtagene maraleucel for patients with relapsed or refractory large B-cell lymphomas（TRANSCEND NHL 001）: a multicentre seamless design study. Lancet 396: 839-852, 2020
9) Strati P, et al: Prognostic impact of corticosteroids on efficacy of chimeric antigen receptor T-cell therapy in large B-cell lymphoma. Blood 137: 3272-3276, 2021
10) Norelli M, et al: Monocyte-derived IL-1 and IL-6 are differentially required for cy-

tokine-release syndrome and neurotoxicity due to CAR T cells. Nat Med 24: 739-748, 2018
11) Hay KA: Cytokine release syndrome and neurotoxicity after CD19 chimeric antigen receptor-modified (CAR-) T cell therapy. Br J Haematol 183: 364-374, 2018
12) Sheth VS, et al: Taming the beast: CRS and ICANS after CAR T-cell therapy for ALL. Bone Marrow Transplant 56: 552-566, 2021
13) Goto H, et al: Efficacy and safety of tisagenlecleucel in Japanese adult patients with relapsed/refractory diffuse large B-cell lymphoma. Int J Clin Oncol 25: 1736-1743, 2020
14) Kato K, et al: Phase 2 study of axicabtagene ciloleucel in Japanese patients with relapsed or refractory large B-cell lymphoma. Int J Clin Oncol 27: 213-223, 2022
15) Makita S, et al: Phase 2 results of lisocabtagene maraleucel in Japanese patients with relapsed/refractory aggressive B-cell non-Hodgkin lymphoma. Cancer Med 11: 4889-4899, 2022
16) Fried S, et al: Early and late hematologic toxicity following CD19 CAR-T cells. Bone Marrow Transplant 54: 1643-1650, 2019
17) Hill JA, et al: How I prevent infections in patients receiving CD19-targeted chimeric antigen receptor T cells for B-cell malignancies. Blood 136: 925-935, 2020
18) Logue JM, et al: Immune reconstitution and associated infections following axicabtagene ciloleucel in relapsed or refractory large B-cell lymphoma. Haematologica 106: 978-986, 2021

62 同種移植後の時期別の注意点

同種移植後の経過では，さまざまな場面で同時にいくつもの問題点へ対処する必要がある．本項では，大まかに3つの時期(A輸注から生着まで，B生着から退院まで，C移植後の外来フォロー：免疫抑制剤中止まで)に分けて，当院で同種移植を行う際に注意しているポイントについてまとめた(図1)．6つのproblem(1原疾患，2血球数，3GVHD・免疫反応，4感染症，5治療関連毒性，6水分・電解質・栄養・血糖の管理など)に分けて，横断的なサマリーの一例として使えるように記載した(重症例での水分や電解質の管理についても詳細な説明を追加)．

施設ごとに対象となる患者の年齢，原疾患，ドナーソースなどが大きく異なり，自施設での経験に基づいて確立した管理法がある．当院でも，さまざまな診断・治療法の開発や自施設での経験を基にして，毎年practiceは変わってきている．今後，多くの施設での経験を共有して，新しいマニュアルへ反映させていけることを願っている．

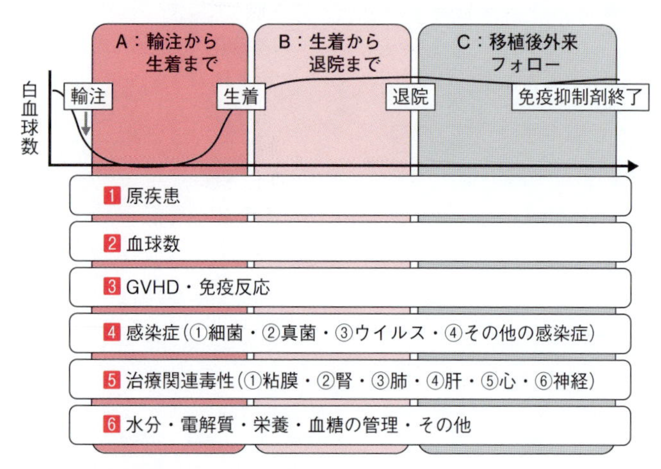

図1 同種移植後の時期別の注意点

A 輸注から生着まで

1 原疾患

- 移植前処置の効果もあるため，生着前の時期は腫瘍量が少ないことが多い．
- 移植前に原疾患が非寛解の場合，末梢血中の異常細胞やリンパ節腫脹などの推移もフォローする必要がある．

2 血球数

- G-CSF 投与開始日は，MTX 予防や PTCY を用いる場合は day 6 から，MMF 予防の場合は day 1 から行っている．
- 生着時に急激な白血球数増加を認める場合や，重症の PIR/ES 症状を認める場合は G-CSF 投与の中止・減量を検討している．
- 当院では白血球数＜100/μL の場合，実際の数字が表示されないため，予想生着時期の 1 週間前から毎日，末梢血液スメアを確認している．スメア上の白血球数の増加傾向やリンパ球・好中球・単球の割合などから，その後の生着スピードや ES/GVHD などの免疫反応を予測する参考情報となる．特に発熱や免疫反応を疑う症状・所見がある場合は，重要な情報である．
- 血小板輸血後は輸血後の血小板数の推移を確認する．血小板輸血不応の場合，VOD/SOS の可能性を考慮して精査を進める．また移植前に測定していない場合は抗 HLA 抗体の検索も検討する．
- 生着が遅い場合は，フェリチン・可溶性 IL-2 受容体(sIL-2R)，末梢血のキメリズム検査(全血で可)，骨髄検査による三系統の造血回復の状況や血球貪食像の有無を確認する．血球貪食による造血回復遅延を疑う場合は，骨髄で活性化されているマクロファージを標的としたデキサメタゾンパルミチン酸エステル注射液(リメタゾン®)投与を積極的に行っている．社会保険診療報酬基金では，本剤を「二次性血球貪食性リンパ組織球症」として当該使用事例を審査上認めると 2022 年 2 月に通知が出された．

デキサメタゾンパルミチン酸エステル(リメタゾン® 注)：デキサメタゾンとして 1 日 5 mg を 3 日間連日静注

※関節リウマチで認可されているリメタゾン® の用量・用法とは異なり，国内からの報告に基づいて投与している[1]．

3 GVHD・免疫反応

- 白血球が少ない時期の免疫抑制剤の血中濃度の調整は非常に重要である．当院ではカルシニューリン阻害薬として多くの症例でタクロリムス(TAC)を用いているため，以下，TAC を用いて記載する．施設ごとに，原疾患の再発リスクやドナーソース等に応じたカルシニューリン阻害薬の血中濃度の調整法について検討しておく必要がある．
- 通常，月・水・金の朝に TAC 濃度の採血を行い，14 時から開始する TAC 投与量を決定している．TAC 濃度が高値(>15 ng/mL)の場合は，一時 TAC 投与を中止し，同日 16 時ごろに TAC 濃度を再検査し，薬剤クリアランスを基にして投与量を設定する(CV カテーテル採血で TAC 血中濃度測定を行っていた場合は，末梢採血で再検する場合もある)．
- TAC に関連した毒性として，特に腎機能障害・高血圧・PRES・TMA などには注意が必要である．TAC の関与が強くコントロールが困難な場合は，TAC 血中濃度に関係なく TAC 投与量を減量したり，(場合によっては)TAC を中止しステロイドを用いた GVHD 予防へ変更することがある．その際のステロイド投与量については幹細胞の種類や HLA 一致度などを考慮して検討する必要がある(☞ 228 頁，セクション 23)．
- GVHD 予防として MTX を用いる場合，6 日目までは可能な限り投与することが望ましい．前処置による粘膜毒性が強い場合は MTX 投与後のロイコボリン® レスキュー併用も検討している．
- 移植後 11 日目の MTX については条件によっては投与しない場合もあるが(☞ 219 頁，セクション 23)，急激な白血球数の増加や PIR/ES の症状を認める場合は可能な限り MTX 投与を行う．
- 生着前に発熱を認めた場合は，感染症の合併だけではなく，免疫反応(PIR/ES)の可能性を常に考慮し，皮膚，呼吸，下痢，末梢血スメア，sIL-2R などを細かくフォローする．また発熱により血中 TAC 濃度が低下し，さらに免疫反応が増悪する悪循環に陥る可能性がある．このため免疫反応による発熱を強く疑った場合は，全身状態・原疾患の再発リスク・GVHD 重症化リスクを考慮し，ヒドロコルチゾン(ソル・コーテフ®)50〜100 mg を頓用，または 1 日 2〜3 回定時投与を追加することが多い(発熱による苦痛が強い場合は，アセトアミノフェン(アセリオ®)定時点滴投与も併用することがある☞440頁，セクション44).

4 感染症

- 生着前の時期に感染症が重症化すると全身状態が急変して致死的となることもあるため，特に敗血症性ショックや肺炎の重症化に注意しておく必要がある.
- 必ず，血圧，脈拍，SpO_2 に加えて呼吸数や意識レベルも含めたバイタルサインをフォローし，敗血症の可能性があれば乳酸値採血(静脈血ガスも可)を含めた循環動態評価を強化する.
- 常に感染症のフォーカス検索を行うことが重要であるが，生着前は炎症所見が出にくいため，口腔～咽頭，腹部(特に右下腹部)/腸管，肛門部，CV(および末梢)カテーテル，肺，尿路，皮膚，関節，意識レベルなど全身をレビューする.
- 感染症を疑う場合は，ポータブルCXR(可能ならX線検査室でCXR)を行うが，重症感があったり，呼吸器症状やCRP急増を認めるときは，早めに副鼻腔から鼠径部まで単純CTを確認する(腸管粘膜障害による腹痛が強い場合や，血栓形成を疑う場合は造影CTを行う場合もある).
- 黄色ブドウ球菌やカンジダを血液培養で検出した場合は，原則としてCVカテーテルの入れ替えを行っている.
- 好中球が増加するまで3～7日以上かかることが予想される時期に，重症感染症(起炎菌が同定された敗血症・重症肺炎など)を合併した例では，顆粒球輸注を行うこともあるが，その適応は慎重に判断している(☞175頁，セクション19).

❶ 細菌

- 当院では，腸内細菌のtranslocationによる感染症重症化のリスクを考慮して，生着まではレボフロキサシン(LVFX)予防内服を行うことが多い.
- FNに対する経験的治療は，37.5℃以上の発熱だけではなく，説明のつかない全身状態悪化やCRP著増を認めた場合は，常に感染症を考慮して早めに静注抗菌薬を開始することが多い．特に前処置後の腸管粘膜障害によるbacterial translocationのリスクが高いと考え，便培養の結果を参考にしながら，抗菌薬選択を行う.

- 当院ではLVFX予防を用いていることもあり，グラム陽性菌による菌血症が多いため，早めに抗MRSA薬を追加することが多い．特に口腔・咽頭の粘膜障害や皮膚バリアに問題がある場合は積極的に抗MRSA薬投与を行っている．
- 無顆粒球症が長期化している例で，抗菌薬(カルバペネム＋抗MRSA薬)や抗糸状菌薬投与にもかかわらずFNが持続する場合は，CT検査で肺炎・肺出血の有無を確認し早めにマルトフィリアなど耐性菌のカバーを広げる(LVFXやST合剤などを点滴投与)ことを検討している[2](☞388頁，セクション40)．

❷ 真菌

- 移植前にアスペルギルス感染症の既往がない標準リスク移植の場合は，フルコナゾール(FLCZ)予防を行うことが多い．
- FLCZ予防の場合，FN時に早めにミカファンギン(MCFG)の経験的治療(150 mg /日)を行うことが多い(☞384頁，セクション40)．
- 糸状菌感染症の高リスク例(移植前後の好中球減少期間が長い症例・ステロイド長期使用例・アスペルギルス感染症既往例)ではボリコナゾール(VRCZ)またはポサコナゾール(PSCZ)投与を継続する(前処置中は相互作用を考慮してMCFGへ変更)．しかし糸状菌をカバーする抗真菌薬を投与中でも糸状菌のブレイクスルー感染症がありうることは注意しておく[3]．
- 週に1回アスペルギルス(ガラクトマンナン)抗原・β-Dグルカン検査を行うが，抗糸状菌活性を有する抗真菌薬を投与中は両検査の陽性的中率が落ちることには注意が必要である．糸状菌感染症を疑う場合は，早めに副鼻腔から鼠径部まで単純CT検査を行う．

❸ ウイルス

- 低用量のアシクロビル(ACV)予防投与を行うことで，生着前にHSV/VZV再活性化を認めることは少ない．
- 患者またはドナーのCMV抗体が陽性の場合，レテルモビルを用いたCMV予防を用いることが多い．
- 生着前の血中ウイルスモニタリングは原則としてCMV定量PCR検査のみ行っている．疑わしい神経症状があれば，すみやかに血中HHV-6の定量PCR検査(保険適用外)を行う．
- HHV-6脳炎・脊髄炎のハイリスクである臍帯血移植では全例，

HLA 不一致非血縁移植では PIR/ES 合併例などではホスカルネット(FCN)予防(90 mg/kg/日)を検討する．ただし PIR/ES に対してステロイド投与量が増える場合は FCN 増量(120〜180 mg/kg/日)も検討している．

❹ その他の感染症

- 前処置中に ST 合剤を投与できた場合は，生着前のニューモシスチス肺炎(PCP)予防は行っていない．
- 移植前に抗トキソプラズマ抗体陽性の場合は，トキソプラズマ予防を継続する必要があり，血球減少期もアトバコン内服を行っている．

5 治療関連毒性

❶ 粘膜障害

- 前処置による粘膜障害は，大量 MEL，大量 CY，全身放射線照射，大量 BU などで高頻度にみられるが，個人差が非常に大きいため注意深く観察していく．
- 特に口腔・咽頭の粘膜障害が強い場合，早めに歯科チームの介入を依頼する(歯科医のみエピシル® 処方が可能☞ 273 頁，セクション 29)．高度な粘膜障害は経口摂取の障害となるため，早めに patient controlled analgesia(PCA)を少量から投与し，食事・飲水量の減少に応じて補液で細かく調整する．
- MTX はできるかぎり day 6 までは継続し，粘膜障害が強い場合はロイコボリン併用も検討する(☞ 219 頁，セクション 23)．
- 粘膜障害のために MMF の錠剤を服用できない場合は，セルセプト® 懸濁用散の内服または経鼻胃管(8 Fr)からの投与も検討する．
- 下痢や腹痛の増悪時は，必ず CD トキシン検査と便培養検査を行う．CD トキシン陽性の場合は，偽膜性腸炎に対する治療を開始する(☞ 434 頁，セクション 43)．また便培養の結果は，その後の血流感染症の起炎菌予測に有用である．
- いったん落ち着いていた下痢量が生着前に急増する場合は，血球回復前(白血球数<100/μL)であっても腸管 GVHD の可能性を考慮し精査を検討する．

❷ 腎障害

- 生着前の薬剤性腎障害は，FCN，L-AMB，TAC，抗 MRSA 薬，アミノグリコシドなどで高頻度にみられるが，腎障害をきたす薬剤の投与が複数以上となる場合は特に注意が必要である．当院では，FCN や L-AMB を投与する前後に生理食塩水やリンゲル液（輸血を行う場合は輸血代用可）などによる輸液負荷を必ず行い，電解質異常にも十分注意しながら補正を行っている．

- 薬剤性腎障害以外にも，同種免疫反応に伴う血管透過性亢進や大量の下痢・嘔吐による血管内ボリュームの減少に伴う腎障害や，TMA や VOD/SOS に伴う腎障害にも注意が必要である．
- 前処置や GVHD 予防で大量 CY を用いた後に血尿を認めることがあるが，近年は補液やウロミテキサン® 予防により頻度は低下している．まれに生着前にウイルスによる出血性膀胱炎を合併することもある．

❸ 肺障害

- 生着前の肺障害は，感染症，非感染性，ARDS，心不全，出血などさまざまな原因で起こるが，原因を特定することが困難な場合も多い．
- バイタルサインとして呼吸数を確認するとともに，労作時の SpO_2 低下・頻脈や急激な ADL 低下にも注意する必要がある．
- 呼吸器症状を認めた場合や SpO_2 が低下傾向の場合は，早めに胸部単純 CT（必ず high resolution で依頼する）を行う（D-dimer の急増など肺血栓塞栓症を疑う場合は造影 CT も検討）．また心原性の可能性がある場合は，末梢血の BNP 検査を行い，心臓超音波検査（UCG）を早めに確認する．
- 生着前の感染性肺炎の中で最も注意を要するのは，マルトフィリアと糸状菌である．CT 検査で肺炎の所見を認める場合は，早めに抗菌薬追加（LVFX や ST 合剤など）や抗糸状菌薬〔VRCZ，PSCZ，リポソーマルアムホテリシン B（L-AMB）〕投与を開始する．また気道からの検体（血痰など）が採取可能な場合はグラム染色やグロコット染色を依頼する．
- 生着前～生着前後に急速に進行する非感染性肺障害は最も予後不良であり，CT での画像パターンや進行スピードを考慮して，ステロイド開始のタイミングが遅れないようにする（進行が早く重症の場合は，ステロイドパルス療法も考慮）．また非感染性肺障害を疑った場合も，ブレイクスルー感染症の除外診断は困難なことが多いため，フルカバーで感染症治療を継続する．

❹ 肝障害

- 近年，複数回移植や複数のアルキル化剤(BU/MEL/CY など)を用いることも増えたため，VOD/SOS ハイリスク例の移植が増えてきた(☞ 290 頁，セクション 32)．
- VOD/SOS に対する治療薬としてデフィブロチド(DF)が使えるようになったが，重症 VOD/SOS の予後はいまだ不良である．VOD/SOS ハイリスク例では，移植前から腹部超音波検査による HokUS-10 スクリーニングを行い，DF 開始のタイミングが遅れないようにする(できれば総ビリルビン値が 2 mg/dL を超える前に投与開始したい)．また血小板輸血不応となってきた場合は，ビリルビン値は正常範囲でも，VOD/SOS の可能性を考慮し HoKUS-10 による評価を行う．
- MTX 投与後は AST/ALT 上昇を認める場合があるが，多くは一過性である．

❺ 心障害

- 生着前の心障害として，前処置や GVHD 予防のために用いた大量 CY 投与による心毒性が最も頻度が高い(☞ 305 頁，セクション 33)．コンセンサスの得られたリスク因子は同定されていないが，アントラサイクリン積算投与量が多い場合や縦隔への放射線照射例，移植前の UCG で異常を認めた例(EF だけではなく GLS，拡張障害，弁膜症なども考慮)，その他の心血管リスクをもつ患者では，特に注意が必要である．
- 心障害を疑う場合は，末梢血の BNP，心筋トロポニン T 測定に加えて，UCG や心電図(ECG)による評価を早めに行うことが重要である．特に大量 CY に伴う心毒性を疑う場合，UCG では心筋壁の肥厚や心膜・心筋壁の輝度上昇，心嚢水に，ECG では ST 上昇や陰性 T 波に注意する．
- CY による心筋障害を強く疑う場合は，内皮障害への影響を考慮して TAC を中止しステロイドを用いた GVHD 予防へ変更する．CY 心筋障害は急速に増悪するため，早めに PCPS などの機械的補助循環の導入を念頭において，集中治療が可能な体制を早めに準備しておく．
- day 3 の PTCY 投与後に不整脈や心不全様症状を認めた場合は，

day 4のCYを中止するか，1日休薬してday 5の投与(減量することもあり)への変更を検討する．

❻ 神経障害

- オピオイド投与量が多い場合や全身状態が悪い場合は，意識レベルの変化や中枢神経障害をきたすリスクが高いため経時的な状態の変化に注意する必要がある．
- 中枢神経症状を認めた際には，頭部単純CTによる出血のスクリーニングや末梢血HHV-6の定量PCR検査を行い，頭部MRI検査(可能なら造影)や髄液検査の準備を行う．髄液の多項目検査(FilmArray® 髄膜炎・脳炎パネル：2022年10月に保険承認された)は中枢神経感染症をきたす14種類の病原微生物(CMV, HSV, HHV-6, VZVなど)について迅速に結果が得られるため治療判断にきわめて有用である[4]．
- 臍帯血移植やHLA不一致移植後はHHV-6脳炎・脊髄炎のリスクが高く，少しでも疑う神経症状があれば，(PCR検査結果を待たずに)早めにFCNを治療量で投与する(180 mg/kg/日)．HHV-6脳炎の典型的な症状として短期記憶障害，意識障害，痙攣などが知られているが，それ以外にも精神症状(幻覚，幻臭，妄想，異常行動，異常言動)や自律神経症状(中枢性低換気，不整脈，発汗障害)を呈することもある[5]．当院の経験では初期症状として不眠を訴える患者が多い．また，HHV-6脊髄炎では四肢の痛みや，皮膚がピリピリすると訴えることもある．早期治療を開始するには，これらの症状に最初に気づくことが多い病棟看護師への注意喚起も重要である．
- また生着前の時期には，HHV-6脳炎以外にもPRES，出血，TMA，せん妄などさまざまな原因で中枢神経症状を呈することもあるため，特に治療すべき症状・所見の変化(精神症状，頭痛，高血圧など)を見逃さないように注意する．

6 水分・電解質・栄養・血糖の管理・その他

- 前処置開始から生着後，経口摂取が十分可能で免疫抑制剤が内服可能になるまでは1.5 L/m^2/日の輸液を行うことを基本としている．
- 当院では体液貯留(fluid overload：FO)の指標として体重を用いており，前処置開始前を基準として体重が5%(50 kgの場合，

52.5 kg）以上増加した場合に介入を開始し，できるだけ10％を超えないように管理している．1日2回体重を測定して，基準を超えた場合はその都度，フロセミド20 mgを静脈投与している．

- 感染症，免疫反応，血管内皮障害によって引き起こされる血管透過性亢進により，輸液した分だけ尿が出ない場合や利尿剤の反応が低下してきた場合は管理が一気に難しくなる．血管内からthird spaceへの水分移行により浮腫や体重増加を認めることが多い．その場合，血管内は脱水になっていることが多く，輸液を減らすとさらに血管内が脱水となり，腎前性腎障害をきたす．さらに，薬剤による尿細管障害も重なりやすい時期であり，一気に腎障害が悪化する．輸液は単純に「水を絞る」のではなく，「最小の輸液で最大の血管内ボリュームを保つ」という意識をもつことが重要である．まずは輸液とNaを必要最小限に減らし，足りない分を晶質液やアルブミン，輸血で補っていく．

ポイント 同種移植患者における体液貯留

近年，体液貯留（FO）は単なる浮腫ではなく全身の臓器に影響を与えることが知られている．同種造血幹細胞移植においてもGrade 2以上のFO（10％以上の体重増加など）は移植100日後の非再発死亡が有意に高い（36％ vs. 3％）という報告がある[6]．その一方で，同種移植患者では腎毒性のある薬剤を多数併用して投与するため，腎保護のために十分な尿量を確保する必要があり，輸液を行わなければならない．同種移植後はFOの増悪を抑えながら，十分な尿量を確保し腎臓を保護するというきわめて難しい水分管理を行わなければならない．同種移植ではカルシニューリン阻害薬投与により腎輸入細動脈が収縮しGFRが低下しているため，FOをきたしやすくなる．特に輸注から生着までの時期は，前処置毒性や感染症，生着症候群，GVHDなどの免疫反応，血管内皮障害，VOD/SOSなどさまざまな理由で血管透過性が亢進しFOの管理が特に難しい時期である．移植前の内皮障害スコア（EASIX）が高い症例は10％以上のFOを合併するリスクが高かったという報告があり[7]，注意する．

- 利尿剤投与についても，単に体重だけで判断するのではなく，超音波検査で血管内ボリュームも評価しながら利尿剤投与の量やタイミングを検討する．利尿剤についても，尿が出ないから単に「利尿剤を増量する」のではなく，「血管内ボリュームを維持しながら尿量を確保する」という意識が必要である．

- 血管内ボリュームがある場合は，カルシニューリン阻害薬によりフロセミドの効果が減弱している可能性があるため，フロセミドを増量する（1回20 mg→30 mg→40 mg）．血管内ボリュームが減っている症例では，輸血やアルブミン等の投与に併せてフロセミドを投与する等の工夫を行い，腎障害に注意する必要がある．血圧変動が大きい症例ではフロセミド24時間持続静注へ変更し，血管内ボリュームの変動が少なくなるように工夫する．フロセミドの持続投与はシリンジポンプで投与している施設も多いが，当院ではメインの点滴に混注している．そのうえで輸血直後にボーラス投与を追加する．

フロセミド　20 mg　静注を1日2回程度で開始し，1日40～80 mgを目途に投与
※血圧変動が大きい症例ではメインの点滴に混注して24時間持続静注へ変更する．メインへの混注は40 mg/日から開始し最大で120 mg/日まで増量する（症例によっては240 mg/日まで増量することがある）．
※低K血症などの電解質異常に注意し適宜補正を行う．

- カルシニューリン阻害薬による腎輸入細動脈収縮・GFR低下が尿量減少の要因の1つとなっていることから，当院では輸入細動脈拡張作用のあるカルペリチド（ハンプ®）を併用することが多い．カルペリチドは利尿剤と認識されていることが多いが，その機序は輸入細動脈拡張に伴うGFRの増加であり，実際は血管拡張薬である．同種移植患者では血管内ボリュームがないため容易に血圧低下をきたしやすく，輸入細動脈だけを拡張させるというイメージをもつ．そのため当院ではカルペリチドは低用量（0.005 γまたは0.0125 γ）から開始し0.025 γまでの投与量に留めることが多く，高血圧がない限りはそれ以上増量しないようにしている．低用量のカルペリチド単独ではあまり尿量が増えないことも多いが，GFRが増加することでフロセミドやその他の利尿剤が効きやすくなる．カルペリチドは血管拡張薬であり，利尿目的に増量しすぎると血圧が低下する．カルペリチドは，あくまで利尿の脇役であり主役ではないことを忘れてはならない．

カルペリチド（ハンプ®）　1バイアル（1,000 mg）を注射用蒸留水5 mLで溶解＋5％ブドウ糖注射液　45 mL

※カルペリチドは0.005 μg/kg/分(γ)または0.0125 γの低用量より持続静注を開始し，低血圧に注意しながら増量していく(0.025 γまでの投与量に留めることが多い).
※心機能や腎機能低下が著明な症例ではカルシニューリン阻害薬と同時に開始することもある.

- 近年，当院ではカルペリチドに加え，トルバプタン(サムスカ®)も併用する機会が増えている．トルバプタンは本邦で独自に育薬が進み，現在は心不全や肝硬変における体液貯留やSIADHにおける低Na血症の治療薬として承認されている．トルバプタンの特徴として①血圧が下がりにくい，②腎機能障害があっても利尿が得られる，③フロセミドと比較して腎機能障害をきたすことが少ない，④低アルブミン血症があっても利尿が得られる等がある．これらの特徴は移植患者において有用であり，当院では年々投与例が増えている．トルバプタンで利尿が得られた場合，フロセミドを減量していくことが腎保護の観点からは重要である．また，高用量のフロセミドによる低K血症への対応も容易になる．

トルバプタン(サムスカ®OD錠 7.5 mg)　0.5錠内服より漸増(最大2錠＝15 mg)
※フロセミド60 mg/日以上を投与している場合や浮腫の強い症例，胸腹水など血管外リークが多い症例で優先的に導入を検討している.
※高Na血症に注意してフォローする必要があり，トルバプタンを投与する症例では基本的にNa-freeの輸液にしておく.

- 上記の3剤でも体液貯留への対応が困難な場合や，持続点滴を中止しておりカルペリチドが投与できない場合は，近年，当院でもSGLT2阻害薬を併用する症例が増えており，特に糖尿病合併例では積極的に併用している．SGLT2阻害薬は近位尿細管でグルコースだけでなくNaの再吸収阻害作用を有する．SGLT2阻害薬はもともと糖尿病薬として使用が開始されたが，近年はその利尿効果から心不全などでも使用されている．

ダパグリフロジン(フォシーガ®5 mg錠)　1錠より内服開始
※糖尿病治療薬であるが，正常血糖ケトアシドーシス，低血糖，(特に女性では)尿路感染症，骨髄抑制に注意が必要である.

- 移植後に用いるさまざまな薬剤により高頻度に電解質異常をきたすため，生着前の時期は連日，採血して電解質の補正を行う．高頻度にみられるのは，低K血症，低Mg血症，低Ca血症，低P血症，低Na血症，高K血症，高Na血症などである．電解質補正を行う際の処方例を下記に記載するが，複数の電解質補正を行う際には，混注による投与ルートやバッグ内の結晶析出のリスクについて把握しておく必要がある．

❶ 低K血症への対処

KCL補正液（1A＝20 mL＝20 mEq） 1～5 A程度をCVメイン補液（TPNなど）に混注する
※添付文書に記載されている溶液内の上限K濃度（40 mEq/L）や上限K輸注速度（20 mEq/時）を超えてしまうこともあるため必ず輸液ポンプを用いて輸液する．

または

アスパラカリウム注（1 A＝10 mL＝10 mEq）
※CL負荷は代謝性アシドーシスを助長するため，KCLの代わりにアスパラカリウム注を用いる場合もある．高CL血症の症例ではKCLをすべてアスパラカリウムに変更する．

近年の国内からの報告によると，同種移植症例（n＝75）の92％に低K血症を認め，半数近くが重症であった（Grade 3は40％，Grade 4は4％）[8)]．また41％の症例が1日あたり100 mEq以上のK投与が必要であったことが報告されており，K製剤の添付文書に記載されている上限量を超える量の補充が必要となることも珍しくない．

❷ 低Mg血症への対処

硫酸Mg補正液（1 A＝20 mL＝20 mEq）＋生理食塩水100 mL，1時間以上かけて点滴静注
※ほてり・熱感がある場合は生理食塩水を増やして濃度を薄くし，点滴時間を延長する）

または

硫酸Mg補正液1～2 AをCVメイン補液（TPNなど）に混注する（Ca，Pの補正液を同時に混注すると混濁するので注意）

❸ 低Ca血症への対処

塩化カルシウム（2％ 20 mL）1 A＋生理食塩水100 mL 点滴静注

または

グルコン酸カルシウム水和物(カルチコール®) 1〜2 A＋生理食塩水 100 mL 点滴静注
※KCL の場合と同様，Cl 負荷の懸念がある場合はグルコン酸カルシウムを選択する
※CV メイン補液(TPN など)に混注する場合，Mg，P の補正液を同時に混注すると混濁するので注意

❹ 低 P 血症への対処

リン酸 Na 補正液 0.5 mmol/mL(1 A＝20 mL＝10 mmol) CV メイン補液(TPN など)に混注
※高濃度の P を短時間で輸液するとカルシウムと結合しリン酸カルシウムが腎臓内で析出し腎臓に負担がかかるため，CV メイン補液に混注しゆっくり投与するのが基本である．その場合，Mg，Ca の補正液を同時に混注すると混濁するので注意
※FCN 投与中などで P の低下が著しい場合は
リン酸 Na 補正液 0.5 mmol/mL(1 A＝20 mL＝10 mmol)＋生理食塩水 250〜500 mL FCN の前後に点滴静注

❺ 低 Na 血症への対処

塩化ナトリウム注(10％)1〜2 A を CV メイン補液(TPN など)に混注する
※低 Na 血症の補正を行う場合は細胞外液量や血漿浸透圧，尿浸透圧，尿中 Na の評価を必ず行う．不適切な輸液による医原性の低 Na 血症をきたしていることも多く，輸液内容をもう一度見直すことが重要である．体液貯留が著明な症例に対して Na を増量すると更なる体液貯留の悪化をまねく原因となるため Na 投与の必要性を検討する．

浸透圧性脱髄症候群(ODS)の出現を防止するために血清 Na 濃度を頻回に測定し，血清 Na 濃度上昇を 24 時間で 10 mEq/L 以下，48 時間で 18 mEq/ L 以下とする．補正前の血清 Na 濃度が 110 mEq/ L を下回る低 Na 血症(ODS の危険因子)の場合は，より緩やかに血清 Na 濃度を補正する．

❻ 高 K 血症への対処

CV メイン補液(TPN など)を K-free の組成へ変更(☞ 259 頁，セクション 26)

❼ 高Na血症への対処

CVメイン補液(TPNなど)をNa-freeの組成へ変更(☞259頁, セクション26)
※抗菌薬などメイン以外の補液を生理食塩水から5%糖液などへ変更する(100 mL×5本の変更でNaを77 mEq減少できる)

- 栄養状態は, 体重の変化, 浮腫の程度, 血清アルブミン値/ChE値の変化などを基に評価する. 経口摂取量が減少傾向の場合はTPN投与カロリー量を増やし, TPNボトル内にインスリンを混注している.
- 連日, 朝の採血で血糖値を測定するが, ステロイド投与例では1日4回の血糖値を測定することもある. スライディングスケールに基づいて, インスリン追加投与を検討する.
- 生着前の時期であっても, 移植病棟内でのリハビリテーションは可能な限り継続していくことが重要である.
- TAC投与後に血圧が上昇傾向となることはまれではなく, 積極的に血圧コントロールを行っていく. 経口摂取を行えている場合はアムロジピン内服で行うが, 必要であれば早めにニカルジピン持続点滴へ変更する. アムロジピンは輸入細動脈拡張作用があり輸出細動脈拡張作用がないため第一選択としており, アムロジピン使用例で同種移植後の腎障害が減少したという報告がある[9].

①アムロジピンOD錠 2.5〜5 mgより1日1回内服開始(最大10 mgまで)

または

②ニカルジピン(ペルジピン®)注(10 mg/10 mL) 5 A(50 mL) 原液のままシリンジポンプで1 mL/時で開始. 血圧に応じて増減して持続投与

B 生着から退院まで

- 同種移植後の退院のタイミングは, 大きな合併症がなければ, 通常, 移植1.5〜2か月後である. 一方, GVHD(特に腸管GVHD)が重症化すると入院期間が延長しやすい(通常3〜6か月かかる).
- 退院前の評価と患者・家族への指導は, スムーズな外来移行のために重要なステップである. 自宅の生活環境を整えるのに時間がかかる場合があるため，移植前オリエンテーションの情報を参考にしながら早めに退院準備を開始する．また再入院のリスクについても説明し，患者手帳と一緒に「外来受診や電話相談が必要な注意すべき症状」の一覧を退院前に渡している(☞ 523 頁，セクション 53)．

1 原疾患

- 移植後 1 か月時点における原疾患の評価は重要であり，ドナー細胞生着の確認も含めて骨髄検査を行う．白血病の場合は可能であれば微小残存病変(MRD)モニタリングを行う．リンパ腫の場合は，単純 CT 検査で評価を行うことが多いが，移植後早期再発のリスクが高い症例は FDG-PET/CT 検査を行い，局所放射線照射の追加や免疫抑制剤の減量速度を検討することもある．
- 移植前に原疾患が非寛解の場合，生着後早期の病変進行の可能性も考えておく必要がある．GVL 効果の誘導(どの程度 GVHD を許容するのか)や維持療法として分子標的薬や抗体製剤などの投与が可能かどうか，検討しておく．

2 血球数

- 白血球数がいったん増加した後，G-CSF 中止後に好中球が減少することは時々経験する．適宜，少量の G-CSF 製剤使用を検討する．
- 血球減少が遷延する場合は，二次性生着不全の可能性も考慮し，末梢血の CD3 キメリズム検査や骨髄検査による三系統の造血回復の状況や血球貪食像の有無を確認する．
- 血小板数の回復が遅い場合，VOD/SOS や TMA などの鑑別を行う必要がある．血小板数のみ回復が遅延する場合，骨髄検査(＋骨髄生検)や PA-IgG などの情報を基に TPO 作動薬の投与を検討する場合もある[10]．
- ABO 主不適合移植の場合，血液型検査の推移を確認し，PRCA 合併に注意してフォローする．定期的な濃厚赤血球輸血が必要な場合も，状態が落ち着いていれば，免疫抑制強化などの介入は行わず，外来移行後も輸血を継続してフォローすることが多い[11]．
- 生着後のリンパ球絶対数(ALC)の推移は，同種免疫反応を評価するうえで重要視している(移植後 1 か月時点のリンパ球サブセットも確認する)．急速に ALC が増加する場合は，可溶性 IL-

2受容体(sIL-2R)などの情報も参考にしてGVHD・免疫反応の出現・増悪に注意する．一方，ALCが全く増加しない場合は，ウイルス感染症に注意してフォローし，免疫抑制剤の減量スピードを調整する．退院時にALCが500/μL未満の患者では退院後1年以内の再入院が多いため注意が必要である[12]．

3 GVHD・免疫反応

- 生着後も，免疫抑制剤の血中濃度の調整は非常に重要である．施設ごとに，原疾患の再発リスクやドナーソースなどに応じたカルシニューリン阻害薬の血中濃度の調整やステロイド投与開始のタイミング・投与量について検討しておく必要がある．
- GVHD症状がなく，経口摂取が回復してきたら，TAC経口投与への切り替えを検討する(併用する抗真菌薬により換算比は異なる)．一部の症例では，内服へ切り替え直後にTAC濃度が急に減少してGVHDを発症することがある．このため内服へ切り替えた翌日以降は連日TAC濃度を確認する．生着後のGVHD予防をTAC単剤で行っている(ステロイドを投与していない)患者では，少し高めの血中濃度を目標として経口投与量を設定するほうが安全かもしれない．
- GVHDに対してステロイド治療を行っている患者では，経口摂取に問題がなくGVHD症状が落ち着いていれば，ステロイド減量を進めながら，先にTACを経口投与へ切り替える場合もある．
- 血球回復前後に発熱をきたす場合は多いため，常に感染症と免疫反応の両方の可能性を考え，原因検索と治療開始タイミングが遅れないようにする．免疫反応による発熱やES/GVHDを疑った場合は，全身状態・原疾患の再発リスク・GVHDリスク・ALCの推移などを考慮し，ヒドロコルチゾン(ソル・コーテフ®)50〜100 mgを頓用，または1日2〜3回定時投与で微調整を行うことが多い．
- 急性GVHDによる下痢，ビリルビン増加，全身性紅斑を認めた場合は，ヒドロコルチゾン(ソル・コーテフ®)ではなく抗炎症作用の強いメチルプレドニゾロン(ソル・メドロール®)1〜2 mg/kg/日へ早めに切り替える(非感染性肺障害の場合も同様にメチルプレドニゾロンを優先している)．一方，軽度の皮疹，上部消化管に限局した腸管 GVHD，トランスアミナーゼ増加が主体の肝障害の場合は，経験上「下痢，ビリルビン増加，全身性紅斑」よりもステロイド反応性が良好なことが多いが，まれに急速に進行する場合もあるため注意してフォローを行う．

- 消化管 GVHD を疑う下痢を認めた場合，下痢量・回数や下痢の性状を十分に観察するとともに，CT や US による腸管の評価と，上部・下部消化管内視鏡検査を早めに行う必要がある．内視鏡検査で消化管粘膜の肉眼所見を確認することは，GVHD と CMV 腸炎や TMA などの鑑別だけではなく，消化管 GVHD の予後予測や治療判断にきわめて重要である．下痢が増悪するときは，必ず大腸内視鏡検査で回腸末端まで観察することが重要であり，直腸・S 状結腸からの病理組織検体採取のみ行う方法では，消化管 GVHD の重症度判定が困難であり，CMV 腸炎を見逃すリスクも高くなる[13]．下痢量が増加しているにもかかわらず大腸内視鏡で病変が明らかでない場合は，小腸を主体とした GVHD の場合もあるため，小腸カプセル内視鏡を行う[14]．ステロイド開始後も下痢などの症状が改善しない場合や再燃する場合は，2〜4 週ごとに大腸内視鏡またはカプセル内視鏡で消化管粘膜の状態を確認し，鑑別診断や治療効果判断を繰り返し行いながら，治療法の変更を検討する．
- 消化管 GVHD と診断された場合は，ベクロメタゾン(BCM)の内服を併用することで，メチルプレドニゾロンの投与開始量を 1 mg/kg/日へ減量したり，治療奏効後のステロイド減量を早めに進めていくことが可能である．
- ルキソリチニブ(ジャカビ®)は，急性 GVHD に対するステロイドの反応性が不良の場合の二次治療として海外では標準治療となっており[15]，国内でも 2023 年 8 月に「造血幹細胞移植後の移植片対宿主病」の適応が追加された．海外の RCT(REACH2 試験)では，ステロイド抵抗性急性 GVHD に対する投与 28 日後の奏効率が対照群(治験医が選択した最善治療)と比較して有意に高かった(62.3% vs. 39.4%)[16]．(特に下部消化管・肝臓の)ルキソリチニブ抵抗性急性 GVHD や，感染症・TMA を合併した難治例の場合には，早めに間葉系幹細胞(テムセル®)の併用開始も検討する．また急速に進行する「下痢，血清ビリルビン増加，全身性紅斑」の場合は，少量ATG(1 mg/kg)を1回投与する場合もある．当院でのルキソリチニブの使用経験はまだ多くないが，今後，ステロイド抵抗性GVHDに対する治療アルゴリズムについて再検討を行う必要がある．

4 感染症

- 好中球生着後も感染症が重症化すると，全身状態が悪化するため，早めの血液培養検査や単純CT検査(副鼻腔から鼠径部まで)でフォーカス検索を行う(膿瘍・蜂窩織炎を疑う場合や，血栓形成を疑う場合は，造影CTを行う場合もある)．
- 血圧，脈拍，SpO_2に加えて呼吸数や意識レベルも含めたバイタルサインをフォローし，敗血症の可能性があれば乳酸値採血(静脈血ガスも可)を含めた循環動態評価を強化する．

❶ 細菌

- 好中球生着後も菌血症のリスクがあり，特にPSL換算で0.5 mg/kg/日以上のステロイド投与例では発熱がマスクされるため週に2回，監視血液培養でスクリーニングを行っている．特に重症の皮膚・腸管GVHD合併例では，バリアが破綻しているためbacterial translocationのリスクが高いと考え，便培養や皮膚病変の培養結果を参考にしながら，抗菌薬選択を行うこともある．重症急性GVHD患者では，菌血症のリスクが高くなるだけではなく，菌血症発症後の死亡リスクが増加するため注意を要する[17]．
- 生着後は感染症に対する静注抗菌薬を中止した後，原則としてLVFX予防内服は行わない．しかし，発熱時は(FNの場合と同様に)経験的治療として静注抗菌薬投与を開始しながら，感染症の原因やフォーカスの検索を進めていく．

❷ 真菌

- 生着後も週に1回アスペルギルス抗原とβ-Dグルカン検査のモニタリングを継続し，糸状菌感染症を疑う場合は，早めに副鼻腔から鼠径部まで単純CT検査を行う．
- 生着後は，特にGVHD合併例やステロイド投与例でアスペルギルスなど糸状菌感染症のリスクが高い．4週間の積算ステロイド投与量が多い(PSL換算で55 mg/kg以上)患者では真菌感染症のリスクが約3倍増加する[18]．
- 高リスク例(ステロイド長期使用例・アスペルギルス感染症既往

例）ではVRCZまたはPSCZ投与を継続する．レテルモビル使用例ではVRCZ血中濃度が低下するため[19]，当院ではPSCZを使用する例が増えてきている．しかしVRCZやPSCZ投与中でも糸状菌のブレイクスルー感染症がありうることは注意しておく[3]．

❸ ウイルス

- 生着後の血中ウイルスモニタリングは通常，週に1回CMV定量PCR（またはCMV抗原血症）検査，最低，月に1回はEBV定量PCR検査（全血）を確認している．また疑わしい症状があれば，血中HHV-6やADVの定量PCRを行う（保険適用外）．
- 低用量のアシクロビル（ACV）予防投与は生着後も継続し，移植後1か月以内にACV経口投与（200 mg/日）へ切り替える．CMVやHHV-6に対してGCVやFCNを投与中もACV予防を続行している．
- CMV予防としてレテルモビルを用いるようになり，生着後早期のCMVに対する経験的治療例は減少してきた．低レベルのCMV再活性化の場合は，免疫抑制剤やステロイドの投与量を調整して，レテルモビル投与を継続する場合もある．また消化管CMV感染症の場合は，血液の定量PCR検査でCMVを検出しない場合もある．
- GVHDの予防や治療でATGを投与した例では，EBV再活性化に特に注意する必要がある．当院では骨髄バンクからの移植で低用量ATGを用いることが多いが，（実際に移植後リンパ増殖症[PTLD]を発症する例は少ないものの）モニタリングを行うとEBVの再活性化はまれではない．ATG使用後はALCやリンパ球サブセットの経過をみながら，月に2回以上のEBVモニタリング（全血のEBV定量PCR検査）を行い，PTLD発症に注意してフォローしている．
- 全血のEBVのコピー数が10,000（$=10^4$）以上へ増加傾向の場合や臨床的にPTLDを疑う症状がある場合は，FDG-PET/CT検査を行い，疑わしい病変部位からの生検を積極的に行い病理組織診断を試みる[20]．PTLD診断時は，組織型（感染細胞の種類や病型）やEBVのclonalityなどの結果を参考にして，免疫抑制剤の減量や（CD20陽性の感染細胞に対して）リツキシマブ投与を検討する

(一部の患者では化学療法についても検討).

- 4週間の積算ステロイド投与量が多い(PSL換算で23 mg/kg以上)患者ではCMV以外のウイルス感染症(多くはADV/BKV)のリスクが約4倍増加する[18].
- HHV-6脳炎・脊髄炎のハイリスクである臍帯血移植は全例,HLA不一致非血縁移植後のPIR/ES合併例などではFCN予防(90 mg/kg/日)を検討する.神経症状が出現した際には,(血液のPCR検査が陰性の場合もfalse negativeの可能性があるため[21])必ず髄液検査を行い,HHV-6 PCR検査の結果が出るまでFCNによる治療(180 mg/kg/日)を継続し,陰性であればFCN投与を中止する.

❹ その他の感染症

- 生着を確認したら(遅くとも移植後1か月以内に)PCP予防を再開する.PCP予防法の第一選択はST合剤の連日投与である(副作用をみながら0.5錠/日より開始し,可能であれば1錠/日へ増量).血球数が低い場合や腎障害・消化器症状のためST合剤の再開が困難な場合はペンタミジン(ベナンバックス®)吸入に切り替え,以降3〜4週ごとに吸入を継続する.
- 移植前の抗トキソプラズマ抗体陽性例では,トキソプラズマ予防もかねてST合剤投与を優先し,ST合剤が投与困難な場合はアトバコン(サムチレール®)内服を用いる.ベナンバックス®吸入はトキソプラズマ予防には無効である.

5 治療関連毒性

❶ 粘膜障害

- 前処置による粘膜障害は,ドナー血球の回復とともに改善してくることが多い.この時期に下痢量が増加してくるときは腸管GVHDをより強く疑う.またPCAを減量・中止する際に排便回数の増加や下痢の増悪を認めることがあり,腸管GVHDと混同しないように慎重にPCAを減量する.
- 前処置による高度の粘膜障害を認めていた場合,経口摂取の回復も遅延することが多く,歯科チームの介入を継続して依頼する.

❷ 腎障害

- 生着後の薬剤性腎障害は,FCN,L-AMB,TAC,抗MRSA薬,アミノグリコシドなどで高頻度にみられるが,腎障害をきたす薬剤の投与が複数以上となる場合は特に注意が必要である．当院では，FCN，L-AMB を投与する前後に生理食塩水やリンゲル液(輸血を行う場合は輸血代用可)などによる輸液負荷を必ず行い，電解質異常にも十分注意しながら補正を行っている．

- 薬剤性腎障害以外にも，同種免疫反応に伴う血管透過性亢進や大量の下痢・嘔吐による血管内ボリュームの減少に伴う腎障害や，TMA や VOD/SOS に伴う腎障害にも注意が必要である．
- ウイルスによる出血性膀胱炎を合併することもあるため，肉眼的血尿を認めた場合は尿検体の ADV/BKV-PCR 検査を行い，US で水腎症の有無を確認する(特に移植前に抗 ADV11 抗体陽性の場合は，ADV 再活性化による出血性膀胱炎・腎盂腎炎に注意する)．

❸ 肺障害

- 呼吸器症状を認めた場合や SpO_2 が低下傾向の場合は，早めに胸部単純 CT(必ず high resolution で依頼する)を行う(D-dimer の急増など肺血栓塞栓症を疑う場合は造影 CT も検討)．また心原性の可能性がある場合は，末梢血の BNP 検査を行い，UCG を早めに確認する．
- 急速に進行する非感染性肺障害は緊急対応が必要な重症合併症であり，(パルス療法も含めた)ステロイド開始のタイミングが遅れないようにしている．ステロイド治療への反応性が不良の場合の予後はきわめて不良である．また非感染性肺障害を疑った場合も，ブレイクスルー感染症の除外診断は困難なことが多いため，フルカバーで感染症治療を継続する．
- 重症 GVHD に対する治療後，ステロイドを減量している時期に非感染性肺障害を合併することも経験する．この場合，免疫不全に伴う感染症を合併している場合もあるため，可能な限り気管支鏡検査を行い BAL 検体でスクリーニングを行うことも重要である(アスペルギルス抗原，CMV，PCP，ADV，トキソプラズマ，呼吸器ウイルスなど)．

❹ 肝障害

- 近年，複数回移植や複数のアルキル化剤(FLU/BU/MEL など)を用いることも増えたため，生着後の遅いタイミングで Late-Onset VOD/SOS を経験することが増えてきた(詳細な US スクリーニングを行うようになってきたため，以前はVOD/SOSと診断できていなかった可能性もあり）．

- VOD/SOSに対する治療薬としてDFが使えるようになったが，Late-Onset VOD/SOSもClassical VOD/SOSと同様に予後不良であるため，DF開始のタイミングが遅れないようにする（診断後2日以内の投与開始が推奨されている）．特に血小板輸血不応が続く場合は，ビリルビン値は正常範囲でも，VOD/SOSの可能性を考慮しHokUS-10による評価を行う．
- 急激なAST/ALT上昇（>1,000 U/L）を認めた場合は，HBV，EBV，ADV，VZVの血液PCR検査を確認しておく．

❺ 心障害

- 大量CY投与による心毒性は生着後も遷延することがあり，重症化が懸念される場合は専門医への紹介を検討する．また活動性のTMAを認める場合は，心障害の合併に注意してフォローする．
- 心障害を疑う場合は，末梢血のBNP，心筋トロポニンT測定に加えて，UCGやECGによる評価を早めに行うことが重要である．

❻ 神経障害

- 中枢神経症状を認めた際には，頭部単純CTによる出血のスクリーニングや末梢血HHV-6の定量PCR検査を行い，頭部MRI（可能なら造影）や髄液検査の準備を行う．またリツキシマブ投与例ではJCV，移植前トキソプラズマ抗体陽性の場合はトキソプラズマについても髄液PCR検査を検討する．
- 臍帯血移植やHLA不一致移植後は，移植後4〜5週頃までHHV-6脳炎・脊髄炎のリスクが高く，少しでも疑う症状があれば，（検査結果を待たずに）早めにFCNを治療量で投与する（180 mg/kg/日）．HHV-6脳炎の症状は生着前の場合と同様であり（☞610頁），FCN予防中止後に発症する場合もあるため注意を要する．
- 生着後に下肢の感覚異常・脱力などで発症し，急性〜亜急性に神経障害が上行する上行性神経障害には注意が必要である（☞331頁，セクション35，Memo）．当院の経験では数%と頻度は高くないが，リンパ系悪性腫瘍やATG投与例においてALC回復期の発症が多かった．MRI所見や髄液のMBP上昇などが参考になるが，異常を認めない場合もあるため注意が必要である．治療として免疫グロブリン大量療法が一部の症例で有効であったが，神経予後や生命予後は不良のことが多い．また移植前にネララビンが投与された患者では，前処置開始から生着後に神経症状が増悪することがあるため特に注意が必要である[22]．

6 水分・電解質・栄養・血糖の管理・その他

- 生着後，経口摂取が十分可能で免疫抑制剤が内服可能になるまでは 1.5 L/m^2/日の輸液を行うことを基本としている．
- 生着後も ES，GVHD などの免疫反応，血管内皮障害，VOD/SOS などさまざまな理由で血管透過性が亢進し体液貯留の管理が特に難しい時期である．水分管理の方法は生着前と同様にきわめて重要である（☞ 610 頁）．
- GVHD，感染症，TMA，VOD/SOS 合併例に対する治療中は特に高頻度に電解質異常をきたしやすいため，電解質補正を継続する．高頻度にみられるのは，低 K 血症，低 Mg 血症，低 Ca 血症，低 P 血症，低 Na 血症，高 K 血症，高 Na 血症などである（電解質補正を行う際の処方例については☞ 614 頁）．
- 栄養状態は，体重の変化，浮腫の程度，血清アルブミン値/ChE 値の変化などを基に評価する．経口摂取量が増えてくれば，TPN 投与量を漸減・中止する．
- 朝の採血で血糖値を測定するが，ステロイド投与例では 1 日 4 回の血糖値を測定することもある．スライディングスケールに基づいて，インスリン追加投与を検討する．
- 生着後に経口摂取量が増えてきて補液を中止する際は，飲水量が 1 日 1.5 L 以上であることを確認し，補液中止後の腎障害の出現・増悪に注意する．
- 生着後は退院後の通院へ向けて PS や ADL を向上させる必要があり，移植病棟内だけではなくリハビリ室でのリハビリテーションも行っていくことが重要である．
- 移植後に血圧が上昇傾向となることはまれではなく，積極的に血圧コントロールを行っていく．経口摂取を行えている場合は内服で行うが，必要であれば早めに持続点滴へ変更する．処方例については☞ 612 頁を参照．

C 移植後の外来フォロー：免疫抑制剤中止まで

- 入院中は複数の医師や多職種チームで診療を行うが，外来では担当医1人にかかる負担が大きくなる．可能な限りLTFU外来や外来看護師の介入を積極的に依頼する．
- 退院後は，外来受診の間隔が週1回～月1回のことが多く，症状出現時の対応が遅れる場合がある．どんな症状があったときに病院へ連絡すべきか，患者本人やkeyとなる家族への指導が非常に重要である(☞522頁，セクション53)．
- 外来フォロー中は，時期ごとに起こりうることを予測して準備が必要である．同種移植後の合併症による再入院は，再発による再入院を除くと，移植後100日までに16%，移植後1年までに25%である[12)]．原因はGVHDと感染症が半数ずつで，退院時にステロイド内服例，ALC<500/μL，細菌感染症のエピソードがある症例で再入院リスクが高い．

1 原疾患

- 移植後3か月～1年後は，移植前処置の効果がなくなることもあり，原疾患の再発が多い時期である．再発リスクに応じて，移植後3か月，6か月，1年時点の原疾患の評価を行う．
- 白血病の場合は骨髄検査となるが，可能であればMRDモニタリングを行う．再発リスクが高いリンパ腫の場合は移植後3か月前後でFDG-PET/CT検査も検討する．
- 移植後の再発リスクに応じて，GVL効果の誘導(どの程度GVHDを許容するのか)や維持療法として分子標的薬や抗体製剤などの投与が可能かどうか，検討しておく．

2 血球数

- 顆粒球数が低めで推移することが時々あり，薬剤性(ST合剤，バルガンシクロビルなど)，TMA，ウイルス感染，二次性生着不全などの原因検索は重要である．
- 外来フォロー中もALCの推移を確認し，移植後3か月・6か月・1年時点のリンパ球サブセットも確認する．ALC増加が非常に遅い場合は，ウイルス感染症に注意してフォローし，免疫抑制剤の減量スピードを調節する．
- 血小板数が減少傾向となった場合は，原疾患の再発，二次性生着不全，薬剤性，TMA，免疫学的機序などを疑い，骨髄検査やハプトグロビン，PA-IgG などを確認する．

- ABO 不適合移植の場合，血液型の推移をフォローし，ドナー型であることを 2 回確認したら，血液型変更手続きを行う．まれに ABO 主不適合後に PRCA 合併を経験することがあるが，基本的に赤血球輸血でフォローする[11]．

3 GVHD・免疫反応

- 外来フォロー中の免疫抑制剤(TAC)やステロイドの減量は，その後の GVHD 発症だけではなく原疾患再発や感染症にも大きくかかわってくる．TAC 投与量の減量ペースや減量幅は，原疾患の再発リスクや患者ごとに大きく異なるが，経験を積みながら感覚をつかむ必要がある．GVHD 症状がなければ移植後 1〜2 か月時点から TAC の漸減を開始する．TAC 中止のタイミングは，(GVHD がない場合)原疾患の再発リスクやドナー・幹細胞・HLA 一致度などにより約 2〜6 か月後など大きく異なる．
- 外来受診の間隔にもよるが，目標とする TAC 中止時期まで均等に同じペースでの減量ではなく，少し早めに減量していき最後はゆっくり減量して中止することが多い．より慎重に減量を行う場合は，タクロリムス錠の粉砕や顆粒製剤や，PSL 1 mg 錠を組み合わせて用いる．
- 外来受診時に感染症を合併している場合は，無理に TAC や PSL 減量を行うと，GVHD が増悪して悪循環になることもある．このため感染症治療を優先させ，免疫抑制剤の調整はあまり行わないことが多い(ALC が著減している場合は，感染症治療後に GVHD 症状をみながら減量する)．
- ステロイドと TAC を併用している場合，先にステロイドを減量することが多いが，腎障害や TMA など TAC の毒性がある場合は先に TAC を減量・中止することもある．
- 外来フォロー中の GVHD は，移植後 3〜4 か月までに発症することが多い急性 GVHD と，移植後 2〜3 か月後以降に発症する慢性 GVHD では対応が異なる．
- 急性 GVHD の中で，急激な水様下痢を認めた場合と皮疹から紅斑が全身に広がる場合は特に治療を急ぐため，診察予約日前でも早めに連絡してもらうよう患者・家族を教育しておくことが重要である(☞523頁，セクション53)．消化管GVHDにより下痢量が多く経口摂取が減少している場合，脱水から腎障害を合併することも多いため，原則，入院で補液や内視鏡検査を行いベクロメタゾン併用開始も検討する．

- 外来でTAC/ステロイド減量中に皮膚の急性GVHDが出現・増悪した場合は，通常，2段階増量してステロイド外用薬を積極的に使用する(基本はアンテベートを含む合剤，赤みが強いときはデルモベートを含む合剤を使用)．自宅で皮疹が増悪した際は写真を撮影して持参してもらい，再来時の皮膚所見と比較してカルテに保存する．治療を要する皮疹が出現したときは外来看護師の介入を依頼し，写真の取り込みやLTFUリーフレットを用いたステロイド外用薬の使い方について指導を依頼している．
- 眼，口の慢性GVHDを疑う症状が出現した場合は，眼科や歯科/口腔外科と連携しながら局所療法の最適化を図るとともに，経口ステロイド投与開始のタイミングを検討する．
- 肝臓単独の急性GVHDは比較的まれで，トランスアミナーゼ主体の増加が時にみられる．肝障害の原因として，薬剤性，ウイルス性，TMAなどの鑑別も重要である(HBV，HCV，CMV，EBV，sIL-2R，フェリチン，ハプトグロビン，ADV，VZV定量PCR検査，腹部超音波検査など)．また他の急性GVHD所見に加えて，ビリルビンも増加してくる場合は，入院加療も検討する．
- 同種移植後1年間は，最低3か月ごとに呼吸機能検査をフォローし，閉塞性肺障害(BOS)が増悪する前に早めにFAM療法や経口ステロイド投与などの治療介入を行う(☞538頁，セクション54)．呼吸機能検査で1秒量が減少傾向の場合や，胸部CT検査で異常を認めた場合は，1〜2か月ごとに呼吸機能検査を行う場合もある．
- 慢性GVHDに対するステロイド投与量は，PSL 1 mg/kg/日が標準治療であるが，外来で経過をみる場合，PSL 0.3〜0.5 mg/kg/日までの増量に留めて治療反応性を確認しながらフォローする場合もある．
- ステロイド抵抗性またはステロイド依存性の慢性GVHDに対する二次治療として，ルキソリチニブが第一選択となる．国内ではイブルチニブ，体外式フォトフェレーシス(ECP)が慢性GVHDに対して適応があり，今後，ステロイド抵抗性慢性GVHDに対する治療アルゴリズムについて再検討を行う必要がある．

4 感染症

- 同種移植後の合併症による再入院のうち，感染症が半数以上を占めており，外来での感染症管理はきわめて重要である[12]．
- 外来フォロー時の感染症対策はセクション58(☞571頁)に記載しているが，予防接種も感染症の発症リスクや重症化リスクを軽減するため，時期に応じたワクチン接種を勧める(☞578頁，セクション59)．
- COVID-19パンデミック後は，各施設で確立されてきた発熱外来のシステムに準じた対応を行う．発熱や呼吸器症状がある場合は，(SARS-CoV-2だけではなく)多項目のウイルス・細菌を検出できる鼻腔フィルムアレイ検査などのマルチプレックスPCR検査(FilmArray® 呼吸器パネル2.1)はきわめて有用であり，移植件数が多い施設では院内検査としての導入が推奨される．当院で2021～2023年に発熱や上気道症状を認めて鼻咽頭拭い液で実施されたFilmArray® 呼吸器パネル検査を行った246件(142例)中63件(26%)で1つ以上のウイルスが陽性となった．(頻度が多い順に)ライノ/エンテロウイルス，SARS-CoV-2，RSウイルス，パラインフルエンザウイルス，従来型コロナウイルス，ヒトメタニューモウイルス，アデノウイルスを検出した経験があり，治療判断や病棟患者の管理を行う際に有用であった．
- 感染症を疑う場合の血液培養検査は2セット採取し，侵襲性肺炎球菌感染症の検出目的に尿中肺炎球菌抗原も必ず確認している．
- 肺炎を疑う場合は，感染症とCOPなどの非感染性肺障害を鑑別することは難しく，原則，入院して気管支鏡検査や全身ステロイド投与の適応を検討している．

❶ 細菌

- 国内レジストリデータ調査研究によると，移植後100日以降の菌血症は移植後早期よりも頻度はかなり低下するが，発症後の予後は不良のため[17]，重症化リスクに注意しながらフォローする必要がある．
- 侵襲性肺炎球菌感染症は，同種移植患者の晩期感染症死亡の原因として最多であり，移植後3～6か月後からPCV接種を勧めている(PPSV23よりも免疫原性が高く，抗体価が上がりやすい)[23]．自宅で発熱時に，すぐに経口抗菌薬(LVFXが多い)を服用できるように処方しており(Stand-by治療)，緊急受診・入院を検討するタイミングについても指導している．

- 胸部X線写真で肺炎を認めた際は，必ずCT検査も行う．
- (特に重症例では)入院後，静注抗菌薬投与は広域に開始(カルバペネム＋抗MRSA薬)し，培養結果や臨床経過をみてde-escalationを行う．

❷ 真菌

- 外来では，環境因子としての糸状菌感染症のリスクに注意しながらフォローし，工事現場やほこりが多い場所を避けるよう指導する．アスペルギルス抗原検査や真菌感染症を疑う症状があったときには早めの副鼻腔～胸腹部CT検査でスクリーニングを行う．
- 抗糸状菌作用があるVRCZ/PSCZは免疫抑制剤を含めてさまざまな薬剤との相互作用があるため，外来で開始・中止を行う場合は常に注意してフォローする必要がある．

❸ ウイルス

- 免疫抑制剤・ステロイド投与中は必ず低用量ACV予防(200 mg/日)を継続する．移植後早期に免疫抑制剤を中止できた場合も，最低1年間はACV予防を継続する．免疫不全が強い場合は，ACV予防中にHSV/VZVブレイクスルー感染症を発症することがある．
- ACV予防を中止する場合は，リンパ球サブセット検査やVZV-IgG検査を行い，(LTFUリーフレットの写真を見せながら)VZV再活性化により発症する帯状疱疹の症状や重症化リスク，発症後の早期治療開始の必要性について指導することがきわめて重要である．VZV-IgGが著減している場合，移植後2年以上経過して免疫抑制剤を中止していれば生ワクチン接種を検討する(当院ではVZV不活化ワクチンの使用経験は少なく，ACV予防を長期間継続することが多い)．ACV中止後に特に強い腹痛や原因不明の肝機能障害が出現した場合には，帯状疱疹に典型的な皮疹がなくても内臓播種性帯状疱疹の発症に注意する．
- レテルモビル予防は，以前は移植後100日までとされていたが，免疫回復が遅延している患者を中心に，day 100 以降の CMV 再活性化が増加していた[24]．2023 年 8 月にレテルモビル投与期間の目安が，患者の CMV 感染症の発症リスクを考慮しながら移植後 200 日目までを目安にと変更された．予防投与期間は延長されたが，免疫不全が強い場合はレテルモビル中止後に CMV 感染症を発症する場合もあり，血液 CMV 定量 PCR 検査によるスクリーニングを強化して，すぐに pre-emptive 治療を開始できるようにバルガンシクロビル（バリキサ®）を数日分処方する場合もある．

- 移植前処置や移植後の GVHD 二次治療で ATG を投与した患者は，外来フォロー中も EBV 定量 PCR（全血）検査による PTLD のスクリーニングを行う．

❹ その他の感染症

- 免疫抑制剤・ステロイド投与中は PCP 予防を必ず継続する．移植後早期に免疫抑制剤を中止できた場合も，中止 2～3 か月後に CD4 陽性細胞数が 200～300/μL 以上へ増加しているのを確認してから PCP 予防を中止している．
- 免疫不全が強い場合は，3～4 週ごとのベナンバックス® 吸入予防中であっても PCP のブレイクスルー感染をきたす場合がある．疑う症状を認めた場合は β-D グルカン検査，CT 検査（肺に異常陰影があれば BAL 検査を行いグロコット染色とニューモシスチス PCR 検査を確認）を行い，PCP に対する標的治療を行う．

5 治療関連毒性

❶ 粘膜障害

- 外来フォロー中の粘膜障害は慢性 GVHD によるものが多い．口腔粘膜障害による経口摂取量の低下は栄養状態や QOL に大きな影響を及ぼすため，歯科チームの介入を依頼する．

❷ 腎障害

- 同種移植後の慢性腎障害は最も高頻度でみられる臓器障害であり，薬剤性や TMA などさまざまな原因で起こる．
- 移植後早期は特に水分摂取を積極的に勧めることが重要で，通常 1～1.5 L/日以上を目標としている．
- 腎障害のスクリーニングとして，血液検査（BUN，Cre）に加えて尿検査（蛋白）も LTFU で節目の時期は定期的にフォローする．
- 腎障害が増悪する場合は，TAC 予防からステロイドに切り替えたり，ST合剤を減量したり他のPCP予防薬への変更も検討する．

❸ 肺障害

- 外来フォロー中の肺障害は，同種免疫反応に関連した非感染性肺障害(late-onset non-infectious pulmonary complication：LONIPC)が比較的多い．画像所見のパターン(☞ 321頁，セクション34)や呼吸機能検査のパターンでIP，COP，BOSなどに分類されるが，慢性GVHDの診断基準に含まれるのはBOSのみである．
- 呼吸機能検査を定期的にフォローすることはきわめて重要であり，一般的にIPやCOPでは拘束性肺障害，BOSでは閉塞性肺障害をきたす．BOSではCT所見が正常の場合もあるため，呼吸器症状がある場合は必ず呼吸機能検査も行う．
- 肺炎を疑う場合は，感染症とCOPなどの非感染性肺障害を鑑別することが難しく，原則，入院して気管支鏡検査を行い，全身ステロイド投与の適応を検討している．

❹ 肝障害

- 肝障害の原因として，GVHD，薬剤性，ウイルス性，TMA，Late-Onset VOD/SOSなどの鑑別も重要で，血液検査(HBV，HCV，CMV，EBV，sIL-2R，フェリチン，ハプトグロビン等)や腹部超音波検査をフォローする．急激なAST/ALT上昇(>1,000 U/L)を認めた場合は，保険適用外であるが血中のADVやVZV定量PCR検査も追加している．
- HBV関連検査(HBsAg，HBcAb，HBsAb)が陽性の既往がある場合は，3か月ごとのHBV-DNAモニタリングを長期間継続している．また外来受診時に想定外の肝機能障害が出現した場合は，必ずHBV-DNA定量PCR検査を含めたHBV/HCV関連の採血を追加する．

❺ 心障害

- まれではあるが，大量CYやTMAに関連した心障害が遷延することがある．

❻ 神経障害

- 外来フォロー中に，神経症状を認めた際には，原疾患のCNS再発，出血(慢性硬膜下血腫)，感染症，TMA，PRES，脳血管障害，脱髄性疾患などさまざまな原因が考えられる．頭部単純CTによる出血のスクリーニング，頭部MRI(可能なら造影)や髄液検査(FilmArray® 髄膜炎・脳炎パネル)を行う．

6 水分・電解質・栄養・血糖の管理・その他

- 外来フォロー時に認める電解質異常として多いのは，TACによる高K血症や低Mg血症，PSCZによる低K血症などである．
- 節目のLTFU外来では栄養状態の評価が重要である．体重が減少している場合は低栄養や筋肉量の減少などを検討する．一方，経時的に体重が増加する場合はメタボリックシンドロームに注意し，栄養指導を検討する．
- 移植後はステロイドやTAC投与の影響で耐糖能異常を合併することが多い．近年，糖尿病に対するさまざまな治療法がでてきているため，糖尿病専門医へ併診を依頼している．
- 移植後のQOL向上には就労や家庭環境なども大きく影響している．GVHDや合併症，再発への不安などから精神面の問題を抱えている患者・家族も多く，LTFU外来での看護師など多職種のかかわりは重要である．
- 免疫抑制剤を中止した後も，同種移植後の晩期障害や二次がんのリスクは高いため[25]，LTFU外来で患者教育をしっかり行う必要がある．日本造血・免疫細胞療法学会のホームページに，移植後長期フォローアップ外来運営を支援する"LTFUツール全国版"として患者指導用リーフレット(成人用・小児用)，問診票フォーマット，移植後就労支援リーフレット，成人移植患者LTFUスクリーニング項目リストなどが公開されており[26]，今後も更新・追加が行われる予定である．

文献

1) Nishiwaki S, et al: Dexamethasone palmitate successfully attenuates hemophagocytic syndrome after allogeneic stem cell transplantation: macrophage-targeted steroid therapy. Int J Hematol 95: 428-433, 2012
2) Tada K, et al: Stenotrophomonas maltophilia infection in hematopoietic SCT recipients: high mortality due to pulmonary hemorrhage. Bone Marrow Transplant 48: 74-79, 2013
3) Lionakis MS, et al: Breakthrough invasive mold infections in the hematology patient: current concepts and future directions. Clin Infect Dis 67: 1621-1630, 2018
4) Mori T, et al: Usefulness of the FilmArray Meningitis/Encephalitis Panel in diagnosis of central nervous system infection after allogeneic hematopoietic stem cell transplantation. Support Care Cancer 30: 5-8, 2022

5) Ogata M, et al: Clinical practice recommendations for the diagnosis and management of human herpesvirus-6B encephalitis after allogeneic hematopoietic stem cell transplantation: the Japan Society for Hematopoietic Cell Transplantation. Bone Marrow Transplant 55: 1004-1013, 2020
6) Rondón G, et al: Impact of fluid overload as new toxicity category on hematopoietic stem cell transplantation outcomes. Biol Blood Marrow Transplant 23: 2166-2171, 2017
7) Varma A, et al: Endothelial Activation and Stress Index (EASIX) at admission predicts fluid overload in recipients of allogeneic stem cell transplantation. Biol Blood Marrow Transplant 26: 1013-1020, 2020
8) Kawashima I, et al: Hypokalemia and potassium replacement therapy in allogeneic hematopoietic stem cell transplantation. Rinsho Ketsueki 64: 83-90, 2023
9) Jensen RR, et al: Amlodipine and calcineurin inhibitor-induced nephrotoxicity following allogeneic hematopoietic stem cell transplant. Clin Transplant 33: e13633, 2019
10) Tanaka T, et al: Eltrombopag for treatment of thrombocytopenia after allogeneic hematopoietic cell transplantation. Biol Blood Marrow Transplant 22: 919-924, 2016
11) Hirokawa M, et al: Efficacy and long-term outcome of treatment for pure red cell aplasia after allogeneic stem cell transplantation from major ABO-incompatible donors. Biol Blood Marrow Transplant 19: 1026-1032, 2013
12) Yamaguchi K, et al: Characterization of readmission after allogeneic hematopoietic cell transplantation. Bone Marrow Transplant 56: 1335-1340, 2021
13) Kakugawa Y, et al: Cautionary note on using rectosigmoid biopsies to diagnose graft-versus-host disease: necessity of ruling out cytomegalovirus colitis. Am J Gastroenterol 103: 2959-2960, 2008
14) Inoki K, et al: Capsule endoscopy after hematopoietic stem cell transplantation can predict transplant-related mortality. Digestion 101: 198-207 2020
15) Malard F, et al: Acute graft-versus-host disease. Nat Rev Dis Primers 9: 27, 2023
16) Zeiser R, et al: Ruxolitinib for glucocorticoid-refractory acute graft-versus-host disease. N Engl J Med 382: 1800-1810, 2020
17) Inoue Y, et al: Severe acute graft-versus-host disease increases the incidence of blood stream infection and mortality after allogeneic hematopoietic cell transplantation: Japanese transplant registry study. Bone Marrow Transplant 56: 2125-2136, 2021
18) Matsumura-Kimoto Y, et al: Association of cumulative steroid dose with risk of infection after treatment for severe acute graft-versus-host disease. Biol Blood Marrow Transplant 22: 1102-1107, 2016
19) Nakashima T, et al: Drug interaction between letermovir and voriconazole after allogeneic hematopoietic cell transplantation. Int J Hematol 113: 872-876, 2021
20) 日本造血・免疫細胞療法学会 HP：造血細胞移植ガイドライン ウイルス感染症の予防と治療—EB ウイルス関連リンパ増殖症，2018.
https://www.jstct.or.jp/uploads/files/guideline/01_03_02_ebv.pdf
21) Ogata M, et al: Effects of Prophylactic Foscarnet on Human Herpesvirus-6 Reactivation and Encephalitis in Cord Blood Transplant Recipients: A Prospective Multicenter Trial with an Historical Control Group. Biol Blood Marrow Transplant 24: 1264-1273, 2018
22) Fukuta T, et al: Nelarabine-induced myelopathy in patients undergoing allogeneic hematopoietic cell transplantation: a report of three cases. Int J Hematol 117: 933-940, 2023
23) Okinaka K, et al: Immunogenicity of three versus four doses of 13-valent pneumococcal conjugate vaccine followed by 23-valent pneumococcal polysaccharide vaccine in allogeneic haematopoietic stem cell transplantation recipients: a multicentre, randomized controlled trial. Clin Microbiol Infect 29: 482-489, 2023
24) Mori Y, et al: Risk factors for late cytomegalovirus infection after completing letermovir prophylaxis. Int J Hematol 116: 258-265, 2022

25) Tanaka Y, et al: Increased incidence of oral and gastrointestinal secondary cancer after allogeneic hematopoietic stem cell transplantation. Bone Marrow Transplant 52: 789-791, 2017
26) 日本造血・免疫細胞療法学会 HP：移植後長期フォローアップ外来運営を支援する“LTFU ツール全国版”.
https://www.jstct.or.jp/modules/facility/index.php?content_id=37

付録 略語一覧

略語	full term	日本語（商：商品名）
β_2MG	β_2-microglobulin	β_2ミクログロブリン
AA	aplastic anemia	再生不良性貧血
AAE	aberrant antigen expression	異常抗原発現
aaIPI	age-adjusted international prognostic index	年齢補正国際予後指標
ACR	aclarubicin	アクラルビシン（商アクラシノン）
ACS	abdominal compartment syndrome	腹部コンパートメント症候群
ACV	aciclovir	アシクロビル（商ゾビラックス）
ADEM	acute disseminated encephalomyelitis	急性散在性脳脊髄炎
ADL	activities of daily living	日常生活活動
ADR, ADM	adriamycin	アドリアマイシン（商アドリアシン）
ADV	adenovirus	アデノウイルス
AE	adverse event	有害事象
aGVHD	acute graft-versus-host disease	急性移植片対宿主病
AIDS	acquired immune deficiency syndrome	後天性免疫不全症候群
AITL	angioimmunoblastic T-cell lymphoma	血管免疫芽球性T細胞リンパ腫
AKI	acute kidney injury	急性腎障害
ALC	absolute lymphocyte count	リンパ球絶対数
ALCL	anaplastic large cell lymphoma	未分化大細胞リンパ腫
ALK	anaplastic lymphoma kinase	未分化リンパ腫キナーゼ
ALL	acute lymphoblastic leukemia	急性リンパ性白血病
allo-HSCT	allogeneic hematopoietic stem cell transplantation	同種造血幹細胞移植
allo-PBSCT	allogeneic peripheral blood stem cell transplantation	同種末梢血幹細胞移植
ALP	alkaline phosphatase	アルカリホスファターゼ
ALS	air-leak syndrome	空気漏出症候群
ALT	alanine aminotransferase	アラニンアミノトランスフェラーゼ

略語	full term	日本語（商：商品名）
AML	acute myeloid leukemia	急性骨髄性白血病
ANC	absolute neutrophil count	好中球絶対数
ANKL	aggressive NK cell leukemia/lymphoma	アグレッシブ NK 細胞白血病/リンパ腫
APL	acute promyelocytic leukemia	急性前骨髄球性白血病
APTT	activated partial thromboplastin time	活性化部分トロンボプラスチン時間
AraC, CA	cytarabine	シタラビン（商キロサイド）
ARDS	acute respiratory distress syndrome	急性呼吸促迫症候群
ASH	American Society of Hematology	米国血液学会
AST	aspartate aminotransferase	アスパラギン酸アミノトランスフェラーゼ
ASTCT	American Society for Transplantation and Cellular Therapy	米国移植細胞療法学会
AT Ⅲ	antithrombin Ⅲ	アンチトロンビンⅢ（商ノイアート）
ATG	anti-human thymocyte immunoglobulin	抗ヒト胸腺細胞ウサギ免疫グロブリン（商サイモグロブリン）
ATL	adult T-cell leukemia	成人 T 細胞白血病
ATLL	adult T-cell leukemia/lymphoma	成人 T 細胞白血病/リンパ腫
ATO	arsenic trioxide	亜ヒ酸（商トリセノックス）
ATRA	all-trans retinoic acid	全トランスレチノイン酸（商ベサノイド）
AUC	area under the curve	薬物血中濃度時間曲線下面積
auto-PBSCT	autologous peripheal blood stem cell transplantation	自家末梢血幹細胞移植
AVN	avascular necrosis	阻血性骨壊死
AYA	adolescent and young adult	思春期・若年成人
AZA	azacitidine	アザシチジン（商ビダーザ）
BAL(F)	bronchoalveolar lavage (fluid)	気管支肺胞洗浄（液）
BCMA	B-cell maturation antigen	B 細胞成熟抗原
BEE	basal energy expenditure	基礎エネルギー消費量
BKV	BK virus	BK ウイルス

略語	full term	日本語（商：商品名）
BMH	bone marrow harvest	骨髄採取
BMI	body mass index	肥満指数
BMT	bone marrow transplantation	骨髄移植
BMT-CTN	Blood and Marrow Transplant Clinical Trials Network	造血細胞移植臨床研究ネットワーク
BNP	brain natriuretic peptide	脳性ナトリウム利尿ペプチド
BO(S)	bronchiolitis obliterans (syndrome)	閉塞性細気管支炎（症候群）
BOOP	bronchiolitis obliterans organizing pneumonia	器質化肺炎
BP	blast phase	急性転化期
BSA	body surface area	体表面積
BSI	blood stream infection	血流感染
BTK	Bruton's tyrosine kinase	ブルトン型チロシンキナーゼ
BU	busulfan	ブスルファン（商ブスルフェクス）
BUN	blood urea nitrogen	血中尿素窒素
BV	brentuximab vedotin	ブレンツキシマブベドチン（商アドセトリス）
CA, AraC	cytarabine	シタラビン（商キロサイド）
CAR-T	chimeric antigen receptors T cell	キメラ抗原受容体T細胞
CBDCA	carboplatin	カルボプラチン（商パラプラチン）
CBT	cord blood transplantation	臍帯血移植
CCr	creatinine clearance	クレアチニンクリアランス
CCU	cardiac care unit	循環器疾患集中治療室
CD	*Clostridioides difficile*	クロストリジオイデス・ディフィシル
CD	cluster of differentiation	分化抗原群
CDDP	cisplatin	シスプラチン（商ランダ）
CFU-GM	colony-forming unit-granulocyte/macrophage	顆粒球・マクロファージコロニー形成細胞
cGVHD	chronic graft-versus-host disease	慢性移植片対宿主病
CIBMTR	Center for International Blood and Marrow Transplant Research	

略語	full term	日本語(商：商品名)
CIPS	calcineurin-inhibitor induced pain syndrome	カルシニューリン阻害薬誘発性疼痛症候群
CKD	chronic kidney disease	慢性腎臓病
CLL	chronic lymphocytic leukemia	慢性リンパ性白血病
CLS	capillary leak syndrome	毛細血管漏出症候群
CML	chronic myeloid leukemia	慢性骨髄性白血病
CMML	chronic myelomonocytic leukemia	慢性骨髄単球性白血病
CMR	complete metabolic response	(FDG-PET/CT による)代謝学的完全奏効
CMR	complete molecular remission	分子学的寛解
CMV	cytomegalovirus	サイトメガロウイルス
CNI	calcineurin inhibitor	カルシニューリン阻害薬
CNS	central nervous system	中枢神経系
CNS	coagulase-negative *Staphylococcus*	コアグラーゼ陰性ブドウ球菌
CO	cardiac output	心拍出量
COP	cryptogenic organizing pneumonia	器質化肺炎
CPE	carbapenemase-producing Enterobacterales	カルバペネマーゼ産生腸内細菌目細菌
CR	complete remission/response	完全寛解/奏効
CRBSI	catheter-related blood stream infection	カテーテル関連血流感染
CRE	carbapenem-resistant Enterobacterales	カルバペネム耐性腸内細菌目細菌
Cre	creatinine	クレアチニン
CRP	C-reactive protein	C 反応性蛋白
CRS	cytokine release syndrome	サイトカイン放出症候群
CSFG	caspofungin	カスポファンギン(商カンサイダス)
CSP	ciclosporin	シクロスポリン(商サンディミュン, 商ネオーラル)
CT	computed tomography	コンピュータ断層撮影
CTCAE	common terminology criteria for adverse events	有害事象共通用語規準
CTL	cytotoxic T lymphocyte	細胞傷害性 T リンパ球

略語	full term	日本語（商：商品名）
CTR	cardio-thoracic ratio	心胸郭比
CV	central venous	中心静脈
CVVH	continuous venovenous hemofiltration	持続的静静脈血液濾過
CXR	chest radiography	胸部 X 線写真
CY	cyclophosphamide	シクロホスファミド（商エンドキサン）
CYP	cytochrome P450	シトクローム P450
DAH	diffuse alveolar hemorrhage	びまん性肺胞出血
DAP	daptomycin	ダプトマイシン（商キュビシン）
DASA	dasatinib hydrate	ダサチニブ水和物（商スプリセル）
DEL	double-expressor lymphoma	ダブルエクスプレッサーリンパ腫
DEX	dexamethasone	デキサメタゾン（商デカドロン）
DFS	disease-free survival	無病生存
DHL	double-hit lymphoma	ダブルヒットリンパ腫
DIC	disseminated intravascular coagulation	播種性血管内凝固
DLBCL	diffuse large B-cell lymphoma	びまん性大細胞型 B 細胞リンパ腫
DL_{CO}	diffusion capacity of the lung for carbon monoxide	一酸化炭素肺拡散能
DLI	donor lymphocyte infusion	ドナーリンパ球輸注
DM	diabetes mellitus	糖尿病
DMSO	dimethyl sulfoxide	ジメチルスルホキシド
DNR	daunorubicin	ダウノルビシン（商ダウノマイシン）
DSA	donor-specific antibody	ドナー特異的抗体
DVT	deep vein thrombosis	深部静脈血栓症
EASIX	endothelial activation and stress index	
EBMT	European Society for Blood and Marrow Transplantation	欧州造血細胞移植学会
EBNA	Epstein-Barr virus nuclear antigen	EB ウイルス核内抗原
EBV	Epstein-Barr virus	EB ウイルス
ECG	electrocardiogram	心電図
ECMO	extracorporeal membrane oxygenation	体外式膜型人工肺

略語	full term	日本語(商：商品名)
ECOG	Eastern Cooperative Oncology Group	米国東海岸癌臨床試験グループ
ECP	extracorporeal photopheresis	体外紫外線照射
EFS	event-free survival	無イベント生存
ELISA	enzyme-linked immunosorbent assay	酵素免疫測定法
ELN	European LeukemiaNet	欧州白血病ネット
ENKTL	extranodal NK/T-cell lymphoma, nasal type	節外性 NK/T 細胞リンパ腫，鼻型
EOI	end of induction	寛解導入療法後
ES	engraftment syndrome	生着症候群
ESBL	extended-spectrum β-lactamase	基質特異性拡張型 β ラクタマーゼ
ESC	European Society of Cardiology	欧州心臓学会
ETP, VP-16	etoposide	エトポシド(商ラステット，商ベプシド)
FAB 分類	French-American-British 分類	FAB 分類
FCM	flowcytometry	フローサイトメトリー
FCN	foscarnet sodium hydrate	ホスカルネットナトリウム水和物(商ホスカビル)
FDG-PET	fluorodeoxyglucose positron emission tomography	フルオロデオキシグルコース陽電子放射断層撮影
FDP	fibrin/fibrinogen degradation products	フィブリン/フィブリノゲン分解産物
FENa	fractional excretion of sodium	尿中ナトリウム排泄率
FEV_1	forced expiratory ventilation in 1 second	1 秒量
FFP	fresh frozen plasma	新鮮凍結血漿
FISH	fluorescence *in situ* hybridization	蛍光 *in situ* ハイブリダイゼーション
FK506, TAC	tacrolimus	タクロリムス(商プログラフ)
FL	follicular lymphoma	濾胞性リンパ腫
FLAIR	fluid attenuated inversion recovery	液体抑制反転回復
FLCZ	fluconazole	フルコナゾール(商ジフルカン)
FLU	fludarabine	フルダラビン(商フルダラ)
FN	febrile neutropenia	発熱性好中球減少症

略語	full term	日本語（商：商品名）
FO	fluid overload	体液過剰，体液貯留
FVC	forced vital capacity	努力性肺活量
G-CSF	granulocyte-colony stimulating factor	顆粒球コロニー刺激因子（商グラン，商ノイトロジン）
GBS	Guillain-Barré syndrome	ギラン・バレー症候群
GCV	ganciclovir	ガンシクロビル（商デノシン）
GEM	gemcitabine	ゲムシタビン（商ジェムザール）
GFR	glomerular filtration rate	糸球体濾過量
GLS	global longitudinal strain	長軸方向グローバルストレイン
GO	gemtuzumab ozogamicin	ゲムツズマブオゾガマイシン（商マイロターグ）
GRFS	graft-versus-host disease-free, relapse-free survival	無 GVHD 無再発生存
GVHD	graft-versus-host disease	移植片対宿主病
GVL	graft-versus-leukemia	移植片対白血病
Hb	hemoglobin	ヘモグロビン
HBV	hepatitis B virus	B 型肝炎ウイルス
HC	hemorrhagic cystitis	出血性膀胱炎
HCG	human chorionic gonadotropin	ヒト絨毛性ゴナドトロピン
HCT-CI	hematopoietic cell transplantation-specific comorbidity index	
HCTC	hematopoietic cell transplant coordinator	造血細胞移植コーディネーター
HCV	hepatitis C virus	C 型肝炎ウイルス
HEPA	high efficiency particulate air (filter)	空調用高性能（フィルター）
HFNC	high flow nasal cannula oxygen	高流量鼻カニューレ酸素療法
HGBL	high-grade B-cell lymphoma	高悪性度 B 細胞リンパ腫
HHV-6	human herpesvirus 6	ヒトヘルペスウイルス 6
HIB	*Heamophilus influenzae* type B	B 型インフルエンザ菌
HIV	human immunodeficiency virus	ヒト免疫不全ウイルス
HL	Hodgkin lymphoma	Hodgkin リンパ腫
HLA	human leukocyte antigen	ヒト白血球抗原
HLH	hemophagocytic lymphohistiocytosis	血球貪食性リンパ組織球症

略語	full term	日本語(商：商品名)
HMA	hypomethylating agent	メチル化阻害薬
HPC	hematopoietic progenitor cell	造血前駆細胞
HPS	hemophagocytic syndrome	血球貪食症候群
HRCT	high resolution CT	高分解能 CT
HSCT	hematopoietic stem cell transplantation	造血幹細胞移植
HSTCL	hepatosplenic T-cell lymphoma	肝脾 T 細胞リンパ腫
HSV	herpes simplex virus	単純ヘルペスウイルス
Ht	hematocrit	ヘマトクリット
HTLV-Ⅰ	human T-cell leukemia virus type Ⅰ	ヒト T 細胞白血病ウイルスⅠ型
HUS	hemolytic uremic syndrome	溶血性尿毒症症候群
HVPG	hepatic venous pressure gradient	肝静脈圧較差
IA	invasive aspergillosis	侵襲性アスペルギルス症
IABP	intra-aortic balloon pumping	大動脈内バルーンパンピング
IAP	intra-abdominal pressure	腹腔内圧
IC	informed consent	インフォームドコンセント
ICANS	immune effector cell-associated neurotoxicity syndrome	免疫エフェクター細胞関連神経毒性症候群
ICU	intensive care unit	集中治療室
IDR, IDA	idarubicin	イダルビシン(商イダマイシン)
IFN	interferon	インターフェロン
IFRT	involved-field radiotherapy	病巣部照射
Ig	immunoglobulin	免疫グロブリン
IMA	imatinib	イマチニブ(商グリベック)
IMIDs	immunomodulatory drugs	免疫調整薬
iNHL	indolent non-Hodgkin lymphoma	低悪性度非ホジキンリンパ腫
InO	inotuzumab ozogamicin	イノツズマブオゾガマイシン(商ベスポンサ)
INR	international normalized ratio	(プロトロンビン時間における)国際標準化比
IP	inorganic phosphorus	無機リン

略語	full term	日本語（商：商品名）
IP	interstitial pneumonia	間質性肺炎
IPI	international prognostic index	国際予後指標
IPS	idiopathic pneumonia syndrome	特発性肺炎症候群
IPSS	international prognostic scoring system	国際予後スコアリングシステム
IRA	idiopathic portal hypertension-related refractory ascites	
irAE	immune-related Adverse Events	（主に免疫チェックポイント阻害薬投与による）免疫関連副作用
ISCZ	isavuconazole	イサブコナゾール（商クレセンバ）
IST	immunosuppressive therapy	免疫抑制療法
IV	intravenous	静注
IVC	inferior vena cava	下大静脈
IVIG	intravenous immunoglobulin	静注用免疫グロブリン
JALSG	Japan Adult Leukemia Study Group	日本成人白血病治療共同研究グループ
JCOG	Japan Clinical Oncology Group	日本臨床腫瘍研究グループ
JCV	JC virus	JC ウイルス
JMDP	Japan Marrow Donor Program	日本骨髄バンク
KIR	killer cell immunoglobulin-like receptor	キラー細胞免疫グロブリン様受容体
KPS	Karnofsky Performance Status	
L-AMB	liposomal amphotericin B	リポソーマルアムホテリシン B（商アンビゾーム）
L-PAM, MEL	melphalan	メルファラン（商アルケラン）
LBCL	large B-cell lymphoma	大細胞型 B 細胞リンパ腫
LBL	lymphoblastic lymphoma	リンパ芽球性リンパ腫
LDH	lactic acid dehydrogenase	乳酸脱水素酵素
LEN	lenalidomide	レナリドミド（商レブラミド）
LFS	leukemia-free survival	無白血病生存
LLN	lower limit of normal	（施設）基準値下限
LOH	loss of heterozygosity	ヘテロ接合性消失
LONIPC	late-onset non-infectious pulmonary complication	遅発性非感染性肺合併症
LTFU	long term follow-up	長期フォローアップ

略語	full term	日本語(商：商品名)
LVEF	left ventricle ejection fraction	左室駆出率
LVFX	levofloxacin	レボフロキサシン(商クラビット)
mAb	monoclonal antibody	単クローン抗体
MAC	myeloablative conditioning	骨髄破壊的前処置
MAGIC	The Mount Sinai Acute GVHD International Consortium	
MAS	macrophage activating syndrome	マクロファージ活性化症候群
MBP	myelin basic protein	ミエリン塩基性蛋白
MCFG	micafungin	ミカファンギン(商ファンガード)
MCL	mantle cell lymphoma	マントル細胞リンパ腫
MCNU	ranimustine	ラニムスチン(商サイメリン)
MDR	multidrug resistance	多剤耐性
MDS	myelodysplastic syndrome	骨髄異形成症候群
MEITL	monomorphic epitheliotropic intestinal T-cell lymphoma	単形性上皮向性腸管T細胞リンパ腫
MEL, L-PAM	melphalan	メルファラン(商アルケラン)
MESNA	mesna	メスナ(商ウロミテキサン)
MFI	mean fluorescence intensity	平均蛍光強度
MHC	major histocompatibility complex	主要組織適合遺伝子複合体
MIC	minimum inhibitory concentration	最小発育阻止濃度
MIT	mitoxantrone	ミトキサントロン(商ノバントロン)
MM	multiple myeloma	多発性骨髄腫
MMF	mycophenolate mofetil	ミコフェノール酸モフェチル(商セルセプト)
MOD	multiple organ dysfunction	多臓器障害
MOF	multiple organ failure	多臓器不全
MOG	mogamulizumab	モガムリズマブ(商ポテリジオ)
MPD	myeloproliferative disorder	骨髄増殖性疾患
MPO	myeloperoxidase	ミエロペルオキシダーゼ
mPSL	methylprednisolone	メチルプレドニゾロン(商ソル・メドロール)
MRD	minimal residual disease	微小残存病変
MRI	magnetic resonance imaging	磁気共鳴画像法

略語	full term	日本語(商:商品名)
MRSA	methicillin-resistant *Staphylococcus aureus*	メチシリン耐性黄色ブドウ球菌
MSC	mesenchymal stem cell	間葉系幹細胞
MTX	methotrexate	メトトレキサート(商メソトレキセート)
MUD	matched unrelated donor	HLA 適合非血縁ドナー
NAG	*N*-acetyl-β-D-glucosaminidase	*N*-アセチル-β-D グルコサミニダーゼ
NCCN	National Comprehensive Cancer Network	全米総合がん情報ネットワーク
NEWS	national early warning score	早期警告スコア
NGAL	neutrophil gelatinase-associated lipocalin	好中球ゼラチナーゼ結合性リポカリン
NGS	next generation sequencer	次世代シーケンシング
NHL	non-Hodgkin lymphoma	非ホジキンリンパ腫
NIH	National Institutes of Health	米国立衛生研究所
NK 細胞	natural killer cell	ナチュラルキラー細胞
NMDP	National Marrow Donor Program	全米骨髄バンク
NPPV	non-invasive positive pressure ventilation	非侵襲的陽圧換気
NRM	non-relapse mortality	非再発死亡
NSAIDs	non-steroidal anti-inflammatory drugs	非ステロイド性抗炎症薬
NST	nutrition support team	栄養サポートチーム
ORR	overall response rate	全奏効割合
OS	overall survival	全生存期間
P-ROM	photographic range of motion	写真関節可動域スコア
PA-IgG	platelet-associated IgG	血小板表面 IgG
PAI-1	plasminogen activator inhibitor type 1	プラスミノーゲンアクチベーターインヒビター1型
PBSCT	peripheral blood stem cell transplantation	末梢血幹細胞移植
PC	platelet concentrate	濃厚血小板
PCA	patient controlled analgesia	自己調節鎮痛法
PCNSL	primary central nervous system lymphoma	中枢神経系原発悪性リンパ腫

略語	full term	日本語（商：商品名）
PCP	pneumocystis pneumonia	ニューモシスチス肺炎
PCR	polymerase chain reaction	ポリメラーゼ連鎖反応
PCV	pneumococcal conjugate vaccine	結合型肺炎球菌ワクチン
PD	progressive disease	(原疾患)進行
PD-1	programmed death receptor-1	免疫チェックポイント受容体
PEEP	positive end expiratory pressure	呼気終末陽圧
PERDS	peri-engraftment respiratory distress syndrome	生着時呼吸窮迫症候群
PES	pre-engraftment syndrome	生着前症候群
PFS	progression-free survival	無増悪生存
PFT	pulmonary function test	呼吸機能検査・肺機能検査
Ph^{+}ALL	philadelphia chromosome-positive acute lymphoblastic leukemia	Ph 陽性急性リンパ性白血病
PICC	peripherally inserted central venous catheter	末梢挿入型中心静脈カテーテル
PIR	pre-engraftment immune reaction	生着前免疫反応
PIV-3	parainfluenza virus type 3	パラインフルエンザウイルス３型
Plt	platelet	血小板
PMBCL	primary mediastinal B-cell lymphoma	原発性縦隔大細胞型Ｂ細胞リンパ腫
PMF	primary myelofibrosis	原発性骨髄線維症
PML	progressive multifocal leukoencephalopathy	進行性多巣性白質脳症
PPFE	pleuroparenchymal fibroelastosis	
PPSV	pneumococcal polysaccharide vaccine	肺炎球菌ポリサッカライドワクチン
PR	partial remission/response	部分寛解/奏効
PRCA	pure red cell aplasia	赤芽球癆
PRES	posterior reversible encephalopathy syndrome	可逆性後頭葉白質脳症
PRP	platelet-rich plasma	多血小板血漿
PS	performance status	全身状態

略語	full term	日本語(商：商品名)
PSCZ	posaconazole	ポサコナゾール(商ノクサフィル)
PSL	prednisolone	プレドニゾロン(商プレドニン)
PT	prothrombin time	プロトロンビン時間
PTCL	peripheral T-cell lymphoma	末梢性T細胞リンパ腫
PTCL-NOS	peripheral T-cell lymphoma not otherwise specified	末梢性T細胞リンパ腫，分類不能型
PTCY	post-transplant cyclophosphamide	移植後シクロホスファミド
PTLD	post-transplant lymphoproliferative disorder	移植後リンパ増殖性疾患
PUVA	psoralen-ultraviolet A irradiation	ソラレン併用紫外線照射
QOL	quality of life	生活の質
R	rituximab	リツキシマブ(商リツキサン)
RA	refractory anemia	不応性貧血
RAEB	refractory anemia with excess blasts	芽球増加を伴う不応性貧血
RASS	Richmond agitation-sedation scale	鎮静スケール
RBC	red blood cell	赤血球
RCMD	refractory cytopenia with multilineage dysplasia	多血球系異形成を伴う不応性血球減少症
RCT	randomized controlled trial	ランダム化比較試験
Reti	reticulocyte	網状赤血球
RIC	reduced-intensity conditioning	強度減弱前処置
RNA	ribonucleic acid	リボ核酸
RRT	renal replacement therapy	腎代替療法
RSV	respiratory syncytial virus	RS ウイルス
RT-PCR	reverse transcription PCR	逆転写ポリメラーゼ連鎖反応法
RTA	renal tubular acidosis	尿細管性アシドーシス
rTM	recombinant thrombomodulin	遺伝子組換えトロンボモジュリン製剤(商リコモジュリン)
SAA	severe aplastic anemia	重症再生不良性貧血
SARS-CoV-2	severe acute respiratory syndrome coronavirus 2	新型コロナウイルス
SD	stable disease	(原疾患)不変

略語	full term	日本語(商：商品名)
SIADH	syndrome of inappropriate secretion of ADH	抗利尿ホルモン不適合分泌症候群
sIL-2R	soluble interleukin-2 receptor	可溶性インターロイキン2レセプター
SIMD	sepsis-induced myocardial dysfunction	敗血症性心筋症
SIRS	systemic inflammatory response syndrome	全身性炎症反応症候群
SOFA	sequential organ failure assessment	
SOS	sinusoidal obstruction syndrome	類洞閉塞症候群
SpO_2	saturation of percutaneous oxygen	動脈血酸素飽和度
SPPB	short physical performance battery	下肢機能評価バッテリー
ST	sulfamethoxazole, trimethoprim	スルファメトキサゾールおよびトリメトプリム(商バクタ)
SV	stroke volume	拍出量
SVV	stroke volume variation	一回拍出量変化
t-AML	therapy-related-AML	治療関連 AML
T-bil	total bilirubin	総ビリルビン
t-MDS	therapy-related-MDS	治療関連 MDS
TA-TMA	transplantation-associated thrombotic microangiopathy	移植関連血栓性微小血管症
TAC, FK506	tacrolimus	タクロリムス(商プログラフ)
TACO	transfusion-associated circulatory overload	輸血関連循環過負荷
TAZ/PIPC	tazobactam/piperacillin	タゾバクタム・ピペラシリン(商ゾシン)
TBI	total body irradiation	全身放射線照射
TBLB	transbronchial lung biopsy	経気管支肺生検
TCR	T cell receptor	T 細胞受容体
TDM	therapeutic drug monitoring	治療薬物血中濃度モニタリング
TEIC	teicoplanin	テイコプラニン
TKI	tyrosine kinase inhibitor	チロシンキナーゼ阻害薬
TLS	tumor lysis syndrome	腫瘍崩壊症候群

略語	full term	日本語（商：商品名）
TMA	thrombotic microangiopathy	血栓性微小血管症
TNC	total nucleated cell	有核細胞
TNF	tumor necrosis factor	腫瘍壊死因子
tPA	tissue plasminogen activator	組織プラスミノーゲン活性化因子
TPN	total parenteral nutrition	高カロリー輸液
TPO-RA	thrombopoietin receptor agonist	トロンボポエチン受容体作動薬
TRALI	transfusion-related acute lung injury	輸血関連急性肺障害
Treg	regulatory T-cell	制御性 T 細胞
TRM	transplant-related mortality	治療関連死亡
TT	thiotepa	チオテパ（商リサイオ）
TTP	thrombotic thrombocytopenic purpura	血栓性血小板減少性紫斑病
UCB	umbilical cord blood	臍帯血
UCG	ultrasound cardiography	心臓超音波検査
ULN	upper limit of normal	（施設）基準値上限
US	ultrasonography	超音波検査
UV	ultraviolet	紫外線
VC	vital capacity	肺活量
VCM	vancomycin	バンコマイシン
VCR	vincristine	ビンクリスチン（商オンコビン）
VEGF	vascular endothelial growth factor	血管内皮増殖因子
VGPR	very good partial response	最良部分奏効
VOD	veno-occlusive disease	肝中心静脈閉塞症
VP-16, ETP	etoposide	エトポシド（商ラステット，商ベプシド）
VRCZ	voriconazole	ボリコナゾール（商ブイフェンド）
VRE	vancomycin-resistant Enterococci	バンコマイシン耐性腸球菌
VVR	vasovagal reaction	血管迷走神経反応
VZV	varicella zoster virus	水痘・帯状疱疹ウイルス
WBC	white blood cell	白血球
WHO	World Health Organization	世界保健機関

略語	full term	日本語（商：商品名）
WPSS	WHO classification-based prognostic scoring system	WHO 分類に基づく予後スコアリングシステム

索引

欧文

数字・時計数字

ギリシャ文字

A

B

C

T

V・W

和文

あ

い

き

く

け

こ

す

せ

ふ

へ

ほ

ま

み

む

め

も

や

ゆ

よ・ら

り

る

れ・ろ